Argonautas do Pacífico Ocidental

Um relato do empreendimento e da aventura dos nativos nos arquipélagos da Nova Guiné melanésia

Bronislaw Malinowski

Prefácio a esta edição
Mariza Peirano

Apresentação e coordenação da tradução
Eunice Ribeiro Durham

Prefácio à primeira edição
***Sir* James George Frazer**

Tradução
Anton P. Carr
Ligia Cardieri

MARIZA PEIRANO

Prefácio a esta edição

Como a história da antropologia não é linear, mas espiralada, é frequente que autores e obras, em um momento bem sucedidos, sejam depois criticados, às vezes esquecidos, reabilitados; só alguns se tornam clássicos. Malinowski foi um deles.

Bronislaw Malinowski (1884–1942) foi o primeiro pesquisador a introduzir a pesquisa de campo prolongada como parte da investigação etnográfica com os então chamados "povos primitivos", sociedades pouco conhecidas no ocidente – em seu caso, os habitantes do arquipélago de Trobriand, na Melanésia. Por essa inovação e pela relevância e desdobramentos dos resultados que produziu, esta é sem dúvida a pesquisa de campo mais reverenciada da história da antropologia. Em *Argonautas do Pacífico Ocidental* encontramos muitos dos fundamentos da antropologia como disciplina até hoje. Seu ideal (ou utopia) de atingir "o ponto de vista nativo", ali enunciado pela primeira vez, trazia consigo a presunção revolucionária para a época de que sistemas nativos poderiam ser equivalentes aos ocidentais. Ao longo das décadas seguintes, *Argonautas* tornou-se leitura obrigatória para antropólogos e passou a influenciar também outras ciências humanas, como sociologia, linguística, psicologia e economia.

A ideia-chave de captar o ponto de vista nativo por meio da pesquisa de campo continua a definir a antropologia. Para Malinowski, o início da pesquisa era inevitavelmente repleto de "mistérios etnográficos", cujo desvendamento só poderia ocorrer por meio de investigação minuciosa, intimidade e diálogo no lento processo de identificar o ponto de vista nativo.

O grande "mistério", sobre o qual construiu o argumento do *Argonautas*, foi o evento que ele optou por manter em língua kiriwina: o *Kula*. Trata-se de um gigantesco e elaborado sistema ritual, em um conjunto de ilhas da Melanésia, em que se trocam colares e braceletes sem valor utilitário, desencadeado por parceiros definidos. A escolha por manter o termo nativo deveu-se ao lugar privilegiado que os trobriandeses concediam ao espetáculo do *Kula*, considerado superior ao comércio, à técnica da construção de canoas, às expedições marítimas para a troca – temas que também foram objeto de detalhada atenção por parte do autor. Longe de ser uma anomalia, um divertimento ou um capricho, o *Kula* era, segundo Malinowski, um novo tipo de fato etnográfico que poderia ter equivalentes em outros lugares.

Durante sua pesquisa de campo entre os trobriandeses, Malinowski reuniu um corpo de dados dificilmente replicado por outros antropólogos. No campo, aprendeu a falar a língua coloquial trobriandesa, vivendo por longos períodos em uma tenda na aldeia de Omarakana, o que lhe conferiu certa facilidade para tomar parte nos eventos locais. Ainda que inaudito para a época, isso não seria suficiente para lhe garantir uma reputação incomum. Publicado em 1922, *Argonautas do Pacífico Ocidental* foi a primeira de uma série de monografias que se seguiram até 1935, e que deu ao autor a relevância que tem hoje. No *Argonautas*, Malinowski estabeleceu os parâmetros da pesquisa etnográfica, que, por muito tempo, tornaram-se canônicos, fazendo dele "o Etnógrafo", e de seu texto, o modelo para uma experiência acadêmica exitosa.

O TEXTO

O estilo de apresentação do *Argonautas* segue a máxima do autor: o relato etnográfico deve levantar problemas e revelar fatos novos "de uma maneira precisa, mas não insípida". Assim, Malinowski conduz o leitor por um cenário cinematográfico, atraindo-o por meio de expressões como "Imagine-se o leitor..."; "Vamos imaginar que estamos navegando...", e construindo a monografia como uma viagem pelo longo circuito do *Kula*, que conheceu em parte pessoalmente, e em parte através de relatos. A convivência prolongada com os trobriandeses lhe permitiu reavaliar teorias em voga sobre os "povos primitivos", das quais discordava. Em pausas estratégicas no livro, Malinowski contrapôs a visão trobriandesa e as acadêmicas de então.

Em relação à economia, por exemplo, Malinowski mostra os equívocos das teorias sobre o "homem econômico primitivo", que o descreviam ora como indolente e independente, ora como racional e utilitário. Outra crença em voga era a de que os primitivos só eram capazes de formas rudimentares de comércio; que apenas a necessidade os impulsionava a fazer transações; e que entre eles predominavam modalidades de trabalho simples, não organizadas e não sistemáticas. Malinowski mostrou com seus dados que a vida entre os trobriandeses era regida por um sofisticado sistema de trocas, nem sempre utilitário, baseado no sentido de "dar e receber", princípio que mais tarde Marcel Mauss definiria como fundamento do social.

A magia, por sua vez, tema tradicionalmente caro aos antropólogos, estudado por Frazer e outros antes de Malinowski, foi entendida por ele "em conceitos trobriandeses", em relação tanto às atividades rotineiras quanto à mitologia. Em vez de desenvolver uma teoria sua sobre a magia, ele buscou a "teoria dos nativos de Kiriwina sobre a magia", chamada *megwa* entre os trobriandeses. Antecedendo atividades cujos resultados eram incertos, por meio de encantamentos e fórmulas verbais, ora pronunciados sobre os objetos, ora acompanhados por ritos de impregnação ou por ritos de transferência, o poder da magia residia na estreita relação com a mitologia, produzindo uma continuidade com a época dos ancestrais.

A contribuição de Malinowski para a linguística não foi menor; ele deu especial atenção à força das palavras. Sempre visando à fidelidade aos trobriandeses, o etnógrafo transcreve textos em língua kiriwina oferecendo traduções literais em inglês, acrescidas de comentários. O mérito do autor foi, mais uma vez, o de "seguir os nativos" e desfazer a ideia simplista de que a linguagem apenas duplica, em paralelo, a sequência de pensamentos. Por muito tempo criticado por sua visão pragmática da linguagem, seu modo de compreender a comunicação em seu contexto tornou-se, décadas depois, axiomático.

Provas da qualidade e abrangência do material trobriandês são as influências que Malinowski estimulou ao longo do século. Possivelmente, sem o impulso do *Argonautas*, não teria havido um "Ensaio sobre a dádiva", de Marcel Mauss, ou *A grande transformação* não seria igual se Karl Polanyi não tivesse enfatizado a reciprocidade do *Kula* para sugerir como o sistema econômico se relaciona à organização social. Roman Jakobson certamente captou e colocou em prática as percepções que Malinowski descreveu sobre o lugar da linguagem entre os trobriandeses; Stanley Tambiah e Michael Silverstein reconheceram sem hesitação como o etnógrafo abriu portas para que se esclarecesse a eficácia das palavras. Impossível também imaginar os conhecidos ensaios sobre textos bíblicos que Edmund Leach publicou nos anos 1960 sem a influência direta das monografias trobriandesas.

A TEORIA DO OUTRO

Mas a relevância maior desta obra, no entanto, deve-se ao fato de ter formulado, com uma espantosa ousadia, e muito à frente de sua época, tendo passado despercebida por muito tempo, que a antropologia se renova em diálogo com as "teorias etnográficas", isto é, as teorias dos nativos. Plenamente desenvolvida em *Argonautas*, e utilizada no livro *Coral Gardens and their Magic*, de 1935, essa formulação hibernou até recentemente entre os antropólogos. "Teorias etnográficas" indicam que, por possuírem consistência conceitual, nativos têm sua própria compreensão das áreas que distinguimos como linguagem, magia, economia. Uma "teoria etnográfica" é, portanto, a "teoria do outro". Que os antropólogos contemporâneos a Malinowski estivessem mal preparados para aceitar essas teorias fica registrado na utilização indevida de expressões como "a teoria da magia de Malinowski", ou "a teoria da linguagem de Malinowski", quando se trata de teorias *trobriandesas* da magia e da linguagem, que Malinowski captou entre os nativos e nos fez conhecer.

Professor brilhante e carismático, seus seminários na London School of Economics partiam de dados obtidos em primeira mão, apresentados por quem tinha a autoridade de uma convivência de anos entre "primitivos". Mas essa autoridade, à época, não bastava. Malinowski, em resposta às críticas que o acusavam de ser excessivamente empírico e diziam que sua abordagem etnográfica era "científica", passou a defender, em 1926, o que batizou de "funcionalismo". O funcionalismo pressupõe, diferente da prática anterior dos investigadores europeus de listar "maneiras e costumes" dos nativos, que a vida das pessoas forma um sistema. Por um lado, o funcionalismo representa um tributo ao aspecto não selvagem dos trobriandeses; por outro, sustenta a ideia de que diferentes instituições desempenham "funções" interdependentes dentro de um determinado modo de vida. (Para uma apreciação dos fundamentos da "escola funcionalista", ver a Apresentação de Eunice Ribeiro Durham, p. 17.)

DIÁRIO E CARTAS

Durante sua pesquisa de campo, Malinowski seguiu a própria recomendação de que o etnógrafo deveria escrever um diário íntimo. Ele havia lido *A interpretação dos sonhos* de Freud e decidiu, ele próprio, fazer sua autoanálise. Sua noiva na época, Elsie Masson, porém, considerou o diário subjetivo inverossímil: sem um interlocutor claro, era impossível impedir a afetação e evitar o exagero. Em 1967, 33 anos após a morte de Malinowski, a publicação de *Diário no sentido estrito do termo* causou um estrondo imediato no meio antropológico, que deu razão à ressalva feita pela noiva.

Ruía um ídolo? O arquetípico etnógrafo deveria ser imune às fraquezas humanas? Ou o diário simplesmente deixava claro que almejar a objetividade científica, sem levar em conta a subjetividade do etnógrafo e a concepção da etnografia como um gênero literário, não passava de fantasia?

A leitura do famoso diário pode desapontar muitos porque a maioria das anotações é telegráfica. Malinowski não escrevia regularmente e há grandes intervalos nos registros. Entradas típicas do diário contêm menções ao sono da noite anterior, às atividades do dia, à disposição física do pesquisador, a remédios, frustrações e irritações com nativos, viagens pelas ilhas, exercícios regulares de canoagem, dúvidas amorosas e há reiteradas e frequentes exortações ao trabalho. Muitas vezes, um dia inteiro se traduz em longas reflexões; outras, em apenas 2 linhas ou um parágrafo. A introdução de Raymond Firth à primeira edição do *Diário* foi cuidadosa, mas o embaraço foi explicitado poucos meses depois por Clifford Geertz no artigo "Under the mosquito net" (1967), publicado no *The New York Review of Books*, e depois contido por George Stocking Jr. no ano seguinte, em "Empathy and antipathy in the *Heart of Darkness*" (1968). Stocking Jr. buscou compreender em contexto a impaciência, a irritação, a hipocondria e sobretudo os devaneios sexuais e os termos depreciativos que tanto chocaram os leitores, observando que eram amiúde anotados nos momentos de frustração com o trabalho etnográfico.[1]

1 Cf. Clifford Geertz, Under the mosquito net, *New York Review of Books*, 14 set. 1967; e George Stocking Jr., Empathy and antipathy in *The Heart of Darkness*, *Journal of the History of the Behavioral Sciences*, v. 4, 1968, pp. 189–94. (O artigo de Stocking Jr. foi reproduzido, em 1974, em Regna Darnell (ed.). *Readings in the History of Anthropology*, Nova York, Harper and Row, pp. 281–87.)

REANÁLISES

A obra de Malinowski demonstra que rigor analítico e inconsistências etnográficas ou eventuais lapsos não são incompatíveis com a antropologia. Justamente por oferecer mais dados que aqueles meramente necessários para defender uma determinada interpretação, as monografias clássicas permitem novos olhares. As inúmeras reanálises do corpo etnográfico trobriandês que o sucederam não invalidam o material etnográfico; representam, sim, uma homenagem a Malinowski, revelando um trabalho de campo tão rico que permitiu que outros se debruçassem sobre seus dados e, sem distorcê-los ou negá-los, chegassem a interpretações que complementassem as originais. Entre os autores que analisaram os dados de Malinowski, estão nomes como Edmund Leach, Stanley Tambiah, J. P. S. Uberoi, Melford Spiro, Annette Weiner, Michael Young. É sabido que Leach manteve em Cambridge a prática de reunir grupos de alunos para reler as monografias trobriandesas, esperando deles – cientes dos efeitos dos anos 1920, do colonialismo e do racismo em sua experiência de campo – reanálises consistentes com os dados nelas oferecidos pelo autor.

Com Malinowski, teorias vigentes no mundo acadêmico foram questionadas por experiências de campo de *fora* do mundo ocidental. Abriu-se caminho para a antropologia assumir definitivamente a crítica ao senso comum, inclusive ao senso comum acadêmico. No último século, a etnografia passou por fases de crítica e de aprovação; hoje encontra-se estabilizada e reconhecida. No *Argonautas*, Malinowski faz uma breve comparação entre os colares e braceletes trobriandeses e as joias da coroa britânica, que, no contexto do livro, parece sugerir apenas uma estratégia para levar o leitor a perceber o significado dos objetos nativos. É minha convicção que essa singela equivalência indica a trilha simbólica que a antropologia construiu ao longo do tempo, ampliando seu domínio temático hoje ilimitado e indicando que etnografia não é simplesmente método, mas a própria teoria em ação na sua capacidade de questionamento. Cada etnografia amplia, interroga e modifica os conhecimentos até então vigentes, fazendo surgir novas e valiosas teorias etnográficas. Que os novos leitores do *Argonautas* aproveitem a inspiração.

EUNICE RIBEIRO DURHAM

Apresentação

Com a publicação, em 1922, de *Argonautas do Pacífico Ocidental*, Malinowski realizou uma adição substancial à etnografia da Melanésia, além de uma verdadeira revolução na literatura antropológica.[1]

O caráter inovador da obra de Malinowski, exemplificado nesta monografia e nos trabalhos que a sucederam, ultrapassou muito o círculo restrito dos especialistas em antropologia. Talvez apenas Lewis Henry Morgan (1818–1881), antes dele, e Claude Lévi-Strauss (1908–2009), depois, tenham logrado uma repercussão tão ampla de seus trabalhos, inclusive entre o público leigo.

No caso de Malinowski, como no dos outros dois, a popularidade da obra e seu significado inovador repousam na apresentação de uma nova visão do homem e na indicação de uma nova maneira de compreender o comportamento humano. Com os *Argonautas*, desfaz-se definitivamente a visão das sociedades tribais como fósseis vivos do passado, equivalentes humanos das peças de museu, aglomerados de crenças e costumes irracionais e desconexos. Os costumes e as crenças de um povo exótico adquirem plenitude de significado e o comportamento nativo aparece como ação coerente e integrada. A etnografia tem a capacidade de reconstruir e transmitir uma experiência de vida diversa da nossa, mas nem por isso menos rica nem menos humana.

Essa inovação não resulta simplesmente de uma intuição feliz, mas é, sem dúvida alguma, o produto de uma reflexão laboriosa, que arquitetou novas técnicas de investigação e novos métodos de interpretação, expostos de forma tão cândida na Introdução dos *Argonautas*. A singular mistura de objetividade científica e vivência pessoal, de humildade e jactância que transparece nessa Introdução revela muito da personalidade de Bronislaw Kasper Malinowski.

Professor brilhante, conferencista magnífico e polemista apaixonado, Malinowski tinha, ao mesmo tempo, a capacidade de simpatia

1
Este texto foi publicado como "Introdução" à primeira edição brasileira dos *Argonautas do Pacífico Ocidental*, no volume *Malinowski*, coleção Os Pensadores, Abril Cultural, 1976.

e a intolerância que coexistem tão frequentemente nas pessoas muito afetivas. Por isso, criou discípulos fervorosos e adversários ferrenhos. O próprio caráter polêmico, complexo e muitas vezes contraditório de sua obra provoca a admiração sincera e a crítica impiedosa que têm marcado todas as avaliações de sua contribuição científica. A extraordinária vivacidade e a penetração da análise etnográfica expõem problemas teóricos da maior relevância, que permanecem hoje tão atuais como no passado. Ao mesmo tempo, as tentativas de sistematização teórica – especialmente como aparecem nos poucos ensaios que publicou sobre o método funcionalista, dois dos quais póstumos – estão eivadas de contradições insolúveis e generalizações apressadas, que obscurecem o alcance e a importância das questões levantadas nos trabalhos etnográficos. Por isso, a apreciação do que existe de vivo e provocante na obra de Malinowski só pode ser feita com a leitura de uma de suas monografias, como *Argonautas do Pacífico Ocidental*.

AS NOVAS BASES DA ANTROPOLOGIA

Malinowski chegou à antropologia por caminhos transversos. Sua formação inicial foi no campo das ciências exatas, com doutoramento em física e matemática em 1908 pela Universidade de Cracóvia. Nessa época, tinha apenas 24 anos de idade, nascido nessa antiga cidade polonesa em 7 de abril de 1884.

De constituição franzina, teve que interromper sua carreira científica logo depois de formado por motivos de saúde. Impedido de trabalhar, leu, como distração, a famosa obra de *Sir* James Frazer, *The Golden Bough* [*O ramo de ouro*], que o atraiu definitivamente para a antropologia e que exerceu influência profunda em sua formação. Dirigiu-se então para Leipzig, onde, em breve permanência, iniciou-se em sua nova vocação sob a orientação de Karl Bücher e Wilhelm Wundt. Em 1910, já estava na Inglaterra, tendo sido admitido na London School of Economics como aluno de pós-graduação.

Em menos de três anos, Malinowski já era reconhecido como antropólogo promissor e de grandes qualidades intelectuais, tendo publicado três artigos e um livro. Em 1913, começou sua carreira docente ministrando, entre esse ano e o seguinte, dois cursos na London School of Economics, como Lecturer on Special Subjects. Nesse mesmo período travou relações com os maiores antropólogos da época, como Seligman, Haddon, Rivers, Frazer e Marett. Com Seligman, em particular, mantinha contato muito estreito, o mesmo acontecendo também com Westermarck, que prefaciou seu primeiro livro, *The Family Among the Australian Aborigines*.

O início da carreira de Malinowski coincidiu com um período de grande efervescência na antropologia, caracterizado pelo desenvolvimento de novas técnicas de pesquisa e pela crítica aos métodos de interpretação vigentes.

Até o fim do século XIX, a quase totalidade dos antropólogos jamais havia sequer visto um representante dos chamados povos primitivos sobre os quais escreviam. Seus trabalhos baseavam-se em material histórico e arqueológico sobre as civilizações clássicas e orientais e em informações sobre sociedades tribais contidas em relatos de viajantes, colonos, missionários e funcionários dos governos coloniais. Havia, é claro, algumas exceções, sobretudo na América: Morgan trabalhara com informantes iroqueses e Cushing vivera cinco anos entre os índios Zuni. Com Franz Boas (1858–1942), a tradição do trabalho de campo estabeleceu-se definitivamente nos Estados Unidos: já em 1883–1884, realizara uma pesquisa entre os esquimós e depois disso promoveu um trabalho de pesquisas de campo sistemáticas entre os indígenas da costa noroeste.

No fim do século XIX, começaram a multiplicar-se também na Europa os trabalhos de antropólogos ou estudiosos e missionários com formação antropológica, contendo observações feitas diretamente sobre populações tribais.

A publicação, em 1899, das extensas investigações desenvolvidas por Spencer e Gillen entre os aborígenes australianos demonstrou definitivamente as grandes potencialidades do trabalho de campo e a importância das informações obtidas por meio de observação direta para a resolução dos problemas teóricos colocados pela antropologia. Só essa obra inspirou pelo menos três grandes trabalhos, cada um dos quais constituía uma reflexão inovadora em seu próprio campo: *As formas elementares da vida religiosa*, de Durkheim (1858–1917), *Totem e tabu*, de Freud (1856–1939), e *The Family Among the Australian Aborigines*, o primeiro livro de Malinowski, todos publicados em 1913.

A publicação da obra de Spencer e Gillen coincidiu com a realização (em 1888 e 1889) da famosa Expedição Cambridge ao estreito de Torres (entre Austrália e Nova Guiné), organizada por Haddon e da qual participaram, entre outros, Seligman e Rivers (1864–1922). Tratava-se de uma equipe de renomados especialistas, realizando simultaneamente uma série de investigações científicas na mesma região.

Em 1901, Rivers trabalhou entre os Toda. Seligman, em 1904, empreendeu um *survey* monumental de toda a Nova Guiné Britânica e, nos anos seguintes, esteve, com sua mulher, entre os Vedda do Ceilão e as tribos do Sudão britânico.

Quando Malinowski chegou à Inglaterra, todos esses pioneiros já estavam formando a primeira geração de investigadores de campo e Radcliffe-Brown (1881–1955) havia acabado de concluir sua pesquisa entre os Andamaneses, realizada entre os anos de 1906 e 1908 (embora só publicada em 1922).

FUNDAMENTOS DA ESCOLA FUNCIONALISTA

O desenvolvimento do trabalho de campo sistemático produziu uma enorme quantidade de novos conhecimentos e colocou em xeque o modo tradicional de manipular os dados empíricos. A nova geração de antropólogos britânicos, cujos expoentes são justamente Radcliffe-Brown e Malinowski, promoveu a crítica radical dos postulados evolucionistas e difusionistas que dominavam a antropologia clássica, estabelecendo um novo método de investigação e interpretação que ficou conhecido como "escola funcionalista". O funcionalismo, na antropologia, desenvolve-se em três linhas um pouco distintas: a dos discípulos de Boas, nos Estados Unidos; a de Malinowski e a de Radcliffe-Brown, na Inglaterra.

Em qualquer uma de suas formas, o funcionalismo está estreitamente vinculado ao trabalho de campo. Isso não quer dizer, entretanto, que o funcionalismo se reduza a uma técnica de pesquisa. Mesmo em Malinowski, que é etnógrafo por excelência, a crítica à antropologia clássica e a formulação de novos problemas teóricos precedem seu trabalho de campo. Já no seu primeiro livro, *The Family Among the Australian Aborigines*, baseado exclusivamente em matéria bibliográfica, Malinowski aponta com muita exatidão a deficiência das categorias de análise e dos conceitos evolucionistas e difusionistas e propõe um novo método de ordenação e interpretação da evidência empírica.

Os primeiros trabalhos de Malinowski, assim como os de Radcliffe-Brown, revelam uma forte influência de Durkheim, que forneceu a ambos a formulação inicial dos conceitos de função e de integração funcional, com os quais essa nova geração de antropólogos procurou construir um método próprio e chegar a uma nova teoria antropológica.

A crítica fundamental que Malinowski e os demais funcionalistas dirigem à antropologia clássica refere-se à arbitrariedade das categorias utilizadas. A comparação entre sociedades diversas é feita por meio de um desmembramento inicial da realidade em itens culturais considerados elementos autônomos; com os fragmentos assim obtidos, os autores procedem a um rearranjo arbitrário, agrupando-os de acordo com categorias tomadas de sua própria cultura e fabricando, com isso, intuições, complexos culturais e estágios evolutivos que não encontram correspondência em nenhuma sociedade real.

A preocupação com a adequação das categorias à realidade estudada está estreitamente associada ao empenho em reconhecer e preservar a especificidade e a particularidade de cada cultura. Para os funcionalistas, os elementos culturais não podem ser manipulados e compostos arbitrariamente porque fazem parte de sistemas definidos, próprios de cada cultura, os quais cabe ao investigador descobrir. Essa noção se expressa no postulado da integração funcional, que assume importância fundamental em toda análise funcionalista. O conceito de função aparece como o instrumento que permite reconstruir, com base em dados aparentemente caóticos que se oferecem à observação de um pesquisador de outra cultura, os sistemas que ordenam e dão sentido aos costumes nos quais se cristaliza o comportamento humano.

São essas preocupações, já aparentes em *The Family Among the Australian Aborigines*, que orientaram Malinowski quando partiu para o trabalho de campo.

A oportunidade de realizar uma investigação de campo surgiu em 1914. Graças ao apoio e aos esforços de Seligman, Malinowski obteve duas bolsas, a Robert Mond Travelling Studentship, da Universidade de Londres, e a Constance Hutchinson Scholarship, da London School of Economics, que lhe permitem organizar uma expedição à Nova Guiné. A escolha da área prende-se, obviamente, à influência de Seligman, que já havia então publicado seu trabalho monumental sobre essa região.

Malinowski chegou a Porto Moresby depois de passar pela Austrália já em pleno início da Primeira Guerra Mundial, o que lhe causou dificuldades adicionais, visto ser então tecnicamente súdito austríaco e, portanto, cidadão inimigo. Na verdade, só voltou à Inglaterra depois de terminado o conflito; a longa duração de sua permanência em campo – que lhe permitiu realizar um trabalho de investigação tão intenso e minucioso – talvez se deva, pelo menos em parte, a essas dificuldades políticas.

De início, passou alguns meses – de setembro de 1914 a março de 1915 – entre os Mailu, habitantes da ilha de Tulon, sobre os quais publicou, no mesmo ano, uma pequena monografia.

Retornando à Austrália em 1915 e obtendo recursos adicionais por meio da infatigável boa vontade de Seligman, dirigiu-se mais uma vez para o campo, dessa vez para os arquipélagos que se estendem a nordeste do extremo oriental da Nova Guiné. Por encontrar dificuldades em seguir seus planos iniciais, que compreendiam a permanência em diversas ilhas, acabou fixando-se nas ilhas Trobriand, onde ficou de junho de 1915 a maio do ano seguinte. De volta à Austrália, dedicou-se durante um ano e meio à ordenação e à interpretação inicial do material coletado. Nessa época, recebeu, de Londres, o título de doutor em ciências, que lhe foi outorgado por seus dois trabalhos já publicados: o relativo aos aborígenes australianos e a monografia sobre os Mailu. Além disso, produziu e enviou para publicação o ensaio intitulado "Baloma: Spirits of the Dead in the Trobriand Islands", que apareceu no mesmo ano. Um artigo sobre a pesca nas ilhas trobriandesas, publicado na revista *Man*, em 1918, data também provavelmente dessa época. Em outubro de 1917, partiu para um novo período de trabalho de campo, voltando mais uma vez às Trobriand, onde permaneceu um ano inteiro, até outubro de 1918.

Planejado ou não, esse interregno entre duas extensas permanências em campo revelou-se extremamente frutífero para Malinowski. Sem uma elaboração preliminar do material, é impossível determinar suas insuficiências, procedimento que, embora nem sempre possível, constitui ainda hoje o ideal da prática da investigação etnográfica, tal como a prescreveu Malinowski a partir dessa época.

A grande inovação de Malinowski no trabalho de campo consistiu na prática do que hoje em dia é chamado observação participante. Os princípios fundamentais dessa prática e o desenvolvimento dessa experiência estão minuciosamente relatados na Introdução dos *Argonautas*.

As pesquisas de campo anteriores dependiam quase inteiramente de inquéritos realizados com uns poucos informantes bilíngues ou de questionários aplicados com o auxílio de tradutores. A observação direta do comportamento era breve e superficial, por ser realizada durante visitas de curta duração às aldeias indígenas. Mediante essas técnicas de investigação, é possível acumular grande número de informações e, inclusive, testar a veracidade dos informes com informantes diferentes. No entanto, é impossível captar, com esse trabalho, toda a riqueza de significados que permeia a vida social – e a cultura aparece, necessariamente, como o conjunto de itens independentes que figuram nos inquéritos. Além disso, a ordenação das questões apresentadas muitas vezes é feita em termos de categorias alheias ao universo cultural investigado, introduzindo, assim, pequenas ou grandes distorções no próprio material etnográfico.

Malinowski alterou essa prática de forma radical, passando a viver o tempo todo na aldeia, afastado do convívio de outros homens brancos e aprendendo a língua nativa, tarefa para a qual, aliás, era extremamente dotado. Desse modo, embora não dispensasse os informantes, substituiu-os em grande parte pela observação direta, que só é possível por meio da convivência diária, da capacidade de entender o que está sendo dito e de participar das conversas e dos acontecimentos da vida da aldeia.

É importante ressaltar que o fundamento dessa técnica reside num processo de "aculturação" do observador, que consiste em assimilar as categorias inconscientes que ordenam o universo cultural investigado. Com esse processo, que é análogo ao do aprendizado de uma língua estranha e, como este, também em parte inconsciente, o observador apreende uma "totalidade integrada" de significados que é anterior ao processo sistemático da coleta e ordenação das informações etnográficas. Isto é, a apreensão inconsciente da totalidade precede e permite o procedimento analítico consciente da investigação da realidade cultural.

Dessa maneira, a totalidade e a integração da cultura, que consistiam em pressupostos teóricos decorrentes da crítica à antropologia clássica, transformam-se agora numa realidade que é atingida intuitivamente pelo investigador por meio de sua vivência da situação de pesquisa.

Se a observação participante recoloca para Malinowski o problema da totalidade, ela obviamente não o resolve. A familiaridade com o nativo e a capacidade de participar de seu universo constituem condições prévias para a investigação, mas não eliminam o laborioso trabalho da coleta sistemática de dados nem a interpretação e a integração da evidência empírica que recriam a totalidade vivida pelo nativo e apreendida pela intuição do pesquisador. Essa tarefa devia ser resolvida na elaboração das monografias sobre os trobriandeses, tarefa à qual Malinowski se dedicou com o máximo empenho durante o resto da vida.

A ESTRUTURA DA INSTITUIÇÃO

Após sua extraordinária experiência de trabalho de campo, Malinowski voltou à Austrália, onde se casou com Elsie Masson, filha de um professor de química da Universidade de Melbourne. Sua saúde, sempre frágil, estava bastante abalada e, logo após seu regresso à Inglaterra, a ameaça de tuberculose forçou-o a retirar-se em Tenerife, nas ilhas Canárias, onde, em abril de 1921, terminou sua primeira monografia sobre os trobriandeses, à qual deu o nome romântico de *Argonautas do Pacífico Ocidental*. No ano seguinte, a obra foi publicada na Inglaterra, para onde Malinowski já havia voltado.

O trabalho difere bastante das monografias tradicionais. Não é uma descrição de toda a cultura trobriandesa. Também não é uma análise especializada de um dos aspectos nos quais os antropólogos normalmente decompõem a cultura: economia, parentesco e organização social, religião, ritual e mitologia, cultura material. Consiste, na verdade, em todos esses aspectos vistos da perspectiva de uma única instituição, o *Kula*. A escolha da análise institucional constitui, portanto, a solução encontrada por Malinowski para reconstituir, na descrição etnográfica, a integração e a coerência ou, em outras palavras, a totalidade integrada que a técnica da investigação lhe havia permitido captar no trabalho de campo.

Se, para Malinowski, a cultura constitui uma totalidade integrada, não é, entretanto, um todo indiferenciado, pois apresenta núcleos de ordenação e correlação, que são as instituições. As instituições se apresentam, portanto, como limites "naturais", isto é, estabelecidos pela própria cultura e que permitem evitar o perigo de transformar a análise funcionalista no estabelecimento infindável de correlações. O conceito de instituição permite que Malinowski resolva o problema da adequação entre as categorias da análise e a realidade empírica, estabelecendo um isolado teórico que corresponde às unidades observadas na própria realidade e que dela emergem.

Para Malinowski, a instituição é sempre uma unidade multidimensional. Conforme a formulação elaborada anos mais tarde em seu ensaio *A Scientific Theory of Culture* [*Uma teoria científica da cultura*], a instituição compreende uma constituição ou um código, que consiste no sistema de valores pelos quais os seres humanos se associam; isto é, corresponde à ideia da instituição tal como é concebida pelos membros da própria sociedade. Compreende também um grupo humano organizado, cujas atividades realizam a instituição. Essas atividades se processam de acordo com normas e regras que constituem mais um elemento dessa totalidade. Finalmente, compreende um equipamento material que o grupo manipula no desempenho de suas atividades. Esses diferentes elementos definem o que Malinowski chama estrutura da instituição.

O aspecto mais importante dessa conceituação consiste na preservação da multidimensionalidade do real, reproduzindo, em cada unidade de análise, as dimensões do processo cultural em sua totalidade. Com efeito, o processo cultural, isto é, a própria vida social, em qualquer uma de suas manifestações concretas, envolve sempre, para Malinowski, seres humanos em relações sociais definidas, pessoas que manipulam artefatos e se comunicam por meio da linguagem e de outras formas de simbolismo. O equipamento material, a organização social e o simbolismo constituem três dimensões intimamente vinculadas e a realidade jamais pode ser compreendida de modo integral se não se apreender a simultaneidade de todas as suas dimensões.

Na interpretação de Malinowski, a instituição não deve ser concebida como a simples soma dos aspectos de sua estrutura, mas verdadeiramente como sua síntese. A integração das diferentes dimensões da cultura é a referência constante de toda a investigação. Entretanto, é necessário não confundir a síntese construída pelo antropólogo com a ideia que dela fazem seus portadores. Note-se que Malinowski sempre insiste na diferença entre o código e as normas da instituição, de um lado, e, de outro, as atividades efetivamente desempenhadas pelos membros do grupo. É pela análise das atividades e de seus resultados que o investigador encontra instrumentos para superar a consciência restrita e deformada que os membros de uma sociedade têm de sua própria cultura.

Desse modo, verifica-se que os diferentes aspectos da instituição não têm todos a mesma relevância explicativa, pois é nas atividades, isto é, no comportamento humano real, que se encontra o elemento verdadeiramente sintético que fornece a chave para apreender a instituição na totalidade de seus aspectos.

A síntese que Malinowski se esforça por construir na descrição etnográfica não se reduz, pois, ao estabelecimento de interdependências entre sistemas analíticos diversos (legais, econômicos, técnicos, religiosos), tomados em sua independência. Para ele, esse tipo de síntese não pode ser atingido *a posteriori*, pela justaposição e pela correlação de aspectos descontínuos, mas deve estar presente em todos os momentos da investigação. Por isso, os temas que isola como focos de análise, isto é, as instituições, como o *Kula*, são escolhidos para preservar, na unidade de investigação, essas totalidades complexas que incluem a multiplicidade do real, e, ao contrário das monografias tradicionais, jamais se encontra em Malinowski uma análise de sistema econômico, político, religioso etc. em si mesmos.

A instituição aparece, pois, como uma projeção parcial da totalidade da cultura, e não como um de seus aspectos ou partes. A descrição sempre as desenvolve no sentido de mostrar, simultaneamente, como a instituição em apreço permeia toda a cultura e, inversamente, como toda a cultura está presente na instituição. Muitos autores já apontaram um aparente paradoxo: Malinowski, que tanto se preocupou com a noção da totalidade da cultura, jamais apresentou uma descrição integrada de todos os aspectos da cultura trobriandesa. É que o estudo do todo não se confunde com o estudo de tudo, e a totalidade só pode ser apreendida de forma concreta por meio de realizações parciais, projetada no comportamento dos homens.

VIAGENS, PESQUISAS, PUBLICAÇÕES

Após a publicação dos *Argonautas*, com a qual formulou as linhas gerais de seu método, iniciou-se um período muito fértil na carreira de Malinowski.

Tendo retornado a Londres em 1921, retomou a atividade didática anterior ao trabalho de campo, inicialmente mais uma vez como Occasional Lecturer na London School of Economics e, a partir de 1922, como Lecturer in Social Anthropology na mesma instituição. Em 1924, assumiu o cargo de Reader in Anthropology na Universidade de Londres, cargo que, entretanto, foi exercido na London School of Economics. Em 1927, foi indicado para a primeira cadeira de Antropologia, criada para ele naquela universidade.

Com sua reputação estabelecida nos meios científicos, Malinowski dedicou-se a defender sua nova visão da antropologia, atacando vigorosamente as colocações evolucionistas e principalmente difusionistas, generalizadas no mundo acadêmico britânico. Exemplo dessa polêmica é o trabalho "The Life of Culture", parte da publicação *Culture: The Diffusion Controversy*, em que figuram trabalhos de seus opositores, G. Elliot Smith, H. Spinden e A. Goldenweiser. A rigidez de muitas de suas formulações prende-se inegavelmente ao caráter polêmico de grande parte dos trabalhos que escreveu nessa época.

Malinowski viajou muito, tendo ministrado cursos e conferências em Genebra, Viena e Oslo, visitando muitas outras capitais e mantendo contatos pessoais com antropólogos de todo o mundo. Visitou os Estados Unidos em 1926, 1933 e 1936, quando recebeu o grau de Doutor Honorário pela Universidade de Harvard. Em 1934, percorreu também a África Meridional e Oriental, visitando então muitos de seus discípulos que estavam realizando trabalhos de campo, pois Malinowski foi responsável pelo primeiro programa de treinamento em pesquisa de campo do International African Institute. Certamente sua capacidade de falar diversas línguas e sua origem polonesa contribuíram muito para esse contato tão amplo com instituições e pesquisadores de diferentes países, quebrando o relativo isolamento que caracterizava a comunidade de antropólogos britânicos.

Sua vida pessoal, entretanto, continuava marcada pela doença. Sua primeira mulher, com quem teve três filhas, foi acometida de uma doença incurável que afetou a coluna vertebral e morreu em 1935, após dez longos anos de sofrimento.

Além de toda essa intensa atividade e de sua enorme dedicação às tarefas didáticas, Malinowski manteve, durante todo esse período, uma constante produção de artigos, ensaios e livros.

Após a publicação de *Argonautas*, o interesse de Malinowski – até então concentrado em grande parte em questões econômicas – voltou-se para outros temas. Até 1929, publicou, além de inúmeros trabalhos menores, alguns ensaios muito importantes e mais uma monografia sobre os trobriandeses.

Sobre religião, magia e mitologia, publicou, em 1925, o ensaio *Magic, Science and Religion* e, em 1926, *Myth in Primitive Psychology*. Em 1926, apareceu ainda o primeiro trabalho no qual formulou, de modo sistemático, embora resumido, sua visão própria do trabalho antropológico. Trata-se do verbete "antropologia", publicado na 13ª edição da *Encyclopaedia Britannica*. Data ainda desse mesmo ano *Crime and Custom in Savage Society*, no qual explora a noção de reciprocidade como princípio de ordenação social.

São, entretanto, os temas referentes ao sexo e à vida familiar que parecem constituir a preocupação central de Malinowski até o fim da década de 1920, exemplificada em inúmeros pequenos trabalhos, reunidos em parte no livro *Sex and Repression in Savage Society*, de 1927. Essa fase culmina, em 1929, com a publicação de sua segunda grande monografia sobre os trobriandeses, *A vida sexual dos selvagens*.

RELAÇÕES ENTRE SEXO E CULTURA

Os trabalhos referentes à vida sexual e à família certamente foram – e talvez ainda sejam – os mais populares de toda a obra de Malinowski. Do ponto de vista antropológico, assim como do público científico e leigo em geral, o fascínio desses trabalhos reside na capacidade de Malinowski retratar o funcionamento de uma sociedade matrilinear que constitui, pelo menos sob esse aspecto, praticamente o inverso da sociedade ocidental da época. Além disso, pode-se bem imaginar o sucesso de trabalhos em que figuram descrições bastante explícitas da vida sexual numa época ainda marcada por muitos resquícios de puritanismo vitoriano.

Do ponto de vista europeu, a primeira grande peculiaridade trobriandesa residia justamente na ampla liberdade sexual. Com efeito, entre eles, não só a castidade pré-nupcial era de todo desconhecida, como também a fidelidade conjugal não era observada com muito rigor. A segunda peculiaridade referia-se ao fato de que os trobriandeses, além de negarem a paternidade social, apresentando-se como sociedade estritamente matrilinear, ignoravam até mesmo a paternidade fisiológica, acreditando que a procriação das fêmeas (tanto humanas como animais) era independente das relações sexuais. A descrição de uma sociedade desse tipo não podia deixar de fascinar um público muito mais amplo que o círculo restrito dos antropólogos profissionais.

O problema básico que Malinowski se propunha não era analisar a estrutura do sistema de parentesco, tema tradicional da antropologia, mas estudar a dinâmica específica da ordenação das condutas considerando esse quadro institucional, isto é, como "funcionava", na verdade, uma sociedade matrilinear.

A ordenação dos dados, nesses trabalhos, não se faz tanto em termos da instituição da família, mas em termos de um aspecto universal do comportamento humano, presente em todas as culturas: o impulso sexual.

A análise da vida sexual é feita com base em uma dupla referência: os impulsos biológicos e sua regulamentação social. A importância desse tema, para Malinowski, está justamente no tipo de atividade, por excelência, na qual se integram, de modo mais explícito, impulsos naturais e imperativos sociais, apresentando-se, portanto, como ponto central da reflexão sobre a própria natureza da cultura. Essa integração, entretanto, só pode ser apreendida ao nível individual, e a referência básica ao impulso sexual implica uma abordagem que localiza no indivíduo (e não na sociedade) todos os processos significativos e todas as explicações formuladas. Aparecem, assim, nesse tema, com grande nitidez, o biologismo e o psicologismo, que estão latentes em quase toda a obra de Malinowski.

É necessário reconhecer que, apesar das deficiências desse tipo de abordagem, ela permite a Malinowski, como talvez em nenhum outro trabalho, fazer emergir, com extraordinária nitidez, a visão do nativo "em carne e osso". Focalizando quase exclusivamente as atitudes e a motivação do comportamento – isto é, o arranjo particular trobriandês de aspectos universais do comportamento humano –, torna-se aparente, por meio da peculiaridade do costume, a qualidade humana da conduta.

Malinowski demonstra que o comportamento do trobriandês não é nem irracional nem imoral, mas coerente e compreensível segundo as premissas da cultura trobriandesa. Para demonstrar isso, é necessário apreender as premissas, mas não analisá-las como sistema. Por isso mesmo, nesses trabalhos evidenciam-se claramente tanto a riqueza como as limitações desse tipo de abordagem. De um lado, ela nos aproxima da vida real, mas, de outro, abandona uma problemática de enorme relevância, muito mais presente nas duas outras monografias e que consiste na análise das forças sociais que explicam a emergência e a força das atitudes próprias das situações investigadas: a natureza das relações entre os grupos e a oposição entre segmentos sociais, estruturadas pelo parentesco.

Na verdade, a ausência de uma análise sistemática do parentesco frequentemente impede o esclarecimento de aspectos fundamentais da organização social, constituindo uma deficiência que tem sido apontada por todos os críticos de Malinowski.

O biologismo tantas vezes criticado em Malinowski está ligado diretamente com sua concepção de cultura, que é sempre relacionada à capacidade de satisfazer necessidades humanas. A instrumentalidade da cultura é que assegura, do ponto de vista de Malinowski, sua racionalidade inerente.

A relação entre as instituições e a satisfação das necessidades humanas aparece constantemente em suas tentativas de elaboração teórica e constitui um problema que ele jamais conseguiu resolver de modo satisfatório. Nas elaborações posteriores, em especial como aparece em *A Scientific Theory of Culture*, Malinowski postula toda uma gama de tipos de necessidade. A princípio, é preciso considerar as necessidades biológicas do organismo, denominadas *básicas* (nutrição, procriação, proteção etc.). Como o ser humano, entretanto, só pode satisfazer essas necessidades básicas por meio da cultura, surgem necessidades derivadas relacionadas à manutenção, reprodução e transmissão do próprio equipamento cultural. Estas, Malinowski subdivide em imperativos instrumentais (que inclui a organização econômica, legal e educacional da sociedade) e imperativos integrativos (como a magia, a religião, a ciência e as artes). A dificuldade fundamental que encontra é relacionar, de um lado, as necessidades derivadas às necessidades básicas e, de outro, as instituições às necessidades.

Caberia exatamente ao conceito de função superar essa última dificuldade. Com essa formulação, Malinowski define o conceito em termos da correspondência entre a instituição e as necessidades que ela satisfaz. É claro que tal definição distancia-se enormemente da aplicação efetiva do conceito à análise etnográfica.

Na verdade, a posição de Malinowski quanto a essa questão é bastante ambígua, pois elaborou diferentes conceitos de função, definindo-a, também, em oposição ao código ou à carta de uma instituição, como seu papel no esquema geral da cultura, tal como é posta pelo investigador. Verifica-se com facilidade que essa definição é diferente da anterior e muito mais próxima do método de interpretação usado no tratamento dos dados empíricos, no qual a análise da função permite a passagem da consciência dos agentes para as conexões gerais, constituídas pelo observador e que definem a natureza da instituição (como ocorre, por exemplo, na análise do *Kula*).

Questões teóricas e metodológicas permeiam toda a obra de Malinowski. Após 1930, apareceram mais alguns ensaios, verbetes e artigos nos quais procura explicitar e sintetizar sua posição teórica. Datam dessa época, por exemplo, o verbete "cultura" da *Encyclopaedia of Social Sciences* (1931), o verbete "antropologia" do *Book of the Year* (1938) da *Encyclopaedia Britannica* e as diferentes versões do artigo "Culture as Determinant of Behavior" (1936, 1937 e 1938). É também a partir dessa época que sua posição começou a ser criticada pelos antropólogos mais jovens, sobre os quais aumentava a influência do funcionalismo estrutural de Radcliffe-Brown.

PROPRIEDADE DA TERRA, TRABALHO, MITO E MAGIA

Entretanto, não se pode dizer que diminuiu o prestígio de Malinowski. Seus próprios alunos começavam a atingir a maturidade científica: muitos deles, já tendo terminado o trabalho de campo sob sua orientação, começaram a publicar obras originais. Malinowski prefaciou muitas dessas monografias: em 1932, escreveu a introdução do livro de Reo Fortune, *Sorcerers of Dobu*, e de Audrey

Richards, *Hunger and Work in a Savage Tribe*; em 1934, prefaciou o trabalho de Ian Hogbin, *Law and Order in Polynesia*; em 1936, o de Raymond Firth, *We, The Tikopia*; no ano seguinte, o de Ashley--Montagu, *Coming of Age in Samoa*; e, em 1938, foi lançado, com prefácio de Malinowski, o livro de Jomo Kenyatta, *Facing Mount Kenya*, a primeira monografia antropológica escrita por um membro da comunidade indígena.

Com tantos discípulos fazendo trabalhos de campo, aumentou também seu interesse pelos problemas da transformação cultural induzida pela dinâmica da situação colonial, interesse que cresceu depois de sua visita à África. Em 1936, surgiu seu primeiro artigo sobre esse problema, "Native Education and Culture Contact". Data de 1938 um ensaio intitulado "Introductory Essay on the Anthropology of Changing African Cultures", incorporado mais tarde em *The Dynamics of Culture Change*. Além desses, há inúmeros trabalhos menores sobre o mesmo assunto, a respeito do qual passou a conduzir seminários regulares.

Apesar das dificuldades que encontrava em formular de modo satisfatório os princípios da abordagem funcionalista, o grande trabalho que publicou em 1935, a monografia *Coral Gardens and Their Magic*, indica um grande progresso em relação às anteriores, tanto no que diz respeito à formulação das questões teóricas como à integração do material empírico.

Retomando os problemas relativos à economia primitiva, voltou-se então para o estudo do trabalho agrícola e da propriedade da terra nas ilhas Trobriand. Apesar de incluir muito material já analisado em trabalhos anteriores – especialmente em *Argonautas* –, *Coral Gardens* é uma obra original, um esforço novo e produtivo para resolver os problemas relativos à integração da cultura. Nota-se também uma nova preocupação com as questões relativas à estrutura social; encontram-se ainda nesse trabalho não apenas uma apresentação muito mais clara da estrutura social trobriandesa, mas também, e pela primeira vez, um tratamento adequado, embora parcial, da estrutura do sistema de parentesco.

Nesse trabalho, Malinowski aborda, com inigualável maestria, a relação entre o trabalho, a magia, a mitologia e a propriedade da terra. Demonstra como as atividades relacionadas à produção, à distribuição e ao consumo do alimento – atividades que compreendem trabalho e magia, técnica e crença, uso e significado, ação e representação – simultaneamente expressam e produzem a própria sociedade.

Desaparece, nesse trabalho, o psicologismo que permeara as monografias anteriores. A relação entre o social e o individual não é mais direta e imediata, embora a análise realize constantemente a passagem de um nível a outro. Mas agora os aspectos psicológicos aparecem como síntese, ao nível do comportamento, dos aspectos culturais e sociais revelados pela análise etnográfica.

Nos capítulos finais, Malinowski aborda a questão da propriedade da terra, levantando, de modo extremamente rico e original, a questão básica da relação entre o processo produtivo e sua regulamentação jurídica, política e mitológica. Com *Coral Gardens*, encerrou-se o ciclo de suas grandes produções etnográficas.

PUBLICAÇÕES PÓSTUMAS: OS ENSAIOS E O DIÁRIO

Em 1938, Malinowski voltou à América para uma permanência mais prolongada. Com a saúde outra vez abalada, estabeleceu-se por algum tempo em Tucson, Arizona, onde o clima se mostrava benéfico para suas complicações pulmonares.

O início da guerra na Europa o levou a prolongar a permanência nos Estados Unidos, onde foi contratado como professor visitante pela Universidade de Yale em outubro de 1939. Permaneceu nessa universidade até 1942, com uma subvenção do Museu Bernice Pauahi Bishop, de Honolulu, e ali encontrou tempo e energia para iniciar novo trabalho de campo entre os Zapotec, no México. No início de 1942, foi nomeado professor permanente da Universidade de Yale, mas morreu em 16 de maio desse mesmo ano, em New Haven, antes de assumir esse novo posto.

Em seus últimos anos, reconstituiu sua vida familiar, tendo se casado com a artista Valetta Swann. A crise deflagrada pela ascensão do nazismo e o início da Segunda Guerra Mundial, entretanto, perturbaram-no profundamente. Via na emergência do totalitarismo uma ameaça à própria civilização, com a destruição de todos os valores nos quais acreditava.

Embora muitos anos antes tivesse se naturalizado cidadão britânico e não se identificasse politicamente com a Polônia, a invasão de seu país pelos alemães levou-o a solidarizar-se com o povo polonês. Ajudou a fundar, nos Estados Unidos, um instituto para auxiliar refugiados poloneses, o Polish Institute of Arts and Sciences, do qual foi presidente.

Nesse período final de sua vida, Malinowski não produziu nenhuma obra de grande relevância. Os trabalhos dessa época, em geral pequenos, estão quase todos voltados para as questões que o vinham preocupando desde o início da década de 1930, especialmente aquelas relativas à transformação das sociedades tribais e à fundamentação teórica do funcionalismo. Sobre essa última questão, publicou *The Group and the Individual in Functional Analysis*, em 1939.

Após sua morte, entretanto, a viúva, auxiliada por amigos e discípulos de Malinowski, empreendeu a publicação dos manuscritos que ele havia deixado. Em 1944, foi lançado *A Scientific Theory of Culture and Other Essays*, com prefácio de Huntington Cairns, que preparou o manuscrito para publicação.

Esse trabalho consistia numa tentativa de conciliar e integrar a abordagem baseada na análise das instituições com a concepção instrumental da cultura; nele, Malinowski elabora a teoria das necessidades básicas e dos imperativos culturais. Apesar de incompleto e contraditório, o livro teve grande aceitação e foi traduzido para inúmeros idiomas.

Em 1945, foi lançado *The Dynamics of Culture Change* – editado por Phyllis M. Kaberry e uma de suas obras mais discutíveis –, que incorpora trabalhos publicados anteriormente e as discussões que promovera durante os seminários que conduziu em Yale em 1941. Tal como é apresentada nesse trabalho, a análise da transformação cultural assume a forma extremamente rígida de relações entre instituições de três realidades ou culturas distintas: a do colonizador, a tribal e a nova cultura que emerge da interação entre as duas.

No conjunto, essas duas obras póstumas, apesar de sua ampla divulgação e aceitação, guardam um caráter de improvisação e estão cheias de generalizações apressadas e de contradições. Muitas das críticas dirigidas a Malinowski e à fragilidade de sua teoria da cultura baseiam-se exatamente nesses trabalhos, que se prestam facilmente à crítica e, com isso, obscurecem o alcance de sua contribuição à antropologia moderna e às ciências humanas em geral.

Muito discutível foi também a utilidade ou o interesse da publicação, em 1967, da tradução de seu diário íntimo – redigido em polonês durante o trabalho de campo nas ilhas Trobriand – e que Malinowski certamente jamais pretendeu publicar. De pouco valor científico ou literário, demonstra apenas sua constante preocupação com a saúde (aliás, não sem motivo) e as frequentes crises de angústia, mau humor e hostilidade para com os nativos que, inevitavelmente, fazem todo pesquisador de campo se sentir na situação de "observação participante" preconizada por Malinowski.

Na verdade, o significado e a profundidade da obra de Malinowski estão contidos, com toda a sua riqueza, nas monografias etnográficas.

REFERÊNCIAS BIBLIOGRÁFICAS

DURHAM, Eunice R. *A reconstituição da realidade: Um estudo sobre a obra etnográfica de Bronislaw Malinowski.* Tese de livre-docência apresentada ao Departamento de Ciências Sociais da FFLCH da USP. Edição mimeografada. São Paulo, 1973.

FIRTH, Raymond. *Man and Culture: An Evaluation of the Work of Bronislaw Malinowski.* London: Routledge & Kogan Paul, 1957.

______. "Obituary: Prof. E. Malinowski". *Nature*, London, vol. 149, p. 661, 1942.

GLUCKMAN, Max. "Malinowski's Sociological Theories". *The Rhodes--Livingstone Papers*, Oxford, n. 16, 1949.

HOEBEL, Edward A. "The Trobriand Islanders: Primitive Law as Seen by Bronislaw Malinowski", in *The Law of Primitive Man* (cap. 8). Cambridge, Mass., 1954.

KLUCKHOHN, Clyde. "Bronislaw Malinowski: 1884–1942". *Journal of American Folklore*, vol. 56, 1943.

LABOURET, Henri. *L'Échange et le commerce dans les Archipels du Pacifique et en Afrique Tropicale.* Tomo III de *L'Histoire du commerce*, J. Lacour-Gayet. Paris, 1953.

MURDOCK, George P. "Malinowski, Bronislaw". *American Anthropologist*, vol. XIV, Menasha, Wis., 1943.

PANOFF, Michel. *Bronislaw Malinowski.* Paris: Payot, 1972.

RICHARDS, Audrey. "Bronislaw Kaspar Malinowski", *Man*, n. 1, London, 1943.

Ao mestre e amigo
Professor C. G. Seligman

Malinowski entre habitantes das ilhas Trobriand.
[Fotografia de Billy Hancock]

SIR JAMES G. FRAZER

Prefácio à primeira edição

Meu estimado amigo, o dr. Malinowski, solicitou-me que prefaciasse este seu livro; com prazer aquiesço a seu pedido, embora acredite que minhas palavras, quaisquer que sejam, nada terão a adicionar à valiosa pesquisa antropológica que neste volume ele nos oferece. Minhas observações, como tais, dirão respeito, de um lado, ao método por ele seguido e, de outro, ao assunto de seu livro.

Quanto ao método, o dr. Malinowski realizou seu trabalho em circunstâncias altamente favoráveis e de modo calculado para obter os melhores resultados possíveis. Ele estava bem munido – tanto em conhecimentos teóricos como em experiência prática – para a tarefa a que se propôs. De seus conhecimentos teóricos, ele já nos deu provas em seu tratado sobre a organização da família entre os aborígenes da Austrália, obra erudita e bem cuidada;[1] sua experiência prática evidencia-se não menos satisfatoriamente em seu relato sobre os nativos de Mailu, baseado em seus seis meses de convivência com eles na Nova Guiné.[2] A leste da Nova Guiné, nas ilhas Trobriand, às quais em seguida devotou sua atenção, o dr. Malinowski viveu, durante muitos meses a fio, como um nativo entre os nativos, observando-os diariamente no trabalho e nas diversões, conversando com eles na língua deles e obtendo todas as informações das fontes mais seguras: observações pessoais e declarações que os nativos fizeram a ele na própria língua, sem intervenção de intérpretes. Dessa maneira, ele pôde compilar uma multiplicidade de dados de alto valor científico, referentes à vida social, religiosa e econômica dos habitantes das ilhas Trobriand. Ele tenciona e espera, futuramente, publicar integralmente todos esses dados; nesse ínterim, oferece-nos com o presente volume um estudo preliminar sobre uma faceta interessante e muito peculiar da sociedade de Trobriand: o extraordinário sistema de trocas (econômico ou comercial apenas em parte) utilizado pelos ilhéus entre si e com os habitantes das ilhas circunvizinhas.

1 Bronislaw Malinowski, *The Family Among the Australian Aborigines: A Sociological Study*. London, University of London Press, 1913.

2 Bronislaw Malinowski, "The Natives of Mailu: Preliminary Results of the Robert Mond Research Work in British New Guinea", *Transactions of the Royal Society of South Australia*, vol. XXXIX, 1915.

Não precisamos refletir muito para nos convencermos de que as forças econômicas são de suma importância em todos os estágios do desenvolvimento humano, do mais humilde ao mais elevado. A espécie humana, afinal, é parte integrante do mundo animal e, como os outros animais, precisa de um alicerce material ao qual pode sobrepor uma vida superior – intelectual, moral e social; sem esse alicerce, essa superestrutura é impossível. O fundamento material, que consiste na necessidade de alimento e em certo grau de calor e proteção contra os elementos, forma a base econômica ou industrial e constitui condição necessária da vida humana. Se até agora os antropólogos indevidamente negligenciaram esse aspecto, acredito que foi por terem sido atraídos por aspectos mais elevados da natureza humana – e não porque ignoraram ou subestimaram de forma deliberada a importância e a necessidade de um aspecto mais básico. Como desculpa por essa negligência, podemos também lembrar que a antropologia é ainda uma ciência jovem e que a multiplicidade dos problemas a serem enfrentados pelos estudiosos não pode ser abordada simultaneamente, mas deve ser analisada por partes, de modo isolado. Seja como for, o dr. Malinowski acertou ao enfatizar a grande importância da economia primitiva, isolando para um estudo detalhado o extraordinário sistema de trocas utilizado pelos nativos das ilhas Trobriand.

Além disso, ele sensatamente recusou limitar-se a uma simples descrição do processo de trocas: dispôs-se, em vez disso, a penetrar nos motivos que o fundamentam, bem como nos sentimentos que provoca nos nativos. Parece-me que alguns estudiosos defendem o ponto de vista de que a sociologia deve se ater à descrição das ações, deixando para a psicologia o problema dos motivos e sentimentos. Sem dúvida, a análise das motivações e reações difere do estudo das ações e pertence, estritamente falando, ao âmbito da psicologia. Na prática, porém, o comportamento social nada significa para o observador, a não ser que conheça ou possa inferir pensamentos e emoções do agente. Assim, a simples descrição de atos, sem nenhuma referência ao estado mental do agente, não vai ao encontro dos propósitos da sociologia, cujo objetivo não é apenas registrar, mas, sim, entender o comportamento do ser humano na sociedade. Portanto, a sociologia não pode levar a cabo sua tarefa sem amparar-se, a cada passo, na psicologia.

O método do dr. Malinowski caracteriza-se pela preocupação em levar em conta a complexidade da natureza humana. Ele observa o ser humano em sua totalidade, ciente de que o homem é uma criatura dotada de paixões tanto quanto de razão, e não poupa esforços para descobrir a base racional e emocional do comportamento humano. O cientista, assim como o literato, tende a ver a humanidade somente em abstrato, selecionando para suas considerações apenas um aspecto dos muitos que caracterizam o ser humano em sua complexidade. Das grandes obras literárias, a de Molière pode ser usada como um exemplo típico dessa visão parcial. Todos os personagens de Molière são projetados num só plano: um deles é o avarento, outro, o hipócrita, outro, o pretensioso, e assim por diante, mas nenhum deles é humano. São todos bonecos, vestidos de modo que parecessem seres humanos. A semelhança, porém, é apenas superficial. Por dentro, são ocos e vazios, pois a fidelidade à natureza foi sacrificada ao efeito literário. Bem diferente é a apresentação da natureza humana na obra de outros grandes autores como Cervantes e Shakespeare, em que os personagens são sólidos, criados ao molde humano em quase toda a sua multiplicidade de aspectos. Sem dúvida, nas ciências não só é legítimo, mas necessário certo grau de abstração, pois elas nada mais são do que o conhecimento elevado à potência mais alta, e todo conhecimento implica um processo de abstração e generalização: até mesmo para reconhecermos uma pessoa a quem vemos diariamente, é imprescindível usarmos certas abstrações e generalizações que sobre ela fizemos, cumulativamente, no passado. Assim, a antropologia é forçada a abstrair certos aspectos da natureza humana, considerando-os à parte da realidade concreta; mais precisamente, ela se ramifica em várias outras ciências, cada uma analisando o complexo organismo humano sob um único aspecto – físico, intelectual, moral ou social. As conclusões gerais de cada uma dessas ciências compõem um quadro mais ou menos incompleto do ser humano como um todo incompleto, porque as facetas que o compõem correspondem a apenas algumas das muitas que o caracterizam.

A grande preocupação do dr. Malinowski neste estudo é a análise de fatos que, à primeira vista, poderíamos interpretar como uma atividade puramente econômica dos habitantes das ilhas Trobriand; todavia, com a grande abertura de perspectiva e acuidade que o caracterizam, ele se dá ao cuidado de nos demonstrar que essa curiosa circulação de riquezas entre os habitantes das ilhas Trobriand e os das demais ilhas, embora acompanhada por um comércio de tipo comum, não constitui, de maneira alguma, uma forma de transação estritamente comercial; ele nos mostra que essa modalidade de troca não se fundamenta em mero cálculo utilitário de lucros e perdas e que ela vem ao encontro de necessidades emocionais e estéticas de ordem mais elevada que o simples atendimento aos requisitos da natureza animal. Tudo isso leva o dr. Malinowski a fazer uma crítica ácida à concepção que se faz do Homem Econômico Primitivo como um tipo de fantasma que, segundo parece, ainda infesta os livros de ciências econômicas, chegando mesmo a estender sua influência nefasta à mente de alguns antropólogos. Vestindo os farrapos abandonados pelos senhores Jeremy Bentham e Gradgrind, esse fantasma horrendo aparentemente é movido apenas pela sede de lucro, o qual ele busca de forma implacável, seguindo princípios spencerianos, ao longo das linhas de menor resistência. Se os bons pesquisadores de fato acreditam que tal ficção angustiante possa encontrar paralelos na sociedade silvícola e não a veem como mera abstração útil, o relato do dr. Malinowski sobre o *Kula* deve contribuir para destruir em definitivo esse fantasma – pois o dr. Malinowski demonstra que a transação de objetos úteis, parte integrante do *Kula*, ocupa, na mente dos nativos, uma posição inteiramente subordinada à troca de certos objetos, que é feita sem quaisquer finalidades utilitárias. Combinando transações comerciais, organização social, mitos e rituais mágicos, o *Kula* – essa extraordinária instituição nativa que chega a abranger enorme extensão geográfica – parece não ter paralelos nos anais de antropologia. Mas seu descobridor, o dr. Malinowski, pode muito bem ter razão ao presumir que entre os povos selvagens e bárbaros existem outras instituições – se não idênticas, pelo menos semelhantes ao *Kula* – que outros pesquisadores eventualmente descobrirão.

Segundo o dr. Malinowski, a importância que a magia assume nessa instituição constitui uma das facetas mais interessantes e instrutivas do *Kula*. A julgar pela maneira com que a descreve, a realização dos rituais de magia e o uso de fórmulas mágicas são indispensáveis ao bom êxito do *Kula* em todas as suas fases, desde a derrubada das árvores, cujos troncos são escavados e transformados em canoas, até o momento em que, terminada a expedição com êxito, as canoas e sua preciosa carga iniciam a viagem de volta ao ponto inicial. A propósito, aprendemos também que os rituais de magia e os feitiços são igualmente indispensáveis à horticultura e ao sucesso na pesca – duas das atividades que constituem o principal meio de sustento dos nativos; o mago agrícola, a quem cabe a responsabilidade de promover, por meio de suas fórmulas, o crescimento das plantas, é por isso um dos elementos mais importantes da aldeia, figurando na hierarquia logo abaixo do chefe e do feiticeiro propriamente dito. Em suma, os nativos creem que a magia é absolutamente imprescindível a todo e qualquer ramo de suas atividades – que é tão imprescindível ao bom êxito de um trabalho como as operações técnicas envolvidas, por exemplo a impermeabilização, a pintura e o lançamento de uma canoa, o plantio de uma horta e a colocação de uma armadilha para peixes. "A fé no poder da magia", conta-nos o dr. Malinowski, "é uma das principais forças psicológicas que permitem a organização e a sistematização do esforço econômico nas ilhas Trobriand."

O valioso relato do dr. Malinowski sobre a magia como fator de grande importância para o bem-estar econômico e, de fato, para a própria sobrevivência da comunidade nativa, é suficiente para anular a hipótese errônea de que a magia, contrariamente à religião, é, por sua própria natureza, essencialmente maléfica e antissocial; e que é sempre usada pelo indivíduo para promover seus próprios interesses egoístas e prejudicar seus inimigos, sem levar em conta seus efeitos sobre o bem-estar comum. A magia pode ser usada com essa finalidade e, com efeito, é provável que o seja em todas as regiões do mundo; nas ilhas Trobriand, também se acredita que seja praticada com fins nefandos pelos feiticeiros, que provocam nos nativos temores profundos e preocupação constante. Mas a magia em si não é nem benéfica nem maléfica: é simplesmente um poder imaginário de controle sobre as forças da natureza, que pode ser exercido pelo mago para o bem ou para o mal, para beneficiar o indivíduo ou a comunidade ou para prejudicá-los. Sob esse ponto de vista, a magia está exatamente no mesmo plano das ciências, das quais vem a ser a "irmã bastarda"; também as ciências não são nem boas nem más em si, embora possam gerar o bem ou o mal, conforme a maneira como forem utilizadas. Seria absurdo, por exemplo, estigmatizar a farmacêutica como ciência antissocial porque o conhecimento das propriedades das drogas pode ser empregado tanto para curar como para destruir o ser humano. É igualmente absurdo negligenciar a aplicação benéfica da magia, atendo-se apenas a seu emprego maligno na caracterização das propriedades que a definem. As forças da natureza, sobre as quais a ciência exerce controle real e a magia exerce controle imaginário, não são influenciadas pela disposição moral nem pela boa ou má intenção do indivíduo que se utiliza de seus conhecimentos especiais para colocá-las em movimento. A ação das drogas no organismo humano é exatamente a mesma, quer sejam administradas por um médico, quer por um envenenador. A natureza e as ciências não são nem benéficas nem hostis à moral; são indiferentes a ela e estão igualmente prontas para atender às ordens do santo ou do pecador, desde que um deles lhes dê a ordem adequada. Se na artilharia as armas estão bem carregadas e apontam para o alvo certo, seu fogo será igualmente destrutivo: não importa que seus portadores sejam patriotas a lutar em defesa da pátria ou invasores a arriscar-se numa guerra de agressão injusta. Caracterizar a ciência ou a arte em função de sua aplicabilidade, ou de acordo com a intenção moral do cientista ou artista, é obviamente falacioso no que se refere à farmacêutica ou à artilharia; e o é igualmente (embora, para muitos, não tão óbvio) no que diz respeito à magia.

A grande influência da magia sobre a vida e o pensamento dos nativos das ilhas Trobriand é, no presente volume, talvez um dos aspectos que mais impressionam o leitor. O dr. Malinowski nos conta que:

> a magia, tentativa humana de controle direto das forças da natureza por meio de conhecimentos especiais, é fator fundamental que permeia a vida dos nativos das ilhas Trobriand [...].
>
> [é] parte integrante de todas as atividades industriais e comunitárias [...].
>
> [...] todos os dados até agora analisados revelam a extrema importância da magia no sistema do *Kula*. Se fosse necessário dedicar-se a qualquer outro aspecto da vida tribal desses nativos, constataríamos igualmente que os nativos recorrem à magia toda vez que enfrentam problemas de importância vital. Podemos dizer, sem corrermos o

> risco de exagerar, que a magia, segundo eles, governa os destinos do homem, que ela dá ao homem o poder de dominar as forças da natureza e que ela é a arma e o escudo com que o homem enfrenta todos os perigos que o rodeiam.

Assim, para os trobriandeses, a magia é uma força de suprema importância, tanto para o bem como para o mal; ela pode construir ou aniquilar a vida de um homem; pode sustentar e proteger o indivíduo e a comunidade ou pode prejudicá-los e destruí-los. Comparada a essa convicção universal e profundamente enraizada, a crença na existência de espíritos dos mortos poderia, à primeira vista, parecer de pouca influência na vida daqueles nativos. Ao contrário da atitude geral entre os selvagens, os trobriandeses não temem os espíritos. Acreditam, mesmo, que os espíritos voltam às aldeias uma vez por ano, a fim de participar do grande festejo anual; mas, "de maneira geral, os espíritos não têm muita influência sobre os seres humanos nem para o bem nem para o mal"; "nada existe da interação mútua, da colaboração íntima entre o homem e os espíritos que constitui a essência do culto religioso". Esse predomínio conspícuo da magia sobre a religião – ou, pelo menos, sobre o culto dos mortos – é uma característica marcante da cultura dos trobriandeses, que ocupam lugar relativamente alto na escala da selvageria. E esse fato nos fornece nova prova da extraordinária força e da tenacidade da influência que essa ilusão universal tem exercido, agora e sempre, sobre a mente humana.

Sem dúvida, aprenderemos muito sobre a relação entre magia e religião entre os nativos das ilhas Trobriand no relato completo das pesquisas do dr. Malinowski. Da observação paciente que devotou a uma única instituição e da riqueza de detalhes com que a ilustrou, podemos auferir a extensão e o valor da obra completa que está em preparação, a qual promete ser um dos trabalhos mais completos e científicos já produzidos sobre um povo selvagem.

Londres, The Temple, 7 de março de 1922.

Prólogo

A etnologia encontra-se em situação tristemente cômica, para não dizer trágica: no exato momento em que começa a pôr em ordem seus laboratórios, a forjar seus próprios instrumentos e a preparar-se para a tarefa indicada, o objeto de seus estudos desaparece rápida e irremediavelmente. Agora, numa época em que os métodos e objetivos da etnologia científica parecem ter se delineado, em que um pessoal adequadamente treinado para a pesquisa científica está começando a empreender viagem às regiões selvagens e a estudar seus habitantes, estes estão desaparecendo diante de nossos olhos.

A pesquisa sobre raças nativas, realizada por pessoas com formação acadêmica, tem nos fornecido provas irrefutáveis de que a investigação científica e metódica proporciona resultados melhores – e em maior número – que a dos melhores amadores. A maioria, embora não a totalidade, dos relatos científicos feitos atualmente tem revelado novos e inesperados aspectos da vida tribal: traçou, em linhas claras e precisas, um quadro de instituições sociais, que são muitas vezes surpreendentemente vastas e complexas; apresentou uma visão do nativo, tal como ele é, com suas crenças e práticas religiosas e mágicas; e nos permitiu penetrar em sua mente de maneira mais profunda do que nos era possível anteriormente. Desse material novo, que tem cunho genuinamente científico, os estudiosos de etnologia comparada já podem chegar a algumas conclusões valiosas sobre a origem dos costumes, das crenças e das instituições humanas, sobre a história das culturas, sua difusão e contato, sobre as leis do comportamento do homem em sociedade e sobre a mentalidade humana.

A esperança de obter uma nova visão da humanidade selvagem mediante o trabalho de cientistas especializados surge como uma miragem para desaparecer de novo quase no mesmo instante. Embora nos dias de hoje ainda se encontre um bom número de comunidades nativas disponíveis ao estudo científico, em uma ou duas gerações esses povos ou suas culturas terão praticamente desaparecido. É premente a necessidade de trabalho árduo e curto demais, o tempo. Além disso, é com tristeza que se verifica, até agora, uma falta de real interesse por parte do público nesse tipo de estudo. São poucos os pesquisadores, e o incentivo que recebem é escasso. Em vista disso, não sinto necessidade de justificar uma contribuição etnológica que é resultado de pesquisa de campo especializada.

Neste volume, relato apenas uma das facetas da vida selvática, descrevendo certos tipos de relações comerciais que se verificam entre os nativos da Nova Guiné. Esse relato foi selecionado de material etnográfico que cobre toda a cultura tribal de um distrito. Sem dúvida, para que um trabalho etnográfico seja válido, é imprescindível que cubra a totalidade de todos os aspectos social, cultural e psicológico da comunidade, pois esses aspectos são de tal forma interdependentes que um não pode ser estudado e entendido a não ser levando-se em consideração todos os demais. O leitor perceberá claramente que, embora o tema principal dessa pesquisa seja econômico – pois trata de empreendimentos e transações comerciais –, são feitas referências constantes à organização social, aos rituais mágicos, à mitologia e ao folclore – enfim, a todos os demais aspectos da vida tribal, além de nosso tema principal.

A região geográfica de que tratamos aqui limita-se à dos arquipélagos situados no extremo leste da Nova Guiné. Nela, um único distrito, o das ilhas Trobriand, constitui o objeto principal de nossa pesquisa. E foi estudado minuciosamente. Durante cerca de dois anos, e no decorrer de três expedições à Nova Guiné, vivi naquele arquipélago e, naturalmente, durante esse tempo, aprendi bem a língua nativa. Fiz meu trabalho completamente sozinho, morando nas aldeias a maior parte do tempo. Muitas vezes tinha diante de meus olhos a vida cotidiana dos nativos e, com isso, não me podiam passar despercebidas quaisquer ocorrências, mesmo acidentais: falecimentos, brigas, disputas, acontecimentos públicos e cerimoniais.

Na atual situação em que se acha a etnografia, quando ainda há muito por fazer no sentido de se estabelecerem as diretrizes e o escopo de nossas próximas pesquisas, é necessário que cada contribuição nova se justifique em diversos pontos. Deve revelar algum progresso metodológico; deve superar os limites das pesquisas anteriores, em amplitude, em profundidade ou em ambas; e, por fim, deve apresentar seus resultados de maneira precisa, mas não insípida. O especialista interessado em metodologia encontrará, na Introdução, nas seções 2 a 9 e no capítulo XVIII, uma exposição de meus pontos de vista e esforços nesse sentido. Ao leitor que se preocupa com os resultados da pesquisa mais do que com o processo pelo qual foram obtidos, apresento nos capítulos IV a XXI um relato das expedições *kula* e dos vários costumes e crenças que a ele se acham associados. O estudioso que se interessa não só pelas descrições, mas também pela pesquisa etnográfica que as fundamenta e pela definição precisa da instituição, encontrará a primeira nos capítulos I e II e a última no capítulo III.

Ao sr. Robert Mond desejo expressar meus maiores agradecimentos. Graças à sua generosa doação, pude levar a efeito, durante muitos anos, a pesquisa da qual esta monografia representa apenas uma parcela. Ao sr. Atlee Hunt, *companion* da Ordem de Saint Michael e Saint George, secretário do Departamento de Habitação e Territórios do governo australiano, quero expressar meu reconhecimento pelo auxílio financeiro que obtive por meio de seu departamento e, também, pela grande colaboração que ele me ofereceu tão prontamente. Nas ilhas Trobriand, fui imensamente auxiliado pelo sr. B. Hancock, negociante de pérolas, a quem sou grato não só pela assistência e serviços a mim prestados, mas também pelas grandes provas de amizade que dele recebi.

Pude aperfeiçoar muito de meus argumentos neste livro diante da crítica feita por um amigo meu, o sr. Paul Khuner, de Viena, especialista nos negócios práticos da indústria moderna e pensador altamente qualificado em assuntos econômicos. O professor L. T. Hobhouse leu com paciência o manuscrito, dando-me conselhos valiosos sobre diversos pontos.

Sir James Frazer, com seu prefácio, engrandece o valor deste livro muito além de seu mérito; não só é uma grande honra e de grande proveito tê-lo como autor do prefácio, mas também especial satisfação, pois minha paixão pela etnologia associa-se em sua origem à leitura de seu livro *O ramo de ouro*, na época em segunda edição.

Por último, desejo mencionar o nome não menos importante do professor C. G. Seligman, a quem dedico este livro. A ele devo a iniciativa de minha expedição; e a ele, mais do que posso expressar com palavras, sou especialmente grato pelo incentivo e aconselhamento científico que me deu tão generosamente no transcorrer de minhas pesquisas na Nova Guiné.

B. M.
El Boquin, Icod de Los Vinos, Tenerife, abril de 1921.

Agradecimentos

A pesquisa etnográfica, por sua própria natureza, exige que o pesquisador dependa da assistência e do auxílio de outros, o que ocorre com muito mais frequência na etnografia do que em outros ramos científicos. Desejo, portanto, expressar nestas páginas meu profundo agradecimento às muitas pessoas que me ajudaram. Financeiramente, como já consta no prefácio, minha maior dívida é para com o sr. Robert Mond, que possibilitou meu trabalho ao conceder-me a bolsa de viagens Robert Mond (Universidade de Londres), de 250 libras esterlinas anuais, que recebi por um período de cinco anos (1914, 1917–1920). Fui substancialmente auxiliado também pela doação de 250 libras obtidas pelos esforços do sr. Atlee Hunt, do Departamento de Habitação e Territórios da Austrália. Da London School of Economics recebi a bolsa de estudos Constance Hutchinson, de 100 libras anuais, pelo período de dois anos (1915–1916). O *Professor* Seligman, a quem muito devo nesta pesquisa e em tantos outros assuntos, além de ajudar-me a conseguir todas essas bolsas e doações, deu-me 100 libras de seu próprio bolso, destinadas aos gastos da expedição; presenteou-me, também, com uma máquina fotográfica, um fonógrafo, instrumentos antropométricos e vários aparelhos voltados à pesquisa etnográfica. A convite e sob os auspícios do governo australiano, estive na Austrália em 1914 com a Associação Britânica para o Desenvolvimento da Ciência.

Talvez seja de interesse a futuros pesquisadores de campo notar que minha pesquisa etnográfica se desenvolveu num período de seis anos (1914–1920); fiz três expedições diferentes à região onde desenvolvi meus trabalhos e – nos intervalos entre elas – analisei o material obtido e estudei a literatura etnográfica especializada de que dispunha na época. Para isso, foram-me necessárias pouco mais de 250 libras anuais. Pude custear com esse dinheiro não só despesas de viagem e pesquisa como passagens, soldo de criados nativos e pagamentos a intérpretes, mas também um bom número de espécimes etnográficos, parte dos quais foi doada ao Museu Melbourne sob o título de Coleção Robert Mond. Nada disso teria sido possível se eu não tivesse, também, recebido a ajuda de residentes da Nova Guiné. Meu amigo, o sr. B. Hancock, de Gusaweta, nas ilhas Trobriand, permitiu-me que usasse sua casa e sua loja como base para meus aparelhos e provisões; emprestou-me seu barco em diversas ocasiões e me proveu com um lar ao qual eu podia sempre voltar em caso de necessidade ou doença. Auxiliou-me no trabalho fotográfico, fornecendo-me, inclusive, um bom número de suas próprias chapas fotográficas, muitas das quais se encontram reproduzidas neste livro [7, p. 114] [48–52, pp. 480–491].

Outros negociantes de pérolas e comerciantes das ilhas Trobriand foram também bastante pacientes comigo – especialmente, o sr. e a sra. Raphael Brudo, de Paris; os srs. C. e G. Auerbach; e o finado sr. Mick George. Todos eles me ajudaram bastante em diversos aspectos de meu trabalho e ofereceram sua bondosa hospitalidade.

Durante meus estudos nos intervalos em Melbourne, recebi grande auxílio dos funcionários da excelente Biblioteca Pública de Victoria; a todos eles expresso minha gratidão por meio do bibliotecário, sr. E. La Touche Armstrong, meu amigo sr. E. Pitt, o sr. Cooke e outros.

Dois mapas e duas ilustrações foram extraídos do livro *The Melanesians of British New Guinea* e foram aqui reproduzidos por gentil concessão do *Professor* Seligman. Desejo, também, expressar meus agradecimentos ao capitão T. A. Joyce, editor da revista *Man*, que me permitiu usar fotos anteriormente publicadas nesse periódico.

O sr. William Swan Stallybrass, diretor sênior da editora Geo. Routledge & Sons Ltd., não poupou esforços no sentido de certificar-se de que todas as minhas indicações referentes a detalhes científicos fossem seguidas à risca na publicação deste livro. A ele, portanto, desejo também manifestar meu sincero agradecimento.

NOTA FONÉTICA

Os nomes e os vocábulos nativos empregados neste texto seguem regras simples de pronúncia, conforme recomendação da Sociedade Geográfica Real e do Instituto Antropológico Real. As vogais devem ser pronunciadas como em italiano e as consoantes, como em inglês. Essa grafia é bastante adequada para reproduzir razoavelmente bem os sons das línguas da Nova Guiné. O apóstrofo colocado entre duas vogais indica que elas devem ser pronunciadas separadamente, ou seja, não formam ditongo. O acento é quase sempre na penúltima sílaba e raramente na antepenúltima. Todas as sílabas devem ser enunciadas com clareza e precisão.

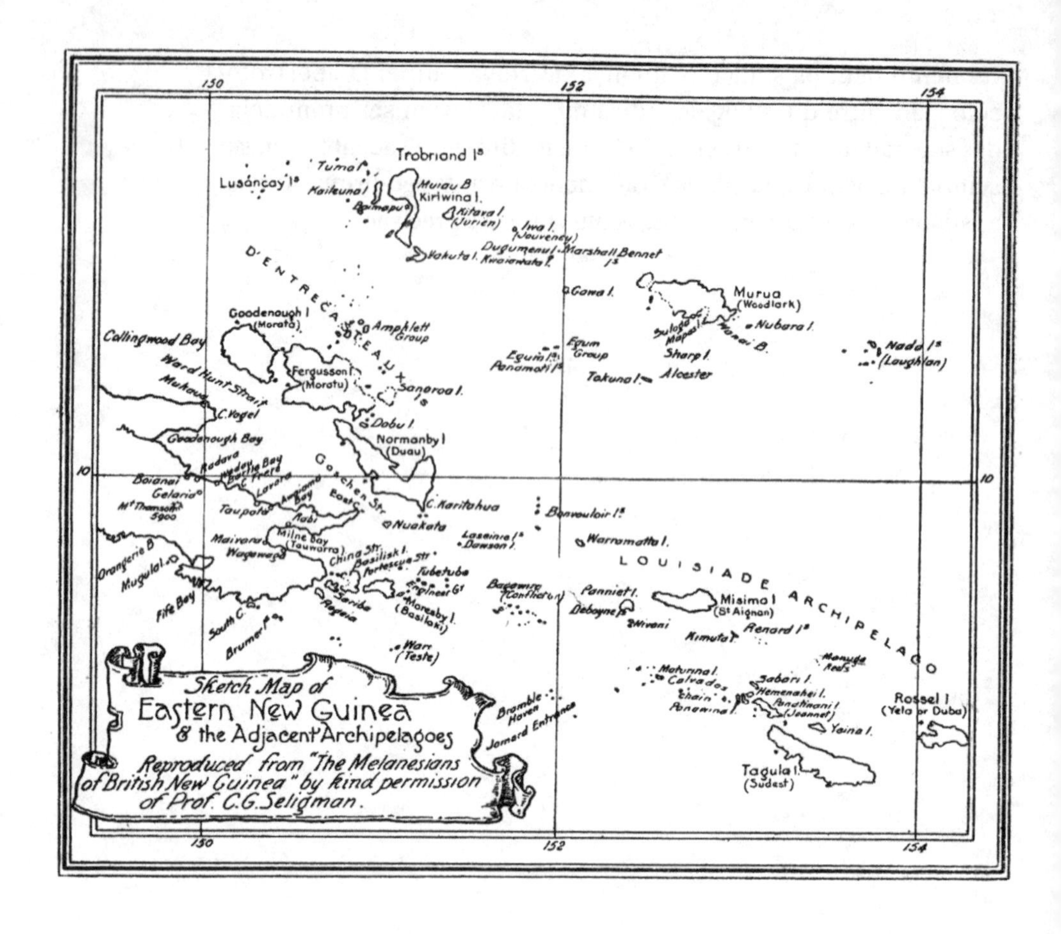

mapa 1 Os vocábulos nativos e sua grafia, tais como aparecem neste e nos demais mapas deste volume, seguem os princípios da nomenclatura cartográfica tradicional. Nos mapas 3, 4 e 5 figuram os vocábulos nativos, verificados por mim, em sua transcrição fonética.

INTRODUÇÃO

Tema, método e objetivo desta pesquisa

1

Com raras exceções, as populações costeiras das ilhas do sul do Pacífico são – ou foram, antes de sua extinção – constituídas de hábeis navegadores e comerciantes. Muitas delas produziram excelentes variedades de canoas grandes para navegação marítima, usadas em expedições comerciais a lugares distantes ou incursões de guerra e conquistas. Os papua-melanésios, habitantes da costa e das ilhas periféricas da Nova Guiné, não são exceção. Todos, de maneira geral, são navegadores destemidos, artesãos laboriosos e comerciantes perspicazes. Os centros de manufatura de artigos importantes – como artefatos de cerâmica, implementos de pedra, canoas, cestas finas e ornamentos de valor – encontram-se em localidades diversas, de acordo com a habilidade dos habitantes, a tradição herdada por cada tribo e as facilidades especiais existentes em cada distrito. Desses centros, os artigos manufaturados são transportados a diversos locais, por vezes a centenas de milhas de distância, a fim de serem comercializados.

Encontram-se, entre as várias tribos, formas bem definidas de comércio ao longo de rotas comerciais específicas. Entre os Motu de Porto Moresby e as tribos do golfo da Papua encontra-se uma das mais notáveis formas de comércio. Os Motu navegam centenas de milhas em suas toscas e pesadas canoas, chamadas *lakatoi*, munidas

das velas características em forma de "pinça de caranguejo". Trazem artefatos de cerâmica e ornamentos feitos de conchas e, em épocas anteriores, lâminas de pedra aos habitantes do golfo de Papua, obtendo em troca o sagu[1] e os pesados troncos escavados que, mais tarde, são usados pelos Motu na construção de suas canoas *lakatoi*.[2]

Mais para o leste, na costa sul, vivem os Mailu, população laboriosa e navegadora que, por meio de expedições feitas anualmente, servem de elo entre o extremo leste da Nova Guiné e as tribos da costa central.[3]

Há, por fim, os nativos das ilhas e dos arquipélagos, espalhados no extremo leste e que também se encontram em constantes relações comerciais uns com os outros. No livro do *Professor* Seligman, o leitor encontrará uma excelente descrição sobre o assunto, especialmente no que se refere às rotas comerciais mais próximas existentes entre as várias ilhas habitadas pelos Massim meridionais.[4] A par desse tipo de comércio, existe, entretanto, outro sistema, bastante extenso e altamente complexo, que abrange, em suas ramificações, não só as ilhas próximas ao extremo leste da Nova Guiné, mas também as Lusíadas, a ilha de Woodlark, as ilhas Trobriand e o grupo d'Entrecasteaux; penetra no interior da Nova Guiné e exerce influência indireta sobre vários distritos circunvizinhos, como a ilha Rossel e algumas porções dos litorais sul e norte de Nova Guiné. Esse sistema de comércio, o *Kula*, é o que me proponho a descrever neste volume. Como veremos mais adiante, trata-se de um fenômeno econômico de considerável importância teórica. Ele é fundamental na vida tribal e sua importância é plenamente reconhecida pelos nativos que vivem em seu círculo, cujas ideias, ambições, desejos e vaidade estão intimamente relacionadas ao *Kula*.

2

Antes de iniciarmos aqui o relato sobre o *Kula*, será interessante fazer uma descrição dos métodos utilizados na coleta do material etnográfico. Os resultados da pesquisa científica, em qualquer ramo do conhecimento humano, devem ser apresentados de maneira clara e absolutamente honesta. Ninguém sonharia em fazer uma contribuição às ciências físicas ou químicas sem apresentar um

1 O sagu é uma espécie de goma preparada com a polpa de determinados tipos de palmeira e usada na confecção de pudins, por exemplo. [N. T.]

2 Essas expedições, a que os Motu chamam de *hiri*, são narradas com precisão e admirável riqueza de detalhes pelo capitão F. R. Barton no livro *The Melanesians of British New Guinea*, de autoria do professor C. G. Seligman (capítulo VIII, Cambridge, 1910).

3 Ver Bronislaw Malinowski, "The Natives of Mailu", in *Transactions of the Royal Society of South Australia*, cap. IV, 1915, pp. 612–29.

4 Op. cit., capítulo XI.

relato detalhado de todos os arranjos experimentais, uma descrição exata dos aparelhos utilizados, a maneira pela qual se conduziram as observações, o número de observações, o tempo a elas devotado e, por fim, o grau de aproximação com que se realizou cada uma das medidas. Nas ciências menos exatas, como a biologia e a geologia, isso não se pode fazer com igual rigor: mas os estudiosos dessas ciências não medem esforços para fornecer ao leitor todos os dados e as condições em que se processou o experimento e se fizeram as observações. A etnografia, ciência em que o relato honesto de todos os dados é talvez ainda mais necessário que em outras ciências, infelizmente nem sempre contou no passado com um grau suficiente desse tipo de generosidade. Muitos de seus autores não utilizam de forma plena o recurso da sinceridade metodológica ao manipular os fatos e apresentam-nos ao leitor como que extraídos do nada.

É fácil citar muitas obras de grande reputação e cunho aparentemente científico, nas quais se fazem as mais amplas generalizações, sem que os autores nos revelem algo sobre as experiências concretas que os levaram às suas conclusões. Em obras desse tipo, não há nenhum capítulo ou parágrafo destinado ao relato das condições sob as quais foram feitas as observações e coletadas as informações. A meu ver, um trabalho etnográfico só terá valor científico irrefutável se nos permitir distinguir claramente, de um lado, os resultados da observação direta e das declarações e interpretações nativas e, de outro, as inferências do autor, baseadas em seu próprio bom senso e intuição psicológica.[5] O resumo que apresento mais adiante (seção 6 deste capítulo) ilustra a linha de pesquisa a ser observada. É necessária a apresentação desses dados para que os leitores possam avaliar com precisão, num passar de olhos, quão familiarizado está o autor com os fatos que descreve e sob que condições obteve as informações dos nativos.

Nas ciências históricas, como já foi dito, ninguém poderá ser visto com seriedade se fizer mistério de suas fontes e falar do passado como se o conhecesse por adivinhação. Na etnografia, o autor é, ao mesmo tempo, seu próprio cronista e historiador; suas fontes de informação são, sem dúvida, bastante acessíveis, mas também extremamente enganosas e complexas; não estão incorporadas a documentos materiais fixos, mas sim ao comportamento e à memória de seres humanos. Na etnografia, muitas vezes é imensa a dis-

5 No que diz respeito à metodologia, devemos à Cambridge School of Anthropology a introdução de critérios realmente científicos no tratamento do problema. Em especial nas obras de Haddon, Rivers e Seligman, há sempre perfeita distinção entre a observação dos fatos e das conclusões e nelas pudemos claramente perceber sob que condições e circunstâncias foram realizadas as pesquisas.

tância entre a apresentação dos resultados da pesquisa e o material bruto das informações coletadas pelo pesquisador por meio de suas próprias observações, das asserções dos nativos, do caleidoscópio da vida tribal. O etnógrafo tem que percorrer essa distância ao longo dos anos laboriosos que transcorrem desde o momento em que, pela primeira vez, pisa numa praia nativa e inicia as tentativas para comunicar-se com os habitantes da região até a fase final de seus estudos, quando redige a versão definitiva dos resultados obtidos. Uma breve apresentação acerca das tribulações de um etnógrafo – as mesmas por que passei – pode trazer mais luz à questão do que qualquer argumentação muito longa e abstrata.

3

Imagine-se o leitor sozinho, rodeado apenas de seu equipamento, numa praia tropical próxima a uma aldeia nativa, vendo a lancha ou o barco que o trouxe afastar-se no mar até desaparecer de vista. Tendo encontrado um lugar para morar no alojamento de algum homem branco – negociante ou missionário –, você nada tem para fazer a não ser iniciar seu trabalho etnográfico de imediato. Suponhamos, além disso, que você seja apenas um principiante, sem nenhuma experiência, sem roteiro e sem ninguém que possa auxiliá-lo – pois o homem branco está temporariamente ausente ou, então, não se dispõe a perder tempo com você. Trata-se da descrição exata de minha iniciação na pesquisa de campo, no litoral sul da Nova Guiné. Lembro-me bem das longas visitas que fiz às aldeias durante as primeiras semanas, do sentimento de desespero e desalento após inúmeras tentativas obstinadas, embora inúteis, para tentar estabelecer contato real com os nativos e deles conseguir material para a minha pesquisa. Passei por fases de grande desânimo, quando então me entregava à leitura de um romance qualquer, exatamente como um homem que, em crise de depressão e tédio tropical, entrega-se à bebida.

Imagine-se entrando pela primeira vez na aldeia, sozinho ou acompanhado de seu guia branco. Alguns dos nativos se reúnem ao seu redor – principalmente quando sentem cheiro de tabaco. Outros, os mais velhos e de maior dignidade, continuam sentados onde estão. Seu guia branco tem uma rotina própria para tratar os nativos; ele não compreende e nem se preocupa muito com a maneira como você, o etnógrafo, terá que se aproximar deles. A primeira visita o enche da esperança de que, ao voltar sozinho, as coisas serão mais fáceis. Era isso, pelo menos, que eu esperava.

Realmente, voltei como planejara. Logo reuniram-se os nativos ao meu redor. Trocamos alguns cumprimentos em inglês *pidgin*,[6] dei-lhes um pouco de tabaco – e assim criou-se entre nós uma atmosfera de mútua cordialidade. Tentei, então, dar início ao meu trabalho. Primeiro, comecei por "fazer tecnologia", a fim de não entrar diretamente em assuntos que pudessem levantar suspeitas entre os nativos. Alguns deles estavam absortos em suas ocupações, fabricando algum objeto. Foi fácil observá-los e deles obter o nome dos instrumentos que estavam usando e até mesmo algumas expressões técnicas relativas aos métodos de trabalho; mas o assunto ficou nisso apenas. Devemos ter em mente que o inglês *pidgin* é um instrumento muito imperfeito como veículo de comunicação. Até que se adquira prática em formular perguntas e entender respostas, tem-se a impressão desconfortável de que, com o inglês *pidgin*, jamais conseguiremos comunicar-nos livremente com os nativos. Assim, no início não me foi possível entrar em conversas mais explícitas ou detalhadas com os nativos. Eu sabia perfeitamente que a melhor solução para esse problema era coletar dados concretos e por isso passei a fazer um recenseamento da aldeia: anotei genealogias, esbocei alguns desenhos, fiz uma relação dos termos de parentesco. Isso tudo, porém, permanecia material "morto", que não podia me levar a entender a verdadeira mentalidade e o comportamento dos nativos, pois eu não conseguia obter deles nenhuma boa interpretação de quaisquer desses itens nem atingir o significado intrínseco da vida tribal. Quanto a obter suas ideias sobre religião e magia, suas crenças sobre feitiçaria e espíritos – nada disso parecia possível, exceto algumas noções sobre seu folclore, noções essas muito distorcidas pelo fato de serem expressas em inglês *pidgin*.

As informações que me foram dadas por alguns dos moradores brancos do distrito, apesar de válidas para meu trabalho, eram ainda mais decepcionantes. Os brancos, não obstante seus longos anos de contato com os nativos, e apesar da excelente oportunidade

6 Inglês modificado e simplificado, usado como língua franca em diversas regiões do Pacífico. [N. E.]

7

Devo dizer, entretanto, que houve exceções admiráveis: meus amigos Billy Hancock, nas ilhas Trobriand; o sr. Raphael Brudo, também negociante de pérolas; e o missionário sr. M. K. Gilmour.

de observá-los e comunicar-se com eles, quase nada sabiam sobre eles. Como poderia eu, então, no prazo de apenas alguns meses, ou até mesmo de um ano, esperar conseguir mais que o homem branco da região? Além disso, o modo como meus informantes brancos se referiam aos nativos e expressavam suas opiniões revelava, naturalmente, mentes não disciplinadas e, portanto, não acostumadas a formular seus pensamentos com precisão e coerência. E, como era de esperar, a maioria desses homens tinha preconceitos e opiniões já sedimentadas – o que é inevitável no homem comum, seja ele administrador, missionário ou negociante, mas repulsivo àqueles que buscam uma visão objetiva e científica da realidade. O hábito de tratar com uma frivolidade mesclada de autossatisfação tudo o que é realmente importante para o etnógrafo, o menosprezo pelo que constitui para o pesquisador um tesouro científico, isto é, a independência e as peculiaridades mentais e culturais dos nativos, tudo isso, tão comum nos livros de amadores, eu encontrei no tom da maioria dos residentes brancos.[7]

De fato, em minha primeira pesquisa etnográfica no litoral sul, foi somente quando me vi só no distrito que pude começar a realizar algum progresso em meus estudos e, de alguma forma, descobri onde estava o segredo da pesquisa de campo eficaz. Qual é, então, a magia do etnógrafo, com a qual ele consegue evocar o verdadeiro espírito dos nativos, numa visão autêntica da vida tribal? Como sempre, só se pode obter êxito com a aplicação sistemática e paciente de algumas regras de bom senso, assim como de princípios científicos bem conhecidos, e não pela descoberta de qualquer atalho maravilhoso que conduza ao resultado desejado, sem esforços e sem problemas. Os princípios metodológicos podem ser agrupados em três unidades: em primeiro lugar, é lógico, o pesquisador deve ter objetivos genuinamente científicos e conhecer os valores e critérios da etnografia moderna. Em segundo lugar, deve o pesquisador assegurar boas condições de trabalho, o que significa, basicamente, viver mesmo entre os nativos, sem depender de outros brancos. Por fim, deve aplicar certos métodos especiais de coleta, manipulação e registro da evidência. Algumas palavras são necessárias a respeito desses três fundamentos da pesquisa de campo. Comecemos pelo segundo, o mais elementar dos três.

[1] A tenda do etnógrafo na praia Nu'agasi. Ao lado da tenda, vê-se o tronco escavado de uma canoa e, à esquerda, uma canoa *masawa*, protegida por folhas de palmeira.

4

CONDIÇÕES ADEQUADAS À PESQUISA ETNOGRÁFICA

Como já dissemos, o pesquisador deve, antes de mais nada, procurar afastar-se da companhia de outros homens brancos, mantendo-se, assim, em contato o mais íntimo possível com os nativos. Isso só se pode conseguir de fato quando se acampa dentro das próprias aldeias [1]. É muito bom quando se pode manter uma base na residência de um homem branco, para guardar os suprimentos e saber que lá se podem obter proteção e refúgio em casos de doença ou no caso de estafa da vida nativa. Mas deve ser um local suficientemente longe para que não se transforme em lugar de residência permanente, do qual só se emerge em horas certas para "estudar a aldeia". Não deve sequer ser perto o suficiente para que se possa ir até ele, a qualquer momento, em busca de distração. Os nativos, é verdade, não são os companheiros naturais do homem civilizado; após convivermos com eles durante longas horas, observando-os no trabalho do plantio e ouvindo-os discorrer sobre itens de seu folclore ou discutindo seus costumes, é natural que sintamos falta da companhia de nossos iguais. Mas, se nos encontramos sós na aldeia – ou, em outras palavras, sem a companhia do homem branco –, podemos fazer um passeio solitário durante uma ou duas horas, voltar e, então, como acontece naturalmente, procurar a companhia dos próprios nativos, dessa vez como lenitivo à solidão, como se faria com qualquer outra. Por meio desse relacionamento natural, aprendemos a conhecê-los, familiarizamo-nos com seus costumes e crenças de modo muito melhor do que quando dependemos de informantes pagos e, como acontece com frequência, entediados.

É enorme a diferença entre relacionar-se esporadicamente com os nativos e estar de fato em contato com eles. Que significa estar em contato? Para o etnógrafo, significa que sua vida na aldeia, no começo uma estranha aventura ora desagradável, ora interessantíssima, logo assume um caráter natural em plena harmonia com o ambiente que o rodeia.

Pouco depois de me haver fixado em Omarakana (ilhas Trobriand), comecei, de certo modo, a tomar parte na vida da aldeia; a antecipar com prazer os acontecimentos importantes e festivos; a assumir um interesse pessoal nas maledicências e no desenvolvimento dos pequenos acontecimentos da aldeia; a acordar todas as manhãs para um dia em que minhas expectativas eram mais ou menos as mesmas que as dos nativos. Saía de meu mosquiteiro para encontrar ao meu redor os primeiros burburinhos da vida da aldeia ou os nativos já trabalhando fazia várias horas, de acordo com o tempo e a época do ano, pois eles se levantam e começam seu trabalho às vezes cedo, às vezes tarde, conforme sua urgência. Em meu passeio matinal pela aldeia, podia observar detalhes íntimos da vida familiar – os nativos fazendo sua toalete, cozinhando, comendo; podia observar os preparativos para os trabalhos do dia, as pessoas saindo para realizar suas tarefas; grupos de homens e mulheres ocupa-

[2] Rua de Kasana'i, em Kiriwina, nas ilhas Trobriand.
Cena cotidiana mostrando grupos de nativos em ocupações diárias.

dos em trabalhos de manufatura [2]. Brigas, brincadeiras, cenas de família, incidentes geralmente triviais, às vezes dramáticos, mas sempre significativos, formavam a atmosfera de minha vida diária tanto quanto a da deles. Com o passar do tempo, acostumados a ver--me constantemente, dia após dia, os nativos deixaram de demonstrar curiosidade ou alarme em relação à minha pessoa e não se sentiam mais tolhidos com minha presença – deixei de representar um elemento perturbador na vida tribal que devia estudar, alterando-a com minha aproximação, como sempre acontece com um estranho em qualquer comunidade selvagem. Sabendo que eu meteria o nariz em tudo, até mesmo nos assuntos em que um nativo bem--educado jamais ousaria intrometer-se, os nativos realmente acabaram por aceitar-me como parte da vida deles, como um mal necessário, como um aborrecimento mitigado por doações de tabaco.

Tudo o que se passava no decorrer do dia estava plenamente ao meu alcance e não podia, assim, escapar à minha observação. O alarme ante a aproximação do feiticeiro, à noite: uma ou duas brigas e questões de fato sérias, os casos de doença e as tentativas de cura, os falecimentos, os rituais de magia que deviam ser realizados – todas essas coisas ocorriam bem diante de meus olhos e, por assim dizer, à soleira de minha porta; eu não precisava sair à procura delas nem me preocupava com a possibilidade de perdê-las. Devo ressaltar que, se algo dramático ou importante ocorre, é imprescindível que o investiguemos na hora, no momento em que acontece, pois assim os nativos naturalmente não podiam deixar de comentar o ocorrido, estando excitados demais para ser reticentes e interessados demais para ter preguiça mental de relatar os detalhes do incidente. Muitas e muitas vezes também cometi erros de etiqueta que os nativos, já bem acostumados comigo, apontavam-me de imediato. Tive de aprender a comportar-me como eles e desenvolvi certa percepção para aquilo que eles consideravam "boas" ou "más" maneiras. Dessa forma, com a capacidade de aproveitar sua companhia e participar de alguns de seus jogos e divertimentos, fui começando a sentir que entrara mesmo em contato com os nativos. Isso constitui, sem dúvida alguma, um dos requisitos preliminares essenciais à realização e ao bom êxito da pesquisa de campo.

5

Não é suficiente, todavia, que o etnógrafo ponha suas redes no local certo e fique à espera de que a caça caia nelas. Ele precisa ser um caçador ativo e atento, atraindo a caça, seguindo-a cautelosamente até a toca de mais difícil acesso. Isso exige o emprego de métodos mais eficazes na procura de fatos etnográficos. No fim da seção 3, falamos da necessidade de o etnógrafo inspirar-se nos resultados mais recentes do estudo científico, em seus princípios e objetivos. Não vou discorrer extensivamente sobre o assunto – desejo apenas fazer uma observação e, com ela, evitar a possibilidade de equívocos. Conhecer bem a teoria científica e estar a par de suas últimas descobertas não significa estar sobrecarregado de ideias preconcebidas. Se alguém parte numa expedição decidido a provar certas hipóteses e é incapaz de mudar seus pontos de vista constantemente, abandonando-os sem hesitar ante a pressão da evidência, sem dúvida, seu trabalho é inútil. Mas, quanto maior for o número de problemas que leve consigo para o trabalho de campo, quanto mais habituado esteja a moldar suas teorias aos fatos e a decidir quão relevantes eles são às suas teorias, tanto mais estará bem equipado para seu trabalho de pesquisa. As ideias preconcebidas são perniciosas a qualquer estudo científico; a capacidade de levantar problemas, no entanto, constitui uma das maiores virtudes do cientista – esses problemas são revelados ao observador por meio de seus estudos teóricos.

Em etnologia, os primeiros trabalhos de Bastian, Tylor, Morgan e dos *Völkerpsychologen* alemães reformularam as informações antigas e toscas de viajantes, missionários etc., mostrando-nos quão importante é para a pesquisa a aplicação de concepções mais profundas e o abandono dos conceitos primitivos e inadequados.[8]

Os conceitos de "fetichismo" e "culto ao demônio", termos vazios de significado, foram suplantados pelo conceito de animismo. O entendimento e a utilização dos sistemas classificatórios de relações abriram novos caminhos às modernas e brilhantes pesquisas sobre a sociologia nativa, por meio dos trabalhos de pesquisa de campo realizados pelos cientistas de Cambridge. A análise psicológica introduzida pelos pensadores alemães tornou possíveis as valiosas informações conseguidas pelas recentes expedições alemãs à África, à América do Sul e ao Pacífico. Simultaneamente, o trabalho teórico de Frazer, Durkheim e outros já inspirou e por muito tempo continuará a inspirar os pesquisadores de campo, conduzindo-os a novas descobertas. O pesquisador de campo depende inteiramente da inspiração que lhe oferecem os estudos teóricos. É certamente possível que ele próprio seja também um pensador teórico; nesse caso, encontrará em si próprio todo o estímulo à sua pesquisa. Mas as duas funções são bem distintas uma da outra e, na pesquisa propriamente dita, devem ser separadas tanto cronologicamente como por condições de trabalho.

Como em geral acontece quando o interesse científico se volta para um campo explorado apenas pela curiosidade de amadores, a etnologia trouxe leis e ordem àquilo que parecia caótico e anômalo. Transformou o extraordinário, inexplicável e primitivo mundo dos "selvagens" numa série de comunidades bem organizadas, regidas

8 De acordo com a terminologia científica, uso aqui a palavra "etnografia" para descrever os resultados empíricos e descritivos da ciência do homem, e a palavra "etnologia" para referir-me às teorias especulativas e comparativas.

por leis, que agem e pensam de acordo com princípios coerentes. A palavra "selvagem", seja qual for sua acepção primitiva, conota liberdade ilimitada, algo irregular, mas extremamente, extraordinariamente original. A ideia geral que se faz é de que os nativos vivem no seio da natureza, fazendo mais ou menos aquilo que podem e querem, mas presos a crenças e apreensões irregulares e fantasmagóricas. A ciência moderna, porém, nos mostra que as sociedades nativas têm uma organização bem definida, são governadas por leis, autoridade e ordem em suas relações públicas e particulares e estão, além de tudo, sob o controle dos laços extremamente complexos de clãs e parentesco. De fato, podemos constatar nas sociedades nativas a existência de um entrelaçado de deveres, funções e privilégios intimamente associados a uma organização tribal, comunitária e

[3] Cena em Yourawotu (ilhas Trobriand). Um dos atos rituais que compõem o sagali. Em uma confusão aparente, existe um sistema bem definido de princípios econômicos e cerimoniais.

familiar bastante complexa [3]. Suas crenças e seus costumes são coerentes, e o conhecimento que os nativos têm do mundo exterior lhes é suficiente para guiá-los em suas diversas atividades e empreendimentos. Suas produções artísticas são prenhes de sentido e beleza.

Estamos hoje muito longe da afirmação feita há muitos anos por uma célebre autoridade que, ao responder a uma pergunta sobre as maneiras e os costumes dos nativos, afirmou: "Nenhum costume, maneiras horríveis". Bem diversa é a posição do etnógrafo moderno que, armado com seus quadros de termos de parentesco, gráficos genealógicos, mapas, planos e diagramas, prova a existência de uma vasta organização, demonstra a constituição da tribo, do clã e da família e apresenta-nos um nativo sujeito a um código de comportamento e de boas maneiras tão rigoroso que, em comparação, a vida nas cortes de Versalhes e do Escorial parece bastante informal.[9]

O objetivo fundamental da pesquisa etnográfica de campo é, portanto, estabelecer o contorno firme e claro da constituição tribal e delinear as leis e os padrões de todos os fenômenos culturais, isolando os de fatos irrelevantes. É necessário, em primeiro lugar, descobrir o esquema básico da vida tribal. Esse objetivo exige que se apresente, antes de mais nada, um levantamento geral de todos os fenômenos, e não um mero inventário das coisas singulares e sensacionais – e muito menos ainda daquilo que parece original e engraçado. Foi-se o tempo em que se aceitavam relatos nos quais o nativo aparecia como uma caricatura infantil do ser humano. Relatos desse tipo são falsos – e, como tal, a ciência os rejeita por completo. O etnógrafo de campo deve analisar com seriedade e moderação todos os fenômenos que caracterizam cada aspecto da cultura tribal sem privilegiar aqueles que lhe causam admiração ou estranheza em detrimento dos fatos comuns e rotineiros. Deve, ao mesmo tempo, perscrutar a cultura nativa *na totalidade de seus aspectos*. A lei, a ordem e a coerência que prevalecem em cada um desses aspectos são as mesmas que os unem e fazem deles um todo coerente.

O etnógrafo que se propõe a estudar apenas a religião, ou somente a tecnologia, ou ainda exclusivamente a organização social, estabelece um campo de pesquisa artificial e acaba por prejudicar seriamente seu trabalho.

9 O legendário "velho amor" que julgou os nativos bestiais e destituídos de costumes é ultrapassado em suas ideias por um autor moderno que, ao referir-se aos nativos da tribo dos Massim do sul, com os quais conviveu e trabalhou "em contato íntimo" durante muitos anos, afirma: "[...] Ensinamos a homens sem lei a obediência; aos brutos, o amor; aos selvagens, a civilização". Em seguida, afirma também: "Guiado, em sua conduta, apenas por tendências e instintos e governado por suas paixões irrefreadas [...]", "Sem leis, desumano e selvagem!". Uma deformação mais grosseira da realidade não poderia ter sido inventada por alguém que desejasse parodiar o ponto de vista missionário. As sentenças entre aspas foram transcritas da obra *Savage Life in New Guinea*, não datada, de autoria do reverendo C. W. Abel, da London Missionary Society.

6

Estabelecido esse princípio geral, passemos agora a considerações mais detalhadas sobre metodologia. Na pesquisa de campo, como acabamos de dizer, o etnógrafo tem o dever e a responsabilidade de estabelecer todas as leis e regularidades que regem a vida tribal, tudo que é permanente e fixo, apresentar a anatomia da cultura e descrever a constituição social. Mas esses elementos, apesar de cristalizados e permanentes, não se encontram *formulados* em lugar nenhum. Não há códigos de lei, escritos ou expressos explicitamente; toda a tradição tribal e sua estrutura social inteira estão incorporadas ao mais elusivo dos materiais: o próprio ser humano. Mas nem mesmo na mente ou na memória do nativo se podem encontrar essas leis definitivamente formuladas. Eles obedecem às ordens e à força do código tribal, mas não as entendem, do mesmo modo como obedecem a seus próprios instintos e impulsos, embora sejam incapazes de formular qualquer lei da psicologia. As regularidades existentes nas instituições nativas são resultado automático da ação recíproca das forças mentais da tradição e das condições materiais do meio ambiente. Da mesma forma que os membros mais humildes de qualquer instituição moderna – seja o Estado, a Igreja, o Exército etc. – *pertencem* a ela e *nela* se encontram, sem ter visão da ação integral do todo e, menos ainda, sem poder fornecer detalhes de sua organização, seria inútil interpelar o nativo em termos sociológicos abstratos. A única diferença, no caso, é que cada uma das instituições da sociedade civilizada tem, em seu meio, elementos inteligentes, historiadores, arquivos e documentos; no caso da sociedade nativa, nada disso existe. Depois que se constata essa dificuldade, é necessário que se procure um recurso mediante o qual superá-la. O recurso para o etnógrafo é coletar dados concretos sobre todos os fatos observados e por meio deles formular as inferências gerais. Esse princípio parece ser muito simples e evidente; mas a verdade é que não foi descoberto, ou pelo menos utilizado, na etnografia até o aparecimento das primeiras pesquisas de campo feitas pelos homens de ciência. Além disso, na prática, é muito difícil planejar a aplicação efetiva desse método e desenvolvê-lo de maneira sistemática e coerente.

Embora os nativos jamais nos possam fornecer regras gerais e abstratas, há sempre a possibilidade de os interpelarmos sobre a solução que dariam a determinados problemas. Assim, por exemplo, se quisermos saber seu modo de tratar ou punir os criminosos, uma pergunta direta do tipo "Como são tratados e punidos os criminosos?" é inútil – e, além de tudo, impraticável, pois não existem na linguagem nativa, ou mesmo no inglês *pidgin*, palavras adequadas para expressá-la. Mas um incidente imaginário – ou, melhor ainda, uma ocorrência real – estimula o nativo a expressar sua opinião e a fornecer muitas informações. Com efeito, um fato ocorrido incita os nativos a uma série de comentários, evocando neles expressões de indignação, fazendo com que se dividam em suas opiniões; e provavelmente em tudo isso não só encontraremos uma grande variedade de pontos de vista já formados e censuras morais bem definidas, mas também descobriremos o mecanismo social ativado pelo crime em questão. A partir daí, é fácil levá-los a falar sobre outros casos semelhantes, a lembrar-se de outros acontecimentos, a discuti-los em todos os seus aspectos e implicações. Desse material, que deve cobrir o maior número possível de fatos, a inferência é obtida por simples indução. O tratamento científico difere do senso comum, primeiro, pelo fato de que o cientista se empenha em continuar sua pesquisa sistemática e metodicamente até que ela esteja completa e contenha, assim, o maior número possível de detalhes: segundo, porque, dispondo de um cabedal científico, o investigador tem a capacidade de conduzir a pesquisa por meio de linhas de efetiva relevância e a objetivos realmente importantes. Com efeito, o treinamento científico tem por finalidade fornecer ao pesquisador um "esquema mental" que lhe sirva de apoio e permita estabelecer o roteiro a seguir em seus trabalhos.

Voltando ao nosso exemplo: ao discutir com os nativos uma série de fatos que realmente ocorreram, o etnógrafo tem a oportunidade de conhecer bem o mecanismo social ativado, por exemplo, no processo de punição de um crime. Isso constitui uma das partes ou aspectos da autoridade tribal. Imaginemos também que, por meio de métodos indutivos, análogos ao anterior e baseados em dados concretos e específicos, o pesquisador passe a entender diferentes aspectos da vida nativa, como a liderança na guerra, nos empreendimentos econômicos, nas festividades da tribo: nisso tudo ele terá os dados necessários para formular teorias relativas ao governo e à autoridade social tribal. Na prática, a comparação dos diversos dados assim obtidos, a tentativa de reuni-los num todo coerente, revela muitas vezes lacunas e falhas na informação que nos levam a novas investigações.

Com base em minha própria experiência, posso afirmar que muitas vezes, apenas ao fazer um esboço preliminar dos resultados de um problema aparentemente resolvido, fixado e esclarecido, é que eu deparava com enormes deficiências em meu estudo – deficiências essas que indicavam a existência de problemas até então desconhecidos e me forçavam a novas investigações. Com efeito, passei alguns meses, no intervalo entre minha primeira e segunda expedição – e bem mais de um ano entre a segunda e a terceira –, revendo o material todo que tinha em mãos e preparando, inclusive, algumas porções dele para publicação, mesmo ciente, a cada passo, de que teria de reescrevê-lo. Essa dupla atividade de trabalho construtivo e observação foi-me bastante valiosa, e sem ela não creio que teria conseguido progredir em minha pesquisa. Faço esse pequeno aparte com relação ao desenvolvimento de meus trabalhos apenas para mostrar ao leitor que tudo o que até agora venho afirmando está longe de ser um programa vazio – muito pelo contrário, é o resultado de experiências vividas. No presente volume, faço uma descrição do *Kula*, instituição nativa dotada de uma enorme variedade de aspectos e associada a um sem-número de atividades. Aos que refletirem um pouco sobre o assunto, ficará claro que as informações a respeito de um fenômeno tão complexo e de tantas ramificações como o *Kula* não poderiam ser completas e exatas não fosse pela constante inter-relação entre esforços construtivos e testes empíricos. Com efeito, fiz esboços da instituição do *Kula* pelo menos uma meia dúzia de vezes, não só durante minha pesquisa *in loco*, mas também nos intervalos entre uma e outra expedição. A cada nova tentativa, novos problemas e dificuldades apareciam.

A coleta de dados referentes a um grande número de fatos é, pois, uma das principais fases da pesquisa de campo. Nossa responsabilidade não se deve limitar à enumeração de alguns exemplos apenas; mas sim, obrigatoriamente, ao levantamento, na medida do possível exaustivo, de todos os fatos ao nosso alcance. Na busca desses fatos, terá mais êxito o pesquisador cujo "esquema mental" for mais lúcido e completo. Sempre que o material da pesquisa o permitir, esse "esquema mental" deve, todavia, transformar-se num "esquema real" – ou seja, materializar-se na forma de diagramas, planos de estudo e de pesquisa e quadros sinóticos completos. Já faz bastante tempo que esperamos encontrar, em todos os bons livros atuais sobre a vida nativa, uma lista completa ou um quadro de termos de parentesco que inclua todos os dados relevantes, e não apenas a seleção de algumas expressões de parentesco ou de relações genealógicas anômalas. Nas investigações sobre parentesco, o estudo consecutivo das relações de um indivíduo para outro, em casos concretos, leva naturalmente à construção de gráficos genealógicos. Esse método, posto em prática já pelos melhores escritores antigos – como Munzinger e, se não me falha a memória, Kubary – encontrou máximo desenvolvimento nos trabalhos do dr. Rivers. Também no caso das transações econômicas, em estudos feitos com o objetivo de traçar as origens de um objeto de valor e aferir a natureza de sua circulação, de igual forma devemos estudar, exaustivamente, todos os dados concretos – o que nos levaria à construção de quadros sinóticos das transações, tais quais os encontramos na obra de Seligman.[10] Foi seguindo o exemplo de Seligman nesse assunto que consegui decifrar alguns dos princípios mais difíceis e complicados do *Kula*. Esse método de condensar em mapas ou quadros sinóticos os dados de informação deve sempre, na medida do possível, ser aplicado ao estudo de praticamente todos os aspectos da vida nativa. Todos os tipos de transações econômicas podem ser estudados analisando-se dados concretos, relacionando-os uns aos outros e colocando-os em quadros sinóticos. Da mesma forma, deve-se fazer um quadro sinótico de todos os presentes que costumeiramente se fazem numa determinada comunidade nativa, incluindo-se nele a definição sociológica, cerimonial e econômica referente a cada item. Do mesmo modo, sistemas mágicos, séries de cerimônias interligadas, tipos de ações legais – todos devem ser colocados em quadros desse tipo, cada item sendo classificado sob diversos títulos. Além dos quadros sinóticos, constitui um documento fundamental da pesquisa etnográfica o recenseamento genealógico de cada comunidade na forma de estudos detalhados: mapas, esquemas e diagramas ilustrando a posse da terra de cultivo, privilégios de caça e pesca etc.

Uma genealogia nada mais é do que o quadro sinótico de determinado grupo de relações de parentesco interligadas. Seu valor como instrumento de pesquisa reside no fato de que ela permite

10 Por exemplo, os quadros sinóticos relativos à circulação das valiosas lâminas de machado (op. cit., pp. 511–12).

formular questões que o pesquisador levanta a si mesmo *in abstracto*, mas que faz no nativo de maneira concreta. Seu valor como documento etnográfico está na abrangência de uma série de dados autenticados, dispostos em seu arranjo natural. Um quadro sinótico sobre a magia serve à mesma função. Como instrumentos de pesquisa, tenho-os utilizado, por exemplo, para descobrir o que pensam os nativos com relação à natureza do poder mágico. Com um esquema à frente, eu conseguia analisar facilmente os itens, uns após os outros, fazendo anotações sobre as crenças e práticas relevantes contidas em cada um deles. A resposta aos meus problemas abstratos eu a obtinha pela inferência com base no conjunto de casos. Os capítulos XVII e XVIII ilustram esse método.[11] Não posso me aprofundar na discussão desse assunto, pois, para isso, precisaria fazer novas distinções, como as existentes entre um mapa de dados reais e concretos (uma genealogia, por exemplo) e um mapa em que se resumem as características de determinada crença ou costume nativo (por exemplo, um mapa do sistema mágico).

Voltando mais uma vez à questão metodológica discutida na seção 2, quero chamar a atenção do leitor para o fato de que o método de apresentação de dados concretos em quadros sinóticos deve, antes de mais nada, ser aplicado às credenciais do etnógrafo. Em outras palavras, o etnógrafo que deseja merecer confiança deve distinguir, de maneira clara e concisa, sob a forma de um quadro sinótico, entre os resultados de suas observações diretas e as informações que recebeu indiretamente – pois seu relato inclui ambas. O quadro que apresentamos a seguir servirá como ilustração desse procedimento e auxiliará o leitor a julgar a fidedignidade de quaisquer asserções em que tenha particular interesse. Por meio desse quadro e das demais referências feitas no texto ao modo, às circunstâncias e ao grau de precisão com que cheguei a determinadas conclusões, não restarão dúvidas quanto à autenticidade das fontes de meu estudo, é o que espero.

11 Neste volume, além do quadro apresentado a seguir – o qual, aliás, não pertence integralmente à classe dos documentos a que me refiro –, o leitor encontrará apenas algumas amostras de quadros sinóticos: por exemplo, a lista de parceiros do *Kula* (mencionada e analisada no capítulo XIII, seção 2); a lista de oferendas e presentes (capítulo VI, seção 6, mas não apresentada sob a forma de quadro sinótico); o quadro sinótico dos dados referentes a uma das expedições *kula* (capítulo XVI); e o quadro dos rituais mágicos relacionados ao *Kula* (capítulo XVII). Decidi não sobrecarregar este volume com quadros, mapas etc., pois os estou reservando para uma futura publicação completa de meu material.

LISTA CRONOLÓGICA DE ACONTECIMENTOS REFERENTES AO *KULA*, TESTEMUNHADOS PELO AUTOR

PRIMEIRA EXPEDIÇÃO [AGO. 1914 – MAR. 1915]

MAR. 1915 Na aldeia de Dikoyas (ilha de Woodlark), foram observadas algumas oferendas cerimoniais. Obtidas algumas informações preliminares.

SEGUNDA EXPEDIÇÃO [MAIO 1915 – MAIO 1916]

JUN. 1915 Uma expedição *kabigidoya* chega a Kiriwina, proveniente de Vakuta. Observei ancoragem em Kavataria. Encontrei-me com os visitantes em Omarakana, onde recolhi informações.

JUL. 1915 Algumas comitivas provenientes de Kitava chegam à praia de Kaulukuba. Examinei os visitantes em Omarakana. Pude recolher muita informação nessa época.

SET. 1915 Tentativa frustrada de embarcar com To'uluwa, chefe de Omarakana, rumo a Kitava.

OUT. 1915 – NOV. 1915 Observei em Kiriwina a partida de três expedições com destino a Kitava. Em cada uma dessas ocasiões, To'uluwa trouxe de volta um carregamento de *mwali* (braceletes de concha).

NOV. 1915 – MAR. 1916 Preparativos para a grande expedição ultramarina de Kiriwina às ilhas Marshall Bennet. Construção de uma canoa; reforma de outra; confecção de velas em Omarakana; lançamento; *tasasoria* na praia de Kaulukuba. Simultaneamente obtinha informações a respeito desses assuntos e assuntos afins. Pude obter alguns textos de magia referentes à construção de canoas e à magia do *Kula*.

TERCEIRA EXPEDIÇÃO [OUT. 1917 – OUT. 1918]

NOV. 1917 – DEZ. 1917 O *Kula* interno; alguns dados obtidos em Tukwa'ukwa.

DEZ. 1917 – FEV. 1918 Comitivas provenientes de Kitava chegam a Wawela. Recolhi dados sobre o *yoyova*. Consegui obter a magia e os encantamentos *kayga'u*.

MAR. 1918 Preparativos em Sanaroa; preparativos nas ilhas Amphlett; a frota de Dobu chega às ilhas Amphlett. A expedição *uvalaku*, proveniente de Dobu, acompanhada até Boyowa.

ABR. 1918 Chegada e recepção dessa expedição em Sinaketa; as transações do *Kula*; a grande reunião das duas tribos. Obtidas algumas fórmulas mágicas.

MAIO 1918 Observei em Vakuta uma comitiva proveniente de Kitava.

JUN. – JUL. 1918 Em Omarakana, verifiquei e ampliei informações sobre os costumes e a magia relativos ao *Kula*, especialmente no que se refere às suas ramificações no leste.

AGO. – SET. 1918 Textos mágicos obtidos em Sinaketa.

OUT. 1918 Recolhimento de informações fornecidas por alguns nativos em Dobu e no distrito dos Massim do sul (examinados em Samarai).

Resumindo aqui a primeira e principal questão metodológica, posso dizer que cada fenômeno deve ser estudado considerando o maior número possível de suas manifestações concretas; cada um deve ser estudado mediante um levantamento exaustivo de exemplos detalhados. Quando possível, os resultados obtidos com essa análise devem ser dispostos na forma de um quadro sinótico, o qual então será utilizado como instrumento de estudos e apresentado como documento etnológico. Por meio de documentos como esse e adotando o estudo de fatos concretos, é possível apresentar um esboço claro e minucioso da estrutura da cultura nativa, em seu sentido mais lato, e de sua constituição social. Esse método pode chamar-se *método de documentação estatística por evidência concreta.*

7

Desnecessário é dizermos que, neste particular, a pesquisa de campo realizada em moldes científicos supera, e muito, quaisquer trabalhos de amadores. Há, todavia, um aspecto em que o trabalho de amadores frequentemente se sobressai: em sua apresentação de fatos íntimos da vida nativa, de certas facetas com as quais só nos podemos familiarizar quando há um contato muito estreito com os nativos durante um longo período de tempo. Em certos tipos de pesquisa científica – em especial o que se costuma chamar “levantamento de dados” ou *survey* –, é possível apresentar, por assim dizer, um excelente esqueleto da constituição tribal, mas ao qual faltam carne e sangue. Aprendemos muito a respeito da estrutura social nativa, mas não conseguimos perceber ou imaginar a realidade da vida humana, o fluxo regular dos acontecimentos cotidianos, as ocasionais demonstrações de excitação em relação a uma festa, cerimônia ou fato peculiar. Ao desvendar as regras e as regularidades dos costumes nativos e ao obter do conjunto de fatos e de asserções nativas uma fórmula exata que os traduza, verificamos que essa própria precisão é estranha à vida real, a qual jamais adere rigidamente a nenhuma regra. Os princípios precisam ser suplementados por dados referentes ao modo como determinado costume é seguido, ao comportamento na obediência às regras que o etnógrafo formulou com tanta precisão e às próprias exceções tão comuns nos fenômenos sociológicos.

Se todas as conclusões forem baseadas única e exclusivamente no relato de informantes ou inferidas de documentos objetivos, será logicamente impossível suplementá-las com dados de comportamento real. Eis por que certos trabalhos de amadores que viveram muitos anos entre os nativos – como negociantes e fazendeiros instruídos, médicos e funcionários e, finalmente (mas não menos importantes), os poucos missionários inteligentes e de mentalidade aberta aos quais a etnografia deve tanto – superam em plasticidade e vivacidade a maioria dos relatos estritamente científicos. Desde que, porém, o pesquisador especializado possa adotar as condições de vida anteriormente descritas, estará muito mais habilitado a entrar em contato íntimo com os nativos do que qualquer residente branco da região. Nenhum dos residentes brancos vive de verdade numa aldeia nativa, a não ser por breves períodos de tempo, e cada um deles tem seus próprios afazeres e negócios, que lhes tomam grande parte do tempo. Além disso, quando um negociante, funcionário ou missionário estabelece relações ativas com os nativos, é para transformá-los, influenciá-los ou usá-los, o que torna impossível uma observação verdadeiramente imparcial e objetiva e impede um contato aberto e sincero – pelo menos quando se trata de missionários e oficiais.

Vivendo na aldeia, sem quaisquer responsabilidades a não ser observar a vida nativa, o etnógrafo vê os costumes, as cerimônias, as transações etc. muitas e muitas vezes; obtém exemplos de suas crenças, como os nativos realmente as vivem. Então, a carne e o sangue da vida real preenchem o esqueleto vazio das construções abstratas.

É por essa razão que o etnógrafo, trabalhando em condições como as que descrevemos, é capaz de adicionar algo essencial ao esboço simplificado da constituição tribal, suplementando-o com todos os detalhes referentes ao comportamento, ao meio ambiente e aos pequenos incidentes comuns. Ele é capaz, em cada caso, de estabelecer a diferença entre os atos públicos e privados; de saber como os nativos se comportam em suas reuniões ou assembleias públicas e que aparência elas têm; de distinguir entre um fato corriqueiro e uma ocorrência singular ou extraordinária; de saber se os nativos agem em determinada ocorrência com sinceridade e pureza de alma ou se a consideram apenas uma brincadeira; se dela participam com total desinteresse ou com dedicação e fervor.

Em outras palavras, há uma série de fenômenos de suma importância que de forma alguma pode ser registrada apenas com o auxílio de questionários ou documentos estatísticos, mas que deve ser observada em sua plena realidade. A esses fenômenos podemos dar o nome de "os imponderáveis da vida real". Pertencem a essa classe de fenômenos: a rotina do trabalho diário do nativo; os detalhes de seus cuidados corporais; o modo como prepara a comida e se alimenta; o tom das conversas e da vida social ao redor das fogueiras; a existência de hostilidade ou de fortes laços de amizade; as simpatias ou aversões momentâneas entre as pessoas; a maneira sutil, porém inconfundível, como a vaidade e a ambição pessoal se refletem no comportamento de um indivíduo e nas reações emocionais daqueles que o cercam. Todos esses fatos podem e devem ser formulados cientificamente e registrados; entretanto, é preciso que isso não se transforme numa simples anotação superficial de detalhes, como costuma ser feito por observadores comuns, mas que seja acompanhado de um esforço para atingir a atitude mental que neles se expressa. É esse o motivo por que o trabalho de observadores cientificamente treinados, aplicado ao estudo consciencioso dessa categoria de fatos, poderá, acredito, trazer resultados de inestimável valor. Até o presente, esse tipo de trabalho vem sendo feito apenas por amadores – e, de maneira geral, portanto, com resultados medíocres.

Com efeito, se nos lembrarmos de que esses fatos imponderáveis, porém importantíssimos, da vida real são parte integrante da substância da fábrica social, se nos lembrarmos de que neles estão entrelaçados os numerosos fios que vinculam a família, o clã, a aldeia e a tribo, sua importância se tornará evidente. Os vínculos mais cristalizados dos agrupamentos sociais – como rituais específicos, deveres legais e econômicos, obrigações mútuas, presentes cerimoniais, demonstrações formais de respeito –, embora igualmente importantes para o pesquisador, não são, todavia, sentidos tão intensamente pelo indivíduo que os tem de pôr em prática. O mesmo ocorre conosco: sabemos todos que a "vida em família" significa para nós, antes de mais nada, o ambiente do lar, todos os numerosos pequenos atos e atenções por meio dos quais expressamos afeição e interesse mútuo, as pequenas preferências e antipatias que constituem a "intimidade doméstica". O fato de que talvez venhamos a receber a herança de um parente, ou o fato de que temos a obrigação de acompanhar o funeral de outro, embora sociologicamente façam parte da definição de *família* e de *vida familiar*, geralmente são relegados a um último plano em nossa perspectiva pessoal do que de fato a família significa para nós.

Exatamente o mesmo se aplica à comunidade nativa. Portanto, se o etnógrafo quer realmente trazer a seus leitores uma imagem vívida da vida nativa, não poderá, de forma alguma, negligenciar esses aspectos. Nenhum aspecto – seja o íntimo, seja o legal – deve ser menosprezado. Aos relatos etnográficos, entretanto, via de regra, tem faltado um ou outro aspecto e, até o presente momento, em poucos relatos se discutiu adequadamente o aspecto íntimo da vida nativa. Não só no relacionamento pessoal familiar, mas em todo relacionamento social – seja ele entre os nativos de uma tribo ou entre os membros amistosos ou hostis de tribos diferentes –, existe esse lado íntimo, que se expressa nos detalhes do trato ou relacionamento pessoal, no tom do comportamento do indivíduo diante de outro. Esse aspecto é bem diverso do quadro legal e cristalizado das relações sociais – e, como tal, precisa ser estudado e apresentado separadamente.

De igual forma, ao estudarmos os atos conspícuos da vida tribal – como cerimônias, rituais e festividades –, devemos apresentar também os detalhes e o tom do comportamento, e não exclusivamente o simples esboço dos acontecimentos. Estudemos um exemplo específico para ilustrar a importância desse método: muito já se falou e escreveu sobre a questão da sobrevivência de traços culturais. O aspecto de sobrevivência de um ato não pode, entretanto, expressar-se em nada, a não ser no comportamento que o acompanha e no modo como ele se verifica. Temos muitos exemplos disso em nossa própria cultura: a simples descrição dos aspectos exteriores, seja da pompa e do aparato de uma solenidade de Estado, seja de um costume pitoresco dos garotos de rua, não é suficiente para demonstrar se o rito ainda floresce com total vigor no coração daqueles que dele participam ou se o consideram coisa já ultrapassada e quase morta, conservada apenas por amor à tradição. Se, porém, observarmos e registrarmos as particularidades do comportamento das pessoas, poderemos de imediato determinar o grau de vitalidade do costume. Não resta dúvida de que, tanto na análise sociológica como na psicológica, bem como em quaisquer questões teóricas, são de extrema importância o modo e o tipo do comportamento observado na realização de um ato. O comportamento é, indubitavelmente, um fato, e um fato relevante passível de análise e de registro. Tolo e míope é o cientista que, ao deparar com todo tipo de fenômenos prontos a serem coletados, permite que eles se percam, mesmo se, no momento, não percebesse a que fins teóricos poderiam servir!

Em relação ao método adequado para observar e registrar *esses aspectos imponderáveis da vida real e do comportamento típico*, não resta dúvida de que a subjetividade do observador interfere de modo mais marcante do que na coleta dos dados etnográficos cristalizados. Porém, mesmo nesse particular, devemos nos empenhar no sentido de deixar que os fatos falem por si mesmos. Se, ao fazer nossa ronda diária da aldeia, observamos que certos pequenos incidentes, o modo característico como os nativos se alimentam, conversam e trabalham, ocorrem repetidas vezes, devemos registrá-los o quanto antes. É importante também que esse trabalho de coleta e registro de impressões seja feito desde o início, ou seja, desde os nossos primeiros contatos com os nativos de determinado distrito – e isso porque certos fatos, que impressionam enquanto constituem novidade, deixam de ser notados à medida que se tornam familiares. Outros, só podem ser percebidos depois de algum tempo, quando então já conhecemos bem as condições locais. O diário etnográfico, feito sistematicamente no curso dos trabalhos num distrito, é o instrumento ideal para esse tipo de estudo. E se, paralelamente ao registro de fatos normais e típicos, fizermos também o registro dos acontecimentos que representam ligeiros ou acentuados desvios da norma, estaremos perfeitamente habilitados a determinar os dois extremos da escala da normalidade.

Ao observarmos cerimônias ou quaisquer outras ocorrências tribais **[3, p. 66]**, devemos não só anotar os acontecimentos e detalhes ditados pelos costumes e pela tradição como pertencentes à própria essência do ato, mas também registrar, de maneira cuidadosa e exata, as atitudes de atores e espectadores, umas após as outras. Esquecendo-se por alguns momentos de que conhece e entende a estrutura da cerimônia, bem como os dogmas que a fundamentam, o etnógrafo deve tentar colocar-se como parte de uma assembleia de seres humanos que se comportam com seriedade ou alegria, com fervorosa concentração ou frivolidade e tédio; que estão com a mesma disposição de espírito em que ele os encontra todos os dias ou então em atitude de grande tensão ou excitabilidade; e assim por diante. Com a atenção constantemente voltada para esse aspecto da vida tribal, e com o empenho persistente de o registrar e expressar em termos de fatos reais, o etnógrafo acumulará uma quantidade enorme de material informativo autêntico e expressivo. Estará, assim, habilitado a dar ao ato seu devido lugar na esfera da vida nativa, isto é, saberá dizer se é normal ou excepcional, se nele os nativos se comportam como de costume ou se acarreta mudanças no comportamento deles. Estará, por fim, capacitado a trazer tudo isso, de maneira clara e convincente, a seus leitores.

Entretanto, nesse tipo de pesquisa, recomenda-se ao etnógrafo que, de vez em quando, deixe de lado a máquina fotográfica, o lápis e o caderno e participe pessoalmente do que está acontecendo. Ele pode tomar parte nos jogos dos nativos, acompanhá-los em suas visitas e passeios ou sentar-se com eles, ouvindo e participando das conversas. Não acredito que todas as pessoas possam fazer isso tudo com igual facilidade – talvez a natureza do eslavo seja mais flexível e mais espontaneamente selvagem que a do europeu ocidental –, mas, embora o grau de sucesso seja variável, a tentativa é possível para todos. Esses mergulhos na vida nativa – que pratiquei com frequência não apenas por amor à minha profissão, mas também porque precisava, como homem, da companhia de seres humanos – sempre me deram a impressão de permitir uma compreensão mais fácil e transparente do comportamento nativo e de sua maneira de ser em todos os tipos de transações sociais. O leitor encontrará, ilustradas nos capítulos a seguir, todas essas observações metodológicas.

8

Passemos, finalmente, ao terceiro e último objetivo da pesquisa de campo científica, ao último tipo de fenômeno a ser registrado, com o qual se completa adequadamente o quadro da cultura nativa. Além do esboço firme da constituição tribal e dos atos culturais cristalizados que formam o esqueleto, além dos dados referentes à vida cotidiana e ao comportamento habitual que são, por assim dizer, sua carne e seu sangue, há ainda que se registrar o espírito dos nativos – os pontos de vista, as opiniões, as palavras: pois em todo ato da vida tribal existe, primeiro, a rotina estabelecida pela tradição e pelos costumes; em seguida, a maneira como se desenvolve essa rotina; e, por fim, o comentário a respeito dela, contido na mente dos nativos. O ser humano que se submete a várias obrigações habituais, que segue uma linha tradicional de ação, o faz impulsionado por certos motivos, movido por determinados sentimentos e guiado por certas ideias. Tais ideias, sentimentos e impulsos são moldados e condicionados pela cultura em que os encontramos e são, portanto, uma peculiaridade étnica da sociedade em questão. Deve-se, portanto, empenhar em seu estudo e registro.

Mas isso é possível? Todos esses estados subjetivos não serão demasiadamente elusivos e informes? Apesar do fato de que as pessoas em geral sentem ou pensam ou experimentam certos estados psicológicos em associação à execução de seus atos habituais, a maioria não é capaz de formulá-los, ou seja, expressá-los em palavras. Esse ponto, que, por certo, temos de admitir como verdadeiro, é talvez o nó górdio no estudo dos fatos da psicologia social. Sem desamarrá-lo ou cortá-lo, ou seja, sem tentar dar ao problema uma solução teórica, e sem aprofundar-me no campo da metodologia geral, entrarei diretamente na questão de como resolver, de maneira prática, algumas das dificuldades relacionadas à questão.

Em primeiro lugar, devemos partir do fato de que o objeto de nosso estudo são os modos estereotipados de pensar e sentir. Como sociólogos, não nos interessamos pelo que A ou B possa sentir como indivíduos no curso acidental de suas próprias experiências; interessamo-nos, sim, apenas por aquilo que eles sentem e pensam como membros de uma dada comunidade. Sob esse ponto de vista, seus estados mentais recebem certo timbre e acabam sendo estereotipados pelas instituições em que vivem, pela influência da tradição e do folclore, pelo próprio veículo do pensamento, ou seja, pela língua. O ambiente social e cultural em que se movem força-os a pensar e a sentir de maneira específica. Assim, por exemplo, o homem que pertence a uma comunidade poliândrica não pode conhecer ou experimentar o mesmo tipo de ciúme comum no indivíduo de uma comunidade estritamente monogâmica, muito embora possa ter em si todos os elementos para isso. O indivíduo que vive no âmbito do *Kula* não se pode prender afetiva ou permanentemente a certos bens que possui, mesmo que os preze acima de qualquer coisa. Esses exemplos são toscos; exemplos melhores serão encontrados no texto deste livro.

O terceiro mandamento da pesquisa de campo é, pois, descobrir os modos de pensar e de sentir típicos, correspondentes às instituições e à cultura de determinada comunidade, e formular os resultados de maneira vívida e convincente. Que método utilizar para isso? Os melhores etnógrafos – mais uma vez, a escola de Cambridge, com Haddon, Rivers e Seligman figurando, em primeiro lugar, entre os etnógrafos ingleses – sempre procuram citar literalmente asserções de importância crucial. Expõem também termos de classificações nativas; termos técnicos de psicologia e indústria; e nos apresentam, com a maior exatidão possível, um contorno verbal do pensamento nativo. Ao etnógrafo, que aprende a língua nativa e pode usá-la como instrumento de sua investigação, é possível dar um passo adiante nessa linha de ação. Ao trabalhar com a língua kiriwina,[12] encontrei certa dificuldade em anotar o que os nativos diziam, por meio da tradução direta – método que, no início, havia adotado. Com a tradução, o texto muitas vezes ficava destituído de todas as suas características importantes – desintegravam-se, por assim dizer, os pontos essenciais. Assim, aos poucos fui forçado a anotar certas sentenças importantes exatamente como os nativos as proferiam na língua tribal. À medida que meus conhecimentos da língua foram aumentando, fui fazendo minhas anotações cada vez mais em kiriwina, até que, por fim, passei a escrever exclusivamente nessa língua, registrando com rapidez cada frase, palavra por palavra. Ao atingir esse ponto, reconheci também que estava assim adquirindo, paralelamente, um abundante material linguístico, bem como uma série de documentos etnográficos que deveriam ser reproduzidos como eu os havia registrado, além de utilizados nos

12 Malinowski chama a língua pelo nome do local onde é falada. Atualmente, essa língua é conhecida como kilivila; ver Gunter Senft, *Kilivila: The Language of the Trobriand Islanders*. Berlin / New York / Amsterdam: Mouton de Gruyter, 1986. [N. E.]

registros finais da minha pesquisa.[13] Esse *corpus inscriptionum kiriwiniensium* pode ser utilizado não só por mim, mas por todos aqueles que, com seus conhecimentos mais profundos e sua habilidade de interpretá-lo, poderão encontrar pontos que escaparam à minha atenção, da mesma forma que outros *corpora* constituem a base de várias interpretações dadas a culturas antigas e pré-históricas; só que essas inscrições etnográficas são todas claras e decifráveis, já foram quase todas traduzidas integralmente e foram enriquecidas de comentários ou *scholia* obtidos de fontes vivas.

Não precisamos nos alongar aqui sobre esse assunto, pois mais adiante lhe devotaremos todo um capítulo (capítulo XVIII), abundantemente exemplificado com textos nativos. O *corpus*, é claro, será publicado na íntegra, separadamente, em data futura.

13 Pouco depois de adotar essa medida, recebi uma carta do dr. A. H. Gardiner, conhecido egiptólogo, urgindo-me a isso. Como arqueólogo, ele naturalmente via as grandes possibilidades que se abriam ao etnógrafo, ao obter um *corpus* de fontes escritas nos moldes daqueles que foram preservados das antigas culturas – além da possibilidade de elucidá-los com o conhecimento pessoal sobre a vida e os costumes de determinada cultura.

9

Nossas considerações indicam que os objetivos da pesquisa de campo etnográfica podem, pois, ser alcançados por três diferentes caminhos:

1. *A organização da tribo e a anatomia de sua cultura* devem ser delineadas de modo claro e preciso. O método de *documentação concreta e estatística* fornece os meios para obtê-las.
2. Esse quadro precisa ser completado pelos *fatos imponderáveis da vida real*, bem como pelos *tipos de comportamento*, coletados por meio de observações detalhadas e minuciosas que só são possíveis mediante o contato íntimo com a vida nativa e que devem ser registradas em algum tipo de diário etnográfico.
3. O *corpus inscriptionum* – uma coleção de asserções, narrativas típicas, palavras características, elementos folclóricos e fórmulas mágicas – deve ser apresentado como documento da mentalidade nativa.

Essas três abordagens conduzem ao objetivo final da pesquisa, que o etnógrafo jamais deve perder de vista. Em breves palavras, esse objetivo é apreender o ponto de vista dos nativos, seu relacionamento com a vida, *sua* visão de *seu* mundo. É nossa tarefa estudar o homem e devemos, portanto, estudar tudo aquilo que mais intimamente lhe diz respeito, ou seja, o domínio que a vida exerce sobre ele. Cada cultura tem seus próprios valores; as pessoas têm suas próprias ambições, seguem seus próprios impulsos, desejam diferentes formas de felicidade. Em cada cultura encontramos instituições diferentes, nas quais o homem busca seu próprio interesse vital; costumes diferentes por meio dos quais ele satisfaz às suas aspirações: diferentes códigos de lei e moralidade que premiam suas virtudes ou punem seus defeitos. Estudar as instituições, os costumes e os códigos ou estudar o comportamento e a mentalidade do homem, sem atingir seus desejos e seus sentimentos subjetivos e sem o intuito de compreender o que é, para ele, a essência de sua felicidade, é, em minha opinião, perder a maior recompensa que se possa esperar do estudo do homem.

Todas essas regras gerais o leitor as encontrará ilustradas nos capítulos a seguir. Neles, veremos o selvagem lutando para satisfazer certos anseios para atingir certos valores em sua linha de ambição social. Nós o veremos forçado por uma tradição de proezas heroicas e mágicas a perigosos e difíceis empreendimentos, atraído pelo romance. Talvez, ao lermos o relato desses costumes primitivos, possamos ter um sentimento de solidariedade pelos esforços e ambições desses nativos. Talvez a mentalidade humana se revele a nós por meio de caminhos nunca antes trilhados. Talvez, pela compreensão de uma forma tão distante e estranha da natureza humana, possamos entender nossa própria natureza. Nesse caso – e somente nesse caso –, seria justificável sentirmos que valeu a pena entender esses nativos, suas instituições e seus costumes e que pudemos auferir algum proveito com nosso estudo sobre o *Kula*.

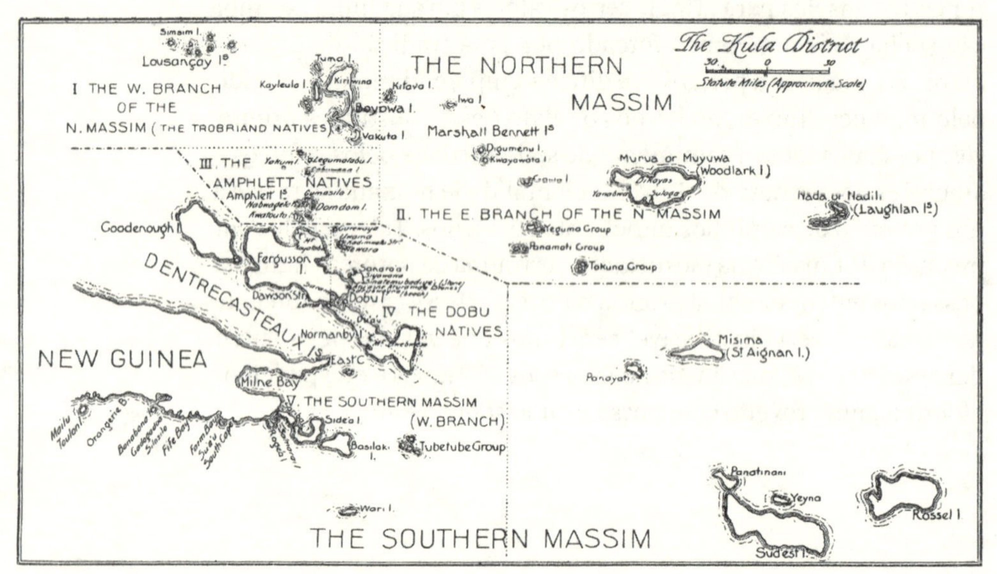

mapa 2 Apresenta a área geográfica dos Massim e sua relação com os distritos habitados pelos papua-melanésios ocidentais e pelos papuas.
mapa 3 O distrito do *Kula*. Mapa esquemático mostrando as subdivisões dos Massim e os locais de importância fundamental no *Kula*.

CAPÍTULO I

A região e os habitantes do distrito do *Kula*

1

Com exceção, talvez, dos nativos da ilha Rossel, a respeito dos quais quase nada se conhece, as tribos que vivem no âmbito do sistema comercial do *Kula* pertencem todas ao mesmo grupo racial. Essas tribos vivem no extremo leste do continente da Nova Guiné e em todas as ilhas que, dispostas na forma de um alongado arquipélago, representam como que um prolongamento da faixa sudeste do continente, ligando, como uma ponte, a Nova Guiné às ilhas Salomão.

A Nova Guiné é uma ilha-continente montanhosa, de acesso muito difícil em seu interior e em certas porções de seu litoral, onde recifes, pantanais e rochedos constituem verdadeira barreira à entrada e mesmo à aproximação de embarcações nativas. Dessa forma, tal região não oferece as mesmas oportunidades em todas as partes de influxo aos imigrantes que, provavelmente, são responsáveis pela atual constituição demográfica do Pacífico Sul. As regiões de fácil acesso no litoral, bem como as ilhas vizinhas, decerto ofereceriam recepção hospitaleira aos imigrantes de estirpes mais altas; entretanto, as altas montanhas, as inexpugnáveis fortalezas representadas pelos baixios pantanosos e por praias onde o desembarque era difícil e perigoso, forneceriam proteção natural aos aborígenes, desfavorecendo o influxo de imigrantes.

A própria distribuição racial na Nova Guiné justifica plenamente essas hipóteses. O mapa 2 mostra a porção oriental do continente da Nova Guiné e seus arquipélagos, bem como a distribuição racial dos nativos. O interior do continente, os baixios pantanosos onde cresce a palmeira do sagu e os deltas do golfo de Papua – e também, provavelmente, a maior parte dos litorais norte e sudoeste da Nova Guiné – são habitados por uma raça de "indivíduos relativamente altos, de pele escura e cabelos crespos" designada pelo dr. Seligman como *papua*. Na região montanhosa, em especial, o território é habitado por tribos de pigmeus. Pouco se sabe a respeito dessas tribos – tanto as dos pântanos como as das elevações –, que são, provavelmente, autóctones dessa região da Terra.[1] Como não as incluiremos no relato a seguir, será melhor, agora, passarmos às tribos que habitam as regiões de fácil acesso na Nova Guiné. Os papuas orientais – ou seja, as raças que, de maneira geral, têm menor estatura, cor mais clara e cabelos crespos, habitando a porção oriental da península da Nova Guiné e seus arquipélagos – precisam ter um nome; e já que o elemento verdadeiramente melanésio é neles predominante, podemos chamá-los de papua-melanésios. Em relação a esses papuasianos orientais, o dr. A. C. Haddon foi o primeiro a admitir a hipótese de que eles se infiltraram na região em consequência de uma "imigração melanésia na Nova Guiné e que, além disso, "uma simples travessia não seria suficiente para explicar certos fatos enigmáticos".[2] Os papua-melanésios, por sua vez, dividem-se em dois grupos, um ocidental, outro oriental, aos quais, segundo a terminologia do dr. Seligman, chamaremos de papua-melanésios e Massim, respectivamente. É com esses últimos que travaremos contato nas páginas a seguir.

Se examinarmos um mapa com as características orográficas da porção oriental da Nova Guiné e seu litoral, verificaremos, de imediato, que a principal cadeia de montanhas altas se interrompe entre os meridianos 149 e 150 e, também, que a orla de recifes desaparece na mesma latitude, ou seja, no extremo ocidental da baía de Orangerie. Isso significa que a porção oriental mais extrema da Nova Guiné, com seus arquipélagos – em outras palavras, a região massim –, é a região de mais fácil acesso, podendo-se esperar que nela habite uma população racialmente homogênea, constituída de imigrantes quase não miscigenados com os autóctones [**mapa 2, p. 84**].

De fato, a situação existente na região massim demonstra que não houve miscigenação lenta dos invasores com a estirpe anterior; as características geográficas do território papua-melanésio ocidental,

1 Entre os melhores relatos de que dispomos a respeito das tribos continentais estão os de W. H. Williamson, "The Mafulu", 1912, e de C. Keysser, "Aus dem Leben der Kaileute", em R. Neuhauss, *Deutsch Neu-Guinea*, vol. III, Berlim, 1911. As publicações preliminares de G. Landtman sobre os nativos de Kiwai, "Papuan Magic in the Building of Houses", "Acta Arboenses, Humanora", I. Abo, 1920, e "The Folk-tales of the Kiwai Papuans", Helsingfors, 1917, prometem-nos que o relato completo dissipará alguns dos mistérios existentes no golfo de Papua. Enquanto isso, podemos encontrar um bom relato semipopular sobre esses nativos na obra de W. N. Beaver, *Unexplored New Guinea*, 1920. Pessoalmente, duvido que as tribos das colinas e dos pântanos pertençam à mesma

> com suas montanhas, colinas e pântanos, são tais que os invasores não poderiam jamais ter invadido rapidamente a região e nem mesmo ter escapado à influência de seus primeiros habitantes...[3]

Tenho em conta que o leitor esteja familiarizado com a obra já citada do dr. Seligman, que nos apresenta um relato minucioso de todos os tipos de cultura e de sociologia papua-melanésios, uns após outros. Entretanto, as tribos da região papua-melanésia ou Massim devem aqui ser descritas com mais detalhes, pois é nessa região relativamente homogênea que se processa o *Kula*. Com efeito, a esfera de influência do *Kula* e a região etnográfica das tribos massim são quase indistintas uma da outra – daí podermos falar do tipo de cultura *kula* e de cultura massim como praticamente sinônimos.

2

No mapa 3 [p.84], aparece o distrito do *Kula*, ou seja; o extremo oriental da Nova Guiné e os arquipélagos situados a leste e nordeste. Diz o professor C. G. Seligman (1910, p. 7).

> Essa região pode ser dividida em duas zonas: uma pequena, ao norte, abrangendo as ilhas Trobriand, as ilhas Marshall Bennett, as ilhas Woodlark (Murua) e também uma série de ilhas menores, como as ilhas Laughlan (Nada); e uma zona bem maior, abrangendo o restante do domínio massim. (Op. cit., p. 7.)

Essa divisão está representada no mapa 3 [p.84] pela linha espessa que isola, ao norte, as ilhas Amphlett, as ilhas Trobriand, o pequeno grupo Marshall Bennett, a ilha de Woodlark e o grupo Laughlan. Quanto à zona sulina, achei conveniente subdividi la em duas partes, usando uma linha vertical, deixando ao leste as ilhas de Misima, Sudest e Rossel. Sendo escasso o material informativo de que dispomos sobre essa área, preferi excluí-la da região meridional dos Massim. De todos os nativos que nela habitam, somente os de Misima participam do *Kula* – além disso, no presente relato, sua participação ocupa lugar de pouquíssima importância. A zona

raça ou tenham a mesma cultura. Ver também a mais recente contribuição à questão: "Migrations of Cultures in British New Guinea", de autoria de A. C. Haddon (Huxley Memorial Lecture, 1921), publicado pelo Royal Anthropological Institute.

2 Ver C. G. Seligman, *The Melanesians of British New Guinea*, Cambridge, 1910.

3 Ver C. G. Seligman, op. cit., p. 5.

ocidental – à qual convencionamos chamar de "distrito dos Massim meridionais" – abrange primeiro o extremo leste da Nova Guiné e as poucas ilhas adjacentes (Sariba, Rogeia, Sideia e Basilaki): ao sul, a ilha de Wari; ao leste, o pequeno mas importante arquipélago de Tubetube (grupo Engineer); e, ao norte, o grande arquipélago d'Entrecasteaux. Desse último, apenas o distrito de Dobu é que nos interessa de modo especial. As tribos culturalmente homogêneas dos Massim do sul estão identificadas, no mapa, como "distrito V". As de Dobu, como "distrito IV".

Voltemos às duas divisões principais, isto é, às zonas norte e sul. Essa segunda é habitada por uma população muito homogênea não só em seu aspecto linguístico, mas também no aspecto cultural e no franco reconhecimento de sua própria unidade étnica. Mais uma vez citando o *Professor* Seligman, devemos salientar que essa população "caracteriza-se pela ausência de canibalismo, o qual, até sua proibição pelo governo, existia na porção restante do distrito: outra peculiaridade dos Massim do norte é o fato de que reconhecem" – em certos distritos, mas não em todos – a autoridade de chefes dotados de extensos poderes (Seligman 1910, p. 7). Os nativos dessa zona norte costumavam praticar – e digo *costumavam* porque as guerras pertencem agora ao passado – uma técnica de guerra aberta e cavalheirescas bem diferente das incursões praticadas pelos Massim do sul. Suas aldeias são construídas em blocos grandes e compactos e têm paióis erguidos sobre estacas, onde os nativos armazenam suas provisões, bem diferentes de suas paupérrimas habitações, construídas ao rés do chão, sem estacas. Como se pode verificar no mapa, foi necessário subdividir a região dos Massim do norte em três grupos: primeiro, o dos habitantes das ilhas Trobriand, ou Boyowa (ramificação ocidental); segundo, o dos nativos da ilha de Woodlark e das ilhas Marshall Bennett (ramificação oriental); e, terceiro, o pequeno grupo de nativos das ilhas Amphlett.

A outra grande subdivisão das tribos do *Kula* é composta dos Massim do sul. Destes, como já tivemos a oportunidade de dizer, a ramificação ocidental é a que mais nos interessa. São nativos de menor estatura e, de maneira geral, de aparência bem menos atraente que os do norte.[4] Vivem em comunidade muito dispersas, cada casa, ou grupo de casas, cercada por um pequeno bosque de palmeiras e árvores frutíferas, afastado dos demais. Antigamente,

4 No valioso livro do reverendo H. Newton, *In Far New Guinea* (1914), e no livreto *Savage Life in New Guinea* (sem data), escrito de maneira agradável, porém superficial e frequentemente incorreta pelo reverendo C. W. Abel (da London Missionary Society), podemos encontrar um bom número de descrições bem-feitas a respeito do tipo nativo Massim do sul.

esses nativos eram canibais e caçadores de cabeças e costumavam atacar de surpresa seus adversários. Não têm chefes; a autoridade é exercida pelos membros mais idosos de cada comunidade. Suas casas, erguidas sobre estacas, são de construção elaborada e lindamente ornamentadas.

Julguei necessário, para este estudo, retirar da seção ocidental da porção sul dos Massim as duas áreas identificadas como distritos IV e V no mapa 3 [p.84], que são de importância especial no sistema do *Kula*. Devemos, no entanto, ter em mente que o presente relato não dá margem a uma classificação definitiva dos Massim do sul.

Tais são, respectivamente, as características gerais dos Massim do norte e do sul, descritas em poucas palavras. Antes de continuar nosso assunto, porém, será útil fazer um esboço rápido, embora mais detalhado, de cada uma dessas tribos. Comecemos com a zona do extremo sul, seguindo a ordem geográfica em que um viajante proveniente de Porto Moresby entraria em contato com esses distritos – ou seja, da mesma maneira que eu fui registrando minhas impressões sobre eles. Meu conhecimento pessoal das várias tribos é, no entanto, bem irregular: baseia-se em prolongada residência entre as ilhas Trobriand (distrito I); em um mês de estudos sobre os nativos das ilhas Amphlett (distrito III); em algumas semanas que passei na ilha de Woodlark ou Murua (distrito II); nas circunvizinhanças de Samarai (distrito V) e no litoral sul da Nova Guiné (também distrito V); e, finalmente, em três pequenas visitas a Dobu (distrito IV). Meu conhecimento sobre algumas das demais localidades pertencentes ao sistema do *Kula* resume-se apenas a algumas conversas que travei com os nativos desse distrito e a informações de segunda mão que pude obter de alguns moradores brancos. A obra do professor C. G. Seligman, entretanto, suplementa meus estudos no que se refere aos distritos de Tubetube, à ilha de Woodlark, às ilhas Marshall Bennett e a vários outros.

Meu relato sobre o *Kula* será, portanto, dado sob a perspectiva, por assim dizer, do distrito de Trobriand, ao qual neste livro frequentemente daremos o nome nativo Boyowa. À língua desses nativos daremos o nome de kiriwina, visto ser Kiriwina a província principal do distrito, e a língua aí falada é considerada língua-padrão pelos nativos.[5] Devo imediatamente salientar, todavia, que, ao estudar o *Kula* nessa região, estudei *ipso facto* seus ramos adja-

5 Ver nota 2 da Introdução, p. 81.

centes existentes entre as ilhas Trobriand e as ilhas Amphlett, entre Trobriand e Kitava e entre Trobriand e Dobu. Testemunhei não só os preparativos e as partidas de Boyowa, mas também a chegada dos nativos de outros distritos e, com efeito, acompanhei pessoalmente uma ou duas dessas expedições.[6] Além disso, sendo o *Kula* uma atividade intercomunitária, os nativos de uma tribo conhecem mais sobre os costumes de outra tribo relativos ao *Kula* do que sobre qualquer outro assunto. No que o *Kula* tem de essencial, os costumes e as regras das transações são os mesmos em quaisquer pontos da região onde se processa.

6 Ver lista cronológica de acontecimentos referentes ao *Kula* testemunhados pelo autor, na p. 73. Ver também os capítulos XVI e XX.

3

Vamos imaginar que estamos navegando ao longo do litoral sul da Nova Guiné em direção a seu extremo oriental. Ao chegarmos aproximadamente ao meio da baía de Orangerie, teremos atingido o limite da região massim, que se estende a noroeste até o litoral norte, próximo do cabo Nelson [mapa 2, p. 84]. Como já foi dito anteriormente, o limite do distrito habitado pelos Massim corresponde a uma situação geográfica bem definida, ou seja, à ausência de obstáculos naturais, no interior, ou à ausência de quaisquer empecilhos ao desembarque. Com efeito, é nessa região que a grande barreira de recifes finalmente submerge, ao mesmo tempo que termina a cadeia montanhosa principal que, separada das praias por pequenas serras, estende-se até esse ponto.

A baía de Orangerie é limitada, a leste, por um promontório, primeira de uma série de elevações que se erguem diretamente do mar. À medida que nos aproximamos do continente, podemos perceber as escarpas íngremes e enrugadas, cobertas de mata densa e luxuriante, interrompida aqui e ali por clareiras onde viceja o caniço-branco [*Imperata cylindrica*]. O litoral é recortado primeiro por uma série de pequenas baías ou lagunas; em seguida, tendo deixado para trás a baía de Fife, podemos ver uma ou duas baías maiores, de praias aluviais planas. Daí para a frente, a partir do cabo Sul, o litoral se estende por várias milhas, numa linha quase reta, até a ponta do continente.

O extremo oriental da Nova Guiné é uma região de clima tropical, onde quase não se pode perceber a diferença entre as épocas da seca e as das chuvas. Na verdade, quase não há estação seca e a terra está sempre coberta de um verde intenso e brilhante, em contraste marcante com o azul do mar. Os topos das elevações ficam frequentemente encobertos por uma névoa espessa, ao passo que nuvens brancas se aninham ou se movem sobre o mar, quebrando a monotonia do verde e do azul excessivos. Às pessoas que não estão acostumadas às paisagens do Pacífico Sul é bem difícil dar uma ideia dessa festa de cores, da brancura tentadora das praias, de um lado cingidas pelas árvores da selva e por palmeiras e, de outro, pela escuma branca e pelo azul do mar. Acima das praias, alteiam as colinas, em grandes sulcos de verde-claro e escuro, ensombradas no topo por uma névoa esgarçada e tropical.

Quando viajei pela primeira vez ao longo desse litoral, havia vivido e feito pesquisas durante alguns meses no vizinho distrito de Mailu. Da ilha de Toulon, um dos centros principais e mais importantes dos Mailu, costumava olhar para a ponta oriental da baía de Orangerie e, em dias claros, podia vislumbrar as elevações em forma de pirâmide de Binabina e Gadogado'a, que se erguiam a distância como enormes silhuetas azuis. Sob a influência de meu trabalho, passei a encarar essa região, dentro dos estreitos horizontes nativos, como uma terra distante à qual em certas temporadas se empreendiam viagens perigosas, e da qual eram importados certos objetos – cestas, esculturas decoradas, armas e ornamentos, todos bem trabalhados e superiores aos de fabricação local; terra para a qual os nativos apontavam com desconfiança e temor quando se referiam a formas de feitiçaria particularmente malignas e virulentas; terra que os nativos temerosamente diziam ser habitadas por canibais. Qualquer toque de gosto realmente artístico existente nos objetos esculpidos pelos Mailu é sempre diretamente importado do Oriente ou dele copiado. Descobri também que as canções mais suaves e melodiosas, bem como as danças mais bonitas, vinham dos Massim. Muitos de seus costumes e suas instituições me eram mencionados como estranhos e esquisitos. Trabalhando como etnógrafo nas fronteiras de duas culturas, despertou-se em mim, então, enorme curiosidade e interesse. Parecia-me que as populações orientais, comparadas aos nativos de Mailu, indivíduos de pouca inteligência e aparência grosseira, eram bem mais complexas: de um lado, selvagens cruéis e canibalescos; do outro, nativos de talento refinado, poetas e senhores dos mares e das selvas primitivas. Não é de admirar, portanto, que, ao me aproximar do seu litoral, eu – que, naquela ocasião, viajava numa pequena lancha – sentisse profundo interesse e examinasse cuidadosamente a paisagem, a fim de vislumbrar, pela primeira vez, os nativos, ou deles encontrar vestígios.

Os primeiros sinais claramente visíveis da existência de seres humanos nessa região são as faixas de terra da lavoura. Essas grandes clareiras de forma triangular têm seu vértice voltado para o topo das colinas e estão como que enxertadas nos íngremes declives. De agosto a novembro, época em que os nativos cortam e queimam o matagal, essas clareiras podem ser vistas à noite, iluminadas pela luz dos lenhos em brasa; durante o dia, a fumaça da queimada paira sobre elas e se espraia devagar por sobre os outeiros. Mais para o fim do ano, quando a plantação começa a vicejar, essas clareiras assumem novo brilho, desta feita devido ao verde-claro de sua folhagem nova.

As aldeias desse distrito se localizam apenas na faixa litorânea, no sopé das colinas, escondidas por pequenos bosques; aqui e acolá, em meio ao verde-escuro das árvores, despontam os traços dourados ou purpúreos de seus telhados de folhas de palmeira. Se o tempo está calmo, podem-se ver no mar as canoas de pesca, não muito distantes do litoral. O visitante que tem a sorte de por ali passar na época das festas, das expedições comerciais ou de quaisquer grandes reuniões das tribos pode ver muitas das grandes canoas marítimas aproximando-se da aldeia, ao som dos búzios soprados melodiosamente.

Para visitar um dos grandes aldeamentos típicos da região – digamos, na baía de Fife, no litoral sul, ou nas ilhas Sariba ou Rogeia –, o mais indicado é desembarcar em alguma baía grande e bem protegida ou, então, numa das amplas praias das ilhas montanhosas. Penetramos então num bosque imponente de palmeiras, árvores de fruta-pão, mangueiras e outras árvores frutíferas, de subsolo quase sempre arenoso e bem cuidado, livre de ervas daninhas, onde florescem arbustos ornamentais, como o hibisco de flores vermelhas e o cróton, ou ervas aromáticas. Ali encontramos a aldeia. Nem as habitações motu, erguidas sobre estacas, no meio de uma laguna, nem as ruas bem traçadas de uma colônia aroma ou mailu, nem ainda as irregulares aldeias de pequenas choupanas no litoral das ilhas Trobriand, apesar de seu encanto, podem competir em beleza e originalidade com as aldeias dos Massim do sul. Quando, num dia quente, penetramos nas sombras das palmeiras e das árvores frutíferas e nos encontramos em meio a casas maravilhosamente bem projetadas e ornamentadas, escondidas aqui e acolá em grupos irregulares, em meio ao verdor de árvores e plantas, rodeadas por pequenos jardins decorativos de conchas e flores, com caminhos delimitados por seixos e círculos com calçamento de pedras onde se pode sentar, é como se repentinamente surgisse diante de nossos olhos a breve visão de uma vida primeva, selvagem e feliz. Canoas enormes, cobertas de folhas de palmeira, estão atracadas na areia, bem longe do mar; redes de pesca a secar ao sol, estendidas sobre armações especiais; sentados nas plataformas, que se erguem diante das casas, homens e mulheres se entretêm em algum trabalho doméstico, fumando e conversando.

Seguindo as trilhas que por vezes se estendem a perder de vista, deparamos a cada cem ou duzentos metros com novas aldeiazinhas de poucas casas. Algumas delas são novas e recém-ornamentadas; outras, velhas, ostentam à frente uma pilha de objetos caseiros quebrados, indicando, com isso, que a morte de um dos velhos da aldeia ocasionou o abandono do local. Ao aproximar-se o anoitecer, a vida da aldeia torna-se mais ativa. Acendem-se as fogueiras e os nativos se mantêm ocupados, cozinhando ou comendo. Na época das danças, ao cair da tarde, grupos de homens e de mulheres reúnem-se para cantar e dançar ao som dos tambores.

Ao nos aproximarmos dos nativos e examinarmos sua aparência, verificamos, com surpresa – se os compararmos a seus vizinhos ocidentais –, que são extremamente claros de pele, de pequena estatura, atarracados; sua aparência física produz certa impressão de suavidade, é quase lânguida. O rosto largo e gordo, o nariz achatado e os olhos amendoados os fazem parecer grotescos e estranhos, em vez de consideravelmente selvagens. O cabelo crespo, embora não tanto quanto o dos verdadeiros papua, forma um tufo no alto da cabeça e é aparado dos lados para dar ao crânio uma conformação alongada, diferente da grande auréola exibida pelos Motu. Esses nativos têm um ar tímido e desconfiado, mas não hostil – são sorridentes e quase servis, nisso diferindo bastante dos Papua, que são morosos, e dos Mailu ou Aroma do litoral sul, que são retraídos e

7 Ver C. G. Seligman, op. cit., capítulos XL e XLXX.

pouco amistosos. De maneira geral, à primeira vista, eles nos dão a impressão não de selvagens bravios, mas de burgueses asseados e satisfeitos com a vida que levam.

Seus ornamentos são menos rebuscados e menos vívidos que os de seus vizinhos ocidentais. Seus únicos enfeites permanentes e diários são os cintos e os braceletes trançados feitos com a haste marrom-escuro da samambaia trepadeira e os pequenos discos de conchas vermelhas, além das argolas de casco de tartaruga, usadas como brincos. Como todos os melanésios da Nova Guiné oriental, esses nativos são muito cuidadosos em sua higiene pessoal; a aproximação deles não ofende nenhum de nossos sentidos. Gostam muito de usar as flores vermelhas do hibisco espetadas no cabelo; usam também grinaldas de flores perfumadas na cabeça e, enfiadas nos cintos e braceletes, folhas de plantas aromáticas. Seus grandes cocares de festa são extremamente simples, comparados às enormes construções de penas usadas pelas tribos ocidentais e consistem, em geral, em uma auréola feita com as penas das cacatuas-brancas e presa ao cabelo.

Em épocas passadas, antes do advento do homem branco, esses nativos de aparência agradável e langorosa eram inveterados canibais e caçadores de cabeças; em suas canoas de guerra, costumavam fazer incursões traiçoeiras e cruéis, invadindo aldeias adormecidas, matando homens, mulheres e crianças e banqueteando-se com seus cadáveres. Os atraentes círculos de pedra em suas aldeias estão associados às festas antropofágicas de outrora.[7]

O viajante que se estabelecer numa dessas aldeias e ali permanecer durante um bom período de tempo, a fim de estudar-lhes os costumes e participar da vida da tribo, desde logo percebe, com certa surpresa, que entre esses nativos não existe uma autoridade geral conhecida por todos. Nesse aspecto, eles se assemelham não só aos nativos ocidentais da Nova Guiné, mas também aos do arquipélago melanésio. Entre os Massim do sul, assim como em muitas outras tribos, a autoridade está investida nos nativos mais velhos de cada aldeia. Em cada vilarejo, o homem mais idoso ocupa uma posição de influência pessoal e poder. Coletivamente, os velhos representam a tribo em quaisquer acontecimentos, pondo em prática suas decisões e assegurando-se de que elas estejam rigorosamente de acordo com as tradições tribais.

Estudos sociológicos mais minuciosos revelariam o totemismo que caracteriza esses nativos, bem como a estrutura matrilinear de sua sociedade. Descendência, herança e posição social seguem a linha feminina: um homem sempre pertence à divisão totêmica e, ao grupo local de sua mãe, é o herdeiro do irmão de sua mãe. As mulheres gozam também de muita independência; são extremamente bem tratadas e exercem papel importante nas transações e nos festejos tribais. Algumas delas – graças aos poderes mágicos – têm mesmo considerável influência.[8]

A vida sexual desses nativos caracteriza-se pela extrema liberdade. Mesmo quando nos lembramos de que a moral sexual das tribos melanésias da Nova Guiné – como os Motu e os Mailu – segue padrões de grande liberalidade, ainda assim consideramos os Massim do sul demasiadamente livres nesse particular. Não mantêm certas aparências e reservas comuns entre os nativos de outras tribos; entretanto, como provavelmente acontece em muitas comunidades onde a moral sexual é livre, há entre eles uma completa ausência de práticas anormais ou de perversão sexual. O casamento, para eles, é o remate natural de um concubinato longo e duradouro.[9]

Esses nativos são eficientes e laboriosos artesãos e bons comerciantes. Têm grandes canoas para navegação marítima, as quais, no entanto, não fabricam, mas sim importam do distrito dos Massim setentrionais ou de Panayati. Uma outra faceta de sua cultura, sobre a qual voltaremos a falar oportunamente, consiste nas grandes festas, chamadas *so'i*, associadas a cerimônias funerárias e a um tabu mortuário chamado *gwara*. Tais festas desempenham papel de considerável importância nas grandes transações intertribais do *Kula*.

Essa descrição, feita em moldes gerais e necessariamente um pouco superficiais, não tem a intenção de fornecer ao leitor um relato complexo da constituição tribal, mas de dar uma ideia definida a respeito dessas tribos – de modo que elas passem a ter, por assim dizer, uma "fisionomia". Àqueles que se interessam por mais detalhes, indicamos o tratado escrito pelo *Professor* C. G. Seligman, principal fonte de nossos conhecimentos quanto aos melanésios da Nova Guiné. O esboço apresentado refere-se aos nativos que Seligman chama de Massim do sul – ou, mais precisamente, aqueles que habitam a zona identificada no mapa 3 [p. 84] como V – Massim do sul – habitantes do extremo oriental do continente e do arquipélago vizinho.

8 Ver C. G. Seligman, op. cit., capítulos XXXV, XXXVI e XXXVII.

9 Ver C. G. Seligman, capítulos XXXVII e XXXVIII.

4

Rumemos agora ao norte, navegando em direção ao distrito que no mapa se identifica como IV – Dobu, um dos elos mais importantes no circuito do *Kula* e centro de grande influência cultural. À medida que vamos para o norte, passando o cabo Leste, que se localiza no extremo oriental da Nova Guiné – um longo promontório plano coberto de palmeiras e grandes áreas de árvores frutíferas, onde vive uma população muito densa –, abre-se aos nossos olhos um novo mundo não só geográfica, mas também etnograficamente diferente. A princípio, não passa de uma silhueta azulada e suave, como a de uma serra distante pairando ao norte por sobre o horizonte. Quando nos aproximamos, as colinas da ilha de Normanby, a mais próxima das três que formam o arquipélago d'Entrecasteaux, tornam-se mais visíveis, assumindo forma e substância mais definidas. Os topos mais altos se sobressaem nitidamente entre as névoas tropicais. Entre eles desponta Bwebweso, a montanha de cumes duplos onde, segundo as lendas nativas, os espíritos dos mortos vivem sua última existência. O litoral sul de Normanby e o interior são habitados por uma tribo ou tribos sobre as quais nada sabemos etnograficamente, a não ser o fato de que, em cultura, são bem diferentes das demais tribos vizinhas e não participam diretamente do *Kula*.

O extremo norte de Normanby, os dois flancos dos estreitos Dawson, que separam as ilhas de Normanby e Fergusson, e, finalmente, a ponta sudeste de Fergusson são habitados por uma tribo muito importante – a tribo Dobu. O centro de seu distrito é o pequeno vulcão extinto que forma uma ilha na entrada oriental dos estreitos Dawson – a ilha de Dobu, da qual a tribo recebe seu nome. Para alcançá-la, temos de navegar ao longo desse estreito extremamente pitoresco. De ambos os lados do sinuoso canal, alteiam colinas verdes que o cercam fazendo-o parecer um lago entre montanhas. Em certos pontos, as colinas se afastam e uma laguna se abre; ou, de novo, comprimem o canal, elevando-se em escarpas bastante íngremes onde se veem claramente roças triangulares, casas nativas construídas sobre estacas, grandes extensões de selva fechada e faixas de capim. À medida que prosseguimos viagem, os estreitos canais se alargam; à margem direita, pode-se então avistar um dos enormes flancos do monte Sulomona'i na ilha de Normanby. À esquerda, há uma baía de águas rasas e, atrás dela, uma grande planície que se estende para o interior da ilha de Fergusson; por sobre ela, podemos ver extensos vales e, a distância, numerosas serras. Passando uma nova curva, entramos numa baía grande, ladeada de praias muito planas; ao centro dessa baía ergue-se, em meio a um cinturão de árvores tropicais, o cone enrugado de um vulcão. É a ilha de Dobu.

Estamos agora no centro de um distrito densamente povoado e de grande importância etnográfica. Dessa ilha, em épocas passadas, partiam expedições periódicas de ferozes e ousados canibais e caçadores de cabeças, temidos pelas tribos vizinhas. Eram aliados os nativos dos distritos imediatamente adjacentes, das praias planas em ambas as margens dos estreitos e das grandes ilhas próximas; mas os distritos mais distantes, a mais de 100 milhas de barco, nunca se sentiram livres do perigo representado pelos habitantes de Dobu. Uma vez mais devemos nos lembrar de que os Dobu eram, e ainda são, um dos elos principais no sistema do *Kula* e que seu território é centro de influência comercial, industrial e cultural. O fato de que a língua dobu é usada como língua franca em todas as partes do arquipélago d'Entrecasteaux, nas ilhas Amphlett e na região que se estende ao norte até as ilhas Trobriand, constitui prova conclusiva da importância dos Dobu. Na zona sul dessas duas últimas ilhas, quase todos os nativos falam a língua dobu, ao passo que em Dobu quase ninguém fala a língua dos trobriandeses ou de Kiriwina. Esse é um fato realmente notável que não pode ser explicado em termos da atual situação nativa, pois os habitantes das ilhas Trobriand estão em nível de desenvolvimento cultural mais alto que o dos Dobu, são mais numerosos que eles e desfrutam do mesmo prestígio geral.[10]

Outro fato notável sobre o distrito de Dobu é que nele se encontram numerosos locais de especial interesse mitológico. Sua paisagem encantadora, de cones vulcânicos, baías amplas e lagunas cercadas de montanhas altas e verdejantes, e, ao norte, o oceano, salpicado de recifes e ilhas – tudo isso tem profundo significado lendário para o nativo. Essa é a terra e o mar onde navegadores e heróis de um passado distante, inspirados pela magia, realizaram façanhas extraordinárias e ousadas. Ao nos afastarmos da entrada dos estreitos Dawson, passando por Dobu e pelas ilhas Amphlett

10 Meu conhecimento sobre os Dobu é fragmentário, obtido durante três breves visitas ao distrito deles, além de conversas com vários nativos de Dobu que estavam a meu serviço e também de alusões e paralelos feitos pelos ilhéus de Trobriand sobre os costumes dobu, quando realizei minha pesquisa de campo. Nos arquivos da Australasian Association for the Advancement of Science, que também consultei, existe um breve esboço de determinados costumes e crenças dobu, de autoria do reverendo W. E. Bromilow.

rumo a Boyowa, quase todas as regiões que atravessamos foram cenário de alguma proeza lendária. Aqui uma estreita garganta foi aberta por uma canoa mágica, voando pelos ares. Ali os dois rochedos que se erguem do mar são os corpos petrificados de dois heróis mitológicos que encalharam depois de uma contenda. Mais adiante, uma laguna escondida entre montanhas constituiu porto de refúgio de uma tripulação mítica. Pondo à parte as lendas, a paisagem toda ao nosso redor, bela como é, assume ainda maior encanto pelo fato de que é, e sempre foi, um longínquo Eldorado, terra de promessas e esperanças para muitas gerações de ousados navegadores nativos vindos das ilhas do norte. No passado, essas terras e mares devem ter sido o cenário de migrações e lutas, de invasões tribais, da infiltração gradativa de povos e culturas.

Os Dobu têm aparência física bem diferente da dos Massim meridionais e dos trobriandeses: pele muito escura, de pequena estatura, com cabeça grande e ombros arredondados, o que nos dão, à primeira vista, a estranha impressão de gnomos. Há, todavia, algo definitivamente agradável, honesto e aberto em sua atitude e em seu caráter social, impressão essa que, com o convívio, se fortalece e confirma. Em geral, os dobuanos são os preferidos do homem branco, fornecendo os melhores criados e mais dignos de confiança. Os negociantes que com eles têm convivido durante longo tempo dão sempre preferência aos dobuanos ao compará-los com outros nativos.

Suas aldeias, como as do Massim, que já descrevi, estão espalhadas em territórios muito vastos. As praias planas e férteis onde vivem são salpicadas de pequenos vilarejos compactos, de dez a doze casas no máximo, escondidos no meio de fileiras contínuas de árvores frutíferas, palmeiras, bananeiras e plantações de inhame. As casas são construídas sobre estacas, mas de arquitetura mais tosca que as dos Massim do sul e quase não são ornamentadas, embora antigamente, na época da caça de cabeças, os nativos as enfeitassem com crânios.

Quanto à constituição social, essas tribos são totêmicas, dividindo-se em determinado número de clãs exógamos, cada um com uma série de totens associados. Não há chefia regular instituída nem um sistema hierárquico ou de castas como o que encontraremos em Trobriand. A autoridade é investida nos membros mais velhos da tribo. Em cada pequena aldeia há sempre um homem que exerce maior influência local e atua como representante de seu grupo nos conselhos tribais organizados em função de cerimônias e expedições.

Seu sistema de parentesco é matrilinear. As mulheres têm posição de destaque e exercem grande influência. Parecem, inclusive, exercer funções mais proeminentes e duradouras na vida comunitária do que as mulheres de outras tribos vizinhas. Essa é uma das características mais notáveis da sociedade dobu que parece bastante peculiar aos olhos dos trobriandeses: sempre nos chamavam a atenção para esse aspecto ao fornecerem informações, muito embora em sua sociedade as mulheres desfrutem também de posição social razoavelmente boa. Em Dobu, as mulheres exercem funções importantes na horticultura, tomando, inclusive, parte ativa nos rituais mágicos a ela associados, o que em si lhes proporciona um *status* elevado. A feitiçaria, instrumento principal com que se exerce poder e infligem castigos nessas regiões, está, em grande parte, nas mãos das mulheres. As bruxas voadoras, personagens tão característicos do tipo de cultura que se encontra na Nova Guiné oriental, têm em Dobu um de seus redutos. Voltaremos a esse assunto com mais detalhes ao discutirmos os naufrágios e os perigos da navegação. Além disso, as mulheres praticam a feitiçaria comum, que, em outras tribos, constituem privilégio exclusivo dos homens.

A alta posição das mulheres, regra geral entre as sociedades nativas, está associada a uma grande liberdade sexual. Dobu, entretanto, constitui uma exceção. Espera-se que as mulheres casadas permaneçam fiéis aos maridos; consideram o adultério um crime; e, em grande contraste com o que se pratica em todas as tribos vizinhas, as mulheres solteiras de Dobu mantêm-se rigorosamente castas. Não existem formas cerimoniais nem costumeiras de libertinagem, e qualquer intriga amorosa é tida como uma ofensa.

Devemos aqui dizer mais algumas palavras a respeito da feitiçaria, pois esse assunto é de grande importância em todas as relações intertribais. O medo da feitiçaria é enorme e, quando os nativos visitam regiões distantes, esse temor assume proporções ainda maiores em virtude do medo adicional do desconhecido e do estrangeiro. Há em Dobu, além de bruxas voadoras, homens e mulheres que, conhecedores de feitiços e rituais mágicos, podem infligir doen-

11 Ver professor C. G. Seligman, op. cit., pp. 170–71, 187–88, a respeito dos nativos Koita e Motu; e B. Malinowski, *The Mailu*, pp. 647–52.

12 Ver D. Jenness e A. Ballantyne, *The Northern d'Entrecasteaux*, Oxford, 1920, capítulo XII.

ças e causar a morte. Os métodos empregados por esses feiticeiros, assim como todas as crenças relacionadas a esse assunto, são praticamente os mesmos que se encontram em Trobriand, como veremos mais adiante. Esses métodos caracterizam-se por sua natureza muito racional e direta, e neles quase não há elementos sobrenaturais. O feiticeiro profere algumas palavras mágicas sobre alguma substância que tem de ser ingerida pela vítima ou então queimada sobre o fogo de sua cabana. Em determinados rituais, os feiticeiros também usam o bastão de apontar direcionado à vítima.

Se compararmos esses métodos aos usados pelas bruxas voadoras que comem o coração e os pulmões, bebem o sangue e quebram os ossos de seus inimigos e vítimas e que, além de tudo, têm o poder de se tornarem invisíveis e voarem, verificamos que o feiticeiro dobuano tem a seu dispor recursos aparentemente muito simples e toscos. Está também muito atrasado em relação aos seus xarás mailu ou motu – e digo xarás porque todos os feiticeiros da região massim são chamados *bara'u*, e essa palavra é a mesma usada entre os Mailu, ao passo que os Motu usam a forma reduplicada *babara'u*. Os feiticeiros dessa última região usam métodos poderosos, como matar a vítima primeiro, abrir-lhe o corpo, remover, dilacerar ou enfeitiçar-lhe as entranhas e, por fim, restituir-lhe a vida, só para que a vítima adoeça e eventualmente morra.[11]

Segundo a crença dobuana, os espíritos dos mortos vão para o topo do monte Bwebweso, situado na ilha de Normanby. Nesse pequeno espaço refugiam-se as almas de praticamente todos os nativos do arquipélago d'Entrecasteaux, com exceção dos da parte setentrional da ilhas Goodenough, os quais – segundo me foi relatado por alguns dos informantes locais – vão, depois da morte, para a terra dos espíritos dos trobriandeses.[12] Os dobuanos creem também na existência de uma alma dupla – uma, obscura e impessoal, que sobrevive à morte física por apenas alguns dias, permanecendo nas redondezas do túmulo; a outra, o espírito verdadeiro, que vai para o monte Bwebweso.

É interessante observar como os nativos, vivendo nos limites de duas culturas e entre dois tipos de crença, explicam as diferenças observáveis. O nativo, digamos, de Boyowa meridional, não vê dificuldades em solucionar questões como: "Como é que os dobuanos acreditam ser Bwebweso a terra dos espíritos, enquanto eles, os trobriandeses, creem-na em Tuma?". Ele não vê a diferença como se fosse decorrente de um conflito dogmático de doutrinas; simplesmente responde: "Os espíritos deles vão para Bwebweso e os nossos, para Tuma". As leis metafísicas da existência ainda não são consideradas sujeitas a uma única verdade invariável. Da mesma forma que o destino dos homens varia segundo as diferenças entre os costumes tribais, assim variam também as ações do espírito! Uma teoria bem interessante foi desenvolvida para harmonizar as duas crenças num caso misto. Existe a crença de que, se um trobriandês vier a morrer em Dobu em meio a uma das expedições do *Kula*, sua alma irá para Bwebweso por algum tempo. Em época apropriada, os espíritos dos trobriandeses navegam de Tuma, terra dos espíritos, para Bwebweso, num *Kula* espiritual; ao voltarem para Tuma, essa comitiva espiritual traz consigo a alma do recém-finado.

Partindo de Dobu, navegamos em mar aberto – um mar repleto de bancos de areia e coral, recortado por longos recifes, onde marés traiçoeiras, que por vezes atingem a velocidade de cinco nós, tornam realmente perigosa a navegação, sobretudo para as frágeis embarcações nativas. Esse é o mar do *Kula*, cenário das expedições intertribais e das aventuras que constituirão o tema de nossos futuros relatos.

A costa oriental da ilha de Fergusson, próxima de Dobu, ao longo da qual vamos navegando, consiste principalmente em uma série de cabos e cones vulcânicos que dão à região o aspecto de algo inacabado e grotescamente montado. Ao pé das elevações estende-se, por várias milhas além de Dobu, uma extensa planície aluvial, onde se encontram numerosas aldeias – Deyde'i, Tu'utauna e Bwayowa, todas elas importantes centros comerciais e onde residem os sócios diretos dos trobriandeses no sistema do *Kula*. Grandes rolos de fumaça pairam sobre a selva, provenientes dos gêiseres ferventes de Deyde'i, que a cada poucos minutos se convulsionam em altos jatos de água.

Em breve, deparamos com dois rochedos escuros e de forma bastante peculiar: um deles semioculto na vegetação da praia e o outro erguendo-se rente ao mar, na extremidade de um areal que o separa do primeiro. São eles Atu'a'ine e Aturamo'a, homens que, segundo a tradição mítica, foram transformados em pedra. Nesse local fazem parada as grandes expedições marítimas – não só as

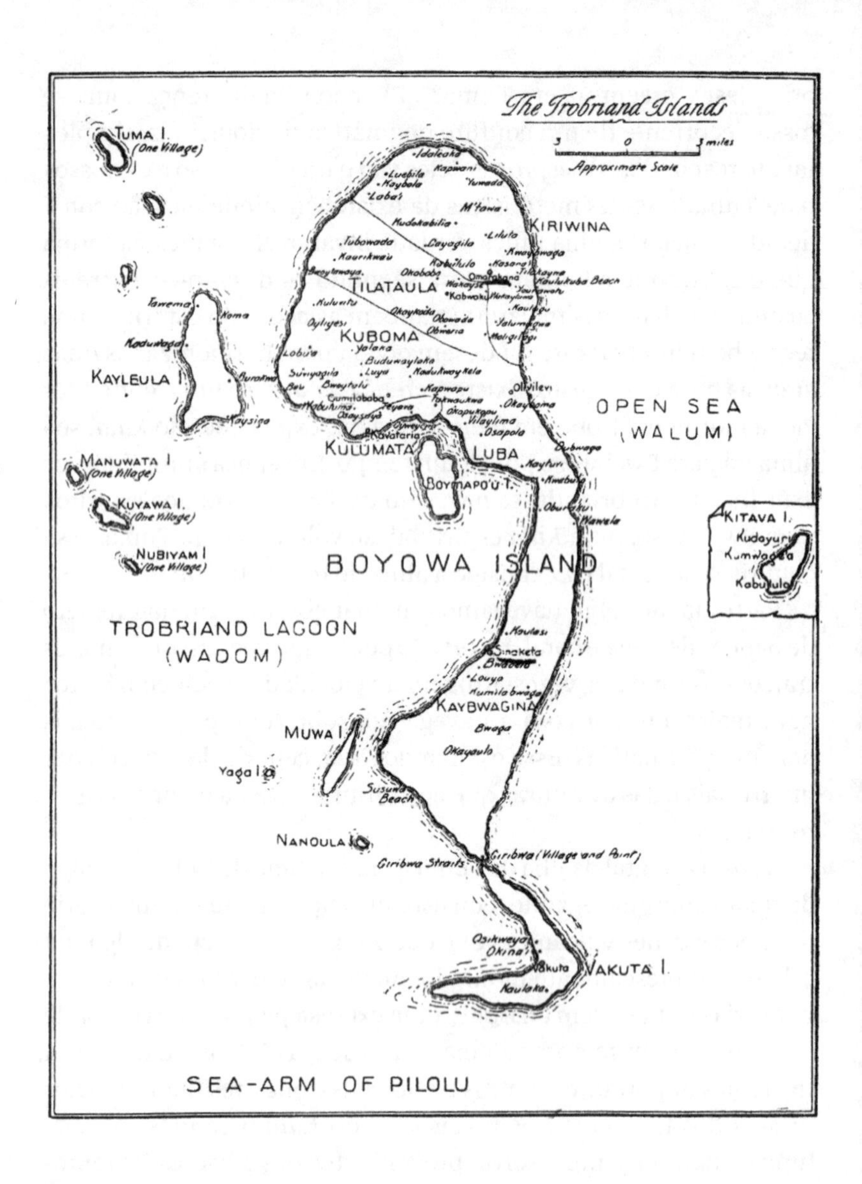

mapa 4 O arquipélago de Trobriand, também chamado Boyowa ou Kiriwina.

provenientes de Dobu, em direção ao norte, mas também as que vêm do norte. Seguindo um costume que se vem realizando há muitos séculos e observando diversos tabus, os nativos ali fazem oferendas sacrificais aos rochedos, com invocações rituais para um comércio bem-sucedido.

A sotavento dessas duas rochas estende-se uma pequena baía de praias limpas e arenosas chamada Sarubwoyna. Tendo a sorte de passar por esse local na época certa do ano, o viajante poderá presenciar uma cena pitoresca e interessante. À sua frente, verá uma enorme frota de cinquenta a cem canoas, todas ancoradas nas águas pouco profundas da baía, com uma multidão de nativos a ocupar-se em tarefas estranhas e misteriosas. Alguns deles, inclinados sobre montes de ervas, murmuram encantamentos; outros, pintam e enfeitam o corpo. O espectador de duas gerações antes, ao presenciar a mesma cena, sem dúvida seria levado a suspeitar serem esses os preparativos para alguma luta trágica entre as tribos, um dos grandes assaltos que exterminavam tribos e aldeias inteiras. Ao observar o comportamento dos nativos, o espectador encontraria dificuldade em dizer se eles estão temerosos ou agressivos, pois ambas as paixões estão presentes com igual intensidade em sua atitude e movimentos. Dificilmente o espectador acreditaria que o que se passa diante de seus olhos não são preparativos de guerra; que esses nativos, empenhados numa visita bem organizada, chegaram ao local após uma longa jornada marítima de mais de cem milhas numa visita intertribal preestabelecida; e que ali estão para ultimar seus preparativos mais importantes. Atualmente – pois todo esse ritual ainda hoje se realiza e com a mesma pompa de outrora –, o espetáculo seria igualmente pitoresco apesar de abrandado pelo fato de que já não existe mais na vida nativa a paixão pelo perigo. No curso de nossa narrativa, à medida que formos aprendendo a conhecer melhor esses nativos, seu comportamento geral e seus costumes e, de maneira especial, o ciclo de crenças, ideias e sentimentos relacionados ao *Kula*, também entenderemos a cena que ora temos diante dos olhos – essa mescla de temor e impetuosidade quase violenta, esse comportamento que nos parece, ao mesmo tempo, amedrontado e agressivo.

5

Partindo de Sarubwoyna e contornando o promontório dos dois rochedos, avistamos imediatamente Sanaroa, uma enorme ilha de coral, plana e espaçosa que ostenta, em seu flanco ocidental, uma cadeia de colinas de formação vulcânica. Numa ampla laguna a leste dessa ilha estão as zonas de pesca onde, ano após ano, os trobriandeses, retornando de Dobu, vão procurar o *Spondylus*, valiosa concha com a qual, ao voltarem à sua terra, fabricam os discos vermelhos que constituem uma das principais fontes da riqueza nativa. Ao norte de Sanaroa existe num dos canais uma pedra chamada Sinatemubadiye'i, outrora uma mulher que, ao chegar ali com seus irmãos Atu'a'ine e Aturamo'a, foi transformada em pedra antes da etapa final de sua jornada. A ela os nativos em expedições do *Kula* fazem também oferendas.

Prosseguindo nossa viagem, encontramos à esquerda uma belíssima paisagem: a serra alta fica agora próxima da praia, e pequenas baías, vales extensos e escarpas forradas de árvores sucedem-se uns aos outros. Examinando minuciosamente as escarpas, podemos ver pequenos grupos de três a seis choupanas muito pobres: são as habitações de nativos de cultura visivelmente mais baixa que a dos dobuanos. Esses nativos não participam do *Kula* e, em épocas passadas, eram vítimas amedrontadas e infelizes das tribos vizinhas.

À nossa direita, por meio de Sanaroa, emergem as ilhas de Uama e Tewara, essa última habitada por nativos de Dobu. A ilha de Tewara nos é de grande interesse, visto que um dos mitos de que trataremos mais adiante faz dela o berço do sistema do *Kula*. Continuando nossa viagem, contornamos, uns após os outros, os promontórios orientais da ilha de Fergusson e, em seguida, vamos encontrar um grupo de perfis monumentais, fortemente delineados no horizonte distante, por trás das elevações que se afastam; são as ilhas Amphlett, elo geográfico e cultural entre as tribos costeiras da região vulcânica de Dobu e as dos habitantes de Trobriand, arquipélago de ilhas planas de coral. Essa porção do mar é muito pitoresca e tem encanto particular nessa terra de paisagens belíssimas e variadas. Na ilha principal de Fergusson, e dominando o arquipélago de Amphlett mais ao norte, localiza-se Koyatabu [monte Kilkerran], sua montanha mais alta, que se ergue diretamente do mar como uma

[4] Ancoradouro da aldeia principal de Gumasila.

pirâmide delgada e elegante. A imensa superfície verde da montanha é recortada pela faixa branca de um curso de água que se inicia a meia altura e desce para o mar. Sob o vulto enorme de Koyatabu encontram-se as numerosas ilhas Amphlett, pequenas e grandes, de colinas íngremes e rochosas como pirâmides, esfinges e cúpulas, criando um conjunto pitoresco de formas estranhas.

Com o forte vento sudeste que aqui sopra durante três quartos do ano, aproximamo-nos rapidamente das ilhas, e as duas mais importantes, Gumawana e Ome'a, parecem arremessar-se para fora do nevoeiro. Ao ancorarmos em frente da aldeia de Gumawana, situada no extremo sudeste da ilha, o panorama que se abre à nossa frente é impressionante. Construída numa faixa estreita da praia e quase à mercê das ondas, espremida à beira-mar por uma selva gigantesca que se ergue por trás dela, a aldeia está protegida das águas por muros de pedras construídos ao redor das casas e dos diques que formam pequenas enseadas artificiais ao longo da orla do mar. As choupanas, construídas sobre estacas, muito pobres e sem quaisquer enfeites, parecem muito pitorescas nesses arredores [4, p. 105].

Os habitantes dessa aldeia e das outras quatro do arquipélago são um povo estranho. Formam uma tribo pouco numerosa que está à mercê dos ataques de outras tribos vindas do mar: dispõem de poucos alimentos, devido à natureza rochosa de suas ilhas. Apesar de tudo, graças à sua singular habilidade de fabricar objetos de cerâmica, à sua coragem e eficiência como navegadores e à sua localização entre Dobu e as ilhas Trobriand, esses nativos conseguiram tornar-se, em muitos aspectos, os monopolistas dessa região do mundo. Têm mesmo as características de monopolistas: são ávidos e mesquinhos, insaciáveis e pouco hospitaleiros: insistem em tomar para si as rédeas das trocas e do comércio, mas não se dispõem a fazer quaisquer sacrifícios no sentido de melhorá-lo; são retraídos, mas de atitude arrogante para com todas as pessoas que com eles têm algum negócio a tratar. Contrastam, portanto, muito desfavoravelmente com seus vizinhos do norte e do sul – e isso não é a opinião apenas do homem branco.[13] Os nativos das ilhas Amphlett gozam, com efeito, de péssima reputação entre os dobuanos e os trobriandeses, que os consideram desprovidos de um verdadeiro senso de generosidade e hospitalidade, mesquinhos e injustos em todas as negociações do *Kula*.

13 Passei cerca de um mês nessas ilhas e achei os nativos surpreendentemente intratáveis e foi muito difícil realizar o trabalho etnográfico entre eles. Os *boys* de Amphlett têm excelente reputação como marujos, mas de maneira geral não são trabalhadores tão capazes e diligentes quanto os de Dobu.

Quando ancoramos nosso barco, os nativos logo se aproximam em suas canoas, oferecendo à venda potes de barro, mas, se descemos à praia para dar uma olhadela em sua aldeia, a agitação é grande e todas as mulheres desaparecem dos locais abertos: as mais jovens correm a esconder-se na selva atrás da aldeia e até mesmo as velhas feias desaparecem de vista, refugiando-se nas choupanas. Assim, se quisermos ver como são fabricados os objetos de barro – feitos quase que exclusivamente pelas mulheres –, teremos de atrair alguma velha para fora de seu esconderijo, oferecendo-lhe generosas porções de tabaco e procurando convencê-la de que nossas intenções são honradas.

Mencionamos todos esses fatos, de interesse etnográfico, porque não é só o homem branco que provoca esse retraimento; se outros nativos, vindos de suas terras para negociar com eles, permanecem por algum tempo nas ilhas Amphlett, as mulheres também desaparecem desse modo. Essa timidez ostensiva não é, entretanto, fingida: nessas ilhas, muito mais que em Dobu, a mulher solteira ou casada se caracteriza por estrita obediência às leis de castidade e fidelidade. As mulheres também aqui têm muita influência e tomam parte ativa nos trabalhos da lavoura e na execução da magia agrícola. Em suas instituições e costumes, esses nativos apresentam uma mistura característica dos Massim do norte e do sul. Não há chefes, mas os membros mais velhos da tribo têm autoridade, existindo em cada aldeia um líder que a representa nas cerimônias e em outros assuntos importantes. Seus clãs totêmicos são idênticos aos de Murua (distrito II). Seu precário suprimento alimentar provém, em parte, de uma lavoura pobre e, em parte, da pesca, feita com pipas e armadilhas, a qual, entretanto, raramente pode ser levada a cabo e, em geral, não rende muito. Esses nativos não são autossuficientes; recebem, na forma de presentes ou por meio do comércio, produtos agrícolas e porcos procedentes do continente, de Dobu ou de Trobriand. Sua aparência física lembra muito a dos nativos das ilhas Trobriand, isto é, são mais altos, de pele mais clara e traços mais delicados que os Dobu.

Vamos agora partir das ilhas Amphlett rumo ao arquipélago de Trobriand, cenário de quase todos os acontecimentos descritos neste volume e região sobre a qual tenho o maior número de dados etnográficos.

CAPÍTULO II

Os nativos das ilhas Trobriand

1

Deixando de lado, por enquanto, os rochedos bronzeados e a selva escura das ilhas Amphlett – pois teremos de voltar a visitá-las no decorrer de nossos estudos, a fim de melhor conhecer seus habitantes –, vamos navegar agora em direção ao norte, rumo a um mundo completamente diferente, o das ilhas planas de coral; um distrito etnográfico que, por um sem-número de modos e costumes peculiares, distingue-se muito do resto do território papua-melanésio. Até o momento, navegamos por mares profundamente azuis e transparentes; nos lugares em que a água é pouco profunda, pode-se ver o leito de coral, com sua imensa variedade de cores e formas, com suas plantas e peixes, constituindo em si fascinante espetáculo, um mar moldado pelos esplendores da selva tropical, de cenários vulcânicos e montanhosos, de rápidos cursos de água e cachoeiras, de nuvens vaporosas que pairam sobre os vales elevados. De tudo isso nos despedimos ao navegarmos para o norte, os contornos das ilhas Amphlett logo desaparecem de vista, envoltos na bruma tropical; por fim, a única coisa que permanece no horizonte é o vulto piramidal e adelgaçado do monte Koyatabu, que nos vai seguindo até alcançarmos a laguna de Kiriwina.

Entramos, agora, num mar de águas opacas e esverdeadas, cuja monotonia é quebrada apenas por uns poucos bancos de areia, alguns desertos e cobertos pelas águas, outros com uma ou outra árvore do pandano, trepadas em suas raízes aéreas, erguendo-se acima da areia. Nesses bancos de areia, cenários de muitos incidentes míticos do *Kula* primevo, os nativos de Amphlett passam semanas a fio pescando tartarugas e dugongos. Mais adiante, em meio

[5] Grupo de nativos na aldeia em suas tarefas cotidianas.

à cerração do mar, adensam-se os primeiros traços do horizonte como os riscos de um lápis. Aos poucos, eles vão ganhando formas: um se encomprida e alarga, outros vão assumindo a forma de pequenas ilhas – e assim, finalmente, encontramo-nos na grande laguna das ilhas Trobriand, com Boyowa, a maior delas, à nossa direita e muitas outras – habitadas ou não – ao norte e noroeste.

À medida que nosso barco penetra na laguna, seguindo passagens intricadas por entre os bancos de areia e aproximando-se lentamente da ilha principal, a selva – baixa, espessa e emaranhada – abre-se aqui e acolá numa praia, deixando entrever um bosque de palmeiras, como um grande espaço oco cheio de pilares. Isso é sinal de que ali se localiza uma aldeia. Descemos à praia, onde, via de regra, a água é lamacenta e coberta de escória flutuante. Na orla da praia encontram-se as canoas, a secar ao sol. Atravessando o bosque de palmeiras, deparamos, enfim, com a aldeia [5].

Em breve, estaremos sentados numa das plataformas construídas em frente dos celeiros de inhame, à sombra da projeção do telhado. Os troncos roliços e gastos pelo contato de pés descalços e corpos nus, o chão pisado da rua da aldeia, a pele marrom dos nativos, que imediatamente se reúnem em grandes grupos ao redor do visitante, tudo isso forma um esquema de cor cinza e bronze, inesquecível a qualquer pessoa que, como eu, viveu em meio a essa gente.

É difícil descrever as sensações de suspense e extremo interesse que o etnógrafo experimenta ao entrar pela primeira vez no distrito que, em breve, será o campo de sua pesquisa. Certas características do lugar imediatamente lhe saltam aos olhos, enchendo-o de esperanças e apreensões. A aparência dos nativos, seus modos e seu tipo de comportamento podem constituir bom ou mau presságio para a esperança de uma pesquisa fácil e rápida. Prevendo a existência de muitos mistérios etnográficos, ocultos sob o aspecto trivial de tudo o que vê, o etnógrafo fica à espreita de fatos sociológicos significativos. O nativo à minha frente que parece bastante inteligente e tem um aspecto estranho talvez seja um feiticeiro famoso. Entre esses dois grupos de homens é possível que haja uma relação de rivalidade ou vingança que poderá vir a esclarecer algum fato referente aos costumes e ao caráter dessa gente. Pelo menos eram esses os meus pensamentos quando, no mesmo dia em que cheguei a Boyowa, sentei-me próximo a um grupo de nativos observando-os cuidadosamente enquanto conversavam.

Um dos primeiros fatos que chamaram a atenção em Boyowa é a grande variedade de tipos físicos.[1] Há homens e mulheres de grande estatura, de porte elegante e traços delicados, de perfil aquilino e bem delineado, de testa alta, nariz e queixo bem formados e uma expressão aberta e inteligente **[6, p. 112] [9, p. 116] [14, p. 155]**. A par desses, há os de rosto negroide e prógnato, boca grande e lábios grossos, testa curta e expressão grosseira **[8, p. 115]**. Os de traços mais suaves têm também pele de cor mais clara. O cabelo também varia, indo do liso-anelado ao crespo característico do tipo melanésio puro. Usam os mesmos enfeites que os outros Massim: braceletes e cintos de fibra trançada, brincos de casco de tartaruga e de discos feitos de *Spondylus*; gostam muito também de enfeitar-se com ervas aromáticas e flores. Sua atitude é bem mais livre, espontânea e confiante que a dos nativos que até agora encontramos. Quando

1 O dr. Seligman já nos chamou a atenção para o fato de que entre os Massim setentrionais há nativos de extraordinária beleza física. Os habitantes das ilhas Trobriand pertencem à seção ocidental desses Massim setentrionais e são "de modo geral mais altos (frequentemente bem mais altos) que os nativos de rosto curto e nariz chato, nos quais o osso do nariz é bem comprido e baixo" (op. cit., p. 8).

[6] "Aristocratas" de Kiriwina. Tokulubakiki, filho do chefe, Towese'i e Yobukwa'u, que pertencem, respectivamente, à categoria de *status* mais elevado e à ligeiramente inferior, com a beleza de seus traços e a expressão inteligente. Esses três estão entre os meus melhores informantes.

algum visitante desconhecido chega ao local, metade da aldeia se reúne ao redor dele falando alto e tecendo comentários – em geral pouco lisonjeiros – a respeito do visitante e assumindo, em geral, um tom de jocosa intimidade.

A existência de classes e de diferenciação social é uma das primeiras características sociológicas que chama a atenção do observador atento. Alguns nativos – muito frequentemente os de melhor aparência – são tratados com o máximo respeito pelos demais; esses chefes e pessoas de classe, por sua vez, comportam-se de modo bastante diferente para com os estranhos e, com efeito, demonstram maneiras excelentes, no sentido pleno da palavra.

Na presença do chefe, nenhum dos plebeus ousa permanecer em posição física mais alta que a dele: precisa curvar ou agachar-se.

De igual forma, quando o chefe se senta, ninguém ousa ficar de pé. A instituição definida da chefia, à qual se demonstram tais extremos de respeito por meio de um cerimonial de uma realeza rudimentar e de insígnias de posição social e autoridade, é de tal modo estranho ao temperamento das tribos melanésias que, à primeira vista, chega a transportar o etnógrafo para um mundo bem diferente. No curso de nossa pesquisa, muitas vezes encontraremos tais manifestações da autoridade do chefe em Kiriwina; e, nesse particular, perceberemos claramente a diferença entre os trobriandeses e os habitantes das demais tribos, bem como as adaptações resultantes do relacionamento tribal.

2

Outra característica sociológica importante que se impõe à observação do visitante é a posição social das mulheres. Depois da atitude fria e esquiva das mulheres de Dobu e do comportamento pouco convidativo das mulheres das ilhas Amphlett, a familiaridade amistosa das nativas de Boyowa é quase chocante. Há, naturalmente, diferenças de conduta entre as mulheres das classes mais altas e as das classes inferiores: de modo geral, porém, nenhuma delas se mostra retraída e todas elas, sem distinção, revelam-se amistosas e agradáveis. Muitas são mesmo muito bonitas **[7, p. 114] [8, p. 115]**. Sua maneira de vestir é também bastante diferente da que observamos até agora. Todas as mulheres melanésias da Nova Guiné usam saiotes de fibra. Entre as Massim meridionais, essas fibras são longas, chegando até o joelho ou mesmo até a canela. Nas ilhas Trobriand, os saiotes das mulheres são bem mais curtos e amplos, com várias camadas de fibras formando ao redor do corpo uma espécie de franzido. O efeito decorativo dessas saias é ainda mais realçado pelos enfeites artísticos feitos em três cores nas várias fileiras de fibra que formam o saiote de cima. De modo geral, essas saias ficam bem nas jovens e dão às meninas pequenas e esguias uma aparência graciosa e travessa.

Entre esses nativos, a castidade é uma virtude desconhecida. Eles são introduzidos à vida sexual em idade incrivelmente precoce; muitos de seus jogos infantis, de aparente inocência, não

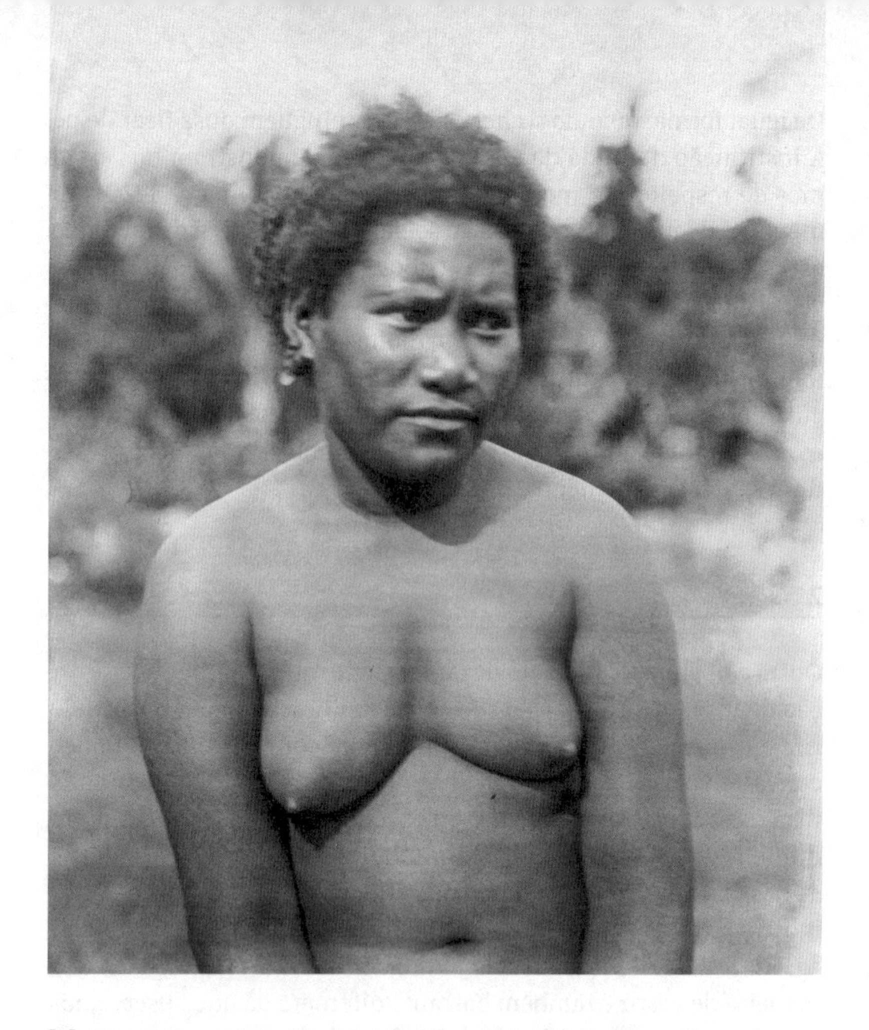

[7] Uma típica *nakubukwabuya* (mulher solteira). Um tipo rude, embora formoso, de mulher plebeia. [Fotografia de B. Hancock]

são, na realidade, tão inócuos como poderíamos crer. Com o tempo, os jovens passam a uma vida de promiscuidade e de amor livre; gradualmente, porém, vão se envolvendo em casos mais sérios e duradouros, um dos quais termina em casamento. Antes que isso aconteça, entretanto, as jovens solteiras são livres para fazer o que quiserem; existem, inclusive, arranjos cerimoniais em que as jovens de uma aldeia vão em grupos a outros locais. Ali se põem em fila para inspeção e cada uma delas é então escolhida por um rapaz, com o qual passa a noite. Esse ritual é denominado *katuyausi* [8, p. 115]. Quando um grupo de visitantes chega à aldeia, vindos de

[8] **Jovens de Boyowa.** Esse tipo de pintura do rosto e de enfeites é usado pelas jovens de uma expedição cerimonial *katuyausi*.

outro distrito, cabe também às jovens solteiras servir-lhes alimento e satisfazer-lhes as necessidades sexuais. Por ocasião das grandes vigílias mortuárias, quando a aldeia inteira se reúne ao redor da pessoa recém-falecida, grandes comitivas vêm das aldeias vizinhas para participar das lamentações e dos cantos fúnebres. As jovens dessas comitivas devem então, por praxe, confortar os rapazes da aldeia enlutada, deixando muito enciumados seus amantes oficiais. Há um outro tipo, bastante notável, de ritual licencioso, em que, com efeito, as mulheres abertamente tomam todas as iniciativas. Durante os trabalhos agrícolas, na época em que as ervas dani-

[9] Uma família nativa. Tokulubakiki, nativo de Omarakana, com sua esposa e filhos. Atrás deles está o celeiro, com os inhames visíveis pelos interstícios.

nhas são arrancadas dos campos, as mulheres perfazem essa tarefa comunitariamente. Está sujeito a grandes riscos o estranho que, nessa época, aventura-se a passar pelo distrito: as mulheres o perseguem, agarram-no, arrancam-lhe a tanga e o tratam de maneira ignominiosa e orgiástica. Paralelamente a essas formas de licenciosidade sexual cerimonial, existem as constantes intrigas individuais, que são mais intensas por ocasião dos festejos e menos proeminentes na época em que a lavoura, as expedições comerciais ou a colheita absorvem as energias e a atenção da tribo.

O casamento não exige quase nenhum rito público ou privado ou qualquer cerimônia. A mulher simplesmente se muda para a casa do marido e, só mais tarde, é que se realiza a troca de uma série de presentes. Isso, entretanto, não pode ser interpretado como compra da mulher pelo marido. Com efeito, uma das características mais importantes do casamento trobriandês é o fato de que a família da esposa tem por obrigação contribuir substancialmente para a economia do novo lar, ao mesmo tempo que presta vários serviços ao marido. Espera-se que a esposa se mantenha fiel a ele – mas essa regra não é estritamente observada. O homem deve tratar a esposa com muita consideração, pois, caso contrário, ela, que ainda conserva um grande quinhão de independência, simplesmente o abandona e volta para a casa paterna. O esposo que é financeiramente prejudicado com a deserção da mulher deve, então, esforçar-se para consegui-la de volta, persuadindo-a por meio de presentes. A esposa pode abandoná-lo para sempre, se assim o desejar, pois tem liberdade total de procurar um novo marido.

As mulheres ocupam também posição de prestígio na vida tribal. Regra geral, não podem participar dos conselhos dos homens; todavia, em muitos assuntos elas gozam de considerável influência pessoal, podendo, dessa forma, controlar muitos aspectos da vida comunitária. Boa parte dos trabalhos de horticultura cabe à mulher – e isso é considerado não apenas um dever, mas um privilégio. A ela cabe também cuidar de certos estágios das grandes cerimônias de distribuição de alimentos, cerimônias essas que se relacionam ao sofisticado e elaborado ritual funerário dos habitantes de Boyowa. Certos tipos de magia – como a que se usa por ocasião do nascimento do primeiro filho, a magia da beleza usada nas cerimônias tribais e certos tipos de feitiço – são também monopólio das mulheres. As mulheres de posição desfrutam, como os homens, de todos os privilégios inerentes à hierarquia, e os homens das castas mais baixas devem curvar-se diante delas, observando todas as formalidades e os tabus devidos aos chefes. Mesmo estando casada com um plebeu, a mulher da classe dos chefes conserva todos os direitos relativos à sua posição, mesmo no que diz respeito ao marido, e deve, portanto, ser tratada com todas as honras e a consideração inerentes a seu título.

Os trobriandeses são matrilineares, ou seja, em questões de descendência e de herança seguem a linha materna. Toda criança pertence automaticamente ao clã e à comunidade da aldeia da mãe. Tanto os bens materiais como a própria posição social são legados por herança, não de pai para filho, mas de tio materno para sobrinho. Essa regra admite exceções importantes e interessantes, a que voltaremos oportunamente no curso de nossos estudos.

3

Voltemos à nossa primeira visita imaginária após o desembarque no litoral. Depois de termos observado os modos e a aparência física dos nativos, a próxima coisa a fazer é dar uma volta pela aldeia. Isso nos permite testemunhar muitos fatos que, aos olhos das pessoas bem treinadas, imediatamente revelam aspectos sociológicos mais profundos. Nas ilhas Trobriand, entretanto, é melhor que nossas primeiras observações sejam feitas numa das grandes aldeias do interior, situada em terreno plano, uniforme e espaçoso, pois é em locais assim que as aldeias seguem seus padrões mais típicos de construção. Nas do litoral, localizadas em terrenos pantanosos e afloramentos de coral, a irregularidade do solo e a limitação de espaço obliteram o desenho, e essas aldeias têm, desse modo, uma aparência bastante caótica. Em contrapartida, todas as grandes aldeias dos distritos centrais seguem uma regularidade quase geométrica.

No centro, há um grande terreno de forma circular e, a seu redor, uma fileira de choupanas onde se armazena o inhame. Esses celeiros são construídos sobre estacas e apresentam belas fachadas decoradas. As paredes são feitas de troncos grandes e arredondados, apoiados uns sobre os outros, transversalmente, formando largos interstícios através dos quais se pode enxergar o inhame armazenado **[9, p. 116] [29, p. 252] [30, p. 257]**. Alguns deles são maiores, mais altos e mais bem construídos que os demais; ostentam no frontão grandes tábuas ornamentais. São esses os celeiros em que se armazena o inhame pertencente ao chefe ou às pessoas de alta posição social. Via de regra, há uma pequena plataforma à frente de cada um deles, onde os homens se agrupam à noite para conversar e onde os visitantes podem descansar.

Concentricamente ao círculo dos celeiros, corre uma fileira de cabanas que servem de habitação e, entre os dois círculos, portanto, forma-se uma rua que contorna a aldeia em toda a sua extensão **[2, p. 63] [3, p. 66] [5, p. 110]**. As habitações são mais baixas que os celeiros, pois são construídas diretamente no chão, e não sobre estacas. Seu interior é escuro e abafado – a única abertura é a da porta, que costuma ser mantida fechada. Em cada cabana mora uma família **[9, p. 116]**, isto é, marido, mulher e crianças pequenas; os meninos e as meninas já crescidos e os adolescentes moram em pequenas casas de solteiros, em grupos de dois a seis ocupantes, separados dos pais. Os chefes e as pessoas de posição têm suas próprias casas especiais, além das que pertencem às esposas. A casa do chefe geralmente se ergue em meio à fileira central dos celeiros, em frente da praça principal.

A inspeção geral da aldeia revelou-nos, portanto, a função dos enfeites e ornamentos como insígnias da posição social; a existência de habitações especiais para jovens solteiros; a grande importância que se dá à colheita do inhame – indícios que nos levam aos problemas mais profundos da sociologia nativa. Tal inspeção nos leva, além disso, a formular questões referentes à função das diversas divisões da aldeia na vida tribal. Vamos aprender que o *baku*, o terreno de forma circular existente no centro da aldeia, é o local onde se realizam as cerimônias e os festejos públicos, como as danças **[10, p. 120] [11, p. 122]**, a distribuição de alimentos, as festas tribais e os velórios – em suma, todos os acontecimentos que representam a aldeia como um todo. Na rua circular que passa entre as habitações e os celeiros, têm lugar a vida cotidiana, o preparo dos alimentos, a realização das refeições, a troca usual de mexericos e de amenidades sociais costumeiras. O interior das habitações é utilizado somente à noite ou em dias de chuva – é mais quarto do que sala. O fundo das casas e os bosques próximos são o local onde as crianças brincam e as mulheres realizam suas tarefas. Mais adiante, lugares afastados do bosque são reservados às necessidades sanitárias dos nativos – um para os homens, outro para as mulheres.

O *baku* (praça central da aldeia) é a parte mais pitoresca; nele, o esquema um pouco monótono do cinza e marrom é quebrado pela folhagem pendente do bosque, que se pode avistar acima dos telhados, pela ornamentação vistosa dos celeiros e pelos ornamentos que as pessoas usam quando dançam ou fazem cerimônias **[10, p. 120] [30, p. 257]**. As danças realizam-se apenas numa época do ano e estão associadas às festividades da colheita, que recebem o nome de *milamala*. É também nessa época que os espíritos dos mortos, provenientes de Tuma, o mundo do além, regressam às aldeias a que pertencem. Por vezes, a época das danças dura apenas algumas semanas, ou até mesmo alguns dias; outras vezes, prolonga-se num período especial chamado *usigola*. Nessa época de festas, os habitantes da aldeia dançam dia após dia, durante um mês inteiro, e às

[10] Dança *kaydebu*. Os nativos se dispõem em círculo para dançar no *baku* de Omarakana, carregando seus escudos de madeira talhada. Eles vestem os cocares, feitos com penas de cacatua: singelos, mas pitorescos.

vezes até mais. O período é inaugurado com uma grande festa e partilhado por várias outras. Culmina sempre com uma grande representação, da qual nativos de outras aldeias participam como espectadores, e na qual sempre se realizam distribuições de alimento. Durante o *usigola*, os nativos usam o traje de dança completo, que inclui pintura facial, enfeites de flores, adornos de valor e cocares feitos com as penas da cacatua-branca [10] [11, p. 122]. A apresentação consiste sempre em danças em círculo, ao som de cantos e tambores, ambos executados por um grupo de homens que fica de pé no centro do círculo. Algumas são realizadas com escudos de dança feitos de madeira entalhada.

Sociologicamente, a aldeia é uma unidade importante nas ilhas Trobriand. Mesmo o mais importante chefe trobriandês exerce autoridade primariamente sobre sua própria aldeia e apenas secundariamente sobre o distrito. A comunidade da aldeia explora de forma coletiva suas próprias terras de cultivo, realiza cerimônias, promove guerras, empreende expedições comerciais e navega na mesma canoa ou na mesma frota como um grupo.

Depois de nossa primeira inspeção na aldeia, estaremos naturalmente interessados em conhecer melhor o território em que ela se localiza. Devemos, então, fazer um passeio pela mata. Se, no entanto, esperarmos ver paisagens pitorescas e variadas, nossa decepção será enorme. A grande ilha consiste apenas em uma planície fértil, com uma barreira de coral não muito alta contornando certas porções da costa. Em quase toda a sua extensão, a terra é cultivada periodicamente. A mata, que é cortada em intervalos de poucos anos, não chega a ficar muito alta. A selva baixa e densa cresce num emaranhado de plantas entrelaçadas; onde quer que estejamos, nosso caminho é sempre ladeado por duas paredes verdes, que não apresentam variedade alguma nem permitem que se tenham vistas mais amplas da ilha. A monotonia só é quebrada por um ou outro grupo de árvores que os nativos deixaram crescer – em geral, em locais considerados sagrados ou proibidos – ou, então, por uma das numerosas aldeias que encontramos a cada uma ou duas milhas nessa região tão densamente povoada. As roças constituem ali um dos principais elementos de interesse etnográfico e são mesmo bastante pitorescos. Cada ano, aproximadamente um quarto ou um quinto da área total da ilha se encontra sob cultivo. As roças são bem cuidadas e constituem uma mudança agradável à vista, naquela monotonia toda de mato. Em seu estágio inicial, esses campos de cultivo são apenas terrenos limpos e vazios; permitem, assim, uma visão mais ampla da barreira de coral ao leste e das matas altas que, espalhadas aqui e ali no horizonte, indicam a existência de aldeias ou de grupos de árvores consideradas tabu. Mais tarde, quando as plantações de inhame, de taro e de cana-de-açúcar começam a se desenvolver e a germinar, o solo vazio e marrom fica coberto pelo verde fresco das tenras plantas. Depois de mais algum tempo, os nativos colocam estacas em cada pé de inhame; as trepadeiras agarram-se então a essas estacas, crescendo até transformar-se em grinaldas de folhas que produzem boa sombra; dão, em conjunto, a impressão de uma imensa e exuberante plantação de lúpulo.

[11] Os dançarinos ostentam ornamentação completa.
A foto mostra um dos segmentos do círculo de dançarinos executando o *kaydebu*, na aldeia de Yalaka.

4

Os nativos empregam metade de seu tempo de trabalho na roça, e é em torno dela que concentram provavelmente mais da metade de seus interesses e ambições. Devemos, a essa altura, fazer uma pausa para analisar e tentar compreender sua atitude com relação a esse assunto, pois ela tipifica nitidamente o modo como o nativo realiza qualquer trabalho. Se ficarmos na ilusão de que ele é o filho folgazão e preguiçoso da natureza, que evita, na medida do possível, qualquer trabalho ou esforço e que não faz outra coisa senão esperar que as frutas maduras, caridosamente providas pela generosa Natureza tropical, caiam em sua boca, de modo algum poderemos compreender seus propósitos e os motivos que o levam a executar o *Kula* ou qualquer outro tipo de empreendimento. Muito pelo contrário: a verdade é que o nativo pode trabalhar e, em dadas circunstâncias, trabalha duro, com objetivos bem definidos e de maneira sistemática e persistente. Não fica à espera de que suas necessidades imediatas o forcem ao trabalho.

Na roça, por exemplo, os nativos produzem muito mais do que necessitam e, em média, no decorrer de um ano normal, chegam a colher o dobro do que precisam para alimentar-se. Nos dias atuais, esse excedente de alimentos é exportado por europeus para o consumo de trabalhadores agrícolas em outras regiões da Nova Guiné. Antes, simplesmente apodrecia. Além do mais, os nativos conseguem esse excedente por meio de um trabalho muito maior que o estritamente necessário à obtenção de uma boa colheita: despendem muito tempo e energia em questões estéticas, conservando seus campos de cultivo sempre arrumados, limpos e desobstruídos de todos os detritos, construindo cercas bem-feitas e sólidas, colocando estacas especialmente fortes e grandes nos pés de inhame. Até certo ponto, tudo isso é mesmo necessário ao bom desenvolvimento das plantas, mas não há dúvida de que os nativos levam sua meticulosidade bem além dos limites do estritamente necessário. O elemento não utilitário do trabalho agrícola deles torna-se ainda mais evidente se analisarmos as diversas tarefas a que se dedicam exclusivamente com fins ornamentais, em conexão com cerimônias de magia e em obediência aos costumes da tribo. Assim, depois da meticulosa limpeza e do preparo dos campos para o plantio, os nativos dividem cada um em pequenos lotes quadrados, de apenas alguns metros, de modo que os campos pareçam bonitos e bem cuidados – o que é feito apenas em obediência a antigos costumes da tribo. Nenhum nativo com certa dose de amor-próprio sonharia sequer em omitir-se a esse trabalho. Nos campos especialmente bem guarnecidos, longas vigas horizontais são amarradas às estacas de apoio aos pés de inhame para embelezá-los. Outro exemplo – talvez o mais interessante – de trabalho não utilitário são as grandes estruturas construídas em forma de prismas: são denominadas *kamkokola* e servem apenas a finalidades de ornamentação e magia; nada têm a ver com o crescimento das plantas **[60, p. 536]**.

De todas as forças que se relacionam ao trabalho agrícola e o regulam, a magia é talvez a mais importante. Constitui, por assim dizer, um departamento independente e está sob a responsabilidade do mago agrícola, que, depois do chefe e do feiticeiro, é um dos personagens mais importantes da aldeia nativa. A posição é hereditária e, em cada aldeia, há um sistema especial de magia, passado matrilinearmente de geração para geração. Dou a isso o nome de *sistema* porque o mago tem de executar uma série de ritos e encantamentos no campo, paralelamente ao trabalho do cultivo e, de fato, dá início a cada fase do trabalho da lavoura e marca cada novo estágio de desenvolvimento da plantação. Antes de iniciar qualquer trabalho referente ao cultivo, o mago tem de consagrar o local com uma grande cerimônia na qual tomam parte todos os homens da aldeia. Com essa cerimônia, abre-se oficialmente a época do cultivo; só depois dela é que os nativos da aldeia começam a cortar o mato dos lotes. Em seguida, executando uma série de ritos, o mago agrícola inaugura sucessivamente cada um dos diversos estágios do trabalho da lavoura – a queimada do mato, a limpeza do solo, o plantio, a capina e a colheita. Paralelamente, por meio de outra série de rituais mágicos e encantamentos, ele auxilia as plantas para que germinem, produzam suas primeiras folhas, cresçam, subam pelas estacas, formem folhagem abundante e, finalmente, produzam os tubérculos comestíveis.

Segundo o pensamento nativo, o mago agrícola controla, dessa forma, não apenas o trabalho do homem, mas também as forças da Natureza. Age, além disso, diretamente como supervisor dos trabalhos agrícolas, cuidando para que os nativos realizem seus trabalhos com perfeição e rapidez. A magia é, portanto, uma influência que regula, sistematiza e controla o trabalho da roça. Ao executar os diversos ritos, o mago determina a marcha dos trabalhos forçando os nativos a se devotar a certas tarefas e a realizá-las de maneira adequada e com a devida pontualidade. A propósito, a magia também impõe à tribo muito trabalho extra e estabelece regras e tabus que são aparentemente desnecessários e dificultosos. No fim das contas, porém, não resta dúvida de que, por sua influência no sentido de ordenar, sistematizar e regular o trabalho, a magia constitui elemento de inestimável valor econômico para os nativos.[2]

Outra noção que precisa ser destruída de uma vez por todas é a do "Homem Econômico Primitivo", encontrada em alguns textos de ciências econômicas. Essa criatura fictícia, de existência persis-

2 Faço uma descrição mais detalhada sobre o trabalho agrícola e sua importância econômica nas ilhas Trobriand no artigo "The Primitive Economics of the Trobriand Islanders", *The Economic Journal*, vol. 31, mar. 1921.

tente na literatura econômica popular e semipopular, cuja sombra penetra até mesmo na mente de certos antropólogos competentes esterilizando-lhes a visão com ideias preconcebidas, é um homem primitivo ou selvagem imaginário, movido em todas as ações por uma concepção racionalista do interesse pessoal, atingindo seus objetivos de maneira direta e com o mínimo de esforços. Um exemplo bem analisado será suficiente para mostrar quão absurda é a suposição de que o homem – e, de modo especial, o homem de baixo nível cultural – seja movido por interesses particularistas puramente econômicos. Esse exemplo, que nos é fornecido pelo primitivo trobriandês, lança por terra toda essa falsa teoria. O nativo de Trobriand trabalha por razões de natureza social e tradicional altamente complexas; seus objetivos certamente não se referem ao simples atendimento de necessidades imediatas nem a propósitos utilitaristas. Assim, antes de mais nada, como já vimos, o trabalho nativo não é executado segundo a lei do menor esforço. Muito pelo contrário, em sua realização são despendidas grandes parcelas de tempo e de energia que são inteiramente desnecessárias, de um ponto de vista utilitário. O trabalho e o esforço não constituem apenas meios para atingir certos fins, mas, sob certo ponto de vista, um fim em si mesmo. Nas ilhas Trobriand, o prestígio de um bom agricultor é diretamente proporcional à sua capacidade de trabalho e à quantidade de terra que consegue lavrar. O título de "*tokwaybagula*", que significa "lavrador bom" ou "eficiente", só é conferido após judiciosa escolha e sempre ostentado com orgulho. Vários de meus amigos, conhecidos como *tokwaybagula*, gabavam-se do quanto haviam trabalhado, de quanta terra haviam lavrado, e comparavam seus próprios esforços com os dos nativos menos capazes ou pouco trabalhadores. À medida que se processa o trabalho da lavoura, parte do qual é realizado comunitariamente, pode-se observar um grande espírito de competição. Há disputa para saber quem trabalha mais rapidamente, quem faz o trabalho mais completo, quem consegue carregar mais peso ao trazer para o campo as grandes estacas ou ao levar para a aldeia o produto da colheita.

Uma das facetas mais importantes desse assunto, entretanto, é o fato de que todo ou quase todo produto da colheita – e certamente tudo aquilo que o nativo conseguir por meio de trabalho extra – não é destinado ao próprio nativo, mas a seus afins. Sem entrar em detalhes sobre o sistema de distribuição dos produtos da lavoura cuja sociologia é muito complexa e exigiria um estudo preliminar sobre o sistema de parentesco nas ilhas Trobriand, podemos dizer que o nativo distribui cerca de três quartos de sua colheita; uma parte é entregue obrigatoriamente ao marido de sua irmã (ou ao marido de sua mãe) e à família dele, outra parte vai para o chefe, como tributo.

Muito embora, num sentido utilitário, o nativo seja pouco beneficiado com o trabalho de sua lavoura, são grandes os elogios e o renome que ele recebe – de maneira direta ou casual – pelo tamanho e pela qualidade de sua colheita. Cuidadosamente empilhado em montes em forma de cone resguardados sob um abrigo feito com a videira do inhame, todos os produtos da colheita ficam expostos no próprio campo durante certo tempo. Cada agricultor exibe, assim, seus produtos no próprio lote de terra. Os nativos, em grupos, vão andando de lote em lote, admirando, comparando e elogiando os melhores resultados. A importância dessa exibição dos plantios poderá ser mais bem avaliada se levarmos em conta o fato de que, em épocas passadas, quando os chefes tinham poderes consideravelmente maiores que agora, era arriscado para um nativo de baixa posição social (ou que não estivesse trabalhando para alguém de posição elevada) exibir colheitas que superassem em beleza e qualidade as do chefe.

Nos anos em que a colheita promete ser abundante, o chefe proclama o *kayasa*, isto é, uma exibição cerimonial e competitiva de alimentos. O interesse e o esforço de obterem melhores resultados na lavoura são então ainda maiores. Mais adiante, em nossa narrativa encontraremos empreendimentos cerimoniais do tipo *kayasa* e descobriremos que eles desempenham papel de considerável importância no *Kula*. Tudo isso nos vem demonstrar que o verdadeiro nativo, o de carne e osso, é muito diferente do pretenso Homem Econômico Primitivo, em cujo comportamento se baseiam tantas das deduções escolásticas da teoria econômica abstrata.[3] O trobriandês trabalha de maneira irregular, preocupa-se muito em dar remate estético ao preparo e à aparência geral de seu lote de terra, e o trabalho aparece frequentemente como um fim em si mesmo. É guiado, acima de tudo, não pelo desejo de satisfazer suas necessidades vitais, mas sim por um complexo sistema de deveres e obrigações, de forças tradicionais, de crenças mágicas, ambições sociais e vaidade. Na con-

3 Isso não significa que as conclusões gerais das ciências econômicas estejam incorretas. A natureza econômica do homem é, via de regra, ilustrada por meio de selvagens imaginários e tem apenas finalidade didática; as conclusões dos autores, na realidade, estão baseadas em seus estudos dos fatos referentes à economia desenvolvida. Contudo, deixando de lado o fato de que é pedagogicamente errado fazer que os assuntos pareçam mais simples por meio de uma visão falsa, o etnógrafo tem por dever e direito protestar contra a inserção de dados falsos em seu próprio campo de pesquisa.

dição de *homem*, ele deseja alcançar prestígio social como um *bom lavrador* e, de maneira geral, como bom trabalhador.

Visto que nos capítulos a seguir estudaremos as atividades econômicas, resolvi demorar-me nessa análise dos objetivos e motivos do trobriandês no que se refere ao trabalho da lavoura para fornecer ao leitor vários exemplos por meio dos quais ele poderá compreender melhor a atitude dos nativos. Tudo o que até agora afirmamos sobre os habitantes das ilhas Trobriand aplica-se, de igual forma, às tribos vizinhas.

5

Com as novas noções que acabamos de adquirir sobre a mentalidade nativa e sobre o esquema social que regula a distribuição dos produtos da colheita, será mais fácil descrevermos o caráter da autoridade exercida pelo chefe. Nas ilhas Trobriand, a posição de chefe combina em si duas instituições: primeiro, a da liderança ou autoridade da aldeia; segundo, a da chefia dos clãs totêmicos, ou seja, a divisão da comunidade em classes ou castas, cada uma delas com certa posição social hierárquica mais ou menos bem definida.

Em cada uma das comunidades das ilhas Trobriand, há sempre um homem que exerce a autoridade máxima, embora, em geral, ela não chegue a significar muito. Na maioria dos casos, ele nada mais é do que o *primus inter pares* entre os nativos mais velhos da aldeia, aos quais cabe fazer deliberações em conjunto sobre todos os assuntos importantes da tribo e chegar a decisões finais em comum acordo. Não nos devemos esquecer de que raramente surgem ocasiões de dúvida ou oportunidades para grandes deliberações, pois os nativos – quer comunitária, quer individualmente – só agem em linhas ditadas pelas tradições e convenções tribais. Portanto, o líder da aldeia é, em geral, pouco mais que um mestre de cerimônias, o orador ou porta-voz de sua comunidade, dentro ou fora dos limites da aldeia, quando a ocasião assim o exige.

A posição do líder da aldeia, entretanto, torna-se muito mais do que isso no caso de o líder ocupar uma posição social elevada, o que nem sempre ocorre. Existem nas ilhas Trobriand quatro clãs totêmicos, cada um deles dividido em determinado número de subclãs, os quais poderíamos chamar de famílias ou castas, visto que cada um deles reivindica descendência comum de uma única ancestral do sexo feminino e ocupa uma posição hierárquica específica e determinada. Esses subclãs têm também caráter local, porque a ancestral original emergiu de uma cova no chão – quase sempre em local situado nas vizinhanças da aldeia. Não existe nenhum subclã cujos membros não saibam indicar seu local de origem – ou seja, onde seu grupo, na pessoa da mulher ancestral, viu pela primeira vez a luz do sol. Os afloramentos de coral, as nascentes, as pequenas cavernas ou grutas são, em geral, apontados pelos nativos como os "buracos" ou as "casas" de origem, como são chamados. Frequentemente são rodeados por grupos de árvores considerados tabu, a que já nos referimos – alguns estão próximos da aldeia, outros nas praias, mas nenhum deles em terreno cultivável.

O subclã é o Tabalu, parte do clã totêmico Malasi. A esse subclã pertence o chefe principal de Kiriwina, To'uluwa, que reside na aldeia de Omarakana **[12]**. Ele é, antes de mais nada, o líder de sua própria aldeia e, em contraste com os líderes de baixa posição social, tem poderes consideráveis. Como To'uluwa tem uma posição hierarquicamente superior, todos os nativos à sua volta o têm na mais alta consideração e a ele demonstram genuíno temor reverente. Seus poderes são ainda surpreendentemente grandes, apesar da pressão das autoridades brancas que, tolamente e com resultados desastrosos, procuram a todo custo sabotar seu prestígio e influência.

O chefe (palavra com que me refiro ao líder pertencente à categoria superior) não só tem grande autoridade em sua própria aldeia, mas sua esfera de influência se estende bem além desses limites. Várias aldeias são suas tributárias e em diversos aspectos estão sujeitas à sua autoridade. Em casos de guerra, elas são suas aliadas, tendo então de reunir-se em sua aldeia. Se o chefe precisa de homens para executar determinada tarefa, pode solicitar a contribuição das aldeias subordinadas que o suprirão de trabalhadores. As aldeias de seu distrito participam de todos os grandes festejos, onde o chefe age como mestre de cerimônias. Ele deve, não obstante, pagar todos os serviços que lhe são prestados. Tem de pagar até mesmo pelos tributos que recebe, recorrendo a seus próprios depósitos de riqueza. Nas ilhas Trobriand, a riqueza constitui o sinal visível e a substância do poder, bem como o instrumento por

[12] A *lisiga* (cabana particular) do chefe, em Omarakana.
To'uluwa, o chefe, de pé em frente à cabana; à esquerda, entre as palmeiras, a tenda do etnógrafo e, agachados à frente, um grupo de trobriandeses.

meio do qual ele é exercido. De que maneira, entretanto, pode o chefe adquirir sua riqueza? Pelo cumprimento da principal obrigação das aldeias tributárias para com o chefe. De cada uma delas ele toma uma esposa, cuja família, segundo a lei trobriandesa, deve fornecer-lhe uma grande porção de produtos agrícolas. Essa esposa é sempre irmã ou parente próxima do líder da aldeia tributária: dessa forma, praticamente toda a aldeia tem de trabalhar para ele. Em épocas passadas, o chefe de Omarakana chegava a ter até quarenta esposas e recebia de trinta a quarenta por cento de todo o produto da lavoura em Kiriwina. Mesmo na época atual, em que o chefe tem apenas dezesseis esposas, ele possui enormes celeiros, que, na época da colheita, enchem-se até o teto com inhame.

Com esse suprimento, o chefe paga os muitos serviços a ele prestados, fornece alimento aos participantes dos grandes festejos, promove reuniões tribais e expedições a locais distantes. Parte da produção agrícola é destinada à aquisição de objetos de valor ou às despesas com sua produção. Em suma, com o privilégio da poligamia, o chefe acumula abundante riqueza em alimentos e objetos de valor, a qual utiliza para preservar sua posição social, organizar as festas e empreendimentos da tribo e pagar, segundo a tradição, os diversos serviços pessoais que lhe são prestados por direito.

Um dos aspectos referentes à autoridade do chefe merece aqui atenção especial: o poder não só implica a possibilidade de premiar, mas também de punir. Nas ilhas Trobriand, o castigo, em geral, é aplicado indiretamente usando a feitiçaria. O chefe tem sempre a seu dispor os melhores feiticeiros do distrito, aos quais ele obviamente também tem de recompensar quando lhe prestam algum serviço. Se alguém o ofende ou comete alguma infração à sua autoridade, o chefe convoca o feiticeiro e ordena que o ofensor seja morto por magia negra. Para alcançar seu objetivo num caso desse tipo, o chefe é poderosamente auxiliado pelo fato de que pode fazê-lo abertamente, de maneira que todos, inclusive o próprio ofensor, fiquem cientes de que o feiticeiro está ao encalço do culpado. Como os nativos apresentam um temor profundo e genuíno pela feitiçaria, a sensação de estar sendo perseguido e o fato de se imaginar condenado já constituem em si força suficiente para arruiná-lo de vez. É apenas em casos extremos que o chefe aplica diretamente o castigo ao infrator. Ele tem um ou dois ajudantes, cuja posição é hereditária e cuja função é matar aqueles que causaram uma ofensa tão irreparável que a morte é o único castigo suficiente. Na verdade, raros casos desse tipo foram registrados e, obviamente, o costume está suspenso hoje em dia.

A posição do chefe, portanto, só poderá ser entendida se apreendermos a importância enorme da riqueza, a necessidade de pagar por tudo, mesmo por serviços que lhe são devidos por direito e que não lhe poderiam ser negados. Mais uma vez, essa riqueza toda lhe vem às mãos por intermédio dos parentes de suas esposas e, devido ao direito de praticar a poligamia, ele de fato atinge a posição de chefe e exerce o poder.

Paralelamente a esse complexo mecanismo de autoridade, o prestígio que lhe é conferido por sua posição hierárquica e o reconhecimento de sua superioridade lhe dão imenso poder, mesmo fora de seu distrito. Com exceção daqueles poucos que estão no mesmo nível hierárquico, nenhum dos trobriandeses mantém-se em posição ereta ao aproximar-se do chefe de Omarakana. Isso acontece até mesmo nos dias atuais, embora as tribos já se encontrem em fase de desintegração. Onde quer que o chefe esteja, todos os nativos o têm como pessoa da mais alta importância, tratam-no com extrema consideração e o fazem sentar-se numa plataforma elevada. Naturalmente, o fato de o chefe ser alvo de tantas atenções e ser tratado como se fosse o déspota supremo não impede uma perfeita camaradagem e sociabilidade em suas relações pessoais com seus companheiros e vassalos. Não existe diferença de interesses entre ele e seus súditos. Sentam-se todos juntos para conversar e discutir as últimas novidades da aldeia; a única diferença, no caso, é que o chefe se caracteriza sempre por uma atitude de reserva e é sempre mais reticente e diplomático que seus companheiros, embora não menos interessado. A menos que já esteja em idade bastante avançada, o chefe participa das danças e até mesmo dos jogos e, de fato, assume a primazia em ambos por direito.

Em nossa tentativa de compreender as condições sociais predominantes entre os trobriandeses e seus vizinhos, devemos ter em mente que sua organização social é, em certos aspectos, altamente complexa e por vezes mal definida. Além das leis bem estabelecidas, às quais o nativo obedece com rigor, há inúmeros costumes estranhos e graduações bastante imprecisas na aplicação de regras, algumas das quais têm tantas exceções que se tornam obliteradas em vez de confirmadas. A estreita perspectiva social do nativo, que não vê, além do seu próprio distrito, o predomínio de fatos singulares e casos excepcionais, constitui uma das características marcantes da sociologia nativa – características essas que, por diversos motivos, não têm sido suficientemente reconhecidas. As características principais da chefia às quais nos referimos são, no entanto, suficientes para que tenhamos uma ideia mais ou menos exata da perspectiva social do nativo e do sabor de suas instituições – pelo menos o suficiente para que possamos entender o papel desempenhado pelo chefe no *Kula*. Devemos, porém, até certo ponto complementar essas noções por meio de dados concretos relativos às divisões políticas existentes nas ilhas Trobriand.

O chefe mais importante, como já dissemos, é o que reside em Omarakana e governa Kiriwina, o distrito mais rico e mais importante agriculturalmente. Sua família, ou subclã Tabalu, é reconhecida como pertencente à mais alta categoria hierárquica do arquipélago. Sua fama se estende por todo o distrito do *Kula*: a província de Kiriwina inteira adquire prestígio por meio de seu chefe, e seus habitantes observam todos os seus tabus pessoais, o que constitui não só dever, mas também uma honra. Próximo ao grande chefe existe um personagem que, embora sob vários pontos de vista seu vassalo, é também seu maior inimigo e rival: o chefe de Kabwaku e governante da província de Tilataula, que reside numa aldeia a cerca de duas milhas de distância de Kiriwina. O atual titular de Kabwaku é um velho trapaceiro chamado Moliasi. Em épocas passadas, costumava haver, de tempos em tempos, guerras entre as duas províncias e cada uma delas podia reunir umas doze aldeias para a luta. Essas guerras não eram nunca muito sangrentas e tinham curta duração; eram, sob vários aspectos, guerras de caráter competitivo e desportivo: em contraste com os Dobu e os Massim meridionais, os habitantes de Boyowa não praticavam o canibalismo nem a caça de cabeças. A derrota, porém, era assunto muito sério: significava destruição temporária das aldeias do distrito perdedor e exílio de um ou dois anos. Depois disso, realizava-se uma cerimônia de reconciliação e os dois distritos ajudavam-se mutuamente na reconstrução das aldeias.[4] O chefe de Tilataula pertence a uma categoria hierárquica intermediária e não desfruta de muito prestígio, a não ser dentro do próprio distrito, onde possui considerável poder e muita riqueza, sob a forma de alimentos armazenados e objetos cerimoniais de valor. Cada uma das aldeias sob a sua jurisdição tem, é claro, seu próprio líder independente, que, pertencendo a uma categoria social inferior, tem apenas poderes locais limitados.

A oeste da grande metade setentrional de Boyowa (ou seja, da ilha principal do grupo Trobriand) localizam-se mais dois distritos que, em épocas anteriores, viviam em frequentes guerras entre si. Um deles, Kuboma, sob a jurisdição do chefe de Gumilababa, nativo de alta posição social (porém inferior ao chefe de Kiriwina), consiste em umas dez aldeias situadas no interior e é muito importante como centro industrial. Entre suas aldeias destacam-se as de Yalaka, Buduwaylaka e Kudukwaykela, onde se prepara a cal virgem utili-

4 Ver professor C. G. Seligman, op. cit., pp. 663–68; ver também o artigo de B. Malinowski, "War and Weapons Among the Natives of the Trobriand Islands", *Man*, jan. 1918.

zada para mascar bétel e onde também são fabricados os potes nos quais os nativos guardam a cal. Os desenhos altamente artísticos, característicos desses potes, são especialidade dos habitantes dessas aldeias: infelizmente, porém, essa indústria se acha em rápida decadência. Os habitantes de Luya são bastante famosos pela fabricação de cestas – as melhores da região. Mas, de todas essas aldeias, a mais notável é a de Bwoytalu, cujos habitantes são, ao mesmo tempo, os mais desprezíveis párias, os mais temidos feiticeiros e os mais hábeis e laboriosos artífices da ilha. Pertencem a vários subclãs, todos eles originários de localidades vizinhas à sua própria aldeia, próxima da qual, segundo a tradição, o primeiro feiticeiro emergiu do solo em forma de caranguejo. Esses nativos alimentam-se da carne dos porcos do mato, apanham e comem as arraias, ambos objetos de estritos tabus e verdadeira repugnância por parte dos demais habitantes da parte setentrional de Boyowa. Por esse motivo, são considerados impuros e desprezados pelos outros. Em épocas passadas, eles eram obrigados a curvar-se mais e de maneira mais humilde que qualquer outro nativo diante de uma autoridade. Nenhum homem ou mulher associar-se-ia a eles pelo casamento nem manteria com eles uma paixão secreta. Não obstante, os nativos de Bwoytalu são muito mais habilidosos que quaisquer outros e reconhecidos como tal na arte de gravação em madeira, sobretudo na fabricação das maravilhosas travessas redondas, na manufatura de objetos de fibra trançada e na produção de pentes. Fabricam todos esses objetos por atacado, para exportação; seu trabalho não encontra rivais em nenhuma outra aldeia.

As cinco aldeias situadas na costa ocidental da metade setentrional de Boyowa, nas praias da laguna, formam o distrito de Kulumata. Seus habitantes são todos pescadores, mas seus métodos de pesca diferem de aldeia para aldeia. Cada uma tem suas próprias áreas de pesca e as explora com métodos próprios.[5] O distrito de Kulumata é bem menos homogêneo que os distritos até agora mencionados. Não tem um chefe supremo e, até mesmo nas guerras, seus habitantes não lutavam do mesmo lado. É impossível, no entanto, entrarmos aqui em todas essas nuanças e singularidades da organização política.

Na porção meridional de Boyowa, há, em primeiro lugar, a província de Luba, que ocupa, por assim dizer, a cintura da ilha – ou

5 Ver o artigo do autor, "Fishing and Fishing Magic in the Trobriand Islands", *Man*, jun. 1918, e também C. G. Seligman, op. cit., pp. 663–68.

seja, o local onde a ilha se torna estreita, formando um longo istmo. Essa parte é governada por um chefe de alta posição social residente em Olivilevi e pertencente à mesma família que o chefe de Omarakana. Essa província sulina surgiu em consequência de um desmembramento ocorrido há mais ou menos três gerações, após uma guerra malsucedida, quando a tribo inteira de Kiriwina fugiu para o sul (ou seja, para Luba) e lá viveu durante dois anos numa aldeia provisória. Grande parte dos nativos retornou a Kiriwina mais tarde; mas muitos permaneceram em Luba com o irmão do chefe, fundando então a aldeia de Olivilevi. A aldeia de Wawela, outrora muito grande, conta agora com pouco mais de vinte choupanas. É a única aldeia existente na praia oriental e fica bem próxima do mar e está situada num local muito pitoresco, do qual se pode avistar uma ampla baía de praias bem limpas. Tem grande importância como centro tradicional da astronomia nativa. O calendário dos aborígenes vem sendo organizado em Wawela há muitas gerações. Isso significa que algumas das datas mais importantes do ano deles são lá fixadas – em especial a do *milamala*, o grande festejo anual que se realiza na lua cheia. Wawela é também uma das aldeias onde uma outra forma de feitiçaria – a das bruxas voadoras – encontra seu berço mais importante nas ilhas Trobriand. Com efeito, segundo a crença nativa, esse tipo de feitiçaria tem sede unicamente na porção meridional de Boyowa. É desconhecida entre as mulheres do norte da ilha, muito embora o campo de operação dessas bruxas do sul abranja Boyowa inteira. Wawela faz frente para o leste e está sempre em estreito contato com as aldeias de Kitava e as demais ilhas do grupo Marshall Bennett, com as quais participa da fama de ter muitas mulheres que voam e matam por magia, que se alimentam da carne dos cadáveres e constituem especial ameaça aos navegadores.

Mais para o sul, na costa oriental da laguna, encontra-se a grande colônia de Sinaketa, formada por cerca de seis aldeias, distantes uns cem metros umas das outras, cada uma com seu próprio líder e características peculiares. Elas formam, no entanto, uma única comunidade em casos de guerra e para o *Kula*. Alguns dos líderes de Sinaketa são de alta posição social, outros são plebeus; de maneira geral, porém, tanto o princípio hierárquico como o poder da chefia vão desaparecendo à medida que nos dirigimos para o sul. Além de Sinaketa, há mais algumas aldeias, as quais praticam um tipo local do *Kula*: a elas voltaremos oportunamente. Sinaketa tem destaque especial na descrição que faremos a seguir. A porção sulina é por vezes chamada Kaybwagina; não constitui, porém, uma unidade política tão bem delimitada quanto os distritos do norte.

Por fim, ao sul da ilha principal, e dela separada por um estreito canal, encontra-se a ilha de Vakuta, que tem a forma de uma meia-lua e à qual pertencem quatro aldeias pequenas e uma grande. Em época mais ou menos recente – há talvez quatro a seis gerações –, para ali se dirigiu e lá se estabeleceu um ramo dos nobres tabalu, a família dos chefes de elevada posição social. Seus poderes, no entanto, nunca assumiram em Vakuta nem sequer as proporções dos pequenos chefes de Sinaketa. Em Vakuta, acha-se em pleno vigor um sistema de governo tipicamente papua-melanésio. Suas aldeias estão sob a jurisdição dos mais velhos da tribo, entre os quais há sempre um que consegue maior destaque, embora não chegue a exercer poder supremo.

As duas grandes colônias de Sinaketa e Vakuta desempenham papel de enorme importância no *Kula*. De todas as comunidades trobriandesas, são as duas únicas onde se fabricam os discos de conchas vermelhas. Essa indústria, como veremos, está intimamente associada ao *Kula*. No aspecto político, Sinaketa e Vakuta são rivais e, em épocas anteriores, estavam periodicamente em guerra entre si.

Outro distrito que forma uma unidade político-cultural bem delimitada é o da ilha Kayleula, no oeste. Seus habitantes são pescadores, fabricantes de canoas e negociantes, e empreendem grandes expedições ao arquipélago d'Entrecasteaux ocidentais. Obtém nozes de bétel, sagu, artigos de barro e cascos de tartaruga em troca de produtos industriais.

Fizemos aqui essa descrição mais ou menos detalhada sobre a chefia e as divisões políticas a fim de que o leitor possa conhecer melhor as principais instituições políticas nativas, que, por sua vez, são essenciais ao entendimento do *Kula*. Todos os aspectos da vida nativa, a religião, a magia e a economia, estão entrelaçados, mas é a *organização social* que os fundamenta a todos. Assim, devemos sempre ter em mente o fato de que as ilhas Trobriand formam uma unidade cultural e linguística, têm as mesmas instituições, obedecem às mesmas leis e regulamentos e estão sob a influência das mesmas crenças e convenções. Os distritos em que se subdividem as Trobriand, já enumerados anteriormente, distinguem-se uns dos outros apenas do ponto de vista político, não do ponto de vista cultural. Em outras palavras, cada um deles tem o mesmo tipo de nativos, embora obedeça ou, pelo menos, reconheça seu próprio chefe, tenha seus próprios interesses e objetivos e, em caso de guerra, cada um se empenhe em sua própria luta.

As diversas comunidades existentes em cada distrito são bastante independentes umas das outras. Cada aldeia tem um líder que a representa; seus membros realizam o trabalho da lavoura em conjunto, orientados por seu próprio mago agrícola; organizam suas próprias festas e cerimônias; pranteiam seus mortos em comum e realizam, em memória deles, uma série interminável de distribuição de alimentos. Em todos os assuntos importantes da tribo ou do distrito, os membros de cada comunidade se mantêm unidos e atuam como um grupo independente dos demais.

6

Permeando as divisões políticas e territoriais, há a divisão em clãs totêmicos, cada um deles com uma série de totens interligados, sendo um pássaro o principal deles.[6] Os membros desses quatro clãs estão espalhados por toda a tribo de Boyowa; em cada comunidade, podem-se encontrar representantes desses grupos. Mesmo em cada casa há pelo menos dois grupos totêmicos diferentes, visto que o marido precisa pertencer a um grupo diferente do de sua mulher e filhos. Existe certa solidariedade entre os membros do mesmo clã, baseada num sentimento muito vago de afinidade comunal com os pássaros e animais totêmicos, mas principalmente nos diversos deveres sociais, como a execução de determinadas cerimônias, sobretudo as funerárias, que mantêm unidos os membros de cada clã. No entanto, a verdadeira solidariedade existe apenas entre os integrantes de cada subclã. O subclã é uma divisão local do clã; seus membros reivindicam ascendência comum e, portanto, verdadeira identidade de substância corpórea, estando também ligados ao local de onde emergiram seus antepassados. É a esses subclãs que se aplica a noção de categoria hierárquica. Um dos clãs totê-

6 A descoberta da existência de totens "interligados", bem como a concepção e a introdução desse termo, deve-se ao *Professor* C. G. Seligman, op. cit., pp. 9 e 11; ver também o índice.

micos, o dos Malasi, inclui não só o subclã mais aristocrático – o Tabalu –, mas também o de mais baixa posição social, a divisão local do Malasi em Bwoytalu. Embora pertença ao mesmo clã dos moradores de Bwoytalu, um chefe tabalu ficará seriamente ofendido se alguém insinuar que os comedores de arraia da aldeia impura sejam seus parentes. O princípio da posição hierárquica associada a divisões totêmicas existe apenas na sociologia trobriandesa; é inteiramente desconhecido das demais tribos papua-melanésias.

No que diz respeito ao parentesco, o principal fato que devemos ter em mente é que os nativos são matrilineares e que tanto a sucessão na hierarquia como a participação nos grupos sociais e a herança dos bens materiais são transmitidos em linha materna. O tio materno de um menino é considerado seu verdadeiro guardião; há, entre tio e sobrinho, uma série de mútuos deveres e obrigações que estabelece um relacionamento muito estreito e importante entre ambos. O verdadeiro parentesco, a verdadeira identidade de substância, supõe-se que exista apenas entre o indivíduo e os parentes de sua mãe. Dos parentes de primeira linha, irmãos e irmãs são considerados os mais próximos. No momento em que suas irmãs se tornam adultas e se casam, o homem passa a trabalhar para elas. Apesar disso, porém, entre eles existe o tabu mais rigoroso que tem início já na infância. Nenhum homem pode gracejar ou falar livremente na presença da irmã; nem mesmo lhe é permitido olhar para ela. A menor alusão a assuntos sexuais, ilícitos ou matrimoniais, referentes a um irmão ou irmã, feita em presença do outro, constitui grave insulto e motivo de grande mortificação. Quando um homem se aproxima de um grupo com o qual sua irmã está conversando, ou a irmã se retira, ou ele deve imediatamente se afastar.

O relacionamento entre pai e filhos é notável. A paternidade fisiológica[7] é desconhecida: não se supõe existir nenhum laço de parentesco entre pai e filho, a não ser aquele entre o marido da mãe e o filho da esposa. Apesar disso, o pai é o amigo mais próximo e afetuoso de seus filhos. Em muitas ocasiões, pude observar que, quando a criança – menino ou menina – estava doente ou em apuros, ou ainda quando era necessário que alguém se expusesse a algum perigo ou se precisasse realizar algum trabalho em benefício da criança, era sempre o pai que se preocupava e tomava as devidas providências, nunca o tio materno. Esse estado de coisas

7 Ver o artigo do autor: "Baloma, Spirits of the Dead", parte VII, *JRAI*, 1917, no qual essa afirmação foi exposta com ampla evidência. Novas informações obtidas durante outra expedição às ilhas Trobriand estabeleceram, com grande riqueza de detalhes, o fato de que entre os nativos existe completa ignorância quanto à paternidade fisiológica.

é claramente reconhecido e explicitamente enunciado em palavras pelos nativos. Em questões de herança e transmissão de bens materiais, um homem sempre demonstra tendência a fazer o máximo que pode pelos filhos, levando em consideração seus deveres para com a família de sua irmã.

É muito difícil resumir, em uma ou duas frases, as diferenças entre os dois tipos de relacionamento – de um lado, as relações entre pai e filhos; de outro, entre a criança e seu tio materno. O melhor modo de resumi-las é dizer que o estreito relacionamento entre a criança e seu tio materno é considerado válido por lei e por tradição, enquanto o interesse e a afeição do pai pelos filhos decorrem de questões afetivas e do relacionamento pessoal mais íntimo entre eles. É o pai que os vê crescer, é ele que auxilia a mulher em muitos dos pequenos e carinhosos cuidados dispensados à criança, é ele que carrega os filhos pela aldeia, é ele que conduz sua instrução, observando os mais velhos no trabalho e aos poucos juntando-se a eles. Em questões de herança, o pai dá aos filhos tudo o que pode, e isso ele faz espontaneamente e com prazer. O tio materno, em nome do costume, dá ao sobrinho aquilo que não lhe é permitido reservar aos seus próprios filhos.

7

Mais algumas palavras devem ser ditas a respeito de certas ideias mágico-religiosas dos trobriandeses. De todos os fatos relativos à sua crença no espírito dos mortos, o que mais me impressionou foi o de que esses nativos quase não têm nenhum medo de fantasmas e não experimentam as sensações de apreensão que nos são características ao pensarmos numa possível volta dos mortos. Os nativos canalizam todos os temores e apreensões à magia negra, às bruxas voadoras, aos seres malévolos causadores de doenças – mas, acima de tudo, aos feiticeiros e às bruxas. Depois da morte, os espíritos migram de imediato para Tuma, ilha situada a noroeste de Boyowa, e lá permanecem por mais um tempo, segundo alguns, debaixo do solo, segundo outros, na própria superfície da terra, mas sempre invisíveis. Esses espíritos voltam para visitar suas aldeias uma vez por ano e participam, então, do *milamala*, a grande festa anual em que recebem oferendas. Por vezes, nesse período, eles aparecem aos vivos – mas estes não se deixam alarmar. De maneira geral, os espíritos não influem muito nos seres humanos, nem para o bem nem para o mal.[8] Os espíritos são invocados em inúmeras fórmulas mágicas e recebem oferendas em diversas cerimônias rituais. Mas não existe nada de interação mútua ou de colaboração íntima entre o homem e o espírito, característica essencial do culto religioso.

Entretanto, a magia, tentativa de controle direto sobre as forças da natureza por meio de tradições especiais, é fator fundamental que permeia a vida nas ilhas Trobriand.[9] Os encantamentos e a magia da lavoura já foram mencionados; aqui será suficiente acrescentar que todas as coisas que afetam vitalmente o nativo estão de um modo ou de outro associadas à magia. Todas as atividades econômicas têm sua magia; o amor, o bem-estar dos bebês, os talentos e as habilidades, a beleza e a agilidade – tudo isso pode ser incrementado ou destruído pela magia. Ao analisarmos o *Kula* – empreendimento que é de grande importância para os nativos e que afeta quase todas as suas paixões sociais e ambições –, entraremos em contato com outro sistema mágico; será necessário, então, fornecermos mais detalhes a respeito desse tema em geral.

Saúde, doença e morte são também resultado da magia ou da contramagia. Os trobriandeses têm uma série de pontos de vista teóricos muito complexos e definidos sobre esse assunto. A boa saúde, é claro, constitui o estado normal ou natural. Pequenas enfermidades podem ser contraídas por exposição aos elementos, excesso de comida, desgaste de energias físicas, má alimentação e outras causas comuns. Tais enfermidades nunca duram muito, não trazem consequências desastrosas nem chegam a constituir ameaça imediata. Se uma pessoa, porém, adoece por mais tempo e suas forças parecem estar sendo minadas, então forças malignas estão agindo. O tipo mais comum de magia negra é o praticado pelo *bwaga'u*, o feiticeiro negro, e em cada distrito existem vários deles. Geralmente até mesmo em cada aldeia há uma ou duas pessoas mais ou menos temidas como *bwaga'u*. Para se tornar *bwaga'u*, não é preciso nenhuma iniciação especial, a não ser o conhecimento de alguns feitiços. Para aprendê-los – isto é, para aprendê-los de modo a ser reconhecido como *bwaga'u* –, é necessário um pagamento muito

8 Ver o artigo do autor "Baloma: Spirits of the Dead in the Trobriand Islands", op. cit.

9 Uso as palavras "religião" e "magia" segundo a definição de *Sir* James Frazer (ver *O ramo de ouro*, vol. I). De todas as definições dadas a essas palavras, a de Frazer é a que melhor se adapta aos fatos relativos a Kiriwina. Embora ao começar minha pesquisa de campo eu estivesse convicto de que as teorias sobre religião e magia expostas no livro *O ramo de ouro* fossem inadequadas, minha observação dos fatos na Nova Guiné forçou-me a adotar o ponto de vista de Frazer.

alto ou circunstâncias excepcionais. Dessa maneira, um pai pode "dar" sua feitiçaria a seu filho e, nesse caso, nunca exige pagamento; pode acontecer também que esses conhecimentos sejam passados de um plebeu a um homem de alta posição social ou, ainda, de um nativo ao filho de sua irmã. Nesses dois últimos casos, torna-se obrigatório um pagamento elevado. É uma característica interessante das condições de parentesco desse povo que uma pessoa receba gratuitamente esses conhecimentos de feitiçaria de seu pai, com o qual, de acordo com o sistema tradicional de parentesco, não tem nenhuma relação de consanguinidade reconhecida, mas tenha que pagar por eles quando os recebe do tio materno, de quem é herdeiro natural.

Quando um nativo aprende a arte da magia negra, sua primeira vítima deve ser sempre um membro de sua própria família. Todos os nativos creem firmemente que, para serem verdadeiramente bons, os feitiços devem ser praticados primeiro na mãe ou na irmã, ou em qualquer um dos parentes maternos. Esse ato de matricídio faz de um homem um autêntico *bwaga'u*. Sua arte então pode ser praticada em outras pessoas e se torna, inclusive, uma organizada fonte de renda.

As crenças relativas à feitiçaria são bastante complexas e variam conforme sejam obtidas de um autêntico feiticeiro ou de uma pessoa qualquer. É evidente que há também diferentes tipos de crença, devido a diferenças locais ou à sobreposição de interpretações. Para o presente estudo, um pequeno resumo será o bastante.

Quando um feiticeiro deseja atacar alguém, primeiro lança um feitiço sobre os lugares que a vítima costuma frequentar. O feitiço afeta-a causando-lhe uma ligeira indisposição, forçando-a a ficar de cama, em sua própria casa. O doente procura curar-se acendendo uma pequena fogueira ao lado de sua cama e mantendo o corpo aquecido. Essas primeiras indisposições, que recebem o nome de *kaynagola*, consistem em dores pelo corpo – como as que, de nosso ponto de vista, são causadas por reumatismo, resfriado, gripe ou qualquer enfermidade incipiente. Quando a vítima já está de cama, com o fogo a aquecê-la (em geral, há também outra fogueira acesa no centro da cabana), o *bwaga'u* aproxima-se furtivamente da casa. Vem acompanhado de pássaros noturnos, corujas e bacuraus que ficam de guarda; está envolto numa auréola de terrores legendários que fazem todos os nativos tremer só ao pensarem que poderão ver-se face a face com um feiticeiro numa dessas visitas noturnas. O feiticeiro, então, enfia pelas paredes de sapé um punhado de ervas atadas à extremidade de uma vara e impregnadas de algum feitiço mortal; tenta, com isso, alcançar a pequena fogueira que se acha perto da cama da vítima. Se ele conseguir que as ervas atinjam o fogo, a fumaça então produzida será inalada pela vítima, cujo nome o feiticeiro proferiu sobre o feitiço. A vítima então contrai uma ou outra das muitas doenças fatais catalogadas pelos nativos, cada uma delas caracterizada por uma sintomatologia própria e uma etiologia mágica. O feitiço preliminar é necessário para forçar a vítima a recolher-se à própria cabana, único lugar onde a magia mortal pode ser executada.

Logicamente, o doente também se conserva na defensiva. Antes de mais nada, seus amigos e parentes mantêm vigília constante, sentando-se ao redor da cabana e em todos os caminhos de acesso a ela, empunhando lanças. Isso, a propósito, é uma das principais obrigações dos irmãos da esposa da vítima. Andando tarde da noite pela aldeia, várias vezes eu pude observar os nativos em tais vigílias. Os parentes e amigos da vítima recorrem também aos serviços de um *bwaga'u* rival, pois as artes de matar e curar são praticadas pelas mesmas pessoas. O novo *bwaga'u* profere contrafeitiços, conseguindo assim, às vezes, anular os efeitos do feitiço lançado pelo outro, mesmo que este já tenha queimado as ervas com o temido ritual conhecido como *toginivayu*.

Se o contrafeitiço dá certo e o doente apresenta melhora, o primeiro *bwaga'u* então lança mão de seu último e mais fatal feitiço – o apontar do osso. Proferindo feitiços poderosos, ele e mais um ou dois cúmplices fervem óleo de coco num pequeno pote, longe da aldeia, em algum lugar mais denso da selva. As folhas de determinadas ervas são postas de molho no óleo e, em seguida, amarradas em volta do ferrão de uma arraia ou de qualquer outro objeto pontiagudo. O feiticeiro então profere sobre isso o encanto mais mortal. Voltando furtivamente à aldeia, ele procura localizar a vítima e, oculto atrás de uma casa ou um arbusto, aponta em sua direção o osso encantado, movimentando-o contra o ar com maldade, como se estivesse apunhalando a vítima e forçando o punhal de um lado para outro na ferida supostamente produzida. Se for executado adequadamente e se não houver anulação de seus efeitos por um feiticeiro ainda mais poderoso, esse feitiço não falhará.

Esbocei de forma rápida as fases sucessivas da magia negra como força geradora de doença e morte, segundo a crença tanto dos feiticeiros como dos leigos. Não há dúvida de que atos de magia negra são executados por homens que acreditam ter poderes para isso. Não restam dúvidas, também, de que o medo e o nervosismo do nativo que vê sua vida ameaçada por um *bwaga'u* são incontroláveis; e ainda piores quando ele sabe que o feiticeiro está sendo apoiado pelo poder do chefe – esse desassossego certamente contribui de modo eficaz para o êxito da magia negra. No entanto, quando a vítima é o próprio chefe, há muitos nativos para manter guarda e protegê-lo; os feiticeiros mais poderosos são também chamados para ajudá-lo. O chefe, além disso, tem autoridade suficiente para tratar diretamente com a pessoa sobre a qual recaem todas as suspeitas de conspiração contra ele. Dessa maneira, a feitiçaria, que constitui um dos meios utilizados para manter a ordem estabelecida, é, em contrapartida, por ela reforçada.

Se nos lembrarmos de que, como em toda crença no sobrenatural, há também aqui a possibilidade de aplicar forças antídotas e que há casos em que a feitiçaria é aplicada de maneira ineficaz ou incorreta, inutilizada pela não observação de certos tabus, por fórmulas mal pronunciadas ou por outros erros desse tipo; se nos lembrarmos de que a sugestão é uma força de extraordinária influência sobre a vítima, debilitando sua resistência natural; e se nos lembrarmos ainda de que, segundo a crença nativa, toda e qualquer enfermidade está, em origem, ligada aos atos de algum feiticeiro, que frequentemente admite sua própria responsabilidade no caso, reafirmando sua reputação como agente de forças malignas – não teremos, então, dificuldade de entender os motivos pelos quais floresce a crença na magia negra, porque nenhuma evidência empírica pode dissipá-la e porque o feiticeiro tem, como a vítima, plena confiança em seus próprios poderes. A dificuldade é, pelo menos, a mesma que existe quando tentamos explicar os resultados de curas e milagres que, por meio da fé, da oração e da devoção, verificam-se até nos dias atuais, como os da ciência cristã e os de Lourdes.

Entre os seres que podem ocasionar doenças e mortes, o *bwaga'u* é evidentemente o mais importante, mas não o único. As bruxas voadoras, a que já nos referimos várias vezes e que, segundo a crença nativa, são sempre provenientes da porção meridional da ilha ou do leste das ilhas de Kitava, Iwa, Gawa e Murua, são ainda mais mortais. Todas as enfermidades rápidas e violentas, sobretudo aquelas que não apresentam sintomas diretos ou facilmente perceptíveis, são atribuídas às bruxas voadoras, que recebem o nome de *mulukwausi*. Invisíveis, elas voam pelos ares e pousam em árvores, nos telhados das choupanas e em outros lugares elevados. Desses lugares, lançam-se sobre um homem ou uma mulher, arrancam e escondem "o interior" da vítima, isto é, os pulmões, o coração e as entranhas ou, então, o cérebro e a língua. A vítima de uma bruxa morre em um ou dois dias, a menos que outra bruxa, chamada para essa finalidade e bem paga, saia à procura do "interior" perdido e o restitua ao dono. Muitas vezes um auxílio desse tipo não chega a tempo, pois nesse ínterim as vísceras já foram totalmente devoradas! Em seguida, a vítima morrerá.

Outros poderosos agentes da morte são os *tauva'u*, seres antropomórficos não humanos, causadores de epidemias. Quando, no fim da estação das chuvas, o inhame não maduro é ingerido pelos nativos e a disenteria assola aldeias inteiras, exterminando-as; ou quando, nas épocas de intenso calor e umidade, uma doença infecciosa atinge os distritos causando inúmeras mortes – as doenças e as mortes são então atribuídas ao *tauva'u*. Provenientes do sul, os *tauva'u* marcham pelas aldeias, chocalhando suas cabaças de cal, atacando suas vítimas com porretes e varas e fazendo com que adoeçam na hora e morram. Os *tauva'u* podem assumir a forma humana ou então a de cobra, caranguejo ou lagarto. Na forma desses animais, os *tauva'u* podem ser reconhecidos com facilidade, pois não fogem ante a aproximação humana e costumam ter, além disso, alguma marca de cores vivas na pele. Seria fatal matar qualquer um deles: ao contrário, devem ser apanhados com cautela e tratados como um chefe, devem ser colocados sobre uma plataforma elevada; à sua frente são depositadas, como oferendas, objetos valiosos, como lâminas de pedra verde polida, pares de braceletes de concha ou colares de pequenos discos feitos da concha de *Spondylus*.

Um fato interessante e digno de nota: os *tauva'u* são provenientes do litoral norte da ilha de Normanby, do distrito de Du'a'u e em especial de uma localidade chamada Sewatupa. Ora, esse é o exato local onde, de acordo com a crença e os mitos dobu, sua feitiçaria se originou. Dessa forma, aquilo que para as tribos locais não passa de feitiçaria corriqueira, praticada por homens, transforma-se em algo sobrenatural para as outras tribos – algo com poderes sobre-humanos, capaz de mudar de forma, tornar-se invisível e infligir a morte de maneira direta e infalível.

Os *tauva'u* têm, por vezes, relações sexuais com as mulheres. Vários casos assim foram registrados nas aldeias. A mulher que tem relações sexuais com um *tauva'u* torna-se também perigosa feiticeira; os nativos, porém, não sabem explicar como elas praticam seus feitiços.

Um ser bem menos perigoso é o *tokway*, duende da selva que vive nas árvores e nos rochedos e que rouba plantas da lavoura, penetra nos celeiros para furtar os inhames e causa pequenas enfermidades nas pessoas. Alguns nativos aprenderam no passado a fazer todas essas coisas com os *tokway* e passaram seus conhecimentos a seus descendentes.

Vemos então que, com exceção das pequenas enfermidades que se curam com facilidade e rapidez, toda doença é atribuída à feitiçaria. Acredita-se que mesmo os acidentes não aconteçam aleatoriamente. É o caso dos afogamentos, mas entraremos em mais detalhes desse assunto quando tratarmos das viagens marítimas empreendidas pelos trobriandeses. A morte natural por velhice é considerada possível; quando, porém, em vários casos concretos cuja causa era obviamente a senilidade, indaguei por que determinada pessoa havia morrido e sempre me respondiam que, por trás, havia um *bwaga'u*. Apenas o suicídio e a morte em batalha ocupam posição diferente no pensamento dos nativos – e isso se confirma também pela crença de que o espírito daqueles que cometem suicídio, dos que são mortos em batalha e daqueles que morrem por ação de feitiços, cada um tem seu próprio caminho para o mundo do além.

É suficiente esse esboço da vida nativa em Trobriand, das crenças e dos costumes ali existentes. Oportunamente faremos novas considerações sobre os tópicos de maior interesse para nosso presente estudo.

8

Há a mencionar ainda dois distritos pertencentes ao circuito do *Kula* e que devemos percorrer antes de voltar a nosso ponto de partida. Um deles é a porção oriental dos Massim setentrionais, que abrange as ilhas Marshall Bennett (Kitava, Iwa, Gawa e Kwayawata) e a ilha de Woodlark (Murua) e o pequeno grupo de ilhas conhecidas pelo nome de Nada. O outro distrito é o da ilha de Santo Aignan, a que os nativos chamam de Masima ou Misima, com a ilha menor chamada Panaeati.

Da porção mais estreita das praias rochosas de Boyowa podemos avistar, por sobre as ondas brancas que se quebram na orla de recifes e por sobre o mar (que, nessa região, é sempre muito azul e límpido), a silhueta de um rochedo achatado e baixo, apontando diretamente para o leste. É a ilha de Kitava. Para os trobriandeses dos distritos orientais, essa ilha, bem como as ilhas situadas atrás dela, são a terra prometida do *Kula*, assim como Dobu é a terra prometida do *Kula* para os nativos do sul de Boyowa. Mas, ao contrário do que ocorre com os nativos do sul, os de Kitava falam a mesma língua que os trobriandeses, com apenas diferenciações dialetais. Suas instituições e costumes também são os mesmos. Com efeito, Kitava, a ilha mais próxima, pouco difere das ilhas Trobriand. Ainda que nas ilhas mais afastadas, sobretudo em Murua, exista uma forma ligeiramente diferente de totemismo, em que a noção de hierarquia não está associada aos subclãs e, portanto, não há chefia no sentido trobriandês, ainda assim a organização social é muito parecida com a da província ocidental.[10] Conheço os nativos de Kitava apenas de vista; vi-os várias vezes nas ilhas Trobriand e em grande número; iam àquelas paragens em suas expedições *kula*. Em Murua, entretanto, passei pouco tempo realizando pesquisas de campo na aldeia de Dikoyas. Na aparência física, no modo de se comportarem, vestirem e enfeitarem, esses nativos são idênticos aos trobriandeses. Suas ideias e costumes referentes a sexo, casamento e questões de parentesco são os mesmos de Boyowa, com apenas algumas diferenças de detalhe. Em questões de mitologia e crenças, os nativos de Kitava e de Trobriand também pertencem à mesma cultura.

Para os trobriandeses, as ilhas orientais são também sede principal e fortaleza das temíveis *mulukwausi*, as bruxas voadoras. São a terra de onde provém a magia do amor, originada na ilha de Iwa. São a terra longínqua para onde o herói mítico Tudava navegou realizando numerosos feitos e, por fim, desapareceu, sem ninguém saber exatamente onde. A versão mais recente é a de que ele provavelmente encerrou sua jornada em terras do homem

10 Ver C. G. Seligman, op. cit., que apresenta uma descrição paralela das instituições sociais existentes nas ilhas Trobriand, Marshall Bennett, Loughlan e Woodlark, capítulos XLIX-LV.

branco. Segundo a crença, é para essas ilhas do leste que os espíritos dos nativos mortos por feitiçaria se dirigem; lá permanecem, no entanto, apenas por um curto espaço de tempo, flutuando no ar, como nuvens, antes de se dirigirem para o noroeste até Tuma.

Muitos produtos importantes são transportados dessas ilhas para Boyowa (ilhas Trobriand). Desses produtos, o de maior importância é a pedra verde, dura e homogênea da qual outrora se faziam todos os implementos e da qual, no presente, fazem-se ainda os machados cerimoniais. Algumas dessas localidades são famosas pelas roças de inhame, em especial Kitava, e reconhece-se que das ilhas orientais provêm as melhores esculturas feitas de ébano. A diferença mais importante entre esses nativos e os trobriandeses é a que se refere às distribuições realizadas por ocasião das cerimônias mortuárias. Essas distribuições são importantes e estão intimamente associadas ao *Kula* e a elas voltaremos mais adiante.

De Murua (ilha de Woodlark), o itinerário das expedições do *Kula* se volta para o sul, ramificando-se em dois – um voltado diretamente para Tubetube, o outro para Misima e daí para Tubetube e Wari. Quase não conheço o distrito de Misima – conversei com os nativos dessa ilha apenas uma ou duas vezes; não há também, que seja de meu conhecimento, nenhuma publicação digna de fé a respeito desse distrito. Portanto, pouco podemos dizer sobre ele. Isso, no entanto, não chega a constituir grave defeito, pois, apesar do pouco que conheço sobre esses nativos, posso afirmar com certeza que, em essência, eles têm as mesmas características que os outros Massim. São totêmicos e matrilineares; não têm chefe, e a autoridade é exercida de forma idêntica a dos Massim do sul. Seus feiticeiros e bruxas são semelhantes aos dos Massim do sul e nativos de Dobu. São especialistas na construção de canoas e, na pequena ilha de Panaeati, constroem o mesmo tipo de embarcação dos nativos de Gawa e da ilha de Woodlark, ligeiramente diferentes das canoas trobriandesas. Na ilha de Misima, há enormes suprimentos de nozes de areca (bétel), que, por tradição e costume, são plantadas em grandes quantidades por ocasião da morte dos membros da tribo.

As pequenas ilhas de Tubetube e Wari, que constituem o último elo do *Kula*, estão localizadas já no âmbito territorial do distrito dos Massim meridionais. Com efeito, a ilha de Tubetube é uma das localidades minuciosamente estudadas pelo *Professor* Seligman. Seus estudos sobre essa ilha formam uma das três monografias etnográficas que, em sua obra já citada tantas vezes, abrangem a zona massim meridional.

Desejo, por fim, salientar mais uma vez o fato de que as descrições que fizemos neste capítulo e no capítulo anterior, embora exatas em todos os detalhes, não são de forma alguma exaustivas como esboço etnográfico. Eu as apresentei aqui para fornecer ao leitor uma impressão vívida e, por assim dizer, pessoal a respeito dos vários tipos nativos, sua terra e suas culturas. Se fui bem-sucedido em dotar cada uma das tribos – a das ilhas Trobriand, a das ilhas Amphlett, de Dobu e os Massim meridionais – com uma fisionomia própria e se, com isso, pude despertar o interesse do leitor, alcancei meu objetivo principal nesses dois capítulos e lancei o necessário contexto etnográfico para nossos estudos sobre o *Kula*.

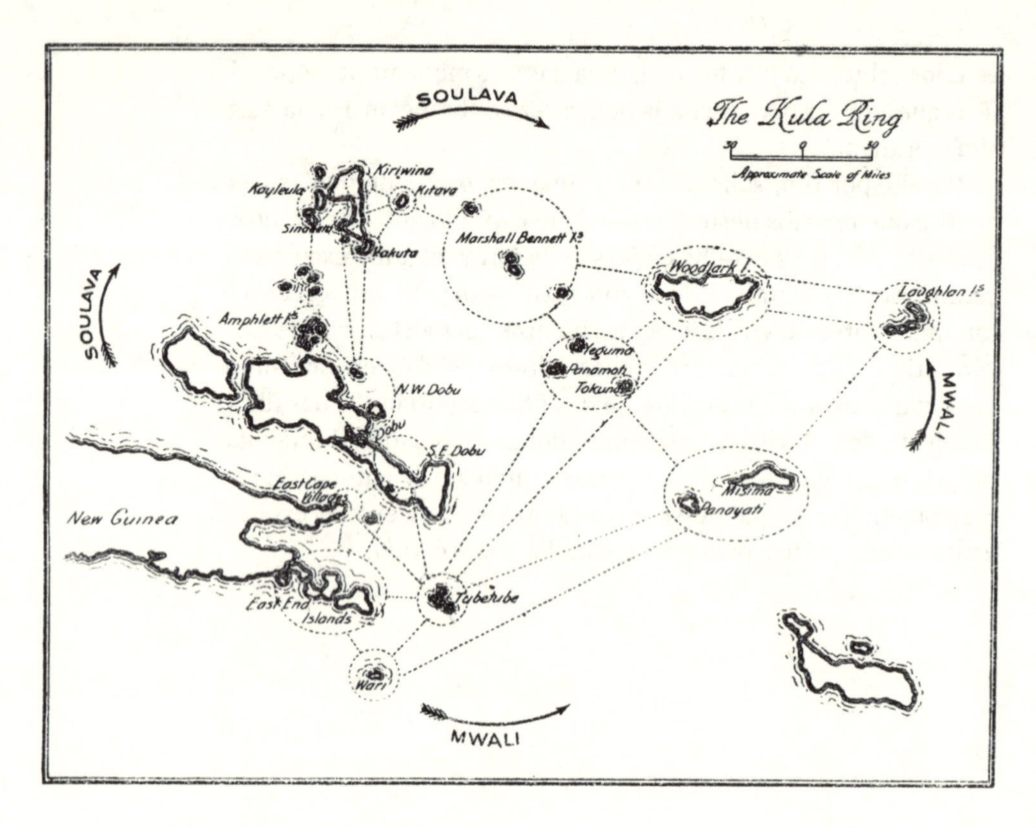

mapa 5 O circuito do *Kula*.

CAPÍTULO III

Características essenciais do *Kula*

1

Feita a descrição do cenário e dos atores, passemos ao espetáculo em si. O *Kula* é uma forma de troca e tem caráter intertribal bastante amplo; é praticado por comunidades localizadas num extenso círculo de ilhas que formam um circuito fechado. Esse circuito aparece no mapa 5, representado pelas linhas que unem uma ilha à outra ao norte e ao leste do extremo oriental da Nova Guiné. Ao longo dessa rota, artigos de dois tipos – e somente desses dois – viajam constantemente em direções opostas. No sentido horário, movimentam-se os longos colares feitos de conchas vermelhas, chamados *soulava* [13, p. 151]. No sentido oposto, movem-se os braceletes feitos de conchas brancas, chamados *mwali* [14, p. 155]. Cada um desses artigos, viajando em seu próprio sentido no circuito fechado, encontra-se no caminho com os artigos da classe oposta e a troca é constantemente realizada. Cada movimento dos artigos do *Kula*, cada detalhe das transações é fixado e regulado por uma série de regras e convenções tradicionais; alguns dos atos do *Kula* são acompanhados de elaboradas cerimônias públicas e rituais mágicos.

Em cada ilha e em cada aldeia, um número mais ou menos restrito de homens participa do *Kula* – ou seja, recebe os artigos, conserva-os consigo durante algum tempo e, por fim, passa-os adiante. Cada um dos participantes do *Kula* recebe periodicamente (mas não com regularidade) um ou vários *mwali* (braceletes de concha) ou um *soulava* (colar de discos feitos de conchas vermelhas) que deve entregar a um de seus parceiros, do qual recebe em troca o artigo oposto. Assim, ninguém jamais conserva nenhum artigo consigo por muito tempo. O fato de que uma transação seja consumada não significa o fim da relação estabelecida entre os parceiros: a regra é "uma vez no *Kula*, sempre no *Kula*". A parceria entre dois indivíduos no *Kula* é permanente, para toda a vida. Os *mwali* e os *soulava* encontram-se sempre em movimento, vão passando de mão em mão, e não há casos em que esses artigos fiquem retidos com um só dono. Portanto, o princípio de "uma vez no *Kula*, sempre no *Kula*" aplica-se de igual forma aos próprios artigos.

A troca cerimonial dos dois artigos um pelo outro é o aspecto fundamental e central do *Kula*. Mas, associadas a ela e realizadas à sua sombra, encontramos numerosas características e atividades secundárias. Paralelamente à troca ritual dos colares pelos braceletes, os nativos realizam um comércio comum, negociando, de uma ilha para a outra, bens que, de modo geral, não são fabricados pelo distrito que os importa, mas são indispensáveis à sua economia. Além disso, há outras atividades que precedem ao *Kula* ou a ele se acham associadas, como a construção das canoas para navegação em alto-mar usadas nas expedições, certos tipos de cerimônias mortuárias de grande pompa e tabus preparatórios.

O *Kula* é, portanto, uma instituição enorme e extraordinariamente complexa não só em extensão geográfica, mas também na multiplicidade de seus objetivos. Ele vincula um grande número de tribos e abarca em enorme conjunto de atividades inter-relacionadas e interdependentes, formando um todo orgânico.

Devemos, contudo, lembrar-nos de que o *Kula*, que aparece aos nossos olhos como uma instituição extensa e complicada, porém bem organizada, é o resultado de muitos e muitos trabalhos e façanhas empreendidos por selvagens, os quais não têm leis, nem objetivos, nem esquemas explicitamente formulados e nem mesmo conhecimento do *esquema total* de sua estrutura social. Os nativos estão cientes de seus próprios motivos, conhecem os objetivos das ações individuais e as regras que as coordenam; porém, está além de sua capacidade mental a percepção de como, dessas ações, emerge a instituição coletiva em seu conjunto. Nem mesmo o nativo mais inteligente consegue ter uma ideia exata a respeito do *Kula* como grande construção social organizada e, menos ainda, de suas implicações e funções sociológicas. Se lhe perguntarmos o que é o *Kula*, ele nos responderá com alguns detalhes, muito provavelmente narrando suas experiências pessoais e pontos de vista subjetivos sobre o sistema; mas decerto não nos fornecerá nenhuma definição como a que acabamos de dar. Dele não podemos nem mesmo obter um relato parcialmente coerente. O nativo não tem visão do todo. Ele faz parte do todo e não consegue vê-lo de fora como um observador.

A integração de todos os detalhes observados, bem como a síntese sociológica dos diversos sintomas importantes, são tarefas do etnógrafo. Antes de mais nada, ele precisa descobrir o significado de certas atividades que, de início, parecem incoerentes e não correlacionadas. Em seguida, é necessário distinguir, nessas atividades, o que é constante e relevante do que é acidental e de pouca importância, isto é, o etnógrafo deve procurar descobrir as leis e as regras de todas as transações. A ele cabe *construir* o quadro ou o esquema total da grande instituição, da mesma forma que o físico formula

[13] **Duas mulheres enfeitadas com colares.** A foto ilustra o modo como o *soulava* é usado, quase ostentado como enfeite.

sua teoria baseada em dados experimentais que, embora sempre ao alcance de todos, precisam de interpretação coerente e organizada. Já tive oportunidade de mencionar essa questão metodológica na Introdução (seções 5 e 6), mas repito-a aqui por julgar necessário seu total entendimento e também que o leitor não perca a perspectiva correta das condições em que se encontram os nativos.

2

Para poder dar uma definição concisa e abstrata do *Kula*, como a que acabei de fornecer, tive de inverter a ordem da pesquisa, tal como acontece durante o trabalho de campo, em que as referências mais gerais só podem ser obtidas como resultado de inquéritos longos e métodos indutivos laboriosos. Essa definição geral do *Kula* servirá como uma espécie de plano ou esquema para a descrição concreta e detalhada de que nos ocuparemos em breve. Isso se torna ainda mais necessário pelo fato de que o *Kula* está relacionado à troca de riquezas e de objetos de utilidade e constitui, portanto, uma instituição econômica; não há aspecto da vida primitiva no qual nossos conhecimentos sejam mais limitados e nosso entendimento mais superficial que o econômico. Há um excesso de falsas concepções quanto à economia primitiva; portanto, é necessário limparmos o terreno antes de abordar qualquer assunto relativo a ela.

Na Introdução, definimos o *Kula* como "uma espécie de comércio" e o colocamos entre esse e outros sistemas de permuta de mercadorias. Não haverá erro nisso enquanto dermos à palavra "comércio" uma interpretação suficientemente ampla, significando qualquer tipo de troca de bens. Tanto na ciência econômica como na moderna etnografia, porém, o termo "comércio" tem um número tão grande de acepções que, a fim de podermos entender corretamente os fatos, teremos que eliminar muitas ideias falsas e preconcebidas. Assim, por exemplo, a noção que hoje em dia se faz, *a priori*, do comércio primitivo é a de uma troca de artigos indispensáveis, ou úteis, executada sem quaisquer cerimônias e sem qualquer regulamentação, feita em intervalos irregulares e espasmódicos, sob pressão da carência ou necessidade; julga-se, também, que essa permuta se processa de maneira direta, cada um dos interes-

1 Uso o termo "noção atual" tal como ele aparece nos livros e observações ocasionais que se encontram disseminadas na literatura econômica e etnológica. Com efeito, a economia é um assunto pouquíssimo abordado tanto nos estudos teóricos sobre etnologia como nos relatos da pesquisa de campo. Faço extensas considerações sobre essa deficiência no artigo "Primitive Economies", *The Economic Journal*, mar. 1921. Uma das melhores análises sobre a questão da economia selvagem, apesar de deficiente em diversos pontos, é a que se encontra na obra *Industrial Evolution*, de K. Bücher (versão inglesa), 1901. A perspectiva de Bücher na questão do comércio primitivo é, no entanto, inadequada. Segundo sua opinião geral de que os nativos não têm uma economia nacional, Bücher defende que qualquer dis-

sados tomando grandes precauções para não haver atraso; ou, se os selvagens são tímidos demais e receosos de enfrentar uns aos outros, mediante algum arranjo costumeiro que lhes assegure, por meio de severos castigos, conformidade às obrigações a que estão sujeitos ou que lhes são impostas.[1] Abandonando por ora a questão da validade ou não validade geral dessa concepção, que, a meu ver, é bastante falsa e enganosa, temos de entender claramente o fato de que o *Kula* contradiz, em quase todos os aspectos, a definição de "comércio primitivo" que mencionamos anteriormente. O *Kula* nos mostra o comércio primitivo sob um ângulo totalmente diferente.

O *Kula* não é uma modalidade sub-reptícia e precária de troca. Muito pelo contrário, está enraizado em mitos, sustentado pelas leis da tradição e cingido por rituais mágicos. Todas as transações principais que nele se processam são públicas e cerimoniais, levadas a efeito segundo regras bem definidas. O *Kula* não decorre de impulsos momentâneos, mas se realiza de forma periódica, em datas preestabelecidas, ao longo de rotas comerciais definidas que conduzem a locais fixos de encontro. Muito embora se realize entre tribos linguística, cultural e talvez até mesmo racialmente diferentes umas das outras, o *Kula* baseia-se, sob o ponto de vista sociológico, num *status* fixo permanente, numa parceria que une em pares alguns milhares de indivíduos. Essa parceria é permanente, para toda a vida, e implica diversos deveres e privilégios mútuos; constitui, assim, um tipo de relacionamento intertribal feito em grande escala. O mecanismo econômico das transações baseia-se numa forma específica de crédito que pressupõe alto grau de confiança mútua e honra comercial. Isso se refere também às transações comerciais menores, subsidiárias ao *Kula* propriamente dito. O *Kula* não se realiza sob a pressão de quaisquer necessidades, visto que seu objetivo principal é a permuta de artigos que não têm nenhuma utilidade prática.

Da definição concisa do *Kula* apresentada no início deste capítulo podemos concluir que, em última essência, o *Kula*, despojado de todos os ornamentos e acessórios, não passa de um sistema bastante simples que, à primeira vista, poderia até mesmo parecer insípido e pouco romântico. Afinal, consiste apenas em permuta, interminavelmente repetida, de dois artigos destinados à ornamentação, mas raras vezes usados como tal. Não obstante, essa ação

tribuição de bens entre os nativos se processa por meios não econômicos, como o roubo, as tributações e os presentes. Os dados que forneço aqui são incompatíveis com a teoria de Bücher. Ele não teria mantido sua opinião se estivesse familiarizado com o estudo feito por Barton (e incluído na obra *The Melanesians*, de Seligman) sobre os Hiri.

No artigo "Die Ethnologische Wirtschaftsforschung", de autoria de Pater W. Kopper, publicado em *Anthropos*, X-XI, 1915–16, pp. 611–51, 971–1079, encontra-se um resumo das pesquisas feitas sobre a economia primitiva; esse resumo mostra, a propósito, quão pouco se tem realizado em matéria de trabalho verdadeiro e profundo no campo da economia primitiva. O artigo é realmente de muito proveito; nele, o autor sintetiza os pontos de vista de outros estudiosos.

tão simples, essa passagem de mão em mão desses dois objetos inúteis e sem sentido, veio de alguma forma a tornar-se o alicerce de uma grande instituição intertribal associada a um sem-número de outras atividades. Os mitos, a magia e a tradição construíram em torno do *Kula* formas bem definidas de cerimônias e rituais, deram a ele uma aura de romance e valor na mente dos nativos e chegaram a criar, no coração deles, enorme paixão por essa simples permuta de objetos.

Devemos agora ampliar a definição do *Kula*, descrevendo-lhe as regras e as características fundamentais uma após as outras, de modo que o leitor possa entender claramente o mecanismo pelo qual a troca desses dois artigos veio a transformar-se numa instituição tão vasta e complexa e de raízes tão profundas.

3

Antes de mais nada, algumas palavras devem ser ditas sobre os dois principais objetos de troca: os braceletes de conchas (*mwali*) e os colares (*soulava*). Os braceletes são obtidos cortando a parte superior e a extremidade delgada de uma grande concha cônica (*Conus millepunctatus*) e, em seguida, polindo a argola assim obtida. Esses braceletes são muito cobiçados por todos os papua-melanésios da Nova Guiné e se encontram até mesmo no distrito puramente papua do Golfo.[2] A imagem 14 ilustra o modo como esses braceletes são usados – os nativos os exibiram especialmente para a fotografia.

Os pequenos discos feitos das conchas vermelhas de *Spondylus*, com os quais são confeccionados os *soulava*, são também de uso bastante difundido. Existem numerosos centros de fabricação desses colares – entre eles, uma das aldeias de Porto Moresby e várias localidades da Nova Guiné oriental, sobretudo as ilhas Trobriand e a ilha Rossel. Empreguei acima o vocábulo "uso" de propósito: essas pequenas contas, de forma achatada e arredondada, com um orifício no centro e cores que variam do marrom-escuro ao vermelho-carmim, são usados em vários tipos de enfeite. Em geral, fazem parte dos brincos cujas argolas são feitas do casco das tartarugas. Dessas argolas, que ficam presas ao lóbulo da orelha, pende um feixe de contas. Os brincos desse tipo são de uso bastante comum; em especial entre

2 O *Professor* C. G. Seligman (op. cit., p. 93) afirma que os braceletes de concha, aos quais os Motu chamam de *toea*, são comerciados da região oeste do distrito de Porto Moresby ao golfo de Papua. Esses objetos são considerados de alto valor pelos Motu e pelos Koita, que vivem próximos de Porto Moresby e alcançaram atualmente preços muito altos, por vezes de até 30 libras esterlinas, muito mais do que se paga pelos mesmos artigos entre os Massim.

os Massim, pelo menos cinquenta por cento dos homens e mulheres usam esse tipo de brinco; outros preferem apenas as argolas feitas do casco das tartarugas. Outro enfeite cotidiano, de uso frequente principalmente entre as meninas e os meninos, é um colar curto que apenas contorna o pescoço, feito dos discos vermelhos de *Spondylus*: esse tipo de colar pode ter um ou vários pingentes, feitos com a concha do cauri. Esses discos de *Spondylus* entram, de modo geral, na confecção de várias espécies de enfeites mais sofisticados, aqueles usados apenas em ocasiões festivas. Entretanto, aqui nos interessam apenas os longos colares que medem de dois a cinco metros e são, também, feitos com os pequenos discos de *Spondylus*. Há dois tipos principais desses colares; o primeiro, mais requintado, tem um

[14] Homens exibem os braceletes. Os braceletes costumam ser enfeitados com contas, pingentes e tiras feitas de pandano seco. Não me lembro de ter visto homens usando braceletes, a não ser uma ou duas vezes – e nessas ocasiões ostentavam a ornamentação completa de dança.

grande pingente feito de conchas; o outro tem contas maiores e traz, no centro, algumas conchas ou sementes pretas de banana.

Tanto os *mwali* como os longos colares *soulava*, os dois principais artigos do *Kula*, são, antes de mais nada, enfeites e, como tal, usados exclusivamente com os trajes de dança mais elaborados nas grandes ocasiões festivas, nas danças cerimoniais e nas grandes reuniões de que participam os nativos de várias aldeias. Jamais podem ser portados como enfeites diários ou em ocasiões menos importantes, como as pequenas danças na aldeia, as reuniões organizadas na época das colheitas ou as expedições do namoro; nessas ocasiões, são usados adornos de flores, pintura facial e enfeites menores, mas não de uso diário (como os que aparecem nas imagens 8 [p.115] e 10 [p.120]). Embora usáveis e, com efeito, usados em algumas ocasiões, o *soulava* e os *mwali* não têm, entretanto, essa função básica. Um chefe, por exemplo, pode ter em seu poder vários colares e alguns braceletes; se houver, em sua própria aldeia ou em uma aldeia vizinha, alguma grande festa a que pretenda comparecer, o chefe portará esses enfeites se for ornamentar-se para participar pessoalmente das danças; caso contrário, qualquer um de seus parentes, filhos ou amigos, ou até mesmo seus vassalos, pode usá-los para enfeitar-se. Se formos a uma festa ou dança em que os homens estão usando esses ornamentos e lhes perguntarmos a quem pertencem os enfeites, é provável que mais da metade deles responderá que não são deles, mas que foram emprestados de outros nativos. Esses objetos não são necessariamente para serem usados – o privilégio de enfeitar-se com os *mwali* e o *soulava* não é o verdadeiro objetivo da posse.

Outro fato, aliás bem mais significativo, é que quase todos os braceletes (cerca de noventa por cento deles) são pequenos demais para serem usados, até mesmo por crianças. Entretanto, alguns deles são tão grandes e tão valiosos que não são usados praticamente nunca, a não ser uma vez a cada dez anos, se tanto; mesmo nesse caso, apenas por uma pessoa muito importante, numa data de grande festividade. Embora os colares possam ser usados, alguns deles são, de igual forma, considerados valiosos e incômodos demais para se usar com muita frequência; ficam, desse modo, reservados para ocasiões muito especiais.

Isso nos força a indagar: por que, então, se dá tanta importância a esses objetos? Qual é a finalidade deles? A resposta completa a essas perguntas vai emergir aos poucos nos próximos capítulos – mas uma ideia aproximada deve ser fornecida de imediato. Como é sempre melhor abordar um tema desconhecido por meio de outro já conhecido, vamos refletir e tentar descobrir se, em nosso próprio meio, não existem também certos objetos que desempenham papel semelhante ao desses colares e braceletes e são possuídos e usados de maneira também análoga. Ao voltar para a Europa após seis anos de permanência no Pacífico Sul e na Austrália, visitei, numa excursão, o castelo de Edimburgo, onde me foram mostradas as joias da Coroa. O guarda contou-me diversas histórias, de como as joias haviam sido usadas por este ou aquele rei ou rainha, nesta ou naquela ocasião; de que modo haviam sido levadas a Londres, causando, com isso, justa indignação a toda a nação escocesa; como as joias foram, por fim, restituídas; como todos estão agora satisfeitos, sabendo que estão em lugar seguro, trancadas a chave e cadeado, fora do alcance de pessoas que as queiram tocar. Enquanto eu olhava para as joias e pensava comigo mesmo como eram feias, inúteis, pesadas e até mesmo vistosas demais e de mal gosto, tive a sensação exata de que algo parecido já me havia sido relatado pouco tempo antes e de que eu já vira inúmeros outros objetos desse mesmo tipo, que me impressionaram de maneira idêntica.

Tive, então, diante dos olhos a visão de uma aldeia nativa, construída sobre solo de coral; a visão de uma pequena e frágil plataforma, armada provisoriamente sob um telhado de palha de pandano e rodeada de homens escuros, nus, um dos quais me mostrava colares longos e finos, de cor vermelha, além de outros objetos grandes, brancos, desgastados pelo uso, feios e engordurados. Esse nativo fornecia-me, de maneira reverente, os nomes de todos esses objetos, contando a história de cada um deles, quando e por quem foram usados, como tinham passado de dono para dono e como a posse temporária desses objetos constituía um grande sinal de importância e glória para sua aldeia. A analogia entre os *vaygu'a* (objetos de valor) europeus e os de Trobriand precisa ser definida de maneira mais clara: as joias da Coroa britânica, como quaisquer relíquias muito valiosas e incômodas para serem realmente usados, representam o mesmo que os *vaygu'a*: são possuídos pela posse em si. É a posse, aliada à glória e ao renome que ela propicia, que constitui a principal fonte de valor desses objetos. Tanto as relíquias como os *vaygu'a* são apreciados pelo valor histórico que encerram. Podem ser feios, inúteis e, segundo os padrões correntes, ter pouquíssimo valor intrínseco; porém, só pelo fato de terem figurado em acontecimentos históricos e passado pelas mãos de personagens antigos, constituem um veículo infalível de importante associação sentimental e passam a ser considerados grandes preciosidades. O sentimentalismo histórico, que desempenha papel de importância em nosso interesse de estudar os acontecimentos do passado, existe de igual modo no Pacífico Sul. Cada um dos artigos realmente bons do *Kula* tem um nome próprio e encerra uma espécie de história ou romance nas tradições dos nativos. As joias da Coroa britânica e os objetos tradicionais são insígnias de *status* social e símbolos de riqueza, respectivamente; no nosso passado, como na própria Nova Guiné até há poucos anos, *status* social e riqueza existiam um em função do outro. O ponto mais importante de diferença é que os artigos do *Kula* são de posse temporária, ao passo que, para ter total valor, o tesouro europeu precisa ser de posse permanente.

Numa visão mais ampla, feita agora sob o ponto de vista etnológico, podemos classificar os artigos preciosos do *Kula* entre os diversos objetos "cerimoniais" que representam riqueza: enormes armas esculpidas e decoradas; implementos de pedra; artigos para uso doméstico e industrial, ricamente ornamentados e incômodos demais para serem usados no dia a dia. Esses objetos todos são chamados "cerimoniais", mas a palavra parece cobrir um grande número de significados e incluir muita coisa que não tem significado nenhum. Na verdade, um objeto costuma ser designado como "cerimonial", sobretudo em exibições de museus, simplesmente porque seu uso e sua natureza são desconhecidos. Quanto às exposições nos museus de objetos da Nova Guiné, posso dizer que muitos dos objetos cerimoniais não passam de objetos de uso comum, mas excessivamente elaborados; a preciosidade do material com que foram feitos e a quantidade de trabalho despendida em fabricá-los são os fatores que os transformaram em reservatórios de valor econômico condensado. Há outros objetos que são usados em ocasiões festivas, mas não têm qualquer função nos ritos e nas cerimônias, servindo tão somente como enfeites ou decoração; a esses podemos dar o nome de "objetos de desfile" (ver capítulo VI, seção 1). Há, por fim, certos artigos que são de fato usados como instrumentos de rituais mágicos ou religiosos e pertencem ao conjunto de apetrechos intrínsecos a essas cerimônias. Esses são os únicos objetos a que poderíamos chamar corretamente de "cerimoniais". Durante os festejos *so'i*, realizados entre os Massim meridionais, as mulheres, carregando machados de lâminas polidas e cabos finamente esculpidos, acompanham, com passos rítmicos, ao som dos tambores, a entrada dos porcos e das mudas de mangueira na aldeia. Como isso faz parte da cerimônia e os machados são acessórios indispensáveis, seu uso nessa ocasião pode ser legitimamente chamado "cerimonial". Em alguns rituais de magia das ilhas Trobriand, o *towosi* (feiticeiro agrícola) tem de carregar sobre o ombro um machado, com o qual ele golpeia ritualmente as estruturas chamadas *kamkokola* (**[60, p.536]** e capítulo II, seção 4).

Sob determinado ponto de vista, os *vaygu'a* – objetos de valor do *Kula* – são objetos de uso excessivamente elaborados. Constituem também, no entanto, objetos "cerimoniais", no sentido estrito e correto da palavra. Essa questão vai se tornar mais clara ao leitor nas páginas a seguir. A ela voltaremos também no último capítulo.

O leitor precisa ter em mente que estamos tentando fornecer uma ideia vívida e clara daquilo que os objetos de valor próprios do *Kula* representam para os nativos. Não é nossa intenção descrevê-los de maneira detalhada e circunstancial nem defini-los com máxima exatidão. Estabelecemos um paralelo entre esses artigos e as joias da Coroa britânica e os objetos históricos europeus a fim de demonstrar que esse tipo de posse não constitui um fantástico costume próprio dos habitantes do Pacífico Sul e pode muito bem encontrar equivalentes em nossa própria cultura. A comparação que fiz – quero agora enfatizar bem esse ponto – não se baseia em semelhanças puramente externas e superficiais. As forças psicológicas de uma e de outra cultura são as mesmas: é a mesma atitude mental que nos leva a valorizar nossos objetos históricos ou tradicionais e faz com que os nativos da Nova Guiné tenham seus *vaygu'a* em grande apreço.

4

A permuta desses dois tipos de *vaygu'a*, ou seja, a troca dos braceletes pelos colares, constitui o principal ato do *Kula*. Não é feita livremente, a torto e a direito, nem está ao capricho da vontade ou disponibilidade dos nativos. Muito pelo contrário, está sujeita a rigorosos limites e regras. Uma dessas regras refere-se à sociologia da troca e dispõe que as transações do *Kula* só podem ser executadas entre parceiros. Um homem que participa do *Kula* – nem todos os nativos no âmbito desse sistema tem autorização para isso – tem apenas um número limitado de pessoas com as quais pode negociar. Essa parceria é estabelecida de modo definido, exige a satisfação de certas formalidades e constitui uma relação permanente, ou seja, para toda a vida. O número de parceiros que um indivíduo pode ter varia de acordo com sua posição social e importância. O plebeu das ilhas Trobriand tem apenas alguns parceiros, ao passo que o chefe chega a ter centenas deles. Não existe propriamente um mecanismo social pelo qual se possa limitar a participação de uns e estender a de outros; porém, as pessoas em geral sabem exatamente a quantos parceiros tem direito em termos de sua posição social. Um dos fatores que as orientam nesse particular é, na maioria dos casos, o exemplo dado pelos ancestrais imediatos. Mesmo nas tribos em que as diferenças de posição social não são pronunciadas, um homem de prestígio ou o líder de um vilarejo ou aldeia pode ter centenas de parceiros no *Kula*, ao passo que um nativo de pouca importância tem apenas alguns.

Os parceiros do *Kula* têm que trocar entre si os objetos próprios do *Kula* e, incidentalmente, trocam também outros presentes. Comportam-se como amigos, têm deveres e obrigações mútuas que variam conforme a distância entre suas respectivas aldeias e o *status* de cada um deles. Em média, o nativo tem alguns parceiros próximos, geralmente seus próprios amigos ou os parentes por afinidade, com os quais costuma manter relações de amizade bastante estreitas. A parceria no *Kula* é um dos laços especiais que unem dois indivíduos numa relação permanente de troca de presentes e mútua prestação de serviços, que são tão característicos deles. Em média, o nativo também realiza transações do *Kula* com um ou dois chefes da vizinhança. Num caso desse tipo, ele tem de prestar assistência e vários serviços aos chefes e oferecer-lhes a primeira escolha toda vez que recebe um novo sortimento de *vaygu'a*. Em contrapartida, espera que os chefes sejam especialmente liberais para com ele.

O parceiro de além-mar é, por outro lado, um hospedeiro, patrono e aliado em terras perigosas e pouco seguras. Hoje em dia, embora a sensação de perigo ainda exista e os nativos nunca se sintam perfeitamente seguros e à vontade num distrito que não seja o seu, os perigos que temem são de natureza mágica – mais do que qualquer outra coisa, portanto, é o temor à feitiçaria das terras estranhas que os assedia quando nelas se encontram. Em épocas passadas, perigos mais tangíveis os ameaçavam e o parceiro constituía a principal garantia de segurança pessoal. O parceiro também fornece alimento, dá presentes e sua casa é o local onde o participante do *Kula* permanece enquanto está na aldeia, embora nunca para dormir. O *Kula*, portanto, provê a cada um de seus participantes alguns amigos próximos e alguns aliados em distritos longínquos, desconhecidos e perigosos. São essas as únicas pessoas com quem ele pode realizar o *Kula* – mas, é claro, entre todos os seus parceiros, o nativo tem a liberdade de decidir a qual deles fornecer quais objetos.

Tentemos agora passar a uma visão ampla dos efeitos cumulativos das regras de parceria. Há no circuito inteiro do *Kula* um encadeamento de relações que naturalmente fazem dele um todo entrelaçado. Pessoas que vivem a centenas de milhas umas das outras relacionam-se por meio da parceria direta ou indireta, realizam trocas, passam a conhecer-se e, às vezes, encontram-se em grandes reuniões intertribais [15, p.162]. Os objetos dados por um nativo – não só os artigos do *Kula*, mas também vários outros objetos de uso doméstico e pequenos presentes – chegam, com o tempo, a parceiros indiretos muito distantes. É fácil observar que, no fim das contas, não só os objetos da cultura material, mas também costumes, canções, temas artísticos e influências culturais gerais viajam ao longo das rotas do *Kula*. O que se verifica, então, é um vasto encadeamento de relações intertribais numa grande instituição que incorpora milhares de pessoas, todas elas unidas por uma paixão comum pelas transações do *Kula* e, em segundo plano, por muitos pequenos laços e interesses.

Voltando mais uma vez ao aspecto pessoal do *Kula*, vamos a um exemplo concreto. Consideremos um *homem comum* que vive, por exemplo, na aldeia de Sinaketa, um dos centros mais importantes do *Kula* na porção meridional das ilhas Trobriand. Tem alguns parceiros próximos e outros distantes, mas pertencem todos a duas

[15] Uma reunião *Kula* na praia de Sinaketa. Mais de oitenta canoas estão ancoradas ou atracadas na praia, numa faixa de mais de dois quilômetros. Cerca de 2 mil nativos, de vários distritos, desde Kitava até Dobu, reúnem-se na aldeia, na praia e em localidades vizinhas. O *Kula* congrega grande número de pessoas pertencentes a diferentes culturas; nesse caso, os de Kitava, Boyowa, ilhas Amphlett e Dobu.

categorias: uns lhe dão apenas braceletes, outros lhe dão apenas colares. Visto que, nas rotas do *Kula*, os braceletes são transportados em sentido contrário ao dos colares, uma das regras naturais e invariáveis do sistema é o fato de que os braceletes nunca são fornecidos ao nativo pelo mesmo indivíduo que lhe dá os colares. Suponhamos que eu seja o nativo de Sinaketa. Se um de meus sócios me fornece braceletes e eu, em troca, dou-lhe um colar, todas as nossas futuras transações deverão ser exatamente desse mesmo tipo. Além disso, a natureza de nossas transações depende de nossa posição relativa – ou seja, nossa localização geográfica com referência aos pontos cardeais. Do norte e do leste, eu, em Sinaketa, recebo apenas os braceletes: do sul e do oeste, apenas os colares. Se um dos meus sócios é meu vizinho na aldeia e sua casa fica ao norte ou ao leste da minha, dele sempre receberei braceletes e a ele sempre darei colares. Se eventualmente ele mudar de residência no próprio âmbito da aldeia, nosso relacionamento continuará o mesmo; se, porém, ele vier a pertencer a outra comunidade de aldeia, situada ao sul ou a oeste da minha, nossas transações assumirão sentido inverso. Meus sócios que vivem ao norte de Sinaketa, nos distritos de Luba, Kulumata ou Kiriwina, fornecem-me braceletes, que eu passo aos meus sócios do sul; destes eu recebo colares. O sul, nesse caso, inclui os distritos sulinos de Boyowa, bem como as ilhas Amphlett e Dobu.

Cada pessoa tem, portanto, de obedecer a leis específicas quanto ao sentido geográfico de suas transações. Se, em qualquer ponto do circuito do *Kula*, nós a imaginarmos voltada para o centro do círculo, veremos que com a mão esquerda ela recebe os braceletes e, com a direita, os colares, passando-os então adiante. Em outras palavras, o nativo constantemente passa os braceletes da esquerda para a direita e os colares da direita para a esquerda.

Aplicando essa regra de conduta pessoal ao circuito inteiro do *Kula*, verificamos de imediato qual o resultado integral de todo o processo. Em sua totalidade, as transações não resultam em troca inútil ou sem objetivo desses dois tipos de artigo – ou seja, não constitui um fortuito vaivém de braceletes e colares. Há dois fluxos constantes: um, o dos colares, obedecendo ao sentido horário ou dos ponteiros de um relógio; o outro, o dos braceletes, em sentido oposto. O termo "circular" é, portanto, bem adequado às transações do *Kula*, pois elas constituem, de fato, um círculo ou circuito de artigos em constante movimento [mapa 5, p. 148]. Todas as aldeias desse circuito têm posição fixa em relação às demais, ou seja, cada uma delas está, em relação a qualquer outra, ou do lado dos colares, ou do lado dos braceletes.

Passemos agora a outra regra do *Kula*, uma das mais importantes. Como acabamos de dizer:

> [...] os braceletes e colares movem-se no círculo cada um em sua própria direção, um em sentido oposto ao do outro; sejam quais forem as circunstâncias, nenhum deles jamais é negociado de volta, ou seja,

3 Essa citação e as demais que se seguem foram extraídas de um artigo (nº 51) preliminar do autor sobre o *Kula*, publicado em *Man*, jul. 1920, p. 100.

> no sentido ou direção errada. Esses objetos também se encontram em constante movimentação, jamais param. Isso pode, à primeira vista, parecer inacreditável, mas o fato é que ninguém conserva consigo esses objetos por longo espaço de tempo. Com efeito, em todo o território de Trobriand existem talvez apenas um ou dois braceletes e colares especialmente bem-feitos, conservados permanentemente como bens de herança; constituem uma classe especial de objetos que de uma vez por todas estão fora de circulação no *Kula*. A "posse", portanto, é uma relação econômica bastante especial no sistema do *Kula*. Nenhum dos nativos que dele participam pode manter quaisquer dos artigos em seu poder por mais de um ou dois anos – e, mesmo quando os conserva durante esse período, está sujeito a ser censurado por sua mesquinhez. Alguns distritos têm má reputação entre os demais por serem "lerdos" e "duros de lidar" no *Kula*. Entretanto, um número enorme de artigos passa pelas mãos de cada participante do *Kula* durante sua vida; esses artigos são de posse temporária e cada um os guarda em confiança por um certo período. Essa posse raras vezes significa que o nativo os ponha em uso, e ele tem por obrigação passá-los o quanto antes a um de seus parceiros. Essa posse temporária, no entanto, lhe permite adquirir grande renome, exibir sua aquisição, contar aos outros de que modo a obteve e planejar a quem os destinar em seguida. Tudo isso constitui um dos assuntos favoritos entre os nativos, servindo-lhes de tema para suas conversas e mexericos. A glória e as façanhas de chefes e plebeus no *Kula* são constantemente discutidas e ventiladas em suas conversas.[3]

Cada um dos artigos do *Kula* move-se, assim, numa única direção, nunca volta para trás, jamais para de modo permanente e leva de dois a dez anos para perfazer o circuito completo.

Essa é talvez uma das características mais notáveis do *Kula*, pois cria uma nova forma de posse e põe os dois artigos do *Kula* numa categoria especial, própria deles. Podemos agora voltar à comparação que já estabelecemos entre os *vaygu'a* (objetos de valor em Kiriwina) e as relíquias históricas dos europeus. Essa comparação só não é válida num particular: nos objetos europeus desse tipo, a posse permanente e a associação contínua com um cargo ou posição social hereditária, ou com uma família, são características essenciais. Nisso os artigos do *Kula* diferem bastante de nossos objetos tradicionais, mas, por sua vez, assemelham-se a outro tipo de objetos de valor: os troféus, as marcas de superioridade, as taças de campeonatos – objetos esses que a facção vencedora – indivíduo ou grupo – guarda apenas por determinado espaço de tempo. Embora esses objetos sejam confiados em posse temporária e não sirvam a quaisquer fins utilitários, seus possuidores sentem especial prazer pelo simples fato de os terem em mãos, merecendo-os por direito. Nesse caso, também a semelhança não é apenas superficial e externa, mas trata-se da mesma atitude mental caracterizada por dispositivos sociais análogos. A semelhança é tanto maior visto que no *Kula* também existe o elemento de orgulho pelo êxito ou mérito alcançado, o qual constitui um dos principais ingredientes da satisfação e do prazer que um homem ou um grupo sente com a posse de um troféu. O êxito no *Kula* é atribuído a poderes individuais especiais, obtidos especialmente com a magia e dos quais os homens se orgulham muito. Mas a aldeia inteira também se ufana quando um de seus membros obtém no *Kula* um troféu particularmente valioso.

Todas as regras até aqui enumeradas – sob o ponto de vista individual – limitam a amplitude social e a direção das transações, bem como a duração da posse dos objetos. Sob o ponto de vista de seu efeito total, essas regras dão delineamento geral ao *Kula* e o caracterizam como um circuito duplamente fechado. Devemos agora dizer algumas palavras sobre a natureza de cada uma das transações individuais, vistas sob o ângulo de sua *técnica comercial*. Nesse particular, existem também regras bastante específicas.

5

O princípio básico em que se assentam as regras da transação propriamente dita é o fato de que o *Kula* consiste na doação de um presente cerimonial em troca do qual, após certo tempo, deve ser recebido um presente equivalente. Esse lapso de tempo pode ser de algumas horas ou apenas alguns minutos, embora por vezes chegue a passar um ano ou mais entre a doação de um artigo e o recebimento do artigo oposto.[4] A troca, entretanto, jamais pode ser efetuada diretamente, e a equivalência entre os presentes não deve nunca ser discutida, avaliada de forma pública ou pechinchada.

4 A fim de não me sentir culpado de incoerência pelo uso impreciso do termo "cerimonial", apresento aqui uma definição sumária: chamaremos de cerimonial todo ato (1) público; (2) realizado sob estreita observância de formalidades específicas; (3) de valor sociológico, religioso ou mágico e vinculado a obrigações.

O decoro de cada transação do *Kula* é mantido com rigor e altamente prezado. Os nativos fazem total distinção entre esse tipo de transação e o escambo, o qual praticam extensivamente e conhecem bastante e para o qual adotam um termo especial: *gimwali*, na língua kiriwina. Ao criticar algum nativo que age de maneira incorreta, apressada ou indecorosa no *Kula*, os nativos costumam dizer: "Ele age como se o *Kula* fosse o *gimwali*".

O segundo e muito importante princípio é que a equivalência do contrapresente é decidida pelo seu doador e não pode ser imposta por qualquer tipo de coerção. Um parceiro que recebeu um presente *kula* deve dar em troca um presente de justo e igual valor; em outras palavras, o bracelete que ele dá como contrapresente deve ser tão bom quanto o colar que recebeu como presente – ou vice-versa. Um presente excepcionalmente valioso, por sua vez, deve ser retribuído com um contrapresente de valor semelhante, e não com vários contrapresentes menores, embora presentes intermediários possam ser dados, com os quais o parceiro adia temporariamente a verdadeira retribuição.

Se o objeto dado como contrapresente não for equivalente ao presente, o receptor ficará decepcionado e aborrecido, mas não poderá usar de meios diretos para obter uma compensação, nem tentar coagir seu parceiro, nem tampouco dar fim, de uma vez por todas, às suas transações com ele. Quais são então as forças operantes que fazem com que cada parceiro siga à risca os termos da transação? Entra aqui uma característica muito importante de atitude mental do nativo com referência à riqueza e ao valor. A falsa noção segundo a qual se atribui ao selvagem uma natureza puramente econômica poderia levar-nos a um erro de raciocínio, como o que se segue:

> A paixão pela posse e o ódio de perder ou ceder constituem o elemento fundamental e mais primitivo na atitude tomada pelo homem em relação às riquezas. No homem primitivo, essa característica fundamental se encontra em sua forma mais simples e pura. *Agarre-se a seus bens e não os deixe escapulir* é o princípio segundo o qual ele se guia.[5]

O erro fundamental desse raciocínio está em pressupor que o "homem primitivo", representado hoje pelo selvagem, está, pelo menos sob o ponto de vista econômico, livre de quaisquer convenções ou restri-

5 Essa não é a interpretação fantasiosa daquilo que poderia ser uma opinião errônea, pois posso fornecer exemplos concretos que comprovam que tais opiniões foram de fato apresentadas; visto, porém, que minha intenção neste capítulo não é apresentar uma crítica das teorias sobre a economia primitiva atualmente existentes, não quero abarrotá-lo com citações.

ções sociais. A verdade é o inverso. Embora o nativo do *Kula*, como qualquer outro ser humano, tenha paixão pela posse, deseje manter consigo todos os seus bens e tema perdê-los, o código social das leis que regulam o dar e o receber suplanta sua tendência aquisitiva natural.

Esse código social, tal como o encontramos entre os nativos do *Kula*, está, no entanto, longe de atenuar o desejo natural pela posse; muito pelo contrário, estabelece que possuir é ser poderoso e que a riqueza constitui apanágio indispensável de dignidade social e atributo da virtude individual. O importante, porém, é que, para os nativos do *Kula*, possuir é dar – e, nesse aspecto, eles são notavelmente diferentes de nós. Pressupõem que qualquer pessoa deve naturalmente partilhar seus bens, distribuí-los e deles ser o administrador e distribuidor. Além disso, quanto mais alta a categoria social, maiores as obrigações. Espera-se que o chefe forneça alimento a qualquer estranho ou visitante, e até mesmo a qualquer vadio vindo de outras partes da aldeia. O chefe tem de dividir com os outros nativos seu estoque particular de tabaco ou nozes de bétel. Assim, o nativo de certa posição social precisa esconder qualquer porção desses artigos que queira preservar para uso próprio. No extremo oriental da Nova Guiné, eram comuns entre os nativos de certa posição social as cestas especiais de três camadas, fabricadas nas ilhas Trobriand, porque na divisão inferior podiam esconder seus pequenos tesouros. A riqueza é, portanto, o principal indício do poder e a generosidade, sinal da riqueza. Com efeito, a avareza é o vício mais desprezado, constituindo entre os nativos a única coisa sobre a qual eles fazem críticas morais realmente acerbas. A generosidade, por sua vez, é tida como essência da bondade.

Essa injunção moral e o subsequente hábito de generosidade, quando superficialmente observados e mal interpretados, são responsáveis por outra ideia errônea bastante difundida – a do *comunismo primitivo dos selvagens*. Isso, tanto quanto a ficção diametralmente oposta do nativo insaciável e desumanamente tenaz, é errôneo, como veremos com suficiente clareza nos capítulos a seguir.

O princípio fundamental do código moral dos nativos nesse assunto faz, pois, com que o indivíduo contribua com seu quinhão justo nas transações do *Kula*, e quanto mais importante ele for mais deseja sobressair-se por sua generosidade. *Noblesse oblige* é, na realidade, a norma social que regula sua conduta. Isso não significa que os nativos estejam sempre satisfeitos ou que não haja brigas, ressentimentos e até mesmo lutas por causa das transações. É óbvio que, por mais que o indivíduo queira dar um equivalente justo em troca do objeto recebido, às vezes não consegue fazê-lo. Então, como há sempre intensa competição no sentido de ser o doador mais generoso, o indivíduo que recebe menos do que dá não esconde seu aborrecimento, mas gaba-se de sua própria generosidade e a contrasta com a avareza do parceiro; o outro se ressente com isso e, assim, a briga está pronta para começar. É, porém, muito importante compreender que não existe regateio nem tendência a lograr um indivíduo naquilo que por direito lhe cabe. Embora por motivos diferentes, tanto o doador como o receptor concordam, de forma entusiasmada, que o presente deve ser generoso. E então, é claro, há o fato importante de que o indivíduo que é justo e generoso no *Kula* atrai para si maior fluxo de transações que o indivíduo mesquinho.

Dois princípios mais importantes fundamentam todas as transações: primeiro, que o *Kula* é um presente retribuído, após certo período de tempo, por meio de um contrapresente, e não um escambo; segundo, que cabe ao doador estabelecer a equivalência do contrapresente, que não pode ser imposta, não existindo possibilidade de regateio ou devoluções na troca. Um exemplo concreto de como se realizam essas transações será suficiente para uma ideia preliminar.

> Suponhamos que eu, nativo de Sinaketa, tenha em meu poder um belo par de braceletes. Uma expedição ultramarina, proveniente de Dobu, no arquipélago d'Entrecasteaux, chega à minha aldeia. Soprando um búzio, apanho meu par de braceletes e o ofereço ao meu parceiro de ultramar, dizendo-lhe algumas palavras como "Este é um *vaga* (presente com que se inicia a transação) – em tempo certo, ireis dar-me um grande *soulava* (colar) em retribuição!". No ano seguinte, quando eu o visitar em sua aldeia, meu parceiro terá em seu poder um colar equivalente, que dele receberei como *yotile* (contrapresente): caso não possua um colar suficientemente bom com que retribuir ao meu último presente, ele me dará um pequeno colar – manifestamente não

equivalente ao meu presente – oferecido como *basi* (presente intermediário). Isso significa que o presente principal deverá ser dado numa próxima ocasião e o *basi* é oferecido em sinal de confiança – mas este, por sua vez, deve também ser retribuído por mim, nesse ínterim, com um presente de pequenos braceletes de conchas. O presente final que me será dado de modo a concluir-se a transação chama-se *kudu* (presente com o qual se conclui uma transação) em oposição a *basi*. (Malinowski, op. cit., 1920, p. 99)

Muito embora o regateio e a pechincha estejam excluídos do *Kula*, há modos costumeiros e regulamentados de fazer ofertas por algum artigo *vaygu'a* que se sabe estar em poder de um parceiro. Isso se faz pelo oferecimento do que podemos chamar de presentes de solicitação, dos quais há muitos tipos.

Se eu, habitante de Sinaketa, tiver em meu poder um par extraordinariamente bom de braceletes, a fama de meus braceletes se espalha, pois é preciso lembrar-nos de que cada um dos braceletes e colares de primeira categoria tem um nome especial e uma história toda sua, e, à medida que circula no grande circuito do *Kula*, torna-se bem conhecido e seu aparecimento num determinado distrito sempre constitui uma sensação. Todos os meus parceiros, então – sejam eles do ultramar, sejam de meu próprio distrito –, competem entre si pela honra de receber esse meu artigo, e os que estão especialmente ansiosos tentam obtê-lo oferecendo-me *pokala* (oferendas) e *kaributu* (presentes de solicitação). Os primeiros (os *pokala*) em geral consistem em porcos, bananas de especial qualidade, inhame ou taro; os últimos (os *kaributu*) são de maior valor: as grandes e valiosas lâminas de machado (chamadas *beku*) ou as colheres para cal, feitas de osso de baleia. (Id., ibid., p. 100)

As complicações adicionais relativas à retribuição desses presentes de solicitação, bem como mais algumas sutilezas e expressões técnicas referentes a esse assunto, serão fornecidas mais adiante, no capítulo IV.

6

Enumerei as regras principais do *Kula* de maneira suficiente para uma definição preliminar; devo agora dizer algumas palavras a respeito das atividades afins e dos aspectos secundários do *Kula*. Se compreendermos que por vezes a troca deve realizar-se entre distritos separados por mares perigosos, onde um grande número de homens tem de navegar em canoas, obedecendo a datas preestabelecidas, torna-se claro que muitos preparativos são necessários para que possa haver uma expedição. Diversas atividades preliminares estão intimamente relacionadas ao *Kula*, como a construção das canoas, a preparação do equipamento, o aprovisionamento da expedição, o estabelecimento das datas e a organização social do empreendimento. Todas essas atividades são subsidiárias ao *Kula* e, já que são executadas para atender às suas finalidades e constituem uma série concatenada, a descrição do *Kula* deve incluir um relato dessas atividades preliminares. A descrição detalhada do processo de construção de canoas, do cerimonial que o acompanha, dos rituais mágicos concomitantes, do lançamento e da viagem inaugural, dos costumes afins que tem por finalidade a preparação do equipamento – tudo isso será contado com detalhes nos próximos capítulos.

Outra atividade inextricavelmente ligada ao *Kula* é a do *comércio secundário*. Viajando a terras longínquas, ricas em recursos naturais desconhecidos em sua terra natal, os navegadores do *Kula* retornam de cada expedição fartamente carregados com os espólios do empreendimento. A fim também de presentear seus parceiros, os nativos levam, em cada viagem, uma carga de produtos tidos como altamente desejáveis no distrito ultramarino. Parte dessa carga é distribuída aos parceiros, na forma de presentes; mas uma boa porção dela destina-se ao pagamento de objetos desejados pelos nativos em sua terra natal. Em certos casos, durante a viagem, os visitantes exploram, por conta própria, os recursos naturais das terras do além-mar. Os nativos de Sinaketa, por exemplo, mergulham na laguna de Sanaroa em busca dos *Spondylus*, e os de Dobu fazem pescarias nas ilhas Trobriand, numa praia situada no extremo sul da ilha. O comércio secundário torna-se ainda mais complicado pelo fato de que certos grandes centros do *Kula* – como Sinaketa – não são especializados na produção dos artigos que, para os Dobu, são de especial valor. Dessa forma, os nativos de Sinaketa têm de obter o estoque de mercadorias necessário nas aldeias do interior de Kuboma, e isso eles fazem por meio de pequenas expedições comerciais preliminares ao *Kula*. Assim como a construção de canoas, o comércio secundário será descrito com detalhes mais tarde, mas não podemos deixar de mencioná-lo aqui.

Nesse momento, tais atividades afins e subsidiárias precisam ser adequadamente relacionadas umas às outras e à transação principal. Tanto a construção de canoas como o comércio regular foram mencionados como secundários ou subsidiários ao *Kula* propriamente dito. Isso requer uma explicação. Não é minha intenção, ao subordinar essas duas coisas ao *Kula*, expressar uma consideração filosófica ou uma opinião pessoal quanto ao valor relativo dessas atividades sob o ponto de vista de alguma teleologia social. Com efeito, é óbvio que, se observarmos essas atividades "do lado de fora", como estudiosos de sociologia comparada, e avaliarmos sua verdadeira utilidade, o comércio e a construção de canoas aparecerão como as realizações verdadeiramente importantes, e consideraremos o *Kula* apenas um estímulo indireto que impele os nativos a navegar e a comerciar. Minha presente descrição não é, porém, sociológica, mas sim puramente etnográfica, e toda análise sociológica que venho apresentando é apenas a que se faz absolutamente indispensável para dissipar falsas concepções e definir termos.[6]

Definindo o *Kula* como a atividade primária e mais importante, e as demais como secundárias, quero fazer ver que essa prioridade está implícita nas próprias instituições. Ao estudar o comportamento dos nativos e todos os costumes em questão, vemos que o *Kula* constitui, sob todos os aspectos, o objetivo principal: as datas são fixadas, as atividades preliminares estabelecidas, as expedições organizadas, a organização social determinada, não em função do comércio, mas do *Kula*. A grande festa cerimonial realizada ao iniciar-se uma expedição refere-se ao *Kula*; a cerimônia final da avaliação e da contagem dos espólios refere-se ao *Kula*, e não aos objetos obtidos pelo comércio. Por fim, a magia, que constitui um dos principais elementos de todo esse processo, refere-se exclusivamente ao *Kula*, e isso se aplica até mesmo ao conjunto de mágicas com que se encantam as canoas. Alguns dos rituais mágicos do ciclo são executados tendo por objetivo as próprias canoas; outros têm por objetivo

6 Talvez não haja necessidade de salientarmos o fato de que, no presente estudo, não estão incluídas quaisquer considerações referentes às origens e ao desenvolvimento ou à história das instituições nativas. A mistura de pontos de vista especulativos ou hipotéticos com o relato de ocorrências concretas constitui, na minha opinião, um pecado imperdoável contra os princípios metodológicos da etnografia.

o *Kula*. A construção de canoas está sempre em conexão direta com uma expedição do *Kula*. Tudo isso, é lógico, se tornará claro e convincente só depois que apresentarmos um relato minucioso. Porém, é necessário estabelecermos, a essa altura, a perspectiva correta da relação entre o *Kula* principal e o comércio subsidiário.

Certamente, existem muitas tribos vizinhas que nada conhecem a respeito do *Kula* e que, apesar disso, fabricam canoas e navegam para longe em ousadas expedições comerciais; há também diversas aldeias – nas ilhas Trobriand, por exemplo – que, embora dentro do circuito do *Kula*, não o praticam e, contudo, possuem canoas com as quais realizam um vigoroso comércio marítimo. Mas, nos locais em que é praticado, o *Kula* controla todas as demais atividades afins, e tanto a construção de canoas como o comércio se tornam subsidiários dele. E isso se expressa, de um lado, pela natureza das instituições e pelo modo como se processam todos os preparativos; de outro, pelo comportamento e pelas afirmações explícitas dos nativos.

O *Kula* – como, espero, está ficando cada vez mais evidente – é uma instituição enorme e complicada, por mais insignificante que seu núcleo nos possa parecer. Para os nativos, ele representa um dos interesses mais vitais da existência e, como tal, tem caráter cerimonial e está cingido pela magia. Podemos imaginar que os objetos que constituem a riqueza nativa possam passar de uma pessoa para outra sem quaisquer cerimônias ou rituais, mas isso jamais acontece no *Kula*. Mesmo quando, por vezes, pequenas expedições de apenas uma ou duas canoas partem para o além-mar e trazem os *vaygu'a*, observam-se determinados tabus e práticas tradicionais na partida, durante a viagem e na chegada; até mesmo a menor das expedições, de uma só canoa, constitui acontecimento tribal de relativa importância, conhecido e discutido no distrito inteiro. A expedição típica, porém, é aquela da qual participa um grande número de canoas, organizadas de maneira específica, formando um só grupo. Realizam-se festas, distribuições de alimentos e outras cerimônias públicas, há um líder e mestre da expedição e várias regras a serem observadas a par dos tabus e regulamentos costumeiramente associados ao *Kula*.

A natureza cerimonial do *Kula* está rigorosamente vinculada a outro aspecto que o caracteriza: a magia.

A crença na eficácia da magia domina o *Kula*, como domina tantas outras atividades tribais. Rituais mágicos precisam ser executados sobre as canoas marítimas, quando são construídas, para que sejam velozes, estáveis e seguras; rituais mágicos são também executados sobre as canoas para lhes dar sorte no *Kula*. Outro sistema de rituais mágicos é executado para afastar os perigos da navegação. Um terceiro sistema de rituais mágicos relativos às expedições marítimas é o *mwasila*, ou a magia *kula* propriamente dita. Esse sistema se compõe de numerosos rituais e encantamentos, todos eles agindo diretamente sobre a mente (*nanola*) do parceiro, fazendo com que ele se torne afável, de mente instável e ansioso por dar presentes *kula*. (Id., ibid., p. 100.)

É natural que uma instituição tão intimamente ligada a elementos mágicos e cerimoniais, como é o *Kula*, não só esteja assentada sobre um alicerce tradicional muito firme, mas também tenha um grande estoque de lendas.

Há uma rica mitologia do *Kula*, na qual se contam histórias sobre épocas remotas, quando ancestrais míticos se empenhavam em expedições longínquas e audaciosas. Graças a seus conhecimentos de magia, eles conseguiam escapar aos perigos, vencer os inimigos, transpor obstáculos e, por meio de suas façanhas, estabeleceram muitos precedentes que agora são rigorosamente observados nos costumes tribais. Mas sua importância para seus descendentes reside sobretudo no fato de que eles lhes legaram seus conhecimentos de magia, e isso fez com que o *Kula* se tornasse possível nas gerações subsequentes. (Id., ibid., p. 100.)

Em determinados distritos, aos quais não pertencem as ilhas Trobriand, o *Kula* está associado a festas mortuárias chamadas *so'i*. Essa associação, sobre a qual faremos um relato no capítulo XX, é de grande interesse e importância.

As grandes expedições *kula* são realizadas por um grande número de nativos – um distrito inteiro. Mas os limites geográficos dentro dos quais são recrutados os membros de uma expedição encontram-se perfeitamente definidos. Observando o mapa 5 **[p. 148]**,

[...] podemos ver diversos círculos, cada um deles representando determinada unidade sociológica a que chamaremos de "comunidade *kula*". Cada comunidade *kula* se compõe de uma ou várias aldeias, cujos nativos partem juntos nas grandes expedições marítimas e atuam como um só grupo nas transações do *Kula*, executam seus rituais mágicos em comum, têm os mesmos líderes e se movem na mesma esfera social interna e externa, em cujo âmbito trocam seus objetos de valor. O *Kula*, então, consiste primeiro nas pequenas transações internas dentro da comunidade *kula* ou de comunidades adjacentes e, segundo, nas grandes expedições marítimas nas quais a troca de artigos se verifica entre duas comunidades separadas pelo mar. Nas primeiras, existe um fluxo pequeno, mas contínuo e permanente de artigos entre uma aldeia e outra e até mesmo dentro de uma mesma aldeia. Nas segundas, uma enorme quantidade de objetos de valor, chegando a mais de mil por vez, é trocada através de uma enorme transação ou, mais acertadamente, através de uma infinidade de transações que se realizam simultaneamente (Id., ibid., pp. 101–02).

O *Kula* consiste na série dessas expedições marítimas periódicas que vinculam os diversos grupos de ilhas e anualmente trazem, de um distrito para o outro, grande quantidade de *vaygu'a* e objetos de comércio subsidiário. Os objetos do comércio subsidiário são utilizados e consumidos, mas os *vaygu'a* – braceletes e colares – movem-se constantemente no circuito (Id., ibid., p. 105).

Apresentei neste capítulo uma definição curta e sumária do *Kula*. Enumerei, um após outro, seus aspectos mais característicos, as regras mais notáveis estabelecidas nos costumes, nas crenças e no comportamento dos nativos. Isso foi necessário para podermos fornecer uma noção geral da instituição antes de descrever minuciosamente seu funcionamento. Uma definição abreviada, porém, jamais pode proporcionar ao leitor o entendimento total de uma instituição social humana. Para isso, é necessário explicar seu funcionamento de maneira concreta, colocar o leitor em contato com as pessoas, mostrar-lhe de que modo elas se portam em cada um dos estágios consecutivos e descrever todas as manifestações reais das regras gerais estabelecidas *in abstracto*.

Como dissemos antes, as transações do *Kula* são efetuadas por meio de dois tipos de empreendimento; existem, em primeiro lugar, as grandes expedições marítimas, nas quais se transporta uma quantidade mais ou menos considerável de objetos de valor. Há, a par disso, a troca interna, em que os artigos passam de pessoa para pessoa, frequentemente mudando de dono inúmeras vezes num percurso de algumas milhas.

As grandes expedições marítimas constituem, de longe, a parte mais espetacular do *Kula*. Contêm, também, um número maior de cerimônias públicas, rituais mágicos e praxes tradicionais. Também requerem, é claro, maiores preparativos e atividades preliminares. Terei, portanto, muito mais coisas a dizer sobre as expedições ultramarinas do *Kula* do que sobre as trocas internas.

Visto que os costumes e as crenças relativos ao *Kula* foram, na maior parte, estudados em Boyowa, ou seja, nas ilhas Trobriand, e analisados sob o ponto de vista desse distrito, relatarei, em primeiro lugar, o modo típico como se processa uma expedição marítima, seguindo seus preparativos, a organização e a partida das ilhas Trobriand. Começando pela construção das canoas, procedendo em seguida à cerimônia de seu lançamento e às visitas de apresentação formal das canoas, selecionaremos então a comunidade de Sinaketa e acompanharemos os nativos numa de suas viagens marítimas, a qual descreveremos em todos os detalhes. Isso nos indicará uma modalidade de expedição *kula* em demanda a terras distantes. Mostraremos então em que aspectos essas expedições diferem entre si de outras ramificações do *Kula* e, para isso, descreverei uma expedição proveniente de Dobu e outra entre Kiriwina e Kitava. Esse relato será complementado com uma descrição do *Kula* interno, de algumas modalidades de comércio associado e das demais ramificações do *Kula*.

No capítulo a seguir passo, portanto, aos estágios preliminares do *Kula* nas ilhas Trobriand, começando pela construção das canoas.

CAPÍTULO IV

As canoas e a navegação

1

A canoa é elemento da cultura material e, como tal, pode ser descrita, fotografada e até mesmo fisicamente transportada para um museu. Contudo – e essa é uma verdade muitas vezes negligenciada –, a realidade etnográfica da canoa não poderia ser transmitida ao estudioso apenas colocando-se diante dele um exemplar perfeito da embarcação.

A canoa é feita para determinado uso e com uma finalidade específica: constitui um meio para atingir certo fim, e nós, que estudamos a vida nativa, não podemos inverter essa relação, fazer do objeto em si um fetiche. No estudo das finalidades econômicas para as quais se constrói uma canoa e dos diversos usos a que ela é submetida, encontramos os primeiros elementos para um estudo etnográfico mais profundo. Dados sociológicos suplementares, referentes à sua posse, a especificação das pessoas que a usam e a descrição de como o fazem; as informações referentes às cerimônias e aos costumes de sua construção, uma espécie de história da vida típica de uma embarcação nativa – tudo isso nos faz aproximar ainda mais da compreensão de tudo aquilo que a canoa de fato representa para o nativo.

Nem mesmo isso, entretanto, aproxima-se da realidade mais vital de uma canoa nativa, pois um barco, seja ele feito de casca de árvore ou de madeira, de ferro ou de aço, vive a vida de seus navegantes e, para o marinheiro, representa mais que um simples pedaço de matéria moldada. Para o nativo, não menos do que para o marinheiro branco, o barco está envolto numa atmosfera de romance, construída de tradições e experiências pessoais. É um objeto de culto e admiração, uma coisa viva que tem individualidade própria.

Nós, europeus – quer conheçamos a embarcação nativa por experiência ou por intermédio de descrições –, acostumados que estamos com nossos meios de transporte tão extraordinariamente desenvolvidos, temos tendência a olhar com desdém a canoa nativa e a enxergá-la sob uma falsa perspectiva, considerando-a quase um brinquedo infantil, uma tentativa malograda e imperfeita de solucionar o problema da navegação que nós já solucionamos de maneira satisfatória.[1] Para o nativo, entretanto, sua pesada e desajeitada canoa representa uma conquista admirável e quase miraculosa, um objeto de rara beleza **[21, p.200] [16] [37, p.314] [45, p.396] [57, p.513]**. Ele a envolve de tradições, adorna-a com seus melhores entalhes, pinta-a de cores e a embeleza. Para ele, a canoa representa o instrumento poderoso que lhe permite tornar-se senhor da Natureza, capaz de singrar mares perigosos em demanda a terras distantes. Está associada a viagens a vela, repletas de perigos ameaçadores, de esperanças e desejos ardentes, que expressa em cantigas e histórias. Em suma, na tradição dos nativos, em seus costumes, em sua conduta e naquilo que expressam diretamente por palavras, encontra-se o mesmo amor profundo, admiração e apego especial dedicados a algo vivo e pessoal, tão característico da atitude do marinheiro em relação a seu barco.

É nessa atitude emocional dos nativos quanto às suas canoas que encontro a realidade etnográfica mais profunda, a qual nos deve conduzir ao estudo de outros aspectos – os costumes e os pormenores técnicos da construção e do uso; as condições econômicas e as crenças e tradições associadas. A etnologia ou antropologia, a ciência do homem, não deve fugir ao estudo da parte mais íntima do seu ser, de sua vida instintiva e emocional.

As fotografias 21 **[p.200]**, 18 e 19 **[p.182]**, 35 **[p.297]** e 45 **[p.396]**, por exemplo, nos dão uma ideia da estrutura geral das canoas nativas: o casco forma uma cavidade alongada e profunda, presa a um flutuador externo que se estende paralelamente ao corpo da canoa em quase toda a sua extensão **[21, p.200] [16]**, e com uma plataforma colocada no sentido transversal, ligando um lado ao outro. A leveza do material permite que a canoa fique mais imersa que qualquer embarcação marítima europeia e lhe dá também maior índice de flutuação. Na água, ela desliza na superfície acompanhando o movimento das ondas, ora ocultando-se entre as cristas, ora flutuando

1 Ao comparar a frágil e mesmo desajeitada embarcação nativa ao admirável iate europeu, sentimo-nos inclinados a considerá-la quase uma brincadeira. Essa é a tônica de muitos mitos etnográficos amadores sobre a navegação, nos quais se faz chacota barata dos cascos rusticamente trabalhados, chamando-os de "couraçados" ou "iates reais", da mesma forma que, numa atitude jocosa, os singelos chefes nativos são citados como "reis". Tal humor é, sem dúvida, natural e agradável, porém, quando abordamos o assunto cientificamente, devemos, por um lado, abster-nos de distorcer os fatos e, por outro, procurar analisar as nuanças mais sutis do pensamento e do sentimento nativos quanto às suas próprias criações.

[16] Uma canoa velejando. A foto ilustra o cordame, a inclinação da canoa – o flutuador erguido – e a capacidade de carga. Essa canoa está bem dentro da água, com uma tripulação de dezoito homens.

sobre elas. Apesar da sensação de fragilidade, é muito agradável sentar-se no interior do casco esbelto de uma canoa enquanto ela se lança para a frente, com o flutuador levantado, a plataforma fortemente inclinada e as águas a se quebrarem por cima; ou, melhor ainda, empoleirar-se na plataforma ou no flutuador – o que só é praticável nas canoas maiores – e ser levado mar adentro por uma espécie de jangada suspensa que desliza acima das ondas de maneira quase mágica. Por vezes, quando uma onda se ergue e quebra por sobre a plataforma, a canoa – que, à primeira vista, parece uma jangada quadrada, difícil de manejar – joga-se para a frente e para os lados, galgando os sulcos com graciosa agilidade. Ao içar-se a vela, suas pregas pesadas e rígidas, de esteira dourada, abrem-se farfalhando e estalando, e a canoa começa a abrir caminho no mar; quando a água corre velozmente por baixo da canoa, num sibilar constante, e a vela dourada resplandece em meio ao intenso azul do céu e do mar, nesse momento, a aventura da navegação parece revelar-se numa nova perspectiva.

A reflexão natural sobre essa descrição é que ela representa as impressões do etnógrafo, mas não as do nativo. É, na realidade, muito difícil dissociar nossas próprias impressões da correta interpretação da mente nativa no que ela tem de mais íntimo. Contudo, se o pesquisador, falando a língua deles e vivendo entre eles durante algum tempo, tentar partilhar de suas emoções e procurar entendê-las, perceberá que as pode avaliar corretamente. Logo, aprenderá a notar se o comportamento dos nativos está em harmonia com o seu ou se, como às vezes acontece, o seu diverge do deles.

[17] **Colocando a canoa em seu abrigo.** As canoas das praias de Boyowa raramente são usadas; quando não estão em uso, ficam guardadas em abrigos construídos de maneira semelhante às choupanas comuns, mas bem maiores.

Nesse caso, não há possibilidades de engano no que diz respeito à grande admiração que os nativos têm por uma boa canoa, sua rapidez em apreciar diferenças de velocidade, flutuação e estabilidade e sua reação emocional a essas diferenças. Num dia calmo, quando a brisa fresca de súbito se levanta e faz estufar a vela, e a canoa ergue sua *lamina* (flutuador externo) para fora da água e corre velozmente, borrifando água de um lado e de outro, não há possibilidade de engano de interpretação quanto ao prazer contagiante dos nativos.

Correm todos a seus postos e ficam profundamente atentos aos movimentos da canoa; alguns se põem a cantar, e os mais jovens se debruçam para brincar com a água. Jamais se cansam de discutir os pormenores referentes à qualidade de suas canoas e de analisar as diversas embarcações. Nas aldeias litorâneas da laguna, os meninos e os rapazes saem para frequentes passeios nas canoas pequenas, apostam corrida, exploram os recantos menos conhecidos da laguna e, de maneira geral, sem dúvida divertem-se com o passeio, como nós o faríamos.

Vista de fora, depois que entendemos sua construção e, considerando a experiência pessoal, percebemos sua adequação às finalidades; a canoa não é menos atraente nem tem menos personalidade do que quando a vemos de dentro. Quando, numa expedição comercial ou numa visita social, uma frota de canoas surge ao largo, com suas velas triangulares assemelhando-se a asas de borboleta espalhadas por sobre a água [46, p.447], e os nativos tiram de seus búzios um toque uníssono e harmonioso, o espetáculo é inesquecível.[2] Quando, então, as canoas se aproximam da praia e se pode vê-las balançando na água azul, no esplendor do branco, vermelho e preto de sua pintura recente, com suas tábuas de proa admiravelmente desenhadas e com suas fiadas de grandes conchas brancas a retinir [47, p.449] [57, p.513] – é então que se compreendem bem a admiração e o amor que fazem com que o nativo dispense todos esses cuidados à decoração de sua canoa.

Mesmo quando não está sendo usada e repousa solitária na praia de uma aldeia, a canoa é um elemento típico da paisagem e constitui parte integrante da vida da aldeia. As canoas muito grandes são, em alguns casos, guardadas em enormes abrigos [17], que superam em tamanho quaisquer outras construções erigidas pelos nativos das ilhas Trobriand. Em outras aldeias, onde os nativos estão cons-

2 As velas em forma de pinças de caranguejo usadas no litoral sul, de Mailu (onde eu as via com frequência) para o oeste, onde são usadas nas *lakatoi* de mastro duplo de Porto Moresby, são ainda mais pitorescas. Com efeito, quase não consigo imaginar algo mais estranhamente impressionante do que uma frota de canoas equipadas com esse tipo de vela. Essas velas já apareceram em selos da Nova Guiné britânica, como os que foram emitidos pelo capitão Francis Barton, governador da colônia, já falecido. Ver também a imagem XII do livro *The Melanesians*, de Seligman.

[18] e [19] Canoas de pesca (*kalipoulo*). Na foto superior, o perfil de uma canoa, onde aparecem a silhueta do casco, a largura relativa das pranchas laterais e a forma da canoa. A foto de baixo mostra a proa, suas tábuas, a plataforma e ilustra a maneira como o flutuador externo é atado ao casco.

tantemente utilizando as embarcações, as canoas são cobertas simplesmente com folhas de palmeira **[1, p. 61] [53, p. 504]** como proteção contra o sol, e os nativos muitas vezes vêm sentar-se em sua plataforma para conversar, mascar as nozes de bétel e contemplar o mar. As canoas menores, atracadas em carreiras paralelas, em frente ao mar, estão prontas a serem lançadas à água a qualquer momento. Com seu perfil recurvado e sua complicada armação de varas e sarrafos, as canoas constituem um dos aspectos mais típicos da aldeia nativa litorânea.

2

Algumas palavras devem agora ser ditas sobre as características tecnológicas fundamentais da canoa. Também nesse caso, a mera enumeração e descrição das diversas partes que compõem a canoa, a dissecação de um objeto inanimado, não nos satisfarão. Levando em consideração, de um lado, seu objetivo e, de outro, as limitações dos recursos tecnológicos e materiais, tentarei mostrar, em vez disso, de que maneira os construtores navais nativos trataram as dificuldades que foram apresentadas a eles.

Toda embarcação requer um casco impermeável, imersível e de volume considerável. Isso é fornecido por um tronco escavado. Esse tronco aguenta cargas relativamente pesadas, pois a madeira é leve e o espaço oco auxilia na flutuação. Não tem, contudo, estabilidade lateral, como é fácil de observar. A secção transversal de uma canoa **[fig. I (1), p. 184]** nos mostra que um peso com seu centro de gravidade no meio da canoa, ou seja, simetricamente distribuído, não afeta o equilíbrio, mas qualquer peso colocado de um dos lados (segundo indicam as setas A ou B), de modo a gerar um momento de rotação (ou seja, força de rotação), fará a canoa virar e ficar de cabeça para baixo.

Se, no entanto, como mostra a figura I (2), atarmos ao casco um tronco menor, sólido (C), haverá maior estabilidade, embora não simétrica. Se forçarmos um lado (A) para baixo, a canoa gira sobre seu eixo longitudinal, de tal forma que seu outro lado (B) se ergue (3).

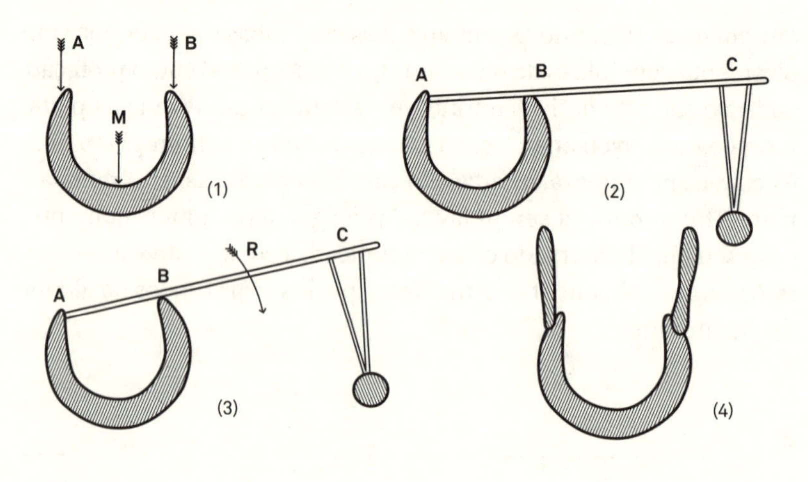

figura I Diagramas que mostram em seção transversal alguns dos princípios da estabilidade e construção da canoa.

O tronco (C) se levantará da água e seu peso produzirá um momento (força de giro) proporcional à deslocação, e a canoa ficará em equilíbrio. Esse momento está representado, no diagrama, pela seta R. Dessa forma consegue-se grande estabilidade relativa à força de pressão sobre o lado A. Qualquer força de pressão aplicada sobre o lado B faz o tronco C ficar submerso, mas oferece certa resistência devido à sua capacidade de flutuação. De qualquer maneira, é fácil verificar que a estabilidade desse lado é bem menor que a do outro. Essa estabilidade assimétrica[3] desempenha papel de grande importância na técnica da navegação. Dessa forma, como veremos, a canoa sempre viaja com o flutuador externo (C) voltado para o vento. A pressão exercida pela vela faz, então, a canoa se inclinar; o lado A é forçado para dentro da água, e B e C ficam erguidos: nessa posição, eles se tornam extremamente estáveis e resistentes à força do vento. Se, no entanto, a canoa inclinar-se para o outro lado, for-

3 Um recurso de construção para conseguir estabilidade simétrica é exemplificado pelo sistema *mailu* de construção de canoas: uma plataforma é colocada ligando, como uma ponte, dois troncos ocos, paralelos um ao outro. Ver B. Malinowski, "The Natives of Mailu", publicado em *Transactions of the Royal Society of South Australia*, vol. XXXIX, 1915, pp. 494–706, capítulo IV, 599–612, figs. XXXV-XXXVII.

çando B e C para dentro da água, a menor das brisas será suficiente para fazê-la emborcar.

A figura I (2) e (3) também nos mostra que a estabilidade da canoa depende (I) do volume e, sobretudo, da profundidade do casco; (II) da distância B–C entre o casco e o flutuador; (III) do tamanho do flutuador C. Quanto maiores essas dimensões, maior a estabilidade das canoas. Uma canoa rasa, de pequeno bordo livre, pode facilmente ser forçada para dentro da água; além disso, se for usada em tempo tempestuoso, as ondas se quebrarão por cima dela, enchendo-a de água.

(I) *O volume do casco* naturalmente depende do comprimento e da espessura do tronco escavado. Podem-se fazer canoas razoavelmente estáveis de simples troncos escavados. No entanto, sua capacidade é limitada – e esse limite é atingido rapidamente. Contudo, se aumentarmos os lados da canoa com uma ou várias tábuas extras, como se vê na figura I (4), o volume e a profundidade aumentarão bastante, sem muito aumento de peso. A canoa assim reforçada tem maior bordo livre e isso impede a invasão da água. As tábuas longitudinais das canoas de Kiriwina são fechadas nas extremidades por meio de tábuas de proa transversais, entalhadas com relativa perfeição **[18 e 19, p. 182] [45, p. 396]**.

(II) *Quanto maior a distância B–C entre o casco e o flutuador externo*, maior a estabilidade da canoa. Visto que o momento de rotação depende da distância B–C **[figura I]** e do peso do flutuador externo C, é evidente, portanto, que, quanto maior a distância, maior o momento. Uma distância demasiadamente grande, no entanto, prejudicaria a maneabilidade da canoa. Qualquer força de pressão exercida sobre o flutuador faria com que a canoa virasse facilmente e, visto que, para manejar a canoa, os nativos precisam subir no flutuador, a distância B–C não pode ser grande demais. Nas ilhas Trobriand, a distância B–C é cerca de um quarto, ou menos, do comprimento total da canoa. Nas grandes canoas marítimas, esse espaço é sempre coberto por uma plataforma. Em alguns outros distritos, a distância é bem maior, e as canoas têm outro tipo de armação.

(III) *O tamanho do tronco* (C) *que forma o flutuador lateral*. Nas canoas marítimas, ele costuma ter dimensões consideráveis. Contudo, visto que um pedaço de madeira maciça fica pesado ao encharcar-se de água, um tronco muito espesso não seria apropriado.

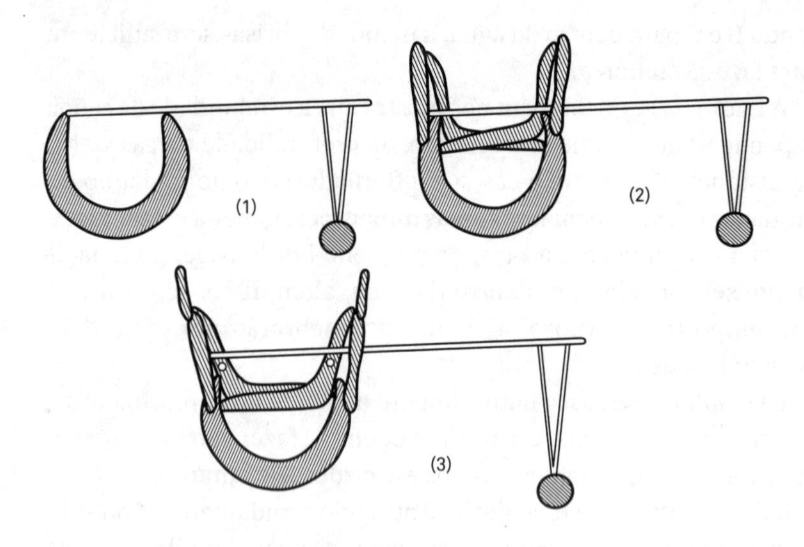

figura II Seções diagramáticas dos três tipos de canoa trobriandesa: (1) *kewo'u*, (2) *kalipoulo*, (3) *masawa*.

São esses os princípios básicos de construção de uma canoa, vistos sob o aspecto funcional, e que tornarão mais claras nossas descrições suplementares sobre a navegação, a construção e o uso das canoas. Pois, com efeito, embora eu tenha afirmado que os pormenores técnicos são de importância secundária, é óbvio que, sem compreendê-los, não poderemos entender as referências sobre o manejo e o aprestamento das canoas.

Os trobriandeses usam suas embarcações para três objetivos principais, correspondentes a três tipos de canoa. A navegação costeira, em especial a que se faz na laguna, requer canoas pequenas, leves, de fácil manejo, chamadas *kewo'u* **[figura II (1)] [18 e 19, p. 182, na parte superior do primeiro plano] [33, p. 279, à direita]**; para a pesca, são usadas canoas maiores, próprias para uso no mar, chamadas *kalipoulo* **[figura II (2)] [18 e 19, p. 182] [33, p. 279] [34, p. 284]**; finalmente, para navegação em alto-mar, são necessários tipos ainda maiores, com grande capacidade de carga, maior deslocamento e construção mais resistente. Essas últimas são chamadas *masawa* **[figura II (3)] [16, p. 179] [21, p. 200]**. *Waga* é o termo geral, designativo de todos os tipos de embarcação.

Apenas algumas palavras precisam ser ditas sobre os dois primeiros tipos, de modo que, por meio de comparações, o terceiro tipo de canoa seja mais claramente entendido. A construção das canoas menores encontra-se suficientemente ilustrada no desenho (1) da figura II. O diagrama mostra que essas canoas menores são apenas um simples tronco escavado, conjugado a um flutuador. Nenhuma delas tem armações de madeira para aumentar a profundidade do casco nem tábuas de proa entalhadas, nem, via de regra, quaisquer plataformas. Em seu aspecto econômico, pertencem sempre a um único indivíduo e atendem a necessidades pessoais. Não estão, tampouco, vinculadas a quaisquer mitos ou magia.

Como se pode observar na figura II, o segundo tipo difere do primeiro no tocante à construção: seu vão é ladeado por armações de madeira e tábuas de proa entalhadas. Um conjunto de seis cavernas mantém as tábuas firmemente unidas e presas à parte inferior do casco. Esse segundo tipo de canoa é usado pelas aldeias que praticam a pesca. Essas aldeias subdividem-se em várias equipes de pesca, cada uma delas com seu próprio líder. É ele o dono da canoa, é ele que executa a magia da pesca e tem, entre outros, o privilégio de receber a parte maior do resultado da pesca. Entretanto, de fato, toda a tripulação tem o direito de usar a canoa e partilhar do produto da pesca. Nesse particular, deparamos com o fato de que entre os nativos a propriedade não é uma instituição simples, visto que implica direitos específicos de diversas pessoas, combinadas ao direito supremo e ao título de propriedade delas. Há muita magia de pesca, muitos tabus e costumes referentes à construção, bem como ao uso, dessas canoas que constituem tema de diversos mitos menores.

De todas as embarcações nativas, as canoas marítimas do terceiro tipo [**figura II (3)**], são tecnicamente as mais bem trabalhadas, as que se prestam melhor à navegação em alto-mar, as de construção mais cuidada. Constituem, sem dúvida, a maior realização técnica desses nativos. No aspecto técnico, diferem dos tipos anteriores no que diz respeito ao tempo despendido em sua construção e aos cuidados dispensados a detalhes, mas não naquilo que tem de essencial.

Seu casco é formado por uma armação de pranchas, construída sobre um tronco escavado e fechada, nas duas extremidades, por tábuas de proa transversais entalhadas e fixadas longitudinalmente por outras tábuas de forma oval. O madeiramento total do casco é fixado por cavernas, como no segundo tipo de canoas (*kalipoulo*, as canoas de pesca), mas todas as suas peças têm melhor acabamento e são encaixadas com muito mais perfeição, amarradas com fibras mais fortes e mais bem calafetadas. As peças de madeira entalhada, em geral bastante medíocres nas canoas de pesca, são aqui perfeitas. A propriedade dessas canoas é ainda mais complexa, e sua construção é entremeada de costumes tribais, cerimônias e magia, esta última baseada na mitologia. A magia é sempre executada em relação direta com as expedições *kula*.

3

Depois de termos discutido, em primeiro lugar, a impressão geral produzida pela canoa e sua importância psicológica e, em segundo lugar, as características fundamentais de sua tecnologia, devemos agora passar às implicações sociais da *masawa* (canoa marítima).

A canoa é construída por um grupo de pessoas, é de propriedade, utilização e usufruto comunitário – e tudo isso se processa segundo regras específicas. Há, portanto, uma organização social subjacente à construção, à posse e ao uso de uma canoa. Sob esses três aspectos, apresentaremos um esboço da sociologia da canoa, tendo sempre em mente que esses esboços devem ser completados pelo relato subsequente.

(A) ORGANIZAÇÃO SOCIAL DO TRABALHO NA CONSTRUÇÃO DE UMA CANOA

Ao estudarmos a construção de uma canoa, vemos os nativos empenhados num empreendimento econômico de grande escala. Eles têm de enfrentar dificuldades técnicas que exigem determinados conhecimentos, que só podem ser superadas por um esforço contínuo e sistemático e que, em certos estágios, precisam ser resolvidas com o trabalho comunitário. Tudo isso obviamente implica alguma forma de organização social. Todos os estágios da construção, nos quais diversas pessoas têm de cooperar, precisam estar coordenados; é necessário que haja alguém com autoridade suficiente para tomar a iniciativa e apresentar decisões; é necessário, também, haver alguém com capacidade técnica que oriente a construção. Por fim, em Kiriwina, o trabalho comunitário e os serviços prestados por especialistas precisam ser remunerados e, portanto, é necessário alguém que tenha meios suficientes e esteja disposto a fazê-lo.[4] Essa organização econômica baseia-se em dois fatos fundamentais: (1) a diferenciação sociológica das funções e (2) a regulação do trabalho por meio da magia.

4 A vida tribal inteira baseia-se numa incessante permuta material; ver o artigo mencionado que aparece no *The Economic Journal*, de março de 1921, e as considerações feitas sobre esse assunto no capítulo VI, seções 4 a 7.

(1) A DIFERENCIAÇÃO SOCIOLÓGICA DAS FUNÇÕES

Antes de mais nada, há o dono da canoa – ou seja, o chefe ou o líder de uma aldeia ou de alguma subdivisão menor – que se responsabiliza pelo empreendimento. Ele paga o trabalho, contrata especialistas, dá ordens e comanda o trabalho comunitário.

Além do proprietário, há outra função de grande importância sociológica, ou seja, a do especialista. Trata-se do indivíduo que sabe construir a canoa, fazer os entalhes e, por fim – mas não de menor importância –, executar a magia. Todas essas funções do especialista podem, embora não necessariamente, ser atribuídas a um único indivíduo. O proprietário é sempre um só, mas pode haver dois e, até mesmo, três especialistas.

Finalmente, o terceiro fator sociológico referente à construção das canoas está representado pelos trabalhadores. Entra aqui uma nova subdivisão. Em primeiro lugar, há um grupo menor formado pelos parentes e pelos amigos mais próximos do proprietário ou do especialista, que prestam ajuda durante todo o processo da construção; em segundo lugar, há, além deles, o grupo constituído pela maior parte dos nativos da aldeia, que participa dos trabalhos nos estágios em que se faz necessário o trabalho comunitário.

(2) A REGULAÇÃO DO TRABALHO POR MEIO DA MAGIA

A crença na eficácia da magia ocupa posição de suprema importância entre os nativos de Boyowa, que a associam a todos os seus interesses vitais. Com efeito, verificaremos que a magia está vinculada a todos os trabalhos e atividades comunitárias a serem descritas oportunamente; está vinculada, também, a todo empreendimento do qual fazem parte o perigo ou o acaso. Teremos de descrever, além da magia referente à construção das canoas, a magia propícia à navegação, a referente ao naufrágio e salvamento, ao *Kula* e ao comércio, à pesca, à obtenção do *Spondylus* e da concha do *Conus millepunctatus* e à proteção contra ataques em terras estranhas. É imperioso que compreendamos muito bem o que a magia representa para os nativos e que papel desempenha em todos os seus interesses vitais; devotaremos um capítulo especial às ideias e práticas mágicas existentes em Kiriwina. Neste capítulo, entretanto, é necessário que se faça um esboço de suas principais características, pelo menos no que se refere à magia da canoa.

Antes de mais nada, deve-se compreender que os nativos acreditam com muita firmeza no poder da magia e que essa convicção, quando testada em suas ações, é inabalável, mesmo nos dias atuais, quando tantos costumes e crenças nativos já se encontram debilitados. Podemos falar da importância sociológica da tradição, ou seja, do grau em que o comportamento de uma comunidade é afetado pelos ditames tradicionais das leis e dos costumes tribais. Nas ilhas Trobriand, o preceito geral de que as canoas devem ser sempre construídas sob orientação mágica é obedecido sem quaisquer compromissos, pois nesse particular é enorme a força da tradição. Com efeito, até o momento não se construiu uma única canoa *masawa* sem magia, sem total observância de todos os ritos e cerimônias. As forças que mantêm os nativos em seu padrão tradicional de comportamento são, em primeiro lugar, a inércia social específica que caracteriza toda sociedade humana e constitui a base de todas as tendências conservadoras e, em segundo lugar, a crença inabalável de que, se os padrões impostos pela tradição não forem observados, as consequências serão funestas. No caso das canoas, os trobriandeses estão de tal forma persuadidos de que as construídas sem magia são pouco resistentes, vagarosas e não têm sorte no *Kula* que nenhum deles sequer sonharia em omitir os rituais mágicos.

Nos mitos que se acham relatados no capítulo XII, veremos com clareza a força que é atribuída à magia para que uma canoa seja veloz e tenha outras qualidades. Segundo a mitologia nativa, que é literalmente aceita e firmemente reconhecida como verdadeira, seria possível até mesmo fazer as canoas voarem, se as necessárias fórmulas mágicas não tivessem caído em esquecimento.

É também importante que as ideias dos nativos sobre a relação entre a eficácia mágica e os resultados da capacidade técnica sejam bem compreendidos. São ambas consideradas imprescindíveis; entende-se, porém, que ajam de forma independente. Em outras palavras, os nativos entendem que a magia, por mais eficiente que seja, não compensa uma construção defeituosa. Cada uma das duas tem sua própria função; o artesão, com sua habilidade e conhecimentos, constrói a canoa de modo que ela seja estável e veloz; a magia lhe dá estabilidade e velocidade adicionais. Se a canoa é visivelmente mal construída, os nativos saberão por que ela navega devagar e é difícil de manejar. No entanto, se duas canoas parecem estar igualmente bem construídas, mas uma supera a outra em algum aspecto, o fato será atribuído à magia.

Por fim, qual é, do ponto de vista sociológico, a função econômica da magia no processo de construção das canoas? É simplesmente uma ação extrínseca que nada tem a ver com o trabalho em si ou com sua organização? Do ponto de vista econômico, a magia é uma simples perda de tempo? De maneira nenhuma. Ao lermos o relato que se segue, fica claro que a magia impõe ordem e sequência às diversas atividades e que tanto a magia como o cerimonial a ela associado constituem um meio de garantir a cooperação da comunidade e a organização do trabalho comunitário. Como já dissemos antes, a magia inspira nos trabalhadores maior confiança na eficácia de seu esforço, disposição mental imprescindível a qualquer empreendimento de caráter complicado e difícil. A crença de que o mago é um homem dotado de poderes especiais que controlam a canoa faz dele o líder natural cujas ordens são obedecidas, que pode fixar datas, distribuir os serviços e averiguar se o trabalhador está produzindo de modo satisfatório.

A magia, longe de representar um aditamento inútil, ou até mesmo um embaraço ao trabalho, exerce uma influência psicológica que leva os nativos a confiar no êxito de seu esforço e lhes dá uma espécie de líder natural.[5] Portanto, a organização do trabalho na construção de canoas tem por base, de um lado, a divisão de funções – ou seja, as do proprietário, do especialista e dos ajudantes – e, de outro, a mútua colaboração entre trabalho e magia.

5 Esse ponto de vista encontra-se mais desenvolvido no artigo "Primitive Economics", *The Economic Journal*, mar. 1921; ver também as observações feitas sobre a magia sistemática no capítulo XVII, seção 7.

4

(B) SOCIOLOGIA DA PROPRIEDADE DA CANOA

A propriedade, no sentido mais amplo da palavra, é a relação, em geral muito complexa, entre um objeto e a comunidade social em que ele se encontra. Na etnologia, é muito importante que não se dê a essa palavra uma significação mais restrita do que a que acabamos de definir, pois os tipos de propriedade variam bastante de região para região. Constitui erro especialmente grave usar-se a palavra "propriedade" com o significado muito definido a ela atribuído em nossa própria sociedade. É óbvio que esse significado pressupõe a existência de condições econômicas e legais altamente desenvolvidas, como as que encontramos em nosso próprio meio; portanto, o termo "possuir", como o usamos, não tem sentido quando aplicado à sociedade nativa. Ou, então, o que é bem pior, sua aplicação introduz em nossa descrição várias ideias preconcebidas e, antes mesmo que tenhamos começado a relatar as condições nativas, já teremos distorcido a perspectiva do leitor.

A propriedade tem, naturalmente, um sentido específico diferente em cada tipo de sociedade nativa, visto que em cada uma delas os costumes e as tradições vinculam à palavra uma série diferente de funções, rituais e privilégios. Além disso, é variável a gama social daqueles que desfrutam desses privilégios. Entre a propriedade puramente individual e o coletivismo há uma escala completa de misturas e combinações.

Nas ilhas Trobriand, existe uma palavra que, pode-se dizer, denota de maneira aproximada a propriedade: é o prefixo *toli-*, acompanhado do nome do objeto que se possui. Dessa maneira, a palavra composta *toli-waga* (pronunciada sem hiato) significa o "proprietário" ou "senhor" de uma canoa (*waga*); *toli-bagula*, o senhor de uma roça (*bagula* – roça); *toli-bunukwa*, dono do porco; *toli-megwa*, proprietário, especialista em magia etc. Essa palavra tem de ser usada como chave para compreender as ideias nativas; mas, mais uma vez, é com cautela que a devemos usar. Em primeiro lugar porque, como todas as palavras nativas abstratas, ela cobre uma variedade de significados e seu sentido varia conforme o contexto. E mesmo com referência a determinado objeto, várias pessoas podem reivindicar o direito de propriedade, ou seja, alegar que são *toli*- em relação a esse objeto. Em segundo lugar, as pessoas que têm pleno direito *de facto* de usar determinado objeto podem não estar autorizadas a dar a si mesmas o título de *toli*- desse objeto. Isso vai se tornar mais claro no exemplo concreto da canoa.

A palavra *toli*, nesse exemplo, limita-se a um só indivíduo, que se denomina *toli-waga*. Às vezes, seus parentes maternos mais próximos, como irmãos e sobrinhos maternos, podem coletivamente atribuir a si mesmos o nome de *toli-waga*, mas isso seria um abuso do termo. Ora, até mesmo o simples privilégio de fazer uso exclusivo desse título é altamente valorizado pelos nativos. Nas próximas páginas, o leitor se familiarizará com essa faceta da psicologia social trobriandesa, ou seja, sua ambição, sua vaidade e seu desejo de conseguir renome e ser elogiado. Os nativos, para os quais o *Kula* e as expedições marítimas são tão importantes, associam o nome da canoa ao de seu *toli*; identificam seus poderes mágicos à boa sorte da canoa na navegação e no *Kula*; com frequência, usam o nome de uma pessoa como se fosse o nome da canoa, dizendo que fulano de tal navegou aqui ou acolá, comentando sobre a rapidez com que navega etc.

Passando agora à determinação detalhada dessa relação, devemos notar que seu ponto mais importante é o fato de ela sempre ter por base a pessoa do chefe ou líder da aldeia. Como já vimos em nosso pequeno relato sobre a sociologia trobriandesa, a comunidade de uma aldeia está sempre subordinada à autoridade de um chefe ou líder. Quer sua autoridade se limite ao âmbito de uma pequena aldeia, quer se estenda ao âmbito de todo um distrito, cada um deles dispõe de meios para acumular determinada quantidade de produtos agrícolas, quantidade essa que é consideravelmente grande no caso do chefe e relativamente pequena no caso de um líder, porém sempre suficiente para o custeio das despesas extras concomitantes a qualquer empreendimento comunitário. Cada um deles possui também riqueza nativa condensada sob a forma de objetos de valor chamados *vaygu'a*. Um líder tem uma pequena quantidade deles e um chefe, uma grande quantidade. Porém, todo nativo que não seja um simples pobretão precisa ter pelo menos algumas lâminas de pedra, alguns cintos *kaloma* e alguns *kuwa* (pequenos colares). Assim, em todas as modalidades de empreendimento nativo, o chefe ou líder tem meios para arcar com a despesa e tira também o principal proveito do negócio. No caso da canoa, o chefe, como vimos, desempenha a função de organizador principal no processo de construção e desfruta também do título de *toli*.

Essa importante posição econômica é paralela a seu poder direto, que deriva de sua alta posição social ou autoridade tradicional. No caso do simples líder, ela se deve ao fato de que ele está à testa de um grande grupo de parentesco (o subclã totêmico). Os dois fatos juntos lhe permitem convocar trabalhadores e retribuir o trabalho.

Esse título de *toliwaga*, além de outorgar distinção social em geral, implica também uma série específica de funções sociais com referência a seu portador.

(1) Há, em primeiro lugar, os privilégios formais e cerimoniais. O *toliwaga* tem, assim, o privilégio de atuar como porta-voz da comunidade em todos os assuntos referentes à navegação ou à construção de canoas. Ele reúne o conselho que, conforme o caso, pode ser informal ou formal e levanta a questão de quando a expedição deverá ser realizada. Esse direito de iniciativa é puramente formal, pois tanto no processo de construção como na navegação a data do empreendimento é fixada segundo razões extrínsecas, como a reciprocidade para com as tribos do além-mar, a estação do ano, os costumes etc. Não obstante, o privilégio formal restringe-se rigorosamente ao *toliwaga* e é bastante valorizado. A posição de mestre e líder de cerimônias, de porta-voz geral, prolonga-se pelos estágios sucessivos da construção e do uso subsequente da canoa; vamos encontrá-la em todas as fases cerimoniais do *Kula*.

(2) O uso e as vantagens econômicas derivadas da canoa não são exclusividade do *toliwaga*. A ele, no entanto, cabe a "parte do leão". Em quaisquer circunstâncias, ele logicamente tem a absoluta prioridade de ser incluído numa expedição. É também ele que recebe, em todas as ocasiões, a maior parte dos objetos valiosos do *Kula* e dos outros artigos. Isso, no entanto, se dá em virtude de sua posição geral como chefe ou líder e, talvez, não devesse ser incluído nesse parágrafo. Entretanto, uma vantagem específica e estritamente individual é a de poder ceder a canoa em empréstimo e receber o pagamento correspondente. Caso não tenha intenção de navegar em determinada época, um chefe pode ceder – e muitas vezes cede sua canoa a outro (via de regra pertencente a outro distrito) que vai participar de uma expedição. O motivo disso é que o chefe ou líder

que toma a canoa emprestada pode, na época, não ter meios para mandar consertar sua própria canoa ou para construir uma nova. O pagamento que se faz pelo empréstimo é denominado *toguna* e consiste em um *vaygu'a*. Além disso, os melhores *vaygu'a* obtidos no decorrer da expedição são oferecidos como presente *kula* à pessoa que cedeu a canoa.[6]

(3) O *toliwaga* tem privilégios sociais específicos e exerce funções definidas no manejo de uma canoa. Assim, ele seleciona seus companheiros, aqueles que navegarão em sua canoa, e tem o direito formal de escolher ou rejeitar quem pode acompanhá-lo na expedição. Também nesse caso, esse privilégio perde muito do valor em virtude das diversas restrições impostas ao chefe pela natureza das coisas. Dessa forma, seus *veyola* (parentes maternos) têm, segundo todas as ideias nativas referentes a leis e direitos, direitos importantes em relação à canoa. Além disso, uma pessoa de posição social elevada na comunidade dificilmente poderia ser excluída de uma expedição caso desejasse participar dela e não houvesse, contra ele, qualquer motivo especial de queixa. Se houvesse, porém, um motivo assim, se a pessoa tivesse ofendido o chefe e com ele estivesse em más relações, por si própria nem tentaria tomar parte na expedição. Há exemplos concretos disso em registro. Há outra categoria de nativos que tem o direito *de facto* de participar das expedições: são os peritos na arte de navegar. Nas aldeias costeiras, como em Sinaketa, há muitos deles: nas do interior, como em Omarakana, há poucos. Por conseguinte, nos distritos do interior, há homens que sempre vão numa canoa, em todas as ocasiões em que ela é posta em uso; homens que têm mesmo muito a dizer sobre todos os assuntos referentes à navegação e que, no entanto, jamais ousariam usar do título de *toliwaga* e até mesmo decididamente o recusariam caso ele lhes fosse atribuído. Em suma: o privilégio de escolha que, por direito, cabe ao chefe é limitado por duas condições: a classe social e os conhecimentos náuticos dos nativos que ele poderá escolher. Como já vimos, ele desempenha funções específicas no processo de construção da canoa. Mais adiante, veremos que ele tem funções específicas também na navegação.

(4) Uma característica especial, implícita no título de *toliwaga*, é o dever de executar os rituais mágicos. Perceberemos com clareza que a magia que acompanha todo o processo de construção de uma

6 A maneira de ceder uma *masawa* (canoa marítima) difere da transação costumeira referente à cessão de uma canoa de pesca. Nesse segundo caso, o pagamento consiste em fornecer uma parte do produto da pesca, o qual recebe o nome de *uwaga*. Esse mesmo termo se aplica ao pagamento feito pela cessão de quaisquer outros objetos. Dessa forma, se forem emprestadas redes de pesca, implementos de caça ou uma pequena canoa utilizada para o comércio ao longo do litoral, uma parte dos produtos obtidos será dado como *uwaga*.

canoa é executada pelo especialista: no entanto, a magia executada com referência à navegação e ao *Kula* é da alçada do *toliwaga*. Por definição, ele precisa conhecer a magia da canoa. O papel que a magia desempenha nesse particular, bem como os tabus, as cerimônias e os costumes especiais a ela referentes, fica evidente na descrição que em breve faremos sobre uma expedição *kula*.

5

(C) A DISTRIBUIÇÃO SOCIAL DAS FUNÇÕES NA TRIPULAÇÃO E NA NAVEGAÇÃO DA CANOA

Temos muito pouco a dizer sobre este particular, pois, para entendê-lo, precisamos conhecer os pormenores técnicos da navegação. Trataremos desse assunto num próximo capítulo (capítulo IX, seção 2), quando então mostraremos a organização social tal como ela se verifica no âmbito da canoa. O que por ora podemos dizer é que as várias pessoas têm tarefas específicas a elas confiadas, às quais se dedicam com exclusividade. Via de regra, quando um nativo se especializa, digamos, como timoneiro, o timão estará sempre sob sua responsabilidade. A posição de capitão, que traz consigo deveres, poderes e responsabilidades específicas, não existe como função distinta da de *toliwaga*. O proprietário da canoa sempre assume a liderança e dá ordens, desde que seja bom navegador. Caso contrário, cabe ao melhor dos tripulantes decidir o que se deve fazer em situações de dificuldade ou perigo. De modo geral, porém, cada um conhece sua respectiva tarefa e a executa no decurso normal dos acontecimentos.

Devemos fazer aqui um pequeno resumo dos detalhes concretos referentes à distribuição de canoas nas ilhas Trobriand. Analisando o mapa de Boyowa, verificamos que os vários distritos não têm as mesmas oportunidades de navegação e nem todos têm acesso direto ao mar. Além disso, as aldeias pesqueiras da laguna, onde a pesca e a navegação precisam ser constantemente praticadas, têm, é lógico, melhores oportunidades de desenvolver as artes da navegação e da construção de canoas. Com efeito, verificamos que as aldeias dos dois distritos do interior, Tilataula e Kuboma, nada conhecem a respeito da construção de canoas e da navegação, tampouco têm canoas: cada uma das aldeias dos distritos de Kiriwina e Luba, situadas na costa oriental, com acesso indireto ao mar, tem apenas uma canoa e poucos especialistas em construção; por sua vez, alguns nativos das aldeias da laguna são bons navegadores e excelentes construtores. Os melhores centros de construção de canoas encontram-se nas ilhas de Vakuta e Kaileuna; embora em menor escala, essa arte encontra-se também desenvolvida na aldeia de Sinaketa. A ilha de Kitava é o centro tradicional da construção de canoas; é de lá que, nos dias atuais, vêm as melhores canoas e as que têm melhores trabalhos de entalhe em madeira. Essa ilha, que realmente pertence à ramificação oriental dos Massim setentrionais, e não à sua ramificação ocidental, precisa ser incluída em nosso relato sobre as canoas, visto que a mitologia da canoa e a arte de sua fabricação em Boyowa se acham associadas a Kitava.

Há atualmente cerca de 64 canoas *masawa* nas ilhas Trobriand e em Kitava. Dessas, cerca de quatro pertencem ao distrito do norte, onde não se pratica o *Kula*; as restantes são todas construídas e usadas para o *Kula*. Nos capítulos anteriores, falei sobre as "comunidades do *Kula*", ou seja, aldeias que praticam o *Kula* em conjunto, velejam juntas nas expedições ao além-mar e realizam entre si um *Kula* interno. Agruparemos as canoas segundo a comunidade *kula* a que pertencem.

Kiriwina	8 canoas
Luba	3 canoas
Sinaketa	8 canoas
Vakuta	22 canoas
Kaileuna	cerca de 20 canoas
Kitava	cerca de 12 canoas
Demais comunidades *kula*	60 canoas

A esse total devemos acrescentar as canoas do distrito do norte, que, no entanto, jamais são usadas no *Kula*. No passado, esse número era cerca de duas vezes maior que atualmente; primeiro, porque há algumas aldeias que outrora tinham canoas, mas agora não têm nenhuma; segundo, porque é considerável o número de aldeias que se tornaram extintas há algumas gerações. Há mais ou menos meio século, existiam, só em Vakuta, cerca de 60 canoas; em Sina-

[20] Aprestamento de uma canoa. Toda vez que se inicia uma viagem, o mastro precisa ser erguido e firmado por meio de suportes e por uma armação especial formada por pequenas peças transversais em forma de meia-lua e uma corda. À esquerda, uma pequena canoa *kewo'u*.

keta pelo menos 20; em Kitava, 30; em Kiriwina, 20; e, em Luba, 10. Quando todas as canoas de Sinaketa e Vakuta viajavam para o sul e outras 20 ou 30 provenientes das ilhas Amphlett e de Tewara se juntavam a elas, uma frota realmente imponente se dirigia para Dobu.

Passando agora à questão da propriedade das canoas em Kiriwina: a canoa mais importante é, logicamente, a que pertence ao chefe de Omarakana. Essa canoa sempre vai à frente das demais; em outras palavras, ocupa, nas grandes viagens cerimoniais do *Kula*, denominadas *uvalaku*, uma posição privilegiada. É guardada num grande abrigo construído na praia de Kaulakuba **[17, p. 180] [27, p. 237]**, a distância de aproximadamente 1,5 quilômetro da aldeia; é nessa praia também que se constroem as novas canoas. A canoa atual **[20] [21, p. 200]** é chamada *Nigada Bu'a* – "implorando por uma noz de areca". Cada canoa tem um nome particular todo seu, às vezes uma simples expressão adequada, como a que acabamos de mencionar, às vezes uma referência a algum incidente especial. Uma canoa nova frequentemente herda o nome de sua predecessora, mas às vezes recebe um novo nome. A atual canoa de Omarakana foi construída por um mestre-construtor de Kitava; sua tábua de proa foi entalhada também por ele. Já não há em Omarakana ninguém capaz de construir ou entalhar com perfeição. As fórmulas mágicas deveriam ter sido enunciadas pelo atual chefe, To'uluwa; visto, porém, que ele tem pouca capacidade para memorizar as fórmulas, a magia foi executada por um de seus parentes.

Todas as outras canoas de Kiriwina são também guardadas em galpões, cada um deles numa praia de areias brancas e limpas na costa oriental. O chefe ou o líder de cada aldeia é o *toliwaga*. Em Kasana'i, a subaldeia de Omarakana, a canoa, chamada *Tokwabu* (algo semelhante a "marinheiro de água doce"), com pretensa modéstia foi construída por Ibena, chefe da mesma posição social, mas de menores poderes que To'uluwa: é ele também o *toliwaga*. Outros nomes típicos das canoas são: *Kuiyamataym*, "Cuide-se", ou seja, "pois eu passarei à sua frente"; a canoa de Liluta é denominada *Siya'i*, que é o nome de um dos postos do governo, onde alguns nativos de Liluta certa vez ficaram presos; *Topusa*, um peixe voador; *Yagwa'u*, um espantalho; *Akamta'u*, "Devorarei os homens", porque a canoa foi presente dos canibais de Dobu.

No distrito de Luba, há atualmente apenas três canoas; uma delas pertence ao chefe de mais alta posição social na aldeia de Olivilevi. É a maior canoa existente nas ilhas Trobriand. As duas outras se encontram na aldeia de Walela e pertencem a dois líderes, cada um deles governando uma seção da aldeia; a imagem 24 [p.217] mostra uma dessas canoas no processo de reamarração.

A grande colônia de Sinaketa, composta de diferentes segmentos de aldeia, também tem canoas. Há aproximadamente quatro construtores, dois entalhadores habilidosos, e quase todos os nativos de Sinaketa têm bons conhecimentos sobre construção de canoas. Em Vakuta, o número de peritos é ainda maior. O mesmo acontece em Kaileuna e Kitava.

[21] Uma canoa *masawa.*

CAPÍTULO V

A construção cerimonial de uma *waga*

1

A construção da canoa marítima (*masawa*) está inextricavelmente ligada aos trâmites gerais do *Kula*. Como já dissemos, em todas as aldeias onde se pratica o *Kula* as canoas *masawa* são construídas e restauradas apenas em conexão direta com o *Kula*. Em outras palavras, assim que uma expedição *kula* tiver sido marcada e a data de sua realização for estabelecida, todas as canoas da aldeia precisam passar por uma vistoria, e aquelas que estiverem velhas demais para ser consertadas devem ser substituídas por canoas novas. Considerando que a renovação difere muito pouco dos estágios cerimoniais do processo de construção posteriores, o relato que apresentamos neste capítulo abrange as duas coisas.

Para o nativo, a construção da canoa é o primeiro elo da corrente formada pelos atos do *Kula*. Desde o momento em que uma árvore é derrubada até a volta da expedição marítima, há um fluxo contínuo de atividades. E não é só isso: como veremos, a construção é interrompida e entremeada de rituais mágicos. Alguns desses rituais referem-se à canoa, outros pertencem ao *Kula*. Portanto, o processo de construção das canoas e o primeiro estágio do *Kula* acham-se sobrepostos. Além disso, o lançamento da canoa e, de maneira especial, o *kabigidoya* (visita de apresentação formal) constituem, por um lado, os atos finais da construção de canoas e, por outro, pertencem ao *Kula*. Ao relatarmos o processo de construção das canoas, portanto, começamos a longa série de acontecimentos que formam uma expedição *kula*. Nenhum relato sobre o *Kula* estaria completo se dele omitíssemos a construção de canoas.

Neste capítulo, as atividades serão descritas uma após a outra, tal como elas se processam na rotina normal da vida tribal, ou seja, obedecendo ao ditame dos costumes e aos preceitos da crença, estes últimos constituindo influência mais rigorosa e marcante que os primeiros. É necessário que, ao seguir esse relato consecutivo, o leitor tenha em mente não só o mecanismo sociológico específico subjacente às diversas atividades, mas também o sistema de ideias postas em prática a fim de controlar o trabalho e a magia. A organização social já foi descrita no capítulo anterior. Devemos lembrar-nos de que o proprietário, o perito ou os especialistas, o pequeno grupo de ajudantes e a comunidade inteira constituem fatores sociais, cada um deles preenchendo diferentes funções na organização e realização dos trabalhos. Quanto às ideias mágicas que governam os diversos rituais, vamos analisá-las posteriormente, neste, em alguns dos próximos capítulos e no capítulo XVII. Por ora, basta dizer que pertencem a diferentes sistemas de ideias. Aquele baseado no mito da canoa voadora está diretamente relacionado à canoa; sua finalidade é conferir a ela um alto grau de excelência e, de maneira especial, fazer que seja veloz. Os rituais do outro tipo são, na realidade, exorcismos de prevenção contra os feitiços maléficos (*bulubwalata*), dos quais os nativos têm muito medo. O terceiro sistema de magia (executada durante a construção da canoa) é a magia do *Kula*, que está baseada em seu próprio ciclo mitológico e que, embora feita sobre a canoa, tem por finalidade fazer que o *toliwaga* consiga êxito em suas transações *kula*. Por fim, no início das atividades, há uma magia destinada ao *tokway*, o espírito maligno das selvas.

A construção de uma canoa se processa em dois estágios principais que diferem um do outro quanto ao caráter dos trabalhos, quanto à magia que os acompanha e quanto ao cenário sociológico geral. No primeiro estágio, preparam-se as partes componentes da canoa. Derruba-se uma árvore grande, desbastam-se-lhe os galhos e a folhagem, e o tronco assim obtido é escavado para servir como casco principal da canoa; preparam-se também as pranchas, as tábuas, os caibros e os sarrafos. Tudo isso é feito por meio de um trabalho vagaroso, realizado com calma e executado pelo construtor da canoa com o auxílio de alguns ajudantes – em geral, seus próprios parentes ou amigos, ou então os do *toliwaga*. Esse estágio costuma se prolongar por muito tempo – de dois a seis meses – e se efetua aos arrancos, sob a dependência de outras ocupações ou conforme a disposição dos nativos. Os encantamentos e rituais que o acompanham pertencem à magia do *tokway* e as do ciclo da canoa voadora. A esse primeiro estágio pertence igualmente o entalhe das tábuas decorativas de proa, que é executado às vezes pelo construtor e às vezes por um outro técnico, caso o construtor não saiba entalhar.

O segundo estágio caracteriza-se por imenso trabalho comunitário. De modo geral, desenvolve-se num período breve, de talvez uma ou duas semanas, incluindo-se os intervalos de descanso entre um serviço e outro. O trabalho em si, do qual a comunidade inteira se ocupa com energia, leva de dois a cinco dias apenas. Consiste na montagem das pranchas e tábuas de proa, no reajustamento delas caso não estejam bem encaixadas e, em seguida, na amarração dessas partes. Depois disso realizam-se a montagem e a amarração do flutuador externo, a impermeabilização e a pintura da canoa. Simultaneamente, processa-se a confecção das velas, que pertence, portanto, a esse estágio. A parte principal da canoa é construída de uma vez só e leva aproximadamente um dia; ou seja, as tábuas de proa são encaixadas, os suportes e as tábuas são montados, ajustados e amarrados. Outro dia de trabalho é devotado à montagem do flutuador e à amarração da estrutura do flutuador externo e da plataforma. A calafetação e a pintura são também feitas de uma vez só, ou talvez em duas ou mais vezes, enquanto a vela é confeccionada em mais outro dia de trabalho. Esse cálculo de tempo é apenas aproximado, visto que o tamanho da canoa e o número de nativos que estão participando do trabalho comunitário variam consideravelmente. O segundo estágio do processo de construção da canoa é acompanhado pela magia do *Kula* e por uma série de exorcismos realizados sobre a canoa, essa magia é executada pelo proprietário, não pelo construtor ou pelo especialista. Esse último, porém, dirige os pormenores técnicos do processo, durante o qual é assistido e aconselhado por construtores de outras aldeias, por peritos em navegação, pelo *toliwaga* e por outras pessoas de destaque. A amarração da canoa, que é feita com um tipo de cipó especialmente resistente, conhecido pelo nome de *wayugo*, é acompanhada de ritos e fórmulas mágicas talvez dos mais importantes, pertencentes ao sistema de magia da canoa voadora.

2

Tomada a decisão de construir uma *waga*, o próximo passo é escolher uma árvore cujo tronco possa servir como casco. Essa não é uma tarefa muito fácil nas ilhas Trobriand. Visto que a planície inteira é usada como terra de cultivo, apenas os pequenos trechos de solo fértil na orla de coral que contorna a ilha permanecem cobertos de selva. É nesse local que a árvore precisa ser encontrada e abatida: é desse local que os nativos a transportam para a aldeia.

Escolhida a árvore, o *toliwaga*, o construtor e alguns ajudantes dirigem-se ao local: um rito preliminar deve realizar-se antes que a árvore seja abatida. Um pequeno corte é feito no tronco, para que se possa colocar nele uma pequena porção de alimento ou um pedaço de noz de areca. Fazendo disso uma oferenda ao *tokway* (espírito da selva), o mago profere um encantamento:

ENCANTAMENTO *VABUSI* AOS *TOKWAY*[1]

Descei, ó espírito da selva, ó *tokway*, moradores dos galhos, descei! Descei, moradores das forquilhas dos galhos, dos brotos dos galhos! Descei, vinde, vinde comer! Ide a vosso afloramento de coral; reuni-vos todos lá, infestai o local, fazei lá vosso clamor, dai ali vossos gritos!

Descei de nossa árvore, velhos homens! Esta é uma canoa de má reputação; esta é uma canoa da qual fostes banidos por vergonha; esta é uma canoa da qual fostes expulsos! No raiar do sol, pela manhã, ajudai-nos na derrubada da canoa: esta nossa árvore, velhos homens, deixai-a ir e cair!

Essa fórmula mágica, apresentada em tradução livre e que, no entanto, segue muito de perto o original, palavra por palavra, é bem mais clara que a amostra média da magia trobriandesa. Na primeira parte, o *tokway* é invocado sob diversos nomes, instado a abandonar o local onde mora e a mudar-se para algum outro lugar, onde se sinta à vontade. Na segunda parte, menciona-se a canoa sob vários epítetos: todos eles denotam uma atitude de descortesia ou mau agouro. Isso obviamente tem, por fim, obrigar o *tokway* a abandonar a árvore. Em Boyowa, *yoba*, a expulsão, é um grande insulto e por vezes provoca obediência imediata. Isso sempre acontece quando aquele que expulsa pertence ao subclã local de uma aldeia

1 Na língua kilivila, o verbo *vabusi* significa descer, "desembarcar", mais especificamente, "descer para a praia". [N. E.]

e o nativo expulso não pertence a esse subclã. Porém, *yoba* é sempre um ato de fortes consequências; jamais é usado sem razões e, nesse encantamento, traz consigo todas essas associações sociológicas. Na forma antecipatória usual que caracteriza a fala nativa, a árvore é chamada "canoa" (*waga*) nesse encantamento.

A finalidade dessa fórmula fica evidente em cada uma das palavras que a compõem, e os nativos a confirmam dizendo que é absolutamente necessária para se livrar dos *tokway*. A tradição não prevê de maneira muito clara o que poderia acontecer se os *tokway* não fossem expulsos; isso também não está expresso na fórmula mágica ou no rito. Alguns informantes afirmam que a canoa seria pesada; outros dizem que a madeira teria muitos nós e que haveria muitos furos na canoa ou, ainda, que ela apodreceria logo.

Mas, embora as razões que fundamentam essa expulsão não estejam bem definidas, a crença na influência maligna do *tokway* e nos perigos aliados à sua presença é bem definida. Isso está de acordo com a natureza geral do *tokway*, como o encontramos delineado pela crença nativa. De um modo geral, o *tokway* é um ente maligno, muito embora o mal que causa raramente passe de uma brincadeira desagradável, talvez um susto inesperado, um ataque de dores agudas ou um furto. Os *tokway* moram em árvores ou em rochas e rochedos de coral, em geral no *raybwag*, a selva primitiva que cresce na orla litorânea e cheia de afloramentos de coral e rochas. Alguns nativos já viram um *tokway*, embora ele possa tornar-se invisível à vontade. É de pele marrom como todo nativo de Boyowa, mas tem cabelos longos e lisos e barba comprida. Ele costuma vir à noite e assustar as pessoas. Embora seja raro o *tokway* ser visto, pode-se com frequência ouvir seu gemido, vindo dos galhos de uma árvore grande; algumas evidentemente abrigam maior número de *tokway* que outras, já que nelas se pode ouvi-los com muita facilidade. Por vezes, o encantamento e o rito que acabamos de mencionar são executados sobre essas árvores, onde as pessoas ouvem com frequência os *tokway* e se assustam.

Em seu contato com os homens, os *tokway* mostram seu lado desagradável; em geral, aparecem de noite para furtar alimentos. Citam-se muitos casos em que de súbito sumia o que parecia ser uma pessoa apanhada no ato de roubar inhame de um celeiro – era um *tokway*. Algumas formas mais leves de doença são causadas também pelos *tokway*. Dores penetrantes, agudas e que formigam, são, em geral, atribuídas a eles, pois estes podem, com a magia, inserir objetos pequenos, afiados e pontiagudos no corpo. Por sorte, alguns nativos conhecem fórmulas mágicas com as quais se podem extrair esses objetos. De acordo com a regra geral da feitiçaria, esses mesmos nativos também podem, é claro, infligir os mesmos males. Em épocas passadas, os *tokway* revelaram essas fórmulas mágicas, tanto as benéficas como as maléficas, a algumas pessoas; desde então, essa modalidade de feitiçaria e de cura concomitante vem sendo passada de uma geração para a outra.

Voltemos, porém, à canoa. Depois de executado o ritual, a árvore é abatida. Outrora, quando se usavam apenas implementos de pedra, esse trabalho deve ter sido penoso: enquanto vários nativos golpeavam a árvore com seus machados, outros se ocupavam de afiar as lâminas gastas ou quebradas. A técnica antiga resumia-se em "mordiscar" a madeira, tirando-lhe pequenas lascas, e devia demorar muito até que se fizesse um corte suficientemente profundo para derrubar a árvore. Abatida a árvore, faz-se um desbastamento preliminar no próprio local. Os galhos são retirados e se corta o tronco no tamanho apropriado para construir a canoa. Esse lenho é cortado para assumir mais ou menos a forma da canoa, para fazê-lo o mais leve possível, pois agora ele tem de ser arrastado até a aldeia ou à praia.

Não é tarefa muito fácil transportar o tronco, porque ele tem de ser puxado para fora do acidentado e rochoso *raybwag* e depois arrastado por estradas ruins. Colocam-se no chão, em espaços de poucos metros, pedaços de madeira – sobre eles, o tronco pode deslizar mais facilmente do que sobre as pedras e o terreno acidentado. Apesar disso e do fato de que vários nativos são convocados para ajudar, o trabalho de transportar o tronco é muito árduo. Os homens recebem alimentos como pagamento. Distribui-se carne de porco cozida com inhame assado; nos intervalos do trabalho, os nativos recuperam suas energias bebendo água de coco verde e chupando cana-de-açúcar. Esses alimentos, oferecidos durante o serviço em pagamento ao trabalho comunitário, são denominados *puwaya*. Para indicar quão árduo é, por vezes, o trabalho, o nativo costuma se expressar de maneira tipicamente figurada:

O porco, a água de coco e os inhames já acabaram e, contudo, nós puxamos – muito pesado!

Em tais casos, os nativos recorrem a um rito mágico que faz a canoa mais leve. Um pedaço seco de folha de bananeira é colocado sobre o tronco. O dono, ou o construtor, bate no tronco com um maço de caniço-branco seco e profere o seguinte conjuro:

ENCANTAMENTO *KAYMOMWA'U*

Descei, descei, contaminação por contato com o excremento! Descei contaminação por contato com o refugo! Descei, peso! Descei, podridão! Descei, fungo!...

e assim por diante, invocando inúmeras deteriorações para que saiam do tronco e, em seguida, várias contaminações e tabus rompidos. Em outras palavras, o peso e a lentidão, decorrentes de todas essas causas mágicas, são expulsos do tronco.

Esse maço de capim é então jogado fora, ritualmente. É chamado *momwa'u* ou "maço pesado". Toma-se mais um punhado do longo caniço-branco, murcho e seco – é o *gagabile*, o "maço leve", com o qual mais uma vez se bate na canoa. O significado desse rito é bastante evidente: o primeiro maço de capim puxa para si o peso do tronco; o segundo lhe dá leveza. Ambos os encantamentos também expressam esse significado de maneira evidente. A segunda fórmula, que é proferida com o maço de caniço-branco *gagabile*, diz o seguinte:

ENCANTAMENTO *KAYGAGABILE*

"Ele não me pode ultrapassar" [repetido várias vezes]. "A canoa estremece com a velocidade" [várias vezes]. Proferem-se, então, algumas palavras intraduzíveis e, em seguida, invoca-se uma longa série de nomes ancestrais. "Eu te açoito, ó árvore; a árvore voa: a árvore passa a ser como o sopro do vento; a árvore passa a ser como uma borboleta: a árvore passa a ser como a penugem do caroço do algodão. Um sol [*i.e.*, uma unidade de tempo] por companheiro meu, o sol do meio-dia, o sol poente; outro sol para mim" – [profere-se aqui o nome do recitador] –, "o sol levante, os raios do sol [levante], [a hora de] abrir as choupanas, [a hora em que] a estrela da manhã aparece!" Esta última parte significa o seguinte: "Meus companheiros chegam ao sol poente, enquanto eu chego com o sol levante" [indicando, com isso, que minha canoa ultrapassa a deles em velocidade].[2]

2
Nesse e em alguns dos textos de encantamentos que apresentamos a seguir, as palavras que figuram entre colchetes foram adicionadas para facilitar a compreensão. Estão implícitas no contexto do original nativo.

Essas fórmulas são empregadas não só para fazer o tronco ficar mais leve ao ser puxado até a aldeia, mas também para torná-lo de maneira geral mais veloz ao ser transformado numa *waga*.

Depois que o tronco foi, enfim, trazido para a aldeia, os nativos o colocam no *baku*, a praça central, sem, no entanto, retirar na hora as amarras usadas para arrastá-lo, as quais são denominadas *duku*. Isso é feito num cerimonial, na manhã do dia seguinte e, por vezes, até mesmo depois de passados dois ou três dias. Os homens da aldeia se reúnem, e aquele encarregado de escavar o tronco, ou seja, o construtor (*totai'la waga*, o "talhador da canoa") executa um ritual mágico. Ele apanha sua enxó (*ligogu*) e enrola algumas ervas muito leves e finas ao redor da lâmina com um pedaço de folha seca de bananeira, a qual, por sua vez, também se acha relacionada à ideia de leveza. Essa folha é enrolada apenas parcialmente, deixando uma ampla abertura, através da qual a respiração e a voz têm livre acesso às ervas e à lâmina da enxó. Nessa abertura, o mago entoa o longo encantamento que se segue:

ENCANTAMENTO *KAPITUNENA DUKU*

"Acenarei para que retrocedam [*i.e.*, impedirei que todas as demais canoas me alcancem]!", repetido várias vezes. "No topo da colina Si'a; mulheres de Tokuna; minha mãe feiticeira, eu próprio feiticeiro. Ela se lança para a frente, voa à frente. O corpo da canoa é leve; os enfeites de pandano tremulantes; a proa roça as ondas; as tábuas ornamentais saltam como golfinhos; o *tobuyo* [pequena tábua de proa] corta as ondas; o *lagim* [tábua de proa transversal] corta as ondas. Vós dormis na montanha, vós dormis na ilha Kuyawa. Acenderemos uma pequena fogueira de capim *lalang*, queimaremos ervas aromáticas [*i.e.*, em nosso paradeiro nas montanhas]! Jovem ou velho, vós ireis à frente."

Esse é o exórdio da fórmula. Em seguida vem uma parte intermediária muito longa, sob uma forma bastante característica da magia trobriandesa. Essa forma assemelha-se a uma ladainha, pois há uma palavra ou expressão-chave que se repete várias vezes com

[22] O tronco escavado na aldeia. No *baku* de uma das aldeias de Sinaketa, um tronco é escavado para transformar-se no casco de uma canoa. A porção não escavada fica coberta com folhas de coqueiro.

uma série de palavras e expressões complementares. A primeira palavra-chave é então substituída por outra que, por sua vez, é repetida com a mesma série de expressões; depois, vem uma nova palavra-chave e assim por diante. Temos, pois, duas séries de palavras; cada termo da primeira é repetido várias e várias vezes, com todos os termos da segunda e, dessa maneira, com um número limitado de palavras, a fórmula fica muito longa, visto que sua extensão é produto da extensão das duas séries de palavras. Nas fórmulas mais curtas, pode haver apenas uma palavra-chave e, de fato, é esse o tipo mais comum. Nesse encantamento, a primeira série consiste em substantivos que dão nome às diversas partes componentes da canoa; a segunda compõe-se de verbos como cortar, voar, mover-se velozmente, cortar uma frota de canoas, desaparecer,

3 Ver capítulo XII, seção 4.

velejar roçando as ondas. A ladainha, então, assim se recita: "A ponta de minha canoa se põe em movimento, a ponta de minha canoa voa, a ponta de minha canoa move-se velozmente etc.". Depois de recitada a longa ladainha, o mago repete o exórdio e o conclui com a palavra onomatopaica convencional, *saydididi* – usada para imitar o voo das bruxas.

Depois de recitar esse longo encantamento por sobre as ervas e a lâmina da enxó, o mago enrola a folha seca de bananeira, aprisionando, assim, a força mágica do encantamento ao redor da lâmina, com a qual ele golpeia e corta o *duku* (cipó usado para arrastar a canoa).

O ritual mágico não termina nisso, pois, na mesma noite, quando a canoa é colocada sobre troncos transversais (*nigakulu*), é necessário um novo rito. Alguns tipos de ervas são dispostos nos espaços transversais entre esses troncos e o casco da canoa. Por sobre essas ervas, mais uma vez, tem de ser proferido outro encantamento. A fim de não sobrecarregar o presente relato com textos de magia, não descreverei os detalhes dessa fórmula mágica. As palavras nela usadas indicam claramente que faz parte da magia da velocidade e consiste em uma fórmula curta, direta e sem repetição remissiva.

Depois, durante alguns dias, os nativos trabalham na parte externa do casco. As duas extremidades do tronco precisam ser cortadas para que fiquem afiladas, e a parte inferior deve ser nivelada e aplainada. Feito isso, a canoa tem de ser virada, desta feita em sua posição normal, com o fundo para baixo e a parte a ser escavada para cima. Antes de iniciar-se a escavação do tronco, mais uma fórmula mágica tem de ser recitada por sobre o *kavilali*, um *ligogu* (enxó) especial usado para esse fim; essa enxó tem um cabo com uma parte móvel que permite trabalhar a superfície em diferentes ângulos.

O rito se encontra intimamente ligado ao mito da canoa voadora, localizada em Kudayuri, uma localidade da ilha de Kitava, e muitas alusões são feitas a esse mito.[3] Depois de um pequeno exórdio, o qual contém palavras mágicas intraduzíveis, bem como referências geográficas, a fórmula prossegue:

ENCANTAMENTO *LIGOGU*

"Apanharei uma enxó, golpearei! Entrarei em minha canoa, farei com que voes, ó canoa, far-te-ei saltar! Voaremos como as borbole-

> tas, como o vento; desapareceremos em névoa, desapareceremos de vista. Irás cortar os estreitos de Kadimwatu [entre as ilhas de Tewara e Uwama], irás quebrar o promontório de Saranwa [próximo de Dobu], transpassar a passagem de Loma [nos estreitos Dawson], desaparecer a distância, desaparecer com o vento, sumir. Abre caminho por entre tuas algas [*i. e.*, ao chegar a canoa à praia]. Veste tua grinalda [provavelmente alusão às algas marinhas], faz teu leito na areia. Eu me viro, vejo os homens de Vakuta, os homens ele Kitava atrás de mim; meu mar, o mar de Pilolu [*i. e.*, a porção de mar entre as ilhas Trobriand e as ilhas Amphlett]; hoje os homens de Kudayuri farão suas fogueiras [*i. e.*, nas praias de Dobu]. Prenda tua saia de palha, ó canoa" – [menciona-se aqui o nome próprio da canoa], "voa!". Nessa última frase está implícita a ideia de que a canoa partilha da natureza de uma bruxa voadora, como ocorre no mito de Kudayuri.

Depois, o construtor de canoas inicia a escavação do tronco. Essa é uma tarefa longa e difícil que requer muita habilidade, em especial nos estágios finais, quando os bordos da canoa precisam ser suficientemente afinados e a madeira deve ser aplainada de maneira uniforme em toda a superfície. Embora, no início, o construtor costume receber auxílio de algumas pessoas – seus filhos, irmãos ou sobrinhos, os quais, ao ajudá-lo, vão aprendendo o ofício –, nos estágios finais ele tem de executar o trabalho sozinho. Por conseguinte, o estágio final sempre leva muito tempo. Com frequência, a canoa permanece intacta durante várias semanas, protegida contra o sol por folhas de palmeira e com um pouco de água dentro a fim de evitar que a madeira resseque e rache **[22, p. 209]**. O carpinteiro então põe-se mais uma vez a trabalhar por alguns dias, fazendo depois nova pausa. Em quase todas as aldeias, a canoa é construída na praça central ou em frente da cabana do construtor. Em algumas das aldeias orientais, o trabalho de escavação é feito na praia, evitando arrastar o pesado tronco para dentro e para fora da aldeia.

Paralelamente ao trabalho de escavação, as demais partes da canoa vão sendo aprontadas para a montagem. Quatro tábuas largas e compridas para formar a borda da canoa; pedaços de madeira em forma de L para as balizas do cavername; vigas compridas preparadas para servir como suporte longitudinal do cavername e para os caibros da plataforma; vigas curtas que formam a parte transversal da plataforma e constituem os suportes principais do flutuador externo; pequenas varas para amarrar o flutuador às vigas transversais; por fim, o próprio flutuador, um tronco comprido e volumoso. Essas são as principais partes componentes da canoa a serem feitas pelo construtor. As quatro tábuas esculpidas também são feitas por ele se souber emalhar; caso contrário, outro especialista precisa encarregar-se dessa parte do trabalho [23].

Quando todas as partes estão prontas, um novo rito mágico precisa ser executado. Denomina-se *kapitunela nanola waga:* "cortar a mente da canoa", expressão que denota *uma mudança de intenção, uma decisão final*. Nesse caso, a canoa decide navegar velozmente. A fórmula é breve; contém, em seu início, algumas palavras obscu-

[23] Entalhando um *tabuyo*. Molilakwa, entalhador-mestre (*tokabitam*), dá os retoques finais ao *tabuyo* (tábua de proa oval) feito para uma nova canoa de Olivilevi. Os entalhes são feitos com um martelo de madeira e um prego de ferro comprido (no passado, usava-se osso de canguru).

ras e em seguida algumas referências geográficas a certas localidades do arquipélago d'Entrecasteaux. É proferida sobre algumas gotas de óleo de coco que, então, são embrulhadas num pequeno pacote. O mesmo encantamento é de novo proferido sobre a lâmina do *ligogu*, sobre a qual está enrolado um pedaço de folha de bananeira, à maneira já descrita. A canoa é virada de cabeça para baixo; o pacote contendo o óleo de coco é posto sobre ela e golpeado com a enxó. Com isso, a canoa está pronta para ser armada, e completa-se o primeiro estágio de sua construção.

3

Como já dissemos, os dois estágios diferem entre si no que diz respeito tanto ao trabalho feito como ao cenário sociológico e cerimonial. Até aqui vimos apenas alguns homens empenhados no trabalho de cortar a árvore, escavar o tronco e preparar as várias partes da canoa. Laboriosamente, de maneira vagarosa e deliberada, com muitas interrupções, dedicam-se ao seu trabalho, sentados na terra batida em frente das cabanas, ou escavando a canoa na praça central. A primeira parte da tarefa, ou seja, a derrubada da árvore, levou-nos à selva alta e ao mato intricado que se enrola ao redor das formas fantásticas das rochas de coral.

Agora, no segundo estágio, o cenário muda para a areia limpa, branca como a neve, de uma praia de coral, onde centenas de nativos ostentando ornamentos festivos reúnem-se ao redor do casco recém-raspado da canoa. As tábuas entalhadas, pintadas de preto, branco e vermelho, a orla verde de árvores e palmeiras, o azul do mar – tudo isso empresta um colorido especial à cena vívida e movimentada. Foi assim que vi a construção de uma canoa na praia oriental das ilhas Trobriand, e é nesse cenário que ela me vem à lembrança. Em Sinaketa, em vez de mar azul e aberto a quebrar-se numa faixa de espuma branca atrás da orla de recifes e chegando em ondas límpidas até a praia, há o marrom fosco e o verde lodacento da laguna, que adquire tonalidade de puro verde-esmeralda no local onde começa o fundo arenoso e limpo.

Devemos agora imaginar o casco da canoa sendo transportado da aldeia para um desses dois cenários, depois de feitos todos os preparativos e espalhada pelas aldeias vizinhas a convocação do chefe ou do líder da aldeia. Quando se trata de um grande chefe, várias centenas de nativos se reúnem para ajudar ou para assistir aos trabalhos. Quando uma pequena comunidade governada por um líder de classe social inferior constrói sua canoa, apenas algumas dezenas de nativos aparecem – os parentes da esposa do líder e de outros nativos de destaque, e seus amigos mais próximos.

Depois que o corpo da canoa e todos os acessórios estão devidamente preparados, iniciam-se as cerimônias com um rito mágico denominado *Katuliliva tabuyo.* Esse rito pertence à magia do *Kula*, para a qual os nativos têm uma expressão especial; chamam-na *mwasila.* Está relacionada à inserção das tábuas de proa ornamentais nos encaixes existentes nas duas extremidades da canoa. Essas partes ornamentais são as primeiras a serem colocadas e isso é feito num cerimonial. Alguns raminhos de hortelã são postos sob as tábuas à medida que elas vão sendo encaixadas, e o *toliwaga* (proprietário da canoa), usando uma pedra especial importada de Dobu, martela as tábuas até que estejam bem ajustadas, repetindo ritualmente a fórmula da magia *mwasila.* A hortelã (*sulumwoya*) desempenha papel importante no *mwasila* (magia do *Kula*), bem como nos encantamentos de amor e na magia da beleza. Sempre que uma substância é preparada magicamente para fins de atração, sedução ou persuasão, costuma-se usar o *sulumwoya.* Essa planta figura também em diversos mitos, nos quais desempenha função semelhante; o herói mítico sempre domina o inimigo ou conquista uma mulher usando o *sulumwoya.*

Não apresentarei as fórmulas mágicas no presente relato, exceto a mais importante delas. Mesmo um pequeno resumo de cada uma delas interromperia a narrativa, prejudicando a sequência do relato concatenado das diversas atividades. As várias complexidades do rito mágico e das fórmulas serão expostas no capítulo XVII. Podemos, no entanto, adiantar que não só existem vários tipos de rituais mágicos executados durante a construção de uma canoa, como o *mwasila* (magia do *Kula*), a magia da velocidade da canoa, exorcismos contra a magia negra e o exorcismo dos *tokway*, mas também que, em cada um desses tipos, existem diferentes sistemas de magia, cada um com seus próprios fundamentos mitológicos, cada um localizado num distrito diferente e cada um com fórmulas próprias e ritos ligeiramente diversos.[4]

4 Há uma discussão pormenorizada sobre esse assunto no capítulo XVII, seção 4.

Depois que as tábuas de proa são encaixadas e antes que se execute o próximo estágio do trabalho técnico, mais um ritual mágico precisa ser levado a efeito. O corpo da canoa, agora resplandecente com as tábuas de três cores, é empurrado para a água. Um punhado de folhas de um arbusto chamado *bobi'u* é encantado pelo proprietário ou pelo construtor, e o corpo da canoa é lavado na água do mar com essas folhas. Todos os homens participam da lavagem, cujo objetivo é tornar a canoa veloz, removendo os vestígios de qualquer influência má que, apesar da magia anterior realizada na *waga*, possa ainda ter permanecido. Depois de esfregada e lavada, a *waga* é puxada para a praia mais uma vez e colocada sobre os troncos de suporte.

Os nativos passam agora à parte principal e mais importante do trabalho, que consiste em montar as pranchas laterais sobre os bordos do tronco escavado para formar o vão profundo e largo da canoa assim aumentada. Essas pranchas são fixadas por uma estrutura interna composta de doze a vinte pares de cavernas de madeira, as quais são amarradas com um cipó especial denominado *wayugo* e os furos e interstícios calafetados com uma substância resinosa.

Não posso aqui entrar nos detalhes da construção, embora sob o ponto de vista tecnológico seja essa a fase mais interessante desse trabalho, que nos mostra o nativo às voltas com verdadeiros problemas técnicos. Toda uma série de componentes precisa ser montada com considerável precisão, sem o auxílio de instrumentos exatos de medição. Fazendo cálculos aproximados com base em longos anos de experiência e grande habilidade, o construtor prevê o formato e o tamanho relativo das pranchas, os ângulos e as dimensões das cavernas de madeira e o comprimento das diversas vigas. Ao preparar essas peças e à medida que o trabalho se processa, o construtor testa e experimenta as diversas partes para verificar se elas se ajustam corretamente e, em geral, o resultado é satisfatório. Porém, no momento em que todas as partes têm de ser, por fim, encaixadas umas às outras de modo definitivo, quase sempre uma ou outra não se ajusta bem às demais. Esses detalhes têm de ser retificados: ou o casco da canoa precisa ser escavado mais um pouquinho, ou determinada prancha ou viga tem de ser encurtada ou aumentada. Os nativos dispõem de um meio bastante eficiente para amarrar uma parte adicional a uma prancha curta demais ou que, devido a algum acidente, tenha se quebrado na ponta. Quando todas as peças estão finalmente ajustadas, o cavername é colocado dentro da canoa [24], e os nativos então o amarram ao corpo do tronco escavado e as duas vigas longitudinais às quais se prendem as cavernas de madeira.

Precisamos agora dizer algumas palavras sobre o *wayugo*, o cipó utilizado na amarração. Apenas um tipo de cipó é usado para a amarração das canoas e é de extrema importância que seja segura e forte. É só ele que mantém coesas as diversas partes da canoa e, quando o mar está violento, quase tudo depende da resistência das amarras às forças de pressão. As outras partes da canoa – as vigas externas – são mais facilmente testáveis e, visto serem feitas de madeira forte e elástica, em geral oferecem boa resistência à ação do tempo. Dessa forma, o fator de perigo e instabilidade de uma canoa reside sobretudo na amarração. Não é de admirar, portanto, que a magia do cipó seja considerada um dos rituais mais importantes na construção da canoa.

De fato, o termo *wayugo*, nome dado à espécie de cipó utilizada na amarração, é também usada como termo geral para toda a magia da canoa. Quando um nativo tem a honra de possuir ou ter construído uma canoa segura e veloz, os demais nativos geralmente explicam o fato dizendo que ele possui ou conhece "um bom *wayugo*". Pois, como em qualquer outro sistema de magia, há vários tipos de encantamento *wayugo*. O ritual é praticamente o mesmo: cinco rolos de cipó são colocados sobre uma grande travessa de madeira no dia anterior e tratados magicamente pelo proprietário da canoa em sua própria casa. Isso também pode ser feito pelo construtor, mas apenas de forma excepcional. No dia seguinte, os rolos de cipó são cerimonialmente trazidos à praia na travessa de madeira. Num dos sistemas de *wayugo* há um ritual extra no qual o *toliwaga* (proprietário da canoa), apanhando um pedaço do cipó, enfia-o num dos buracos feitos nas bordas do tronco para a amarração e, puxando-o de um lado para o outro, entoa mais uma vez o encantamento.

Em vista da importância desse tipo de magia, apresentaremos a fórmula completa. Ela consiste em um exórdio (*u'ula*), uma parte principal dupla (*tapwana*) e uma conclusão (*dogina*).[5]

5 É preciso estarmos bem familiarizados com a mitologia do *Kula* e da construção de canoas (capítulo XII) para que possamos entender por completo o significado desse encantamento.

ENCANTAMENTO *WAYUGO*

No *u'ula* primeiro se diz "Refeição sagrada [ou ritual] de peixes, interior sagrado", fazendo assim alusão à crença de que o *toliwaga* precisa,

[24] Construção de uma *waga*. No processo de reamarração, essa canoa foi parcialmente desmontada. É possível ver o cavername e as partes que compõem o flutuador externo. Os nativos estavam instalando uma nova prancha lateral (ao fundo), que se encaixa nas tábuas de proa entalhadas e na ranhura da parte superior do casco. O proprietário e o mago aparecem à direita.

quando realiza esse ato de magia, participar ritualmente de uma refeição de peixe assado. Em seguida vêm as palavras: "Esvoaçai, ramo de bétel, deixando para trás", que se referem a ideias centrais da magia da canoa: o tremular dos galhardetes de pandano; a noz de bétel, que, em outros ritos, são oferecidos aos espíritos dos ancestrais; a velocidade, graças à qual todos os companheiros serão deixados para trás!

Depois vem uma relação de nomes de ancestrais. Dois deles, provavelmente personagens míticos, têm nomes significativos: "Mar Tempestuoso" e "Espumante". Os *baloma* (espíritos) desses antepassados são então convidados a sentar-se nos deslizadores de canoa para mascar o bétel e, depois, solicitados a levar o galhardete de pandano de

Kudayuri – localidade situada em Kitava, onde teve origem a magia da canoa voadora – ao topo de Teula ou Tewara – pequena ilha próxima da costa oriental de Fergusson.

Depois disso, o especialista na magia entoa: "Irei voltar-me, irei voltar-me em vossa direção, ó homens de Kitava, ficareis para trás, na praia de To'uru [na laguna de Vakuta]. À vossa frente estende-se o braço de mar de Pilolu. Hoje eles acendem a fogueira festiva de Kudayuri, e tu, ó minha canoa, [o nome próprio da canoa é então proferido], segura tuas saias e voa!". Nesse trecho – que é praticamente idêntico a um trecho do encantamento *ligogu*, anteriormente apresentado –, há alusão direta ao mito de Kudayuri e ao costume das fogueiras festivas. Mais uma vez, a canoa é tratada como uma mulher que tem de segurar sua saia de palha para voar, referência à crença de que uma bruxa voadora segura as saias ao partir para os ares, como também à tradição de que esse mito se originou com Na'ukuwakula, uma das irmãs voadoras de Kudayuri. A parte principal da fórmula, que se segue, continua com essa alusão mítica: Na'ukuwakula voou de Kitava a Simsim, atravessando Sinaketa e Kaileuna; em Simsim, ela fixou moradia e transmitiu sua magia a seus descendentes. Nesse encantamento, as três localidades: Kuyawa [um regato e uma pequena colina próximos de Sinaketa], Dikutuwa [um rochedo próximo de Kaileuna] e La'u [um rochedo partido, localizado no mar, próximo de Simsim, nas ilhas Lousançay] são as palavras principais do *tapwana*.

A última sentença da primeira parte, servindo de transição ao *tapwana*, é a seguinte: "Empunharei o cabo da enxó, agarrarei todas as partes componentes da canoa" – talvez nova alusão à construção mítica da canoa de Kudayuri (capítulo XII, seção 4) – "voarei ao topo de Kuyawa, desaparecerei; vou diluir-me em névoa, em fumaça; ficarei como um remoinho de vento, ficarei sozinho no cimo de Kuyawa". As mesmas palavras são então repetidas, substituindo-se a palavra Kuyawa pelo nome dos dois outros locais anteriormente mencionados, um após o outro, e dessa forma retraçando-se o voo de Na'ukuwakula.

O mágico volta, então, ao começo e recita o encantamento novamente até a frase "segura tua saia e voa", que agora é seguida de uma segunda *tapwana*: "Com o casco de minha canoa vou distanciar-me de todos os meus companheiros; com a tábua de proa de minha canoa vou distanciar-me de todos os meus companheiros etc. etc.", repetindo essa jactância profética com todas as partes da canoa, como se costuma fazer na parte intermediária dos encantamentos mágicos.

No *dogina*, última parte do encantamento, o mago se dirige a *waga* em termos mitológicos, com alusões ao mito de Kudayuri, e acrescenta: "Canoa, tu és um fantasma, tu és como um remoinho de vento; desaparece de vista, ó minha canoa; voa; transpõe tua passagem-de-mar de Kadimwatu, atravessa o promontório de Saramwa, ultrapassa Loma; desaparece aos poucos, desaparece, desvanece-te com um remoinho, desvanece-te com a névoa; deixa tua marca na areia, corta teu caminho entre as algas do mar, vai, veste tua grinalda de ervas aromáticas".[6]

6 Ver análise linguística desse encantamento, feita no capítulo XVIII.

Depois que o *wayugo* foi ritualmente trazido para a praia, tem início a amarração da canoa. Primeiro são colocadas e amarradas as cavernas de madeira, depois as pranchas e, com isso, está terminado o corpo da canoa. O tempo despendido nessa tarefa é variável, dependendo do número de pessoas que estão ajudando e do número de consertos e ajustes a serem feitos na montagem final. Por vezes, um dia inteiro de trabalho é gasto nesse estágio, e a próxima parte do trabalho, a construção do flutuador externo, tem de ser adiada. É esse o estágio seguinte e não há magia para acompanhar o curso das atividades técnicas. O grande tronco inteiriço é colocado paralelamente à canoa e diversos paus curtos e pontudos são enfiados nele. Os paus são colocados transversalmente na parte superior do flutuador (*lamina*). Em seguida, as pontas desses paus são amarradas a diversas vigas horizontais, as quais têm de ser enfiadas através de um lado do corpo da canoa e fixadas no outro. Tudo isso naturalmente requer novos ajustamentos e encaixes. Quando esses paus e vigas estão atados uns aos outros, a estrutura resultante é forte, porém elástica, e mantém a canoa e o flutuador paralelos um ao outro; diversas vigas horizontais, colocadas transversalmente aos dois, mantêm-nos unidos. A seguir, essas vigas são atravessadas com numerosas varas longitudinais, amarradas umas às outras, e dessa forma constrói-se uma plataforma entre a borda da canoa e a extremidade superior dos paus do flutuador.

Feito isso, está pronta a estrutura completa da canoa, e o que resta fazer é apenas calafetar os furos e os interstícios. A massa para calafetagem é preparada na cabana do *toliwaga*; um encantamento é proferido sobre ela na noite anterior ao trabalho de calafetagem.

E então mais uma vez a comunidade inteira se reúne para realizar o trabalho no espaço de um dia.

A canoa está pronta para ser navegada; falta só a pintura, que é apenas ornamental. Mais três ritos mágicos, no entanto, precisam ser executados antes que a canoa seja pintada e lançada à água. Todos estão diretamente relacionados à canoa e têm por objetivo proporcionar-lhe velocidade. Ao mesmo tempo, cada um dos três constitui um tipo de exorcismo contra possíveis influências malignas resultantes de profanações ou quebra de tabus que poderiam ter profanado a *waga*. O primeiro é denominado *Vakasulu*, termo que significa algo como "cozimento ritual" da canoa. O *toliwaga* tem de preparar um verdadeiro caldeirão das bruxas, nele colocando uma variedade de coisas que mais tarde são queimadas sob a canoa; supõe-se que a fumaça produzida exerça influência para purificar a canoa e torná-la veloz. Os ingredientes são os seguintes: as asas de um morcego, o ninho de um pássaro muito pequeno chamado *posisiku*, algumas folhas secas de samambaia gigante, um pouco de algodão e caniço-branco. Todas essas substâncias estão associadas ao voo e à leveza. Os gravetos usados para acender o fogo são de mimosa (*liga*), árvore de madeira leve. Os gravetos têm de ser obtidos atirando-se um pedaço de pau na árvore (nunca uma pedra); ao caírem, os galhos quebrados devem ser agarrados com as mãos para que não toquem no solo.

O segundo rito, denominado *Vaguri*, é apenas um exorcismo; consiste em encantar uma vareta e, em seguida, golpear com ela a canoa em toda a superfície. Isso serve para expulsar feitiços malignos (*bulubwalata*) que, suspeita-se, tenham sido lançados por algum rival invejoso ou por pessoas invejosas do *toliwaga*.

Finalmente, o terceiro rito, o *Kaytapena waga*, consiste em encantar uma tocha de folhas de coqueiro por meio de uma fórmula adequada e com ele fumegar a parte interna da canoa. Isso dá velocidade à canoa e, mais uma vez, a purifica.

Depois de alguns dias de descanso, a parte externa da canoa é toda pintada em três cores. Sobre cada uma dessas cores é pronunciado um encantamento especial, sendo o mais importante sobre a cor negra. Esse último jamais pode ser omitido, ao passo que os encantamentos sobre o vermelho e o branco são opcionais. No rito da cor negra, mais uma vez é usada uma mistura de substân-

[25] Confecção da vela. No intervalo de poucas horas, diversos nativos executam a enorme tarefa de coser, umas às outras, as pequenas tiras feitas da folha do pandano até formar-se a vela. Entre os nativos, há um albino.

cias – uma folha seca de samambaia, capim e um ninho de *posisiku* –, tudo isso é queimado com uma casca de coco e as primeiras pinceladas com a tinta preta são dadas com essa mistura. O resto é pintado com uma mistura aquosa de casca de coco queimada. Para a pintura vermelha, usa-se uma espécie de ocre importado das Ilhas d'Entrecasteaux; a tinta branca é feita de terra calcária existente em determinadas partes da praia.

A vela é confeccionada em outro dia, em geral na aldeia, por meio de trabalho comunitário; com muitas pessoas a ajudar, esse trabalho enfadonho e complicado é feito em tempo relativamente curto. A forma triangular de vela é, antes de mais nada, marcada com pequenas estacas no chão; costuma-se usar como modelo uma vela já feita. Feito isso, tiras de folha seca de pandano são estendidas no chão e fixadas ao longo das bordas da vela. A seguir, começando no vértice superior do triângulo, os nativos colocam tiras que são estendidas até a base, costurando-as umas às outras com furadores feitos de osso de raposa-voadora e usando como fio tiras finas da folha do pandano especialmente enrijecida. Duas fileiras de tiras são costuradas umas sobre as outras, obtendo-se, assim, um tecido resistente.

4

A canoa agora está pronta para o lançamento. Antes, porém, que passemos à descrição do lançamento cerimonial e das festividades afins, devemos fazer uma ou duas observações retrospectivas sobre as atividades anteriormente descritas.

Todo o primeiro estágio da construção de canoas – ou seja, a derrubada da árvore, a escavação do tronco e o preparo das demais parte componentes, bem como toda a magia associada a essas atividades – é realizado apenas quando se constrói uma canoa nova.

O segundo estágio, porém, precisa ser realizado com todas as canoas antes de qualquer grande expedição marítima do *Kula*. Nessa ocasião, todas as canoas precisam ser reamarradas, recalafetadas e pintadas de novo. Isso naturalmente requer que todas elas sejam desmontadas e, a seguir, amarradas, calafetadas e pintadas exatamente como se faz com uma canoa nova. Toda a magia relativa a esses três processos é então realizada, na devida ordem, sobre a canoa reformada. Assim, podemos dizer que o segundo estágio da construção de canoas não só é realizado sempre em função do *Kula*, mas que, sem ele, jamais se pode organizar qualquer grande expedição.

Já apresentamos uma descrição dos rituais mágicos e enumeramos as ideias implícitas em cada um deles. Há, porém, mais uma ou duas características gerais a mencionar. Em primeiro lugar, há o que se poderia chamar de dimensão cerimonial dos rituais mágicos. Em outras palavras: em que medida os membros da comunidade participam desses rituais? Participam ativamente ou simplesmente demonstram interesse, comportando-se como espectadores atentos? Ou, ainda, embora presentes, prestam pouca atenção e demonstram apenas um mínimo de interesse no que veem?

No primeiro estágio da construção de canoas, os rituais são executados pelo próprio mago, que tem à disposição apenas alguns auxiliares. Os demais habitantes da aldeia, em geral, não se sentem suficientemente interessados e motivados para ajudar nem são obrigados a isso por força do costume. O caráter geral desses rituais assemelha-se mais a uma técnica de trabalho do que a uma cerimônia. A preparação e o encantamento das ervas usadas na magia *ligogu*, por exemplo, são feitos de maneira prática e direta, tanto no comportamento do mágico como no daqueles que se reúnem casualmente ao redor dele, nada indicando que algo de especial interesse possa estar ocorrendo na rotina do trabalho.

Os rituais do segundo estágio são *ipso facto* assistidos por todos aqueles que auxiliam na montagem e amarração da canoa, mas, em geral, os presentes não têm nenhuma incumbência especial na realização desses rituais. Quanto à atenção e ao comportamento dos nativos durante a execução desses rituais, muita coisa depende, é claro, da posição social do especialista na magia, ou seja, se ele é um chefe muito importante ou nativo de baixa posição social. Em qualquer caso, observa-se certo decoro e silêncio durante os rituais. Muitos dos presentes podem, no entanto, sair de seu lugar e afastar-se, se quiserem. O mago não dá a impressão de um sumo sacerdote a oficiar uma cerimônia solene, mas sim a de um operário especializado a executar um trabalho particularmente importante. Devemos lembrar que todos os rituais são simples e os encantamentos recitados em público são proferidos em voz baixa, de forma rápida, sem nenhuma impostação de voz especialmente ressonante. Os rituais da calafetagem e do *wayugo* são também, pelo menos em algumas modalidades de magia, executados na cabana do mago, sem a presença de qualquer outra pessoa; o mesmo se dá com o ritual da pintura negra.

Outra questão de importância geral é a que poderíamos chamar de "o rigor dos ritos mágicos". Na magia da canoa, por exemplo, a expulsão do *tokway*, o corte ritual das amarras com que se arrasta o tronco, a magia da enxó (*ligogu*) e o cipó de amarração (*wayugo*), da calafetagem e da pintura negra jamais podem ser omitidos, ao passo que os outros rituais são facultativos, embora, em geral, pelo menos alguns sejam executados. Porém, mesmo os que são considerados indispensáveis não têm todos o mesmo grau de importância na mitologia e no pensamento nativo, e isso é claramente expresso no comportamento e na maneira de eles se referirem aos rituais. Desse modo, o termo geral para a magia da canoa é *wayugo* ou *ligogu*; disso podemos deduzir que esses dois encantamentos são considerados os mais importantes. O nativo refere-se a seu *wayugo* como melhor que o de outro ou, então, diz que aprendeu seu *ligogu* com seu próprio pai. Além disso, como veremos, esses dois ritos são explicitamente citados no mito da canoa. Por outro lado, o ritual de expulsão dos *tokway*, embora sempre realizado, é decididamente reconhecido pelos nativos como de importância secundária. O mesmo se dá com a magia da calafetagem e da pintura negra.

Uma questão menos geral, mas de grande interesse, é a que se refere aos feitiços malignos (*bulubwalata*) e aos tabus violados. Tive de mencionar diversos exorcismos feitos contra essas influências e devo agora dizer alguma coisa a respeito delas. O termo *bulubwalata* abrange todas as modalidades de magia negra ou bruxaria. Há o feitiço lançado contra os porcos, para fazê-los fugir de seus donos e esconder-se na mata; há *bulubwalata* para desviar a afeição de uma esposa ou namorada; há magia negra contra as plantações e – talvez a mais temida – o feitiço contra a chuva, que produz a seca e a fome. A magia negra contra as canoas, que as torna lentas, pesadas e impróprias à navegação, é também muito temida. Muitos nativos professam conhecê-la, mas é muito difícil para o etnógrafo obter-lhe a fórmula; eu consegui obter apenas uma. Supõe-se sempre que essa fórmula seja praticada pelos proprietários de uma canoa contra as embarcações que considera perigosas rivais.

Há muitos tabus referentes a uma canoa já construída; vamos examiná-los mais tarde, ao falar sobre a navegação e o manejo da canoa. Antes que esse estágio seja atingido, porém, qualquer tipo de profanação decorrente do contato de alguma substância impura com o tronco escavado da canoa pode levá-la a se tornar vagarosa e inadequada; se alguém caminhar por cima do tronco de uma canoa, ou nele ficar de pé, o resultado será igualmente desastroso.

Mais uma questão deve ser mencionada aqui. Como já vimos, o primeiro ritual mágico do segundo estágio da construção é realizado sobre as tábuas de proa. Pode-se, portanto, perguntar se os desenhos entalhados nessas tábuas têm algum significado mágico. Devemos compreender que qualquer conjectura ou especulação feita sobre questões de origem deve ser rigorosamente excluída de uma pesquisa de campo etnográfica como a nossa. Para conseguir uma resposta sociológica empírica, o etnógrafo precisa considerar duas categorias de fatos. Antes de mais nada, ele pode perguntar diretamente aos nativos se as tábuas de proa ou quaisquer dos desenhos que nelas aparecem são feitos com finalidades mágicas. Quer ele dirija a pergunta ao nativo comum, quer ao especialista em questões de magia da canoa ou em trabalhos de entalhe, em Kiriwina a resposta será sempre negativa. Ele pode, então, perguntar se nas fórmulas do ritual mágico há referências às tábuas de proa ou a quaisquer de seus motivos decorativos. Também nesse caso, a evidência é, em geral, negativa. Num dos encantamentos – pertencente não à magia da canoa, mas à magia do *Kula* (ver capítulo XIII, seção 2, o encantamento *kayikuna tabuyo*) – pode-se encontrar uma alusão às tábuas de proa, mas só no que se refere ao termo geral que as descreve, e não a qualquer motivo especial de decoração. Desse modo, a única relação entre a decoração da canoa e a magia consiste no fato de que dois rituais mágicos são associados às tábuas de proa: um deles já foi aqui mencionado e o outro será mencionado no início do próximo capítulo.

A descrição do processo de construção de canoas e, com efeito, de todos os dados apresentados neste capítulo referem-se apenas a um dos dois tipos de canoas marítimas existentes no distrito do *Kula*. Os nativos do semicírculo oriental do *Kula* usam embarcações maiores e, em alguns aspectos, melhores que as *masawa*. A principal diferença entre o tipo oriental e o ocidental reside no fato de que as canoas maiores têm bordos ou lados mais altos e, portanto, capacidade de carga maior, bem como maior calado. Sua altura maior oferece mais resistência ao desvio da rota, permitindo que essas canoas naveguem com vento de través. Consequentemente, as canoas orientais oferecem maior resistência ao vento, e os nativos que as conduzem não precisam depender tanto da direção da brisa. A isso também está relacionada a posição do mastro, o qual, nesse tipo de canoa, está fixado na parte central do casco, de maneira permanente, e não é retirado ao fim de cada viagem. Obviamente, portanto, o mastro também não precisa ser mudado de posição cada vez que a canoa muda de rumo.

Embora eu não tenha observado o processo de construção de uma *nagega*, nome pelo qual essas canoas são conhecidas, acredito que seja uma tarefa tecnicamente muito mais difícil do que a da construção de uma *masawa*. Fui informado de que tanto os rituais mágicos como os de construção são praticamente os mesmos para os dois tipos de canoa.

A *nagega*, ou seja, o tipo maior, de maior navegabilidade, é usada na seção do circuito do *Kula* que se estende de Gawa até Tubetube. É também utilizada em certas regiões do distrito dos Massim que estão fora do circuito do *Kula*, como a ilha de Sud-Est e suas vizinhas menores; é também usada pelos Massim do sul que habitam o continente. Mas, embora seu uso esteja muito disseminado, sua construção está confinada a alguns poucos lugares. Os centros mais importantes de construção de canoas *nagega* são Gawa, algumas aldeias das ilhas Woodlark, a ilha de Panaeati e talvez uma ou duas localidades da ilha de Misima. A partir desses locais, as canoas são trocadas ao longo de todo o distrito, constituindo uma das mais importantes formas de comércio nessa parte do mundo. As canoas *masawa*, por sua vez, são usadas e fabricadas no distrito de Dobu, nas ilhas Amphlett, no arquipélago de Trobriand, em Kitava e Iwa.

Uma questão de grande importância na relação entre esses dois tipos de canoa é que, há duas gerações, uma delas vem se desenvolvendo às custas da outra. De acordo com informações seguras, obtidas em várias localidades das ilhas Trobriand e Amphlett, a *nagega*, ou seja, o tipo de canoa mais pesado, mais adequado à navegação marítima, desapareceu há algum tempo das ilhas Amphlett e Trobriand. A *masawa*, em muitos aspectos inferior, porém menos difícil de construir e mais veloz, vem suplantando o tipo maior. Antigamente, ou seja, há cerca de duas ou três gerações, apenas a *nagega* era usada em Iwa, Kitava, Kiriwina, Vakuta e Sinaketa, ao passo que os habitantes das ilhas Amphlett e os nativos de Kaileuna usavam geralmente a *nagega*, embora por vezes velejassem na *masawa*. Dobu era a verdadeira sede e centro das canoas *masawa*. Não consegui verificar exatamente quando a mudança começou a ocorrer e quando foi completada; mas o fato é que nos tempos atuais até mesmo as aldeias de Kitava e Iwa constroem a *masawa*, o tipo menor de canoa. Assim, a canoa, um dos mais importantes objetos culturais, está se difundindo do sul para o norte. Há, entretanto, uma questão sobre a qual não consegui obter informações precisas, ou seja, se nas ilhas Trobriand a *nagega* era, em épocas passa-

[26] **Canoa *nagega*.** Esse tipo de canoa é manufaturado pelos habitantes do nordeste de Massim e é usado no ramo do *Kula*.

das, importada de Kitava ou se era manufaturada no local por artesãos de fora (como até mesmo nos dias atuais por vezes se faz em Kiriwina), ou ainda se os próprios trobriandeses sabiam construir grandes canoas. Não há dúvida, porém, de que antigamente os nativos de Kitava e Iwa costumavam manufaturar suas próprias canoas *nagega*. O mito de Kudayuri (ver capítulo XII) e a magia a ele associada referem-se a esse tipo de canoa. Portanto, certamente nesse distrito, e talvez também nas ilhas Trobriand e Amphlett, não só o uso, mas também a produção das canoas maiores vêm sendo substituídos em favor das menores, as canoas *masawa*, agora encontradas em todas essas regiões.

CAPÍTULO VI

Lançamento de uma canoa e visita cerimonial

Economia tribal nas ilhas Trobriand

1

Pintada e ornamentada, a canoa está agora pronta para o lançamento: é motivo de orgulho para seus proprietários e construtores e objeto de admiração por parte dos demais espectadores. Uma nova embarcação não constitui apenas mais um objeto de uso; é muito mais que isso, é um novo ente que surge, que está ligado ao futuro, ao destino dos navegadores e do qual eles dependerão. Não pode haver dúvida de que essa emoção é também sentida pelos nativos e se expressa claramente em seus costumes e comportamento. A canoa recebe um nome próprio e torna-se objeto de grande interesse para o distrito inteiro. Suas qualidades, seus traços de beleza e de provável perfeição ou imperfeição são discutidos ao redor das fogueiras noturnas. O proprietário, seus parentes e companheiros de aldeia referem-se a ela com a jactância e exagero que são típicos dos trobriandeses e os demais nativos se mostram muito interessados em vê-la e observar seu desempenho. Assim, a instituição da cerimônia de lançamento não é uma simples formalidade ditada pelo costume; corresponde às necessidades psicológicas da comunidade, desperta grande interesse e conta com a presença de muitos nativos, mesmo quando a canoa pertence a uma comunidade pequena. Quando a canoa de algum grande chefe é lançada, seja o de Kasana'i ou Omarakana, Olivilevi ou Sinaketa, o número de nativos que se reúnem na praia chega a atingir a casa dos mil.

A exibição pública e festiva de uma canoa recém-construída, totalmente pintada e ornamentada não só está em harmonia com o sentimento dos nativos para com uma nova embarcação, mas também se coaduna com o modo pelo qual costumam tratar todos os produtos de sua atividade econômica. Seja no cultivo ou na pesca, na construção de cabanas ou nas produções artesanais, há tendência a exibir os produtos, arrumando-os com cuidado e até mesmo enfeitando alguns deles, produzindo, assim, um efeito estético e pomposo. Na pesca existem apenas vestígios dessa tendência, mas na lavoura ela assume proporções muito grandes, e a manipulação, o arranjo e a exibição dos produtos agrícolas constituem uma das facetas mais típicas da vida tribal, dispensando-se com ela muito tempo e energia.[1]

1 Ver capítulo II, seções 3 e 4 e algumas das a seguir deste capítulo.

Terminada a pintura e a ornamentação da canoa, fixa-se logo uma data para a cerimônia de lançamento e para a viagem inaugural: as festividades *tasasoria*, como costumam ser chamadas. Avisam-se os chefes e os líderes de aldeia da vizinhança. Aqueles que possuem canoas e pertencem à mesma comunidade do *Kula* são obrigados a comparecer com suas canoas e a participar de uma espécie de regata realizada na ocasião. Como uma canoa nova é sempre construída em conexão com uma expedição *kula*, e visto que as demais canoas da mesma comunidade precisam ser reformadas ou substituídas, a regra é que no dia do *tasasoria* reúna-se na praia uma frota completa de canoas novas ou reformadas, todas resplandecentes em suas cores recém-pintadas e em sua decoração de conchas cauri e galhardetes de pandano alvejado.

O lançamento em si é inaugurado com um ritual do *mwasila* (magia do *Kula*) chamado *Kaytalula wadola waga* ("tingir de vermelho a boca da canoa"). Depois que os nativos retiram a esteira de folhas de coqueiro que a protege contra o sol, o *toliwaga* pronuncia um encantamento sobre um pouco de ocre vermelho e, com ele, tinge tanto a proa como a popa da canoa. Uma concha cauri especial, colocada na tábua de proa (*tabuyo*) é também tingida em suas extremidades. Depois disso, a canoa é lançada: os nativos da aldeia empurram-na para dentro da água, arrastando-a sobre pedaços de pau que, colocados transversalmente, servem de deslizadores **[27, p.237]**. Isso se dá em meio a gritos e ululações, como sempre acontece toda vez que alguma atividade precisa ser realizada de maneira festiva ou cerimonial – quando, por exemplo, um nativo traz os produtos de sua lavoura e os oferece cerimonialmente a seu cunhado, ou quando um presente em inhame ou taro é colocado em frente da casa de um pescador por algum lavrador do interior, ou ainda quando se oferece o contrapresente em peixes.

Assim, a canoa é finalmente lançada, depois da longa série entrelaçada de trabalhos e cerimônias, de esforços técnicos e rituais mágicos.

Feito o lançamento, realiza-se então uma festa ou, mais precisamente, uma distribuição de alimentos (*sagali*), que obedece a vários tipos de formalidades e rituais. Essa distribuição de alimentos sempre se realiza quando a canoa não foi construída pelo próprio *toliwaga* e quando ele, por conseguinte, precisa remunerar o construtor da canoa e seus ajudantes. Realiza-se também sempre que a canoa de um grande chefe é lançada, tanto para celebrar o acontecimento como para exibir sua riqueza e generosidade e alimentar as muitas pessoas convocadas para ajudar no trabalho de construção.

Terminado o *sagali*, em geral no período da tarde, a canoa é aprestada, o mastro, erguido, a vela, colocada no lugar – e, com todas as outras, a canoa nova parte para uma corrida de teste. Não se trata propriamente de uma corrida de competição, no sentido estrito da palavra. A canoa do chefe, quase sempre a melhor e mais rápida de todas, de qualquer forma sempre ganha a corrida. Caso não fosse a mais rápida, as demais canoas provavelmente seriam mantidas na retaguarda. A viagem inaugural é feita na verdade a fim de exibir a nova canoa, lado a lado com as demais.

Para fornecer uma ilustração concreta das cerimônias relativas à construção e ao lançamento de uma canoa, o melhor é descrever um acontecimento real. Vou, portanto, descrever o *tasasoria* que observei na praia de Kaulukuba, em fevereiro de 1916, quando foi lançada a nova canoa de Kasana'i. Oito canoas participaram da viagem inaugural, ou seja, todas as canoas de Kiriwina, que constituem o que chamei de "comunidade *kula*", o grupo social que realiza suas expedições do *Kula* em conjunto e que tem os mesmos limites dentro dos quais efetua a troca de objetos preciosos.

O grande acontecimento que motivou a construção e a reforma das canoas foi uma expedição planejada por To'uluwa e sua comunidade *kula*. Eles tencionavam ir para o leste, a Kitava, Iwa ou Gawa, e talvez mesmo a Murua (ilha de Woodlark), embora os nativos não realizem diretamente o *Kula* com essa ilha. Como sempre acontece em tais casos, meses antes da data de partida, fizeram-se planos e previsões, contaram-se as histórias de viagens anteriores, os velhos rememoraram suas próprias aventuras e repetiram o que lhes havia sido contado pelos antepassados sobre a época em que o ferro era desconhecido e todos tinham de navegar para o leste a fim de obter a pedra verde extraída em Suloga, na ilha de Woodlark. E desse modo, como sempre acontece nas ocasiões em que se discutem futuros acontecimentos ao redor das fogueiras da aldeia, a imaginação ultrapassou todos os limites da probabilidade, e as esperanças e antecipações foram-se tornando cada vez maiores. No fim, estavam todos certos de que a expedição velejaria pelo menos até o extremo oriental das ilhas Marshall Bennett (Gawa), ao passo que, da maneira como os fatos se sucederam, o grupo não passou além de Kitava.

Para essa ocasião, uma nova canoa teve de ser construída em Kasana'i, e isso foi feito pelo próprio Ibena, chefe daquela aldeia, cuja posição social era idêntica à do mais alto chefe (aliás, seu parente), mas de menores poderes. Ibena é perito na construção de canoas, faz bons trabalhos de entalhe, e não há modalidades de magia que não afirme conhecer. A canoa foi construída, sob a orientação de Ibena: ele mesmo entalhou tábuas, executou a magia e, é claro, era o *toliwaga*.

Em Omarakana, a canoa teve de passar por uma pequena reforma em sua construção: foi preciso amarrá-la e pintá-la de novo. Para isso, To'uluwa, o chefe, mandara vir um mestre-construtor e entalhador da ilha de Kitava, o mesmo que alguns anos antes havia construído a canoa. Uma nova vela teve também de ser feita para a canoa de Omarakana, visto que a antiga era pequena demais. Por justiça, a cerimônia *tasasoria* (lançamento e regata) deveria ter sido realizada na praia de Kasana'i; porém, visto que sua aldeia irmã, Omarakana, é muito mais importante, a cerimônia acabou sendo realizada em Kaulukuba, a praia de Omarakana.

Ao aproximar-se o dia aprazado, o distrito inteiro estava em movimento com os preparativos, pois as aldeias da costa tiveram de colocar suas canoas em ordem, e as comunidades do interior precisaram preparar alimentos e confeccionar roupas de festa. O alimento não era para ser comido, mas sim oferecido ao chefe para seu *sagali* (distribuição cerimonial). Apenas em Omarakana é que as mulheres tiveram de preparar comida para o grande banquete festivo a realizar-se no fim do *tasasoria*. Nas ilhas Trobriand, quando todas as mulheres vão à mata para buscar grande quantidade de lenha, é sinal de que uma grande festa está para se realizar. Na manhã seguinte, a lenha é utilizada para o *kumkumla*, a preparação da comida no forno de terra, que constitui uma maneira de cozinhar própria de ocasiões festivas. Na véspera da cerimônia *tasasoria*, os nativos de Omarakana e de Kasana'i estavam também ocupados em numerosos outros preparativos, correndo entre a praia e a aldeia, enchendo cestas de inhame para o *sagali*, aprontando as roupas de festa e os ornamentos a serem usados no dia seguinte. Roupa de festa significa, para as mulheres, uma nova saia de palha vivamente colorida, recém-tingida de vermelho, branco e púrpura: para os homens, uma nova folha púbica, imaculadamente branca, feita do talo alvejado das folhas da areca.

De manhã cedo, no dia marcado, os alimentos foram acondicionados em cestas feitas de palha trançada, os trajes pessoais, colocados em cima, tudo coberto, como sempre, com esteiras dobradas e transportado para a praia. As mulheres carregavam sobre a cabeça grandes cestas em forma de sino invertido; os homens transportavam sobre os ombros varas com duas cestas em forma de saco em cada ponta. Outros nativos levavam os remos, a cordoalha e as velas, pois todos esses objetos são sempre guardados na aldeia. De uma das aldeias, um dos grandes receptáculos prismáticos para alimento, feito de madeira, foi carregado por vários homens até o *raybwag* (recife de coral) a fim de ser oferecido ao chefe de Omarakana como contribuição ao *sagali*. A aldeia toda estava agitada; nas imediações, por entre as árvores dos bosques circundantes, podiam-se entrever as comitivas vindas do interior dirigindo-se rapidamente à praia. Eu parti da aldeia com um grupo de pessoas importantes, mais ou menos às oito horas da manhã. Depois de atravessarmos o pomar de palmeiras e árvores frutíferas que, ao redor da aldeia de Omarakana, é especialmente denso, caminhamos por entre as duas paredes verdes formadas pela vegetação baixa, que definem as estradas monótonas, típicas das ilhas Trobriand. Em breve, chegando à clareira de um campo de cultivo, pudemos avistar, do outro lado de uma pequena escarpa, a encosta íngreme do *raybwag*, uma mistura de vegetação exuberante entremeada por afloramento de enormes rochedos de coral cinzento. A estrada atravessava tudo isso, seguindo um trajeto complicado, serpeando entre pequenos precipícios e altas rochas de coral, passando sob imensas árvores de fícus que espalhavam ao redor uma verdadeira floresta de raízes aéreas e troncos secundários. Ao alcançarmos o topo da elevação, avistamos de súbito o mar azul a brilhar em meio à folhagem e ouvimos o estrondo das ondas a quebrar no recife. Em breve estávamos entre a multidão de nativos reunidos na praia, próximos do enorme abrigo de barcos de Omarakana.

Mais ou menos às nove horas, todos estavam prontos. A praia estava totalmente exposta ao sol da manhã, que ainda não estava alto o suficiente para iluminar diretamente de cima e produzir o efeito cadavérico do meio-dia tropical, quando as sombras, em vez de acentuar detalhes, escurecem as superfícies verticais e fazem tudo parecer opaco e informe. A praia tinha uma aparência brilhante e colorida, o corpo marrom e ágil dos nativos fazia um contraste bonito com a folhagem verde e a areia branca. Os nativos haviam untado o corpo com óleo de coco e se enfeitado com flores e pintura facial. Traziam, espetadas no cabelo, as flores grandes do hibisco vermelho, e grinaldas feitas das flores brancas e perfumadas de *butia* coroavam as densas carapinhas negras. Via-se uma boa mostra de entalhe de ébano, espátulas e colheres para cal. Viam-se também potes decorados para cal; e ornamentos pessoais, como cintos de discos de conchas vermelhas ou de pequenas conchas de cauri, enfeites de nariz (raramente usados hoje em dia) e outros objetos, tão conhecidos de todos por intermédio das coleções etnológicas existentes em museus, as quais costumam ser denominadas "cerimoniais", muito embora, como já dissemos (capítulo III, seção 3), o termo "objetos de parada" forneça uma descrição mais adequada do significado deles.

Festejos populares como o que estamos descrevendo são ocasiões em que aparecem na vida nativa esses objetos de parada, alguns dos quais nos surpreendem pela perfeição artística. Antes de ter oportunidade de ver a arte selvagem numa exibição real, em seu cenário "vivo", sempre me pareceu existir certa incongruência entre o acabamento artístico desses objetos e a crueza geral da vida selvagem, crueza essa que se faz notar precisamente no campo da estética. Imaginamos corpos ensebados, sujos, nus, cabelos encarapinhados e piolhentos e outros traços realísticos que completam a noção que se faz do "selvagem"; em alguns aspectos, a realidade confirma a imaginação. Na verdade, porém, não existe incongruência nenhuma quando se observa a arte nativa tal qual é exibida em seu cenário natural. Numa multidão de nativos em festa, em que o marrom-dourado da pele lavada e untada é realçado pelo brilho do vermelho, do branco e do preto da pintura facial, em que as penas e os enfeites, os objetos de ébano maravilhosamente entalhados e polidos, os potes para cal decorados contribuem para imprimir uma elegância própria e marcante, nenhum dos detalhes estéticos nos impressiona como grotesco ou incongruente. Há uma harmonia evidente entre a alegria festiva, a exibição de cores e formas e a maneira de ostentar os ornamentos.

Os nativos vindos de lugares distantes, e que estragariam a pintura com a longa caminhada, lavam-se e untam-se com óleo de coco pouco antes de chegarem ao local dos festejos. Em geral, a pintura mais elaborada é feita mais tarde, ao aproximar-se o ponto culminante da festa. Nos festejos que estamos descrevendo, depois de terminadas as cerimônias preliminares (distribuição de alimentos, chegada de outras canoas), e quando as corridas estavam para começar, os aristocratas de Omarakana – To'uluwa, suas esposas, filhos e parentes – retiraram-se para trás dos anteparos construídos perto do abrigo de barcos a fim de aplicar no rosto a pintura completa, de vermelho, branco e preto. Esmagaram nozes frescas de bétel, misturaram-nas com argila calcária e aplicaram-nas no rosto, usando, para isso, os pequenos bastonetes dos pilões de bétel; em seguida, usaram uma pequena porção de resina aromática de cor preta (*sayaku*) e cal branca. Visto que o uso de espelhos ainda não está generalizado nas ilhas Trobriand, uma pessoa pinta o rosto da outra, ambas demonstrando grande cuidado e paciência.

A grande multidão de nativos passou o dia quase sem comer, característica que distingue nitidamente as festas de Kiriwina da nossa ideia de festa ou piquenique. Não se cozinhou nenhum alimento; os nativos comeram apenas algumas bananas e cocos verdes e tomaram água de coco. Mas mesmo isso foi feito com grande frugalidade.

Como sempre acontece em ocasiões como essa, os nativos reuniram-se em grupos, formando os visitantes de cada aldeia um grupo à parte. Os nativos de Omarakana e de Kurokaywa, que costumam utilizar a praia de Kaulukuba, permaneceram nos abrigos de suas canoas. Os outros visitantes também se mantiveram em seus próprios grupos de acordo com sua distribuição territorial, de tal forma que os nativos vindos das aldeias setentrionais ficaram na faixa norte da praia e os nativos vindos do sul, na faixa meridional; assim, aldeias vizinhas encontraram-se também lado a lado na praia. Não havia nenhuma mistura nos grupos e os nativos não passavam de um grupo para outro. Cada um permanecia em seus devidos lugares, os aristocratas juntos, por dignidade pessoal, os mais humildes, por causa da modéstia imposta pelo costume. To'uluwa permaneceu sentado praticamente durante toda a cerimônia, numa plataforma construída para esse fim, só se levantando para ir até sua canoa e prepará-la para a corrida.

O abrigo de canoas de Omarakana, ao redor da qual estavam agrupados o chefe, sua família e os demais habitantes da aldeia, era o centro de todos os procedimentos. Sob uma das palmeiras foi construída uma plataforma bastante alta especialmente para acomodar To'uluwa. Numa fileira em frente aos barracões e abrigos, estavam os receptáculos de alimentos (*pwata'i*), de forma prismática. Esses receptáculos tinham sido construídos pelos habitantes de Omarakana e Kasana'i, no dia anterior, e parcialmente enchidos com inhame. O restante foi completado pelos nativos das outras aldeias, no dia da festa. Ao chegarem à praia nesse dia, os nativos de cada uma das aldeias, uns após outros, traziam sua contribuição e, antes de se instalarem em seu lugar específico na praia, faziam uma visita ao chefe e lhe ofereciam seus tributos, os quais então eram colocados num dos *pwata'i*. Nem todas as aldeias contribuíram, mas a maioria o fez, muito embora algumas delas tenham trazido apenas algumas cestas. Uma das aldeias entretanto trouxe um *pwata'i* completo, cheio de inhame, e o ofereceu todo ao chefe.

Nesse ínterim chegaram as oito canoas, inclusive a de Kasana'i, que fora lançada cerimonialmente naquela mesma manhã, com o rito mágico correspondente, em sua própria praia, a cerca de meia milha de distância. A canoa de Omarakana também fora lançada nessa manhã [27] com o mesmo rito, que deveria ter sido executado pelo chefe To'uluwa. Ele, no entanto, é incapaz de memorizar as fórmulas mágicas – na verdade, To'uluwa jamais executa quaisquer dos rituais mágicos impostos pela posição social e condição de chefe – e, portanto, nessa ocasião, o ritual teve de ser executado por um de seus

[27] Lançamento de uma canoa. A canoa *Nigada Bu'a*, depois de restaurada, é lançada à água.

parentes. Esse é um caso típico de regras que, na formulação de todos os informantes, têm de ser rigorosamente obedecidas, mas que, na prática, são frequentemente adaptadas às circunstâncias. Se perguntarmos diretamente, todos dirão que esse ritual, assim como os demais rituais do *mwasila* (magia do *Kula*), tem de ser executado pelo *toliwaga*. Toda vez, porém, que To'uluwa precisava executá-lo, ele apresentava alguma escusa e o delegava a outra pessoa.

Quando todas as canoas estavam presentes e os representantes de todas as aldeias importantes já tinham chegado, realizou-se, por volta das onze horas da manhã, o *sagali*. Os alimentos foram distribuídos entre os nativos das várias aldeias, a maior parte aos que participariam da regata e àqueles que haviam colaborado na construção da nova canoa. Vemos, portanto, que o alimento fornecido pelas aldeias antes da realização do *sagali* foi meramente redistribuído entre elas, depois de o chefe ter contribuído com uma considerável porção; esse é, na verdade, o procedimento costumeiro nos *sagali*. Na presente ocasião, a maior parte coube obviamente aos habitantes de Kitava, que haviam ajudado nos trabalhos de construção da canoa.

Terminado o *sagali*, as canoas foram todas trazidas para um mesmo local, e os nativos começaram a prepará-las para a corrida. Colocaram-se os mastros, apararam-se as amarras, aprontaram-se as velas [28]. Depois disso, todas as canoas foram postas em movimento, reunindo-se a cerca de meia milha da praia, além da orla de recifes; dado o sinal por um dos nativos, teve início a regata. Como já dissemos antes, não se trata propriamente de uma corrida na qual todas as canoas devessem sair escrupulosamente no mesmo instante, percorrer todas a mesma distância, para no fim decidir-se qual é a mais veloz. Nesse caso, trata-se mais de uma exibição simultânea das canoas: cada uma delas procura causar a melhor impressão e todas começam a mover-se mais ou menos ao mesmo tempo, seguem a mesma direção e percorrem praticamente a mesma distância.

Quanto ao horário dos acontecimentos, o *sagali* terminou antes do meio-dia. Houve um intervalo e, depois, por volta de uma hora da tarde, os nativos começaram a aprestar suas canoas. Em seguida, descansavam mais um pouco e a corrida só teve início após as três horas da tarde. Às quatro horas, aproximadamente, tudo estava terminado e, meia hora depois, as canoas das outras aldeias iniciaram sua viagem de volta. Os nativos que haviam permanecido na praia começaram a dispersar-se, de modo que, ao pôr do sol, ou seja, às seis horas, mais ou menos, a praia já estava quase totalmente deserta.

Essa foi a cerimônia *tasasoria* a que assisti em fevereiro de 1916 [27, p. 237] [28]. Como espetáculo, foi muito interessante. Um espectador menos avisado mal poderia perceber qualquer vestígio de influência ou interferência do homem civilizado. Eu era o único branco ali presente; além de mim, apenas uns dois ou três professores-missionários nativos vestiam roupas brancas de algodão. Entre os outros, o que se podia ver era, quando muito, um pedaço de trapo colorido, amarrado à volta do pescoço ou da testa. De resto, o que havia era uma multidão de corpos escuros, nus, brilhantes por causa do óleo de coco, enfeitados com novas vestimentas de festa e, aqui e acolá, as saias tricolores das mulheres.

Mas, infelizmente, para aqueles que enxergam as coisas e são capazes de interpretar os diversos sintomas da decadência, era visí-

[28] ***Tasasoria* na praia de Kaulukuba.** Os nativos erguem os mastros e preparam as velas para a regata. Em primeiro plano, To'uluwa, chefe de Kiriwina, de pé junto ao mastro, supervisiona o trabalho de aparelhamento da canoa *Bu'a*.

vel que mudanças profundas haviam sido introduzidas nas condições nativas originais desse tipo de reunião. De fato, há cerca de três gerações, a aparência teria sido muito diferente. Os nativos de então estariam armados de escudo e lança; alguns estariam carregando armas decorativas, como as espadas-porrete, feitas de madeira dura, os cacetes de ébano maciço ou os pequenos lança-dardos. Um exame mais minucioso revelaria então muitos outros adornos e enfeites, como adornos de nariz, espátulas para cal finamente entalhadas, cabaças pirogravadas. Alguns desses objetos estão fora de uso hoje em dia; os que ainda são usados são de qualidade inferior e muitos não apresentam nenhum enfeite.

Mas outras mudanças ainda, e mudanças mais profundas, operaram-se na condição social desses nativos. Como já dissemos anteriormente, nos tempos de outrora havia em Kiriwina umas vinte canoas, em contraste às oito atuais. Além disso, o fato de que antigamente os chefes tinham muito maior influência e os acontecimentos desse tipo gozavam de importância relativa bem maior era suficiente para atrair uma proporção mais elevada de nativos das diversas comunidades, que também eram, então, mais populosas. Agora, outros interesses – como mergulhar em busca de pérolas, trabalhar nos campos de cultivo pertencentes ao homem branco – ocupam a atenção do nativo, e muitos acontecimentos referentes às missões, ao governo e ao comércio vêm eclipsando a importância dos antigos costumes.

Além disso, antigamente, os nativos reunidos na praia tinham de observar de forma muito mais rígida a distribuição territorial; as pessoas de uma mesma aldeia permaneciam mais estritamente separadas das demais, dirigindo olhares de desconfiança e até mesmo de hostilidade aos nativos dos outros grupos, em especial àqueles com os quais mantinham disputas hereditárias. A tensão geral era, muitas vezes, aliviada em brigas e até mesmo lutas localizadas, sobretudo no momento em que os nativos se dispersavam para voltar para casa.

Um dos pontos importantes da cerimônia – talvez o mais presente na cabeça dos nativos, a exibição dos alimentos – também era bastante diferente nos tempos de outrora. O chefe que vi sentado na plataforma e rodeado de apenas algumas esposas e uns poucos subordinados tinha, em outros tempos, três vezes mais esposas e, consequentemente, maior número de parentes por afinidade; visto que o chefe recebe a maior parte de sua renda dos parentes de suas esposas, ele podia então oferecer um *sagali* muito maior que o dos chefes atuais.

Há três gerações, a cerimônia inteira era muito mais solene e dramática para os nativos. A própria distância a Kitava, ilha vizinha, hoje em dia foi reduzida. No passado, essa distância não era eliminada, como hoje, pela rapidez com que é percorrida pela lancha do homem branco. As canoas constituíam o único meio de chegar até lá, e seu valor deve, portanto, ter sido ainda maior aos olhos dos nativos, embora hoje em dia eles ainda as valorizem muito. Os contornos da ilha distante e a pequena frota de canoas atracadas na praia constituíam o primeiro ato de uma grande expedição marítima, acontecimento de significação mais profunda para eles do que agora. Os grandes carregamentos de braceletes, a chegada de muitos artigos extremamente cobiçados, a chegada de notícias sobre terras distantes – tudo isso tinha outrora uma significação muito mais profunda do que hoje em dia. A guerra, as danças e o *Kula* forneciam à vida tribal seu elemento de romantismo e heroísmo. Nos dias atuais, em que a guerra está proibida pelo governo e as danças, por influência dos missionários, vêm sendo desacreditadas, sobra apenas o *Kula* – e até mesmo este se encontra despojado de seu antigo encanto.

2

Antes de passarmos ao próximo estágio, devemos fazer uma pausa no estudo dos acontecimentos referentes à expedição *kula* e considerar uma ou duas questões de importância mais geral. No decurso de minha narrativa, levantei alguns problemas relativos à sociologia do trabalho, mas não me detive na análise. No início do capítulo anterior, mencionei o fato de que o processo de construção de canoas exige uma organização específica dos trabalhos e, com efeito, vimos que diversos tipos de trabalho foram usados no processo de construção e que, particularmente nos estágios finais, utilizou-se muito o trabalho comunitário. Vimos, além disso, que durante a cerimônia de lançamento o proprietário da canoa remunerou o construtor e seus auxiliares. Portanto, agora vamos elaborar esses dois tópicos: a organização do trabalho, em particular a do trabalho comunitário, e o sistema de remuneração dos serviços prestados pelos especialistas.

ORGANIZAÇÃO DO TRABALHO

Antes de mais nada, é importante compreender que o nativo de Kiriwina é capaz de trabalhar bem, eficientemente e de maneira contínua. Para trabalhar, ele precisa, no entanto, de uma motivação eficaz: precisa ser encorajado por deveres impostos pelos padrões da tribo ou sentir-se atraído pelas ambições e pelos valores também ditados pela tradição e pelos costumes. O ganho, que com frequência consiste no estímulo ao trabalho nas comunidades mais civilizadas, jamais funciona como incentivo para o trabalho sob as condições tipicamente nativas. Surte, portanto, péssimos efeitos quando o homem branco tenta usar esse tipo de incentivo no afã de fazer o nativo trabalhar para si.

Eis o motivo por que a ideia que tradicionalmente faz do nativo um indivíduo preguiçoso e indolente não só constitui uma constante na opinião do colonizador branco comum, mas também encontra guarida nos bons livros de viagens e até mesmo nos mais sérios registros etnográficos. Entre nós, o trabalho constitui, ou até há pouco tempo constituía, uma mercadoria vendida, como qualquer outra, no mercado aberto. O homem que está habituado a raciocinar nos termos da atual teoria econômica aplica ao trabalho as noções de oferta e de procura e, em consequência, aplica-as também ao trabalho nativo. As pessoas menos esclarecidas fazem o mesmo, embora em termos menos sofisticados; ao notarem que o nativo recusa-se a trabalhar para o homem branco, mesmo que este lhe ofereça boa remuneração e o trate razoavelmente bem, concluem que o nativo tem pouquíssima capacidade de trabalho. Esse erro se deve aos mesmos motivos que servem de fundamento a todas as nossas falsas concepções sobre os povos de diferentes culturas. Se retirarmos um homem de seu próprio meio social, estaremos *eo ipso* privando-o de quase todos os seus estímulos à estabilidade moral e à eficiência econômica, e até mesmo de seu interesse pela vida. Se então o analisarmos com padrões morais, legais e econômicos, também essencialmente estranhos a ele, o resultado de nossa análise não passará de uma caricatura da realidade.

Os nativos têm não só capacidade de fazer um trabalho ativo, contínuo e bem-feito, mas também condições sociais que lhes possibilitam utilizar um sistema de trabalho organizado. No início do capítulo IV, fizemos um esboço da sociologia inerente ao trabalho de construção de canoas e, agora, fornecidos os detalhes de seus estágios sucessivos, é-nos possível confirmar o que sugerimos então e tirar algumas conclusões quanto a essa organização do trabalho. Em primeiro lugar, já que estamos usando essa expressão com tanta frequência, quero mais uma vez asseverar que os nativos são capazes desse tipo de trabalho e que essa asserção não constitui mero truísmo, como será mostrado nas considerações que faço a seguir. Há pouco, mencionamos a noção que tradicionalmente se faz do nativo como indivíduo preguiçoso, individualista e egoísta, que se beneficia da abundância da natureza, cujos frutos lhes caem às mãos, maduros e prontos para ser ingeridos. Essa noção implicitamente exclui a possibilidade de que ele execute qualquer trabalho eficaz, *integrado num esforço organizado por forças sociais.* Além disso, a teoria quase universalmente aceita pelos especialistas é a de que os selvagens mais primitivos se encontram no estágio pré-econômico da procura individual do alimento, enquanto os que se acham em grau mais elevado na escala de civilização, como os trobriandeses, vivem no estágio econômico da economia doméstica autônoma. Essa teoria ignora, quando explicitamente não nega, a possibilidade de trabalho socialmente organizado.

A teoria em geral aceita é a de que, nas comunidades nativas, cada indivíduo trabalha por si ou de que os membros de cada família trabalham para obter seus próprios meios de sobrevivência. É claro que uma canoa, ou até mesmo uma *masawa*, poderia ser construída pelos membros de uma família, embora com menor eficiência e em maior espaço de tempo. Assim, *a priori* não existe possibilidade de prever quando determinada tarefa é executada por meio de trabalho organizado e quando é realizada mediante o esforço de um indivíduo ou de um pequeno grupo de nativos. Com efeito, no processo de construção de canoas, vimos diversos nativos, cada um deles ocupado numa tarefa específica e difícil, e todos eles unidos num só propósito. As tarefas eram diferenciadas de acordo com condições sociológicas; alguns dos trabalhadores iam realmente possuir a canoa; outros, vindos de uma comunidade diferente, ajudaram na construção, mas o fizeram apenas como prestação de serviços ao chefe. Alguns trabalharam a fim de tirar proveito direto do uso da canoa e outros, para serem remunerados. Vimos também que o trabalho de derrubar a árvore, escavar o tronco e fazer os enfeites foi, em alguns casos, executado por vários nativos e, em outros, por uma única pessoa. Certamente, as pequenas tarefas de amarração, calafetagem, pintura e confecção das velas foram executadas como trabalho comunitário, e não individual. Todas essas tarefas tinham uma única finalidade: dar a um chefe ou a um líder da aldeia o título de proprietário da canoa e, à comunidade inteira, o direito à sua utilização.

É evidente que essa diferenciação de tarefas, coordenadas a fim de atingir um objetivo geral, requer um mecanismo social bem desenvolvido que lhe sirva de apoio; no entanto, também é evidente que esse mecanismo social deve estar associado e mesclado a elementos econômicos. É preciso haver um chefe, considerado representante de um grupo; esse chefe precisa ter certos direitos formais e privilégios, certa autoridade e deve também ter a seu dispor parte da riqueza da comunidade. É preciso ainda haver uma pessoa ou pessoas com conhecimentos suficientes para orientar e coordenar o trabalho técnico. Tudo isso é óbvio; mas é preciso lembrar-se de que a força que de fato une os nativos e os faz ater-se a suas tarefas é a obediência à tradição e aos costumes.

Todo homem sabe o que dele se espera, em virtude de sua posição social, e o faz – possa isso representar a obtenção de um privilégio, a execução de uma tarefa ou a aquiescência a um *status quo*. Ele sabe que sempre foi assim, que ainda é assim e que deve permanecer assim. A autoridade do chefe, seus privilégios, o costumeiro dar e receber que existe entre ele e a comunidade – tudo isso, por assim dizer, é meramente o mecanismo por meio do qual atuam as forças da tradição. Não há nenhum meio organizado de coerção física que uma autoridade possa adotar para fazer cumprir suas ordens num caso como esse. A ordem é mantida pela força direta de adesão aos costumes, às regras e leis, pelas mesmas influências psicológicas que em nossa sociedade impedem um homem educado de fazer algo que não seja "a coisa certa". A expressão "o poder está certo" [*might is right*] claramente não se aplica à sociedade trobriandesa. "A tradição está certa, e o que está certo *tem* poder": é esta, realmente, a lei que governa as forças sociais de Boyowa e, ouso dizer, de todas as comunidades nativas que se encontram nesse mesmo estágio de cultura.

Todos os detalhes dos costumes, todas as fórmulas mágicas, toda a série de ritos e cerimônias que acompanham o processo de construção das canoas – tudo isso dá um peso adicional ao esquema social de deveres. A importância das ideias mágicas e dos rituais como forças de integração já foi ressaltada no início desta narrativa. É fácil verificar que todos os acessórios das cerimônias – ou seja, a magia, os adornos e as reuniões públicas, amalgamados com o trabalho, num único todo – servem para ordenar e organizar esse trabalho.

Há uma questão a ser elaborada com mais detalhes. Falei de *trabalho organizado* e de *trabalho comunitário*. Essas duas noções não são sinônimas e devemos, portanto, distingui-las muito bem. Como já dissemos na definição, o trabalho organizado implica coordenar diversos elementos social e economicamente diferenciados. Trata-se de assunto bem diferente, entretanto, quando diversas pessoas se ocupam, lado a lado, da execução de um mesmo trabalho, sem nenhuma divisão técnica nem diferenciação social das funções. Assim, o processo inteiro de construção de canoa é, em Kiriwina, o resultado de um trabalho organizado. Mas o trabalho de vinte ou trinta nativos, que lado a lado fazem amarração ou calafetagem de uma canoa, constitui trabalho comunitário. Esse último tipo tem uma grande vantagem psicológica. Estimula mais, é mais interessante e cria maior espírito competitivo e, portanto, melhor qualidade de trabalho. Para um ou dois nativos, levaria cerca de um mês para executar a tarefa que vinte ou trinta nativos podem executar em apenas um dia. Em certos casos, por exemplo, no trabalho de arrastar o pesado tronco de árvore da selva para a aldeia, a união de forças é quase indispensável. Com efeito, o tronco poderia ser escavado no próprio *raybwag* e, então, seriam precisos apenas uns poucos homens para arrastá-lo, desde que usassem de certa perícia. Mas isso implicaria muitas dificuldades. Assim, em alguns casos, o trabalho comunitário é de extrema importância e, em todos eles, facilita consideravelmente a execução da tarefa. Do ponto de vista sociológico, o trabalho comunitário é muito importante, pois implica auxílio mútuo, troca de serviços e solidariedade no trabalho em grande escala.

O trabalho comunitário constitui um fator importante na economia tribal dos trobriandeses. Eles recorrem a essa modalidade na construção de suas habitações e dos celeiros, em certas formas de artesanato e no transporte de produtos, em especial na época da colheita, quando grandes quantidades de provisões têm de ser levadas de uma aldeia para a outra, frequentemente a grandes distâncias. Nas pescarias, quando várias canoas vão juntas, mas e cada uma delas pesca de forma independente, não podemos falar de trabalho comunitário. Quando, porém, todas pescam em conjunto, cada uma com uma tarefa específica, como costuma acontecer, trata-se, então, de trabalho organizado. O trabalho comunitário também está baseado nos deveres do *urigubu*, ou dos parentes por afinidade. Em outras palavras, os parentes afins de um homem devem ajudá-lo sempre que ele precisar de cooperação. No caso do chefe, há assistência em grande escala; aldeias inteiras se apresentam para ajudá-lo. No caso de um plebeu, apenas algumas pessoas prestam auxílio. Terminado o trabalho, há sempre distribuição de alimentos – mas isso não pode ser considerado propriamente um pagamento, pois não é proporcional ao trabalho que cada indivíduo realizou.

A aplicação mais importante do trabalho comunitário é a que se verifica na lavoura. Há pelo menos cinco modalidades diferentes de trabalho comunitário agrícola, cada uma delas com um nome diferente, cada uma delas com uma natureza sociológica própria e distinta. Quando o chefe ou o líder convoca os membros da comunidade de sua própria aldeia, e eles concordam em fazer as roças coletivamente, o trabalho recebe o nome de *tamgogula*. Quando se decide por essa modalidade e está se aproximando a época de cortar o mato e de preparar o campo para a lavoura, realiza-se, na praça central da aldeia, um banquete festivo: em seguida, os nativos partem para o campo e cortam (*takaywa*) o mato do terreno do chefe. Feito isso, eles cortam também o mato de todos os outros terrenos, trabalhando cada dia num único terreno e sendo alimentados, nesse dia, pelo proprietário. Esse processo repete-se a cada estágio sucessivo do trabalho agrícola: na construção das cercas, no plantio do inhame, no levantamento de estacas para as plantas e, por fim, na função de extirpar as ervas daninhas, feito pelas mulheres. Em certos estágios, o trabalho é realizado individualmente, a saber: na limpeza dos campos depois da queimada, no desbaste das raízes do inhame quando estão começando a produzir tubérculos e na colheita.

É comum realizarem-se diversas festas comunitárias no decorrer dos trabalhos e uma especial no fim do período *tamgogula*. Os campos em geral são lavrados dessa maneira nos anos em que há grandes danças cerimoniais ou alguma outra festividade. Isso costuma atrasar muito o trabalho, que então precisa ser feito com rapidez e energia; o trabalho comunitário, evidentemente, é considerado adequado a essa finalidade.

Quando diversas aldeias concordam em realizar comunitariamente o trabalho agrícola, ele recebe o nome de *lubalabisa*. As duas modalidades de trabalho – *tamgogula* e *lubalabisa* – pouco diferem entre si, a não ser pelo nome e pelo fato de que, nessa última, há necessidade de mais de um chefe ou líder para conduzir os trabalhos. O *lubalabisa* só é realizado quando há várias pequenas aldeias próximas uma das outras, como acontece nas aldeias compostas, como Sinaketa, Kavataria, Kabwaku ou Yalaka.

Quando um chefe ou um líder de aldeia, ou ainda um nativo rico e influente, convoca seus dependentes e os parentes de suas esposas para trabalharem para ele, dá-se a esse procedimento o nome de *kabutu*. O proprietário precisa fornecer alimentos a todos os seus auxiliares. Um *kabutu* pode ser estabelecido para determinada tarefa agrícola, como quando o líder de uma aldeia convida os membros de sua comunidade para cortar o mato de seu terreno, para fazer o plantio ou para construir cercas. É evidente que, sempre que um nativo solicita trabalho comunitário para construir sua casa ou seu celeiro, o trabalho é do tipo *kabutu* e é assim denominado pelos nativos.

A quarta modalidade de trabalho comunitário é a que se chama *ta'ula*: é realizada toda vez que um grupo de aldeias decide fazer um dos estágios agrícolas em comum, em termos de reciprocidade. Num caso como esse, não há um pagamento muito grande ou especial. A mesma modalidade de trabalho comunitário, mas abrangendo todos os estágios da lavoura, é chamada *kari'ula* e pode ser classificada como a quinta modalidade de trabalho comunitário agrícola. Por fim, um termo especial – *tavile'i* – é usado quando os nativos querem dizer que os campos são lavrados mediante trabalho individual, cada nativo trabalhando em seu próprio terreno. É costume, entretanto, que os terrenos do chefe – em especial os de um chefe influente e de alta posição social – sempre sejam lavrados com trabalho comunitário. O trabalho comunitário é também adotado em certos terrenos especiais, nos quais, em dado ano, a magia agrícola é realizada em primeiro lugar e de forma mais completa.

Há, portanto, diferentes modalidades de trabalho comunitário, com muitas particularidades interessantes, nas quais, infelizmente, não nos podemos deter neste esboço tão curto. O trabalho comunitário empregado na construção de canoa é obviamente do tipo *kabutu*. Ao construir uma canoa, um chefe é capaz de convocar grande número de pessoas de todo um distrito; um líder de aldeia importante pode contar com o auxílio de toda a sua comunidade, ao passo que os nativos pouco importantes, como os líderes menos influentes de Sinaketa e de Vakuta, dependem de vizinhos e dos parentes de suas esposas. Em todos esses casos, é a obediência ao dever, imposta pelos costumes, que os faz trabalhar. O pagamento é de importância secundária, embora em certas circunstâncias chegue a ser considerável. A distribuição de alimentos durante a cerimônia de lançamento da canoa constitui uma das formas de pagamento, como já vimos na seção 1 deste capítulo. Nos tempos de outrora, uma refeição de carne de porco, com muita noz de bétel, coco e cana-de-açúcar, constituía verdadeira festa para os nativos.

Outra questão importante do ponto de vista econômico é o pagamento feito pelo chefe ao construtor da canoa. Como vimos, a canoa de Omarakana foi construída para To'uluwa por um especialista vindo de Kitava, o qual foi muito bem pago, tendo recebido grande quantidade de alimentos, porcos e *vaygu'a* (objetos de valor). Nos dias de hoje, quando o poder dos chefes se acha muito reduzido, quando eles têm bem menos riqueza para garantir sua posição e nem mesmo podem usar da pouca coerção que utilizavam antigamente e quando o enfraquecimento dos costumes vem destruindo o respeito e a lealdade tradicionais de seus súditos, a produção por especialistas de canoas e de outras modalidades de riqueza para o chefe é um mero vestígio do que era antes. Outrora, do ponto de vista econômico, esse era um dos traços mais importantes de vida tribal nas ilhas Trobriand. No processo de construção da canoa – a qual jamais era construída pessoalmente pelo chefe –, encontramos um ótimo exemplo desse tipo de produção.

Será suficiente dizer aqui que toda vez que uma canoa é construída para um chefe ou um líder de aldeia pelo construtor, esse último tem de ser pago inicialmente com um presente em alimento. Depois, durante todo o tempo em que esteja perfazendo seu trabalho, outros presentes em alimentos lhe são dados de tempos em tempos. Se ele está fora de sua terra natal, como o construtor que veio de Kitava para trabalhar na praia de Omarakana, é alimentado pelo *toliwaga*, que lhe fornece também, regularmente, guloseimas como coco, nozes de bétel, carne de porco, peixes e frutas. Quando o construtor trabalha em sua própria aldeia, o *toliwaga* lhe traz alimentos especiais, em intervalos frequentes, aproveitando disso para inspecionar o andamento do serviço. Essa alimentação do trabalhador e a oferta de alimentos especiais denominam-se *vakapula*. Terminada a construção da canoa, o construtor-mestre recebe um presente substancial durante a cerimônia de distribuição de alimentos. A quantidade apropriada é de algumas centenas de cestas de inhame, um ou dois porcos, vários cachos de nozes de bétel e um grande número de cocos; além disso, fazem parte do presente: uma grande lâmina de pedra, ou um porco, ou ainda um cinto de discos feitos de conchas vermelhas e alguns *vaygu'a* menores do tipo que não é utilizado no *Kula*.

Em Vakuta, onde a posição de chefe não é muito distinta da dos demais e as diferenças de riqueza não são muito grandes, o *toliwaga* tem também de alimentar os trabalhadores durante o processo de escavação do tronco, de preparação e de construção da canoa. E então, depois do trabalho de calafetagem, o construtor recebe umas cinquenta cestas de inhame. Após a cerimônia de lançamento e da viagem inaugural, o construtor dá uma corda – símbolo da canoa – à sua própria esposa; esta, tocando um búzio, dá a corda de presente ao *toliwaga* e, no mesmo momento, dele recebe um cacho de nozes de bétel ou um cacho de bananas. No dia seguinte, o chefe oferece ao construtor um grande presente em alimentos conhecido pelo nome de *yomelu* e, mais tarde, na época da colheita, mais cinquenta ou sessenta cestas de inhame, as quais recebem o nome de *kuribudaboda* ou presente final.

Selecionei, para este relato, dois casos concretos, um observado em Kiriwina, o outro em Vakuta – ou seja, no distrito em que o chefe desfruta de poderes máximos e naquele em que a diferença de posição social e de riqueza entre o chefe e os plebeus jamais chegou a ser muito grande. Em ambos os casos, há pagamento, mas em Kiriwina o pagamento é maior. Em Vakuta, o que se verifica é mais uma permuta de serviços, ao passo que em Kiriwina o chefe precisa sustentar e gratificar o construtor. Em ambos os casos, verifica-se a troca de serviços especializados por fornecimento de alimentos.

3

Passemos agora à próxima atividade cerimonial costumeiramente incluída na série de acontecimentos do *Kula* – a exibição da nova canoa aos amigos e parentes do *toliwaga*. Esse costume é chamado *kabigidoya*. O *tasasoria* (lançamento e viagem inaugural) é, ao mesmo tempo, o último ato do processo de construção de uma canoa e, em virtude do ritual mágico a ele associado e do ato de navegação experimental, um dos estágios iniciais do *Kula*. O *kabigidoya*, sendo uma apresentação da nova canoa, pertence à série de cerimônias relacionadas à construção; mas, na medida em que é também uma viagem de aprovisionamento, faz parte do *Kula*.

A canoa é manejada pela tripulação de costume; é aprestada e armada com todos os seus implementos, como os remos, os fardos de carga e o búzio, e parte numa pequena viagem às praias das aldeias vizinhas. Quando pertence a uma aldeia composta, como a de Sinaketa, a canoa para nas praias de todas as suas aldeias-irmãs. Toca-se o búzio e, então, os nativos da aldeia ficam sabendo que "os homens do *kabigidoya* estão chegando". A tripulação permanece na canoa, mas o *toliwaga* desce à praia, levando consigo um remo. Vai à casa do líder da aldeia e, enfiando o remo na estrutura da cabana, diz as palavras: "Ofereço-te tua *bisila* (galhardete de pandano); toma uma *vaygu'a* (objeto de valor), apanha um porco e quebra a proa de minha nova canoa". A isso o líder local, oferecendo um presente, responde da seguinte maneira: "Eis o *katuvisala-dabala* (o quebrar da proa) de tua nova canoa!". Isso é um exemplo do palavreado especial costumeiramente usado na troca de presentes e em outras transações cerimoniais. O *bisila* é, muitas vezes, usado como símbolo da canoa nas fórmulas mágicas, nas expressões costumeiras e nos termos idiomáticos. Os galhardetes de pandano alvejado são atados ao mastro, aos equipamentos e à vela; uma tira especial, tratada magicamente, costuma ser amarrada à proa para dotá-la de velocidade, e há também outras magias *bisila* cujo objetivo é fazer com que um parceiro do mesmo distrito se sinta propenso a realizar o *Kula*.

Os presentes oferecidos nem sempre correspondem ao padrão daqueles mencionados nas frases cerimoniais. Os *kabigidoya*, sobretudo aqueles que provêm das aldeias próximas, em geral resultam somente em algumas esteiras, um pouco de coco, algumas dúzias de nozes de bétel, um par de remos e outros artigos de não muito valor. Até mesmo nessas ninharias não há muito proveito tirado do *kabigidoya* curto, pois, como sabemos, no início do *Kula* todas as canoas – digamos, de Sinaketa ou de Kiriwina – são reconstruídas ou reformadas. Portanto, tudo o que uma canoa recebe das outras em sua ronda *kabigidoya* de certa forma tem de ser devolvido a elas, quando elas, por sua vez, fazem *kabigidoya* umas após as outras. Logo depois, entretanto, num dia previamente marcado, todas as canoas navegam juntas numa viagem de visita aos outros distritos; nesse *kabigidoya* em geral recebem presentes muito mais substanciais, os quais terão de devolver bem mais tarde, depois de um ou dois anos, quando couber ao distrito por elas visitado fazer seu próprio *kabigidoya*. Dessa forma, quando as canoas de Kiriwina são construídas ou reformadas para uma grande expedição *kula*, elas são levadas para o sul ao longo do litoral e param primeiro em Olivilevi, recebendo presentes do chefe de lá; os nativos fazem então, a pé, uma ronda das aldeias interioranas de Luba. Depois, rumam para a próxima aldeia marítima, a aldeia de Wawela, lá deixando suas canoas e de lá rumando a pé para Sinaketa. Em seguida, prosseguem ainda mais para o sul, para Vakuta. As aldeias da laguna, tais como Sinaketa e Vakuta, retribuem essas visitas navegando para o norte ao longo da praia ocidental, do lado da laguna. Aportam então em Tukwa'ukwa ou em Kavataria, e desses locais fazem a pé o trajeto até Kiriwina, onde recebem presentes [mapa 4, p. 102].

As viagens *kabigidoya* realizadas pelos habitantes de Vakuta e de Sinaketa são mais importantes que as dos habitantes dos distritos do norte e do leste, pois estão associadas a um comércio preliminar por meio do qual os visitantes reabastecem seu estoque de mercadorias, das quais em breve precisarão em sua viagem ao sul, a Dobu. O leitor por certo se lembra de que Kuboma é o distrito industrial das ilhas Trobriand, onde se fabrica a maior parte dos artigos responsáveis pelo renome que essas ilhas adquiriram em toda a região da Nova Guiné oriental. Kuboma está situado na metade norte da ilha e fica a apenas alguns quilômetros de Kiriwina, distância essa que pode ser percorrida facilmente a pé; mas para ir a Kuboma de Sinaketa ou de Vakuta é necessário navegar para o norte. Os habitantes das aldeias sulinas vão, portanto, a Kavataria e de lá perfazem a pé o caminho até Bwoytalu, Luya, Yalaka e Kadukwaykela, onde fazem suas compras. Também os habitantes dessas aldeias, ao saber que os nativos de Sinaketa estão ancorados em Kavataria, trazem suas mercadorias até as canoas.

Um comércio animado é levado a efeito durante o período de um ou dois dias em que os nativos de Sinaketa permanecem em Kavataria. Os habitantes de Kuboma são ávidos compradores de inhame, pois vivem num distrito infértil e dedicam-se mais à produção artesanal do que à lavoura. São ainda mais ávidos compradores de coco e nozes de bétel, muito escassos nessa região. Além disso desejam receber, em troca de seus produtos, os discos de conchas vermelhas que são manufaturados em Sinaketa e em Vakuta, bem como as

[29] Celeiros de inhame. Exposição dos tubérculos de inhame nos cestos e por entre as vigas das paredes.

argolas feitas de casco de tartaruga. Em troca dos objetos de grande valor, os nativos de Sinaketa oferecem os potes de barro que recebem diretamente das ilhas Amphlett. Por esses objetos, eles obtêm diversos artigos que variam de acordo com as aldeias com as quais estão negociando. De Bwoytalu recebem travessas de madeira maravilhosamente trabalhadas e decoradas, de vários tamanhos, profundidades e acabamentos, feitas tanto de madeira dura como de madeira macia; de Bwaytelu, Wabutuma e Buduwaylaka recebem braceletes feitos de libras trançadas de samambaia e pentes de madeira; de Buduwaylaka, Yalaka e Kadukwaykela recebem potes para cal, de diversos tipos e tamanhos. Das aldeias de Tilataula, na parte nordeste de Kuboma, em épocas passadas costumavam obter lâminas de machado polidas.

Não vou entrar nos pormenores técnicos dessas transações nem fornecer uma lista aproximada dos preços alcançados. Acompanharemos essas mercadorias até Dobu e lá veremos como elas são mais uma vez negociadas e sob que condições se processa. Isso nos permitirá fazer uma comparação dos preços e, assim, determinar a natureza de transação como um todo. Será melhor, portanto, esperarmos até essa oportunidade para então fornecermos todos os detalhes desse assunto.

4

A essa altura, porém, parece necessário fazer uma nova digressão na narrativa direta do *Kula* e fornecer um esboço das diversas modalidades de troca e de comércio como nós as observamos nas ilhas Trobriand. O tema principal deste livro é o *Kula*, uma modalidade de troca, e eu estaria contrariando meu princípio metodológico mais importante se fizesse a descrição dessa forma de troca fora de seu contexto mais íntimo – isto é, se fizesse um relato do *Kula* sem fornecer pelo menos um esboço geral das modalidades de pagamento, presentes e escambo existentes em Kiriwina.

No capítulo II, ao discorrer sobre algumas das facetas da vida nativa trobriandesa, fui forçado a criticar as atuais teorias sobre o Homem Econômico Primitivo. Essas teorias o descrevem como indolente, independente, folgazão, mas ao mesmo tempo movido apenas por forças estritamente racionais e utilitárias e caracterizado por um comportamento lógico e coerente. Na seção 2 deste capítulo, apontei outro erro implícito nessa teoria, segundo o qual o selvagem tem capacidade apenas para modalidades de trabalho muito simples, não organizadas e não sistemáticas. Outro erro mais ou menos explícito em todas as publicações feitas sobre a economia primitiva é o de que os nativos têm apenas formas rudimentares de transação e comércio; que essas formas não desempenham nenhum papel fundamental na vida tribal, são efetuadas apenas esporadicamente em raros intervalos, segundo os ditames da necessidade.

Quer tenhamos de tratar do erro largamente difundido da Idade Áurea primitiva, caracterizada sobretudo pela ausência de quaisquer diferenças entre "o que é meu" e "o que é teu"; quer tomemos a teoria mais sofisticada que postula estágios de procura individual de alimentos e de abastecimento doméstico isolado; quer levemos em consideração, momentaneamente, as numerosas teorias que nada veem na economia primitiva a não ser a simples procura de meios de subsistência, em nenhuma dessas teorias podemos encontrar sequer uma mera insinuação que reflita as verdadeiras condições existentes nas ilhas Trobriand, a saber, que *a vida tribal inteira é permeada de um constante "dar e receber"*; que todas as cerimônias, todos os atos legais e costumeiros são acompanhados da troca de presentes e contrapresentes; que a riqueza dada e recebida constitui um dos principais instrumentos da organização social, do poder do chefe e dos laços de parentesco e afinidade.[2]

Essas teorias sobre o comércio primitivo, predominantes apesar de errôneas, parecem, sem dúvida, bastante consistentes se admitirmos certas premissas. Embora aparentemente plausíveis, tais premissas são falsas, e será bom que as examinemos com cuidado para que possamos nos livrar delas de uma vez por todas. Baseiam-se em certos tipos de raciocínio, como o que se segue: se, em condições tropicais, há abundância de todos os produtos, por que haveria o nativo de preocupar-se em trocá-los por outros? Por que haveria de atribuir-lhes qualquer valor? Existe alguma razão em lutar para conseguir riquezas numa região em que todos podem obter tudo o que desejam sem muito esforço? Existiria de fato, numa comunidade em que todas as coisas úteis são abundantes, qualquer fundamento para o valor se a valorização é resultante da escassez, bem como da utilidade? Ao mesmo tempo, naquelas comunidades selvagens em que os gêneros de primeira necessidade são escassos, é claro que não haveria possibilidade de acumulá-los e, desse modo, de constituir riquezas.

Além disso, nas comunidades selvagens, quer bem ou mal providas pela natureza, já que todos os nativos dispõem igualmente de livre acesso a todos os gêneros de primeira necessidade, haveria necessidade de trocá-los por outras coisas? Por que dar a alguém uma cesta cheia de frutas e verduras se todos têm praticamente a

2 Estou apresentando esses pontos de vista não para estabelecer uma polêmica, mas sim para justificar e esclarecer por que razões dou ênfase a certas características gerais da sociologia econômica trobriandesa. Meus pontos de vista poderiam correr o perigo de parecer truísmos gratuitos se eu não os justificasse dessa forma. A opinião de que a sociedade primitiva e os selvagens não têm propriedade individual é um velho preconceito compartilhado por muitos escritores modernos, especialmente em defesa de teorias comunistas e da chamada visão materialista da história. O "comunismo dos selvagens" é uma frase frequentemente ouvida e não precisa de exemplificação especial. As hipóteses da procura individual de alimentos e da economia doméstica são as de Karl Bücher e têm exercido

mesma quantidade desses produtos e os mesmos meios de obtê-los? Por que fazer disso um presente se não podemos retribuí-lo a não ser com um presente de igual natureza?[3]

Há duas fontes de erro nesse processo de raciocínio. A primeira é a de que a relação entre o selvagem e os bens materiais é puramente racional e que, em consequência disso, nas suas condições, não há lugar para riquezas ou valor. A segunda pressuposição errônea é a de que não pode existir necessidade de troca se qualquer um é capaz de produzir, por meio de seu trabalho e perícia, todas aquelas coisas que, pela qualidade ou quantidade, têm algum valor.

No tocante à primeira dessas proposições, ela não é verdadeira nem no que se refere àquilo que podemos chamar de "riqueza primária", ou seja, os alimentos, nem no que se refere a artigos de luxo, que de maneira alguma estão ausentes da sociedade trobriandesa. Primeiro, quanto aos alimentos, os nativos não os consideram mera fonte de nutrição nem lhes dão valor apenas em virtude da utilidade. Eles os acumulam não tanto pelo fato de saberem que o inhame pode ser armazenado e usado no futuro, mas porque gostam de exibir seus estoques de alimentos. Seus celeiros de inhame são construídos de tal modo que, olhando por entre os interstícios das vigas, possam os nativos calcular a quantidade de alimentos e verificar sua qualidade **[29, p. 252] [30, p. 257]**. Os inhames são dispostos de tal maneira que os melhores deles ficam por fora e bem visíveis. Certas variedades especiais de inhame, que chegam a ter dois metros de comprimento e pesam vários quilos, são emolduradas em madeira, pintadas de modo decorativo e dependuradas do lado de fora dos celeiros. O direito de exibir alimentos é muito prezado, como se verifica pelo fato de que nas aldeias onde reside um chefe de alta posição social os celeiros dos plebeus têm de ser fechados com folhas de coqueiro, a fim de não competirem com o dele.

Tudo isso nos mostra que o acúmulo de alimentos não só resulta de uma previsão econômica, mas também é motivado pelo desejo de exibi-los e de aumentar o prestígio social por meio da posse de riquezas.

Quando falo das ideias que fundamentam essa acumulação de alimentos nas ilhas Trobriand, refiro-me à verdadeira psicologia atual dos nativos e devo enfaticamente declarar que não estou aqui oferecendo quaisquer conjeturas sobre as "origens" ou sobre a "his-

influência direta sobre todas as melhores obras modernas que versam sobre economia primitiva. Por fim, o ponto de vista segundo o qual esgotamos o tópico referente à economia primitiva quando descrevemos o modo como o nativo busca seus alimentos é obviamente a premissa fundamental de todas as ingênuas teorias evolutivas que constroem estágios sucessivos do desenvolvimento econômico. Essa hipótese pode ser resumida na seguinte sentença: "[...] Em muitas comunidades simples, a própria procura de alimentos e as atividades que disso surgem ocupam a maior parte do tempo e da energia da comunidade, deixando-lhe poucas chances de satisfazer quaisquer necessidades menores". Essa sentença, que citamos de "Notes and Queries on Anthropology" (p. 160), no item "Economics of the Social tória" dos costumes e a psicologia a eles inerente; deixo essa questão para o campo da pesquisa teórica e comparativa.

Outra instituição que traz luz às ideias dos nativos referentes à armazenagem de alimentos é a magia denominada *vilamalya*, executada depois da colheita e em um ou dois outros estágios do trabalho agrícola. A finalidade dessa magia é fazer que o alimento dure muito tempo. Antes de armazenar o inhame, o mago coloca um tipo especial de pedra pesada no chão do celeiro e entoa uma longa fórmula mágica. Na noite do mesmo dia, depois que o inhame foi armazenado, ele cospe sobre o celeiro raiz de gengibre tratada magicamente e, além disso, efetua um ritual em todas as estradas que levam à aldeia e na praça central. Tudo isso tem, por fim, fazer que os alimentos sejam abundantes na aldeia e seus estoques durem muito tempo. Contudo – e este é o ponto importante para nós –, essa magia deve atuar não sobre os alimentos, mas sobre os habitantes da aldeia. Faz eles terem pouco apetite e, segundo a palavra dos próprios nativos, leva-os a se sentir propensos a comer as frutas silvestres, as mangas e as frutas-pão do pomar da aldeia, e a se recusar a comer o inhame ou, pelo menos, a se satisfazer com pouco. Os nativos se vangloriam de dizer que, quando esse feitiço é bem-feito, metade do inhame armazenado nos paióis apodrece e precisa ser jogado fora no *wawa*, o monte de lixo acumulado por trás das casas, quando chega a próxima colheita. Eis mais uma vez a ideia tipicamente trobriandesa de que a finalidade principal do acúmulo de alimento é mantê-los em exibição nos paióis até que apodreçam e possam ser substituídos por uma nova mostra de produtos.

O armazenamento do inhame implica uma dupla exibição dos produtos e uma porção de manipulações cerimoniais. Quando os tubérculos são retirados do solo, os nativos os exibem a princípio nas próprias roças. Constroem um abrigo de madeira, cobrindo-o com muitos ramos de *taitu* (inhame pequeno). No chão desses caramanchões, os nativos enfiam pequenos tocos de madeira, formando um círculo, no centro do círculo, empilham com cuidado o *taitu* (comum nas ilhas Trobriand, que constitui o produto básico da colheita), que é disposto formando um cone. Essa tarefa é executada com extremo cuidado; os maiores são escolhidos, escrupulosamente limpos e colocados na parte externa do monte. Depois de assim conservá-los em suas roças durante quinze dias ou mais,

Group", representa o que poderíamos chamar de visão oficial da etnologia contemporânea sobre o assunto: ao examinar em minúcia a parte restante desse artigo, facilmente verificamos que todos os múltiplos problemas econômicos, dos quais estamos tratando neste volume, até agora têm sido mais ou menos negligenciados.

3

Tivemos de deter-nos demoradamente nessas hipóteses, já mencionadas no capítulo II, seção 4, peto fato de que elas contêm um erro muito grave no que diz respeito à natureza humana em um de seus aspectos mais fundamentais. Podemos demonstrar a falácia dessas hipóteses com apenas um exemplo, o da sociedade trobriandesa. Um exemplo é suficiente para destruir sua validade universal e provar que o problema deve ser reformulado. Essas hipóteses que acabamos de criticar contêm

[30] Abastecimento de um celeiro em Yalumugwa. Os inhames são retirados dos montes e colocados dentro dos *bwayma* (celeiros) pelo irmão da esposa do proprietário. Observar a ornamentação do frontão – o proprietário desse celeiro é um *gumguya'u* (chefe de posição social mais baixa).

onde são admirados por grupos de visitantes, o proprietário convoca um grupo de amigos ou os parentes por afinidade para transportá-los até a aldeia. Como já sabemos (capítulo II), esse inhame será oferecido ao marido da irmã do proprietário. É para a aldeia dele que os inhames são levados, para serem de novo expostos em montes cônicos em frente ao celeiro do cunhado. Só depois de vários dias – às vezes uma quinzena inteira – é que o inhame é colocado no celeiro **[30]**.

Na verdade, seria suficiente observar como os nativos manipulam o inhame, quanto admiram os maiores, como selecionam e exibem os tubérculos anormais e de formato estranho, para compreender que existe um sentimento profundo e socialmente padronizado em torno desse produto agrícola básico. Em muitas das fases da vida

proposições muito gerais que, no entanto, só podem ser respondidas de forma empírica. É dever do etnógrafo de campo responder e corrigir. Mesmo sendo muito geral, uma asserção pode, no entanto, referir-se a fatos empíricos. Afirmações gerais não se podem confundir com fatos hipotéticos. Esses últimos precisam ser banidos do trabalho de pesquisa de campo; às hipóteses gerais não se pode deixar de dar muita atenção.

cerimonial, grandes exibições de alimento constituem a atração principal. As grandes distribuições mortuárias chamadas *sagali* são, num de seus aspectos, uma enorme exibição de alimentos associada à sua redistribuição **[31]**. Na colheita do inhame precoce (*kuvi*), há uma oferta dos primeiros frutos aos que morreram recentemente. Mais tarde, na colheita principal do *taitu*, os primeiros tubérculos são arrancados do solo, cerimonialmente trazidos para a aldeia e admirados pela comunidade inteira. As competições de produtos agrícolas entre duas aldeias na época da colheita, outrora acompanhadas de verdadeira luta, constituem também uma das características que esclarecem a atitude nativa com referência à riqueza comestível. Realmente, pode-se quase falar de um "culto do alimento" entre esses nativos, na medida em que os alimentos constituem o objeto principal da maior parte de suas cerimônias públicas.

Quanto à preparação da comida, devemos observar que existem muitos tabus associados à culinária e, em especial, às panelas. Os pratos de madeira em que os nativos servem seus alimentos são denominados *kaboma*, termo que significa "madeira sagrada" ou "madeira tabu". O ato de comer é, em geral, estritamente individual. As pessoas fazem suas refeições no círculo de suas famílias; até mesmo quando se realiza o cozimento cerimonial e público do pudim de taro (*mona*) nos grandes potes de barro especialmente reservados para esse fim **[32, p. 261]**, os nativos não comem todos juntos, mas sim em pequenos grupos. O pote é levado às diversas seções da aldeia, e os moradores de cada seção acocoram-se ao redor dele e comem, seguidos depois pelas mulheres. Por vezes, também, o pudim é tirado do pote, colocado em pratos de madeira e comido no círculo da família.

Não posso entrar aqui nos muitos detalhes daquilo a que poderíamos chamar de "psicologia social do ato de comer", mas é importante notar que o centro de gravidade das festas se encontra não no ato em si, mas na exibição e no preparo cerimonial dos alimentos **[32, p. 261]**. Antes de matar um porco – o que é sempre um grande acontecimento festivo e culinário –, o suíno é primeiro carregado de um lugar para outro, exibido na aldeia e até mesmo em uma ou duas outras aldeias vizinhas. A seguir, é assado vivo, e toda a comunidade e a vizinhança se divertem com o espetáculo e com os grunhidos do animal. E então, cerimonialmente e por meio de um

[31] Exibição de porcos e inhames no *sagali* (cerimônia de distribuição de alimentos). Todos os alimentos a serem distribuídos são exibidos várias vezes: antes, durante e depois da cerimônia. A exposição de alimentos nos grandes receptáculos de forma prismática (*pwata'i*) constitui uma das facetas dos costumes trobriandeses.

ritual específico, cortam-no em pedaços e o distribuem. O ato de comer, porém, é um acontecimento casual; os nativos comem em suas cabanas ou, então, assam um pedaço de carne e vão comê-lo na estrada ou enquanto andam pela aldeia. As sobras de um banquete – como a mandíbula do porco ou os rabos dos peixes – são, entretanto, frequentemente colecionadas e usadas para ornamentar as casas ou os celeiros.[4]

A quantidade de alimentos ingeridos, quer antecipada, quer retrospectivamente, é o que mais importa. "Vamos comer – e comer até vomitar" é a expressão típica que costuma se ouvir durante as festas e com a qual os nativos procuram expressar seu contentamento – e que

4 Com efeito, esse costume não é tão proeminente nas ilhas Trobriand quanto nos outros distritos massim e na região inteira dos papua-melanésios; ver, por exemplo, Seligman, op. cit., p. 56.

sugere muito de perto o prazer que lhes traz a ideia de ver os tubérculos apodrecendo nos paióis de armazenamento. Tudo isso nos mostra que o ato social de comer e o convívio dele resultante não estão presentes na mente ou nos costumes dos trobriandeses; o que é socialmente apreciado é a admiração coletiva da qualidade e da quantidade dos alimentos e o conhecimento de sua abundância. Naturalmente, como todos os animais, humanos ou não, civilizados ou selvagens, os trobriandeses consideram o ato de comer um dos maiores prazeres da vida, o qual, entretanto, continua a ser um ato individual: nem o ato em si nem o sentimento a ele associado foram socializados.

É esse sentimento indireto, mas na realidade arraigado, como é óbvio, no prazer da alimentação, que constitui o valor do alimento aos olhos dos nativos. Além disso, é esse valor que leva os alimentos armazenados a se tornar símbolo e veículo de poder. Daí a necessidade de armazená-los e exibi-los. O valor não é resultante da utilidade ou raridade, intelectualmente combinadas, mas sim o resultado de um sentimento que se desenvolve ao redor das coisas que, satisfazendo necessidades humanas, são capazes de provocar emoções.

O valor dos objetos manufaturados deve também ser explicado pela natureza emotiva do homem, e não como decorrência de uma elaboração lógica de pontos de vista utilitários. Nesse caso, porém, acho que a explicação precisa levar em conta não tanto o usuário desses objetos, mas sim o artesão que os produz. Esses nativos são trabalhadores laboriosos e dedicados. Não trabalham sob o aguilhão da necessidade nem para ganhar a vida, mas sob o impulso do talento e da imaginação, com grande percepção e gosto por sua arte, a qual frequentemente concebem como resultado de uma inspiração mágica. Isso se aplica, sobretudo, àqueles que produzem objetos de alto valor e que são sempre bons artesãos, orgulhosos de sua arte. Esses nativos têm uma profunda apreciação da qualidade do material e da perfeição dos produtos artesanais. Quando encontram um material especialmente bom, são levados a despender sobre ele um trabalho excessivo, produzindo objetos bons demais para serem usados, mas por isso mesmo tanto mais desejáveis de serem possuídos.

A maneira cuidadosa de trabalhar, a perfeição técnica, a discriminação na escolha da matéria-prima, a inexaurível paciência demonstrada nos detalhes do acabamento – tudo isso tem sido notado por todos os que têm observado os nativos em seu trabalho.

[32] O trabalho comunitário de cozimento do *mona* (pudim de taro). Grandes potes de barro importados das ilhas Amphlett são usados para esse fim; neles se ferve primeiro o óleo de coco; em seguida, juntam-se pedaços de taro pilado, enquanto um dos nativos mistura tudo com uma longa colher de madeira decorada.

Essas observações também foram feitas por alguns economistas teóricos, mas é necessário analisar esses fatos sob o aspecto de sua relação com a teoria do valor. Com isso, queremos dizer que a atitude de apreciação da matéria-prima e do trabalho deve produzir um sentimento de apego aos materiais raros e aos objetos bem trabalhados, e que desse sentimento deve resultar a valorização de ambos. O valor será atribuído às modalidades raras do material usado pelo artesão: tipos raros de conchas que se prestam, em especial, ao trabalho e ao polimento; madeiras preciosas, como o ébano; e, mais particularmente, as variedades especiais da pedra com que se fabricam os implementos.[5]

5 Mais uma vez preciso dizer que, ao explicar o valor, não pretendo traçar suas possíveis origens; o que estou tentando fazer é simplesmente mostrar quais são os elementos reais e observáveis segundo os quais se pode analisar a atitude dos nativos com referência ao objeto valorizado.

Podemos agora comparar nossos resultados com as falsas concepções feitas a respeito do Homem Econômico Primitivo e já delineadas no início desta seção. Vemos que o valor e a riqueza existem, apesar da abundância das coisas; que, com efeito, essa própria abundância é valorizada. Grandes quantidades de coisas são produzidas muito além do necessário, simplesmente por amor ao acúmulo por si só; os nativos deixam que os alimentos apodreçam e, embora disponham de tudo o que possam desejar em questão de gêneros de primeira necessidade, sempre querem mais, para poder exibi-los como riqueza. Além disso, nos objetos manufaturados e, mais especialmente, nos objetos do tipo *vaygu'a* (ver capítulo III, seção 3), o que gera valor não é o aspecto da raridade no âmbito da utilidade, mas sim a raridade que resulta da perícia humana aplicada à matéria-prima. Em outras palavras, os nativos não dão valor às coisas úteis e até mesmo indispensáveis que são difíceis de conseguir, visto que todos os artigos de primeira necessidade podem ser facilmente obtidos pelos habitantes de Trobriand. Valorizam, porém, os objetos em cuja confecção o artesão, tendo encontrado um material de especial qualidade ou particularmente estranho, foi induzido a despender uma quantidade de trabalho desproporcional. Ao fazer isso, ele cria um objeto que representa uma espécie de monstruosidade econômica, bom demais, grande demais, delicado demais ou ornamentado demais para ser usado; no entanto, por esses mesmos motivos, altamente valorizado.

5

Cai por terra, assim, a primeira hipótese, ou seja, a hipótese de que "não há lugar para a riqueza ou para o valor nas sociedades nativas". Que podemos dizer agora sobre a outra hipótese, ou seja, a de que "não há necessidade de trocas, visto que todos são capazes, com diligência e perícia, de produzir tudo aquilo que, por sua qualidade ou quantidade, possa representar valor"? Essa hipótese é refutada pela compreensão de um dos fatos fundamentais dos costumes e da psicologia nativa: o amor ao "dar e receber" em si próprios; o gozo da posse da riqueza mediante sua doação.

Ao estudar quaisquer questões sociológicas nas ilhas Trobriand, ao descrever o aspecto cerimonial da vida tribal, constantemente deparamos com esse "dar e receber", com a permuta de presentes e pagamentos. Já tive oportunidade de citar várias vezes essa característica geral e no pequeno esboço que fiz da sociologia trobriandesa (capítulo II) apresentei alguns exemplos. Até mesmo um passeio pela ilha, como o que imaginamos naquele capítulo, revela ao etnógrafo atento essa realidade econômica. Ele encontra grupos de visitantes – mulheres carregando, na cabeça, grandes cestas de alimentos, homens com cargas sobre os ombros – e, interpelando-os, fica sabendo que se trata de presentes a serem oferecidos, sob um dos vários nomes que lhes são atribuídos, em cumprimento a alguma obrigação social. Quando a manga, a fruta-pão ou a cana-de-açúcar estão maduras, os primeiros frutos são oferecidos ao chefe ou aos parentes por afinidade. Grandes carregamentos de cana-de-açúcar que vão ser oferecidos a algum chefe, transportados por vinte ou trinta nativos a correr pela estrada, dão-nos a impressão de uma floresta de Birnam a mover-se pela selva. Na época da colheita, as estradas se enchem de grandes comitivas que carregam alimentos ou que retornam com cestas vazias. Um grupo de pessoas tem de correr cerca de vinte quilômetros, do extremo norte de Kiriwina até o riacho de Tukwa'ukwa, embarcar nas canoas, navegar nas águas rasas da laguna por vários quilômetros, impelindo as canoas por meio de varejões, e fazer uma nova e longa caminhada por terra, a partir de Sinaketa – tudo isso só para abastecer o celeiro de algum nativo que poderia muito bem ter feito todas essas coisas por si próprio, não fosse pelo fato de que é obrigado a dar todos os produtos de sua colheita ao marido de sua irmã! A exibição de presentes associada à aliança conjugal, ao *sagali* (distribuição de alimentos), aos pagamentos feitos em retribuição à execução de rituais mágicos – todas essas coisas constituem algumas das características mais pitorescas da roça, da estrada e da aldeia trobriandesa e, sem dúvida, impressionam até mesmo o observador menos atento.

Essa segunda hipótese errônea, ou seja, a de que as pessoas conservam para si mesmo tudo de que necessitam e jamais fazem doações espontâneas, precisa, portanto, ser completamente abandonada. Não que os nativos não tenham forte tendência possessiva. Imaginar que eles diferem dos demais seres humanos nesse aspecto seria sair de um erro para entrar no erro oposto, já mencionado, de que há uma espécie de comunismo primitivo entre os nativos. Muito pelo contrário, pelo simples fato de que eles têm em tão alta conta os atos de generosidade, a diferença entre "o que é meu" e "o que é seu" não é eliminada, mas sim reforçada: os presentes não são oferecidos a esmo, mas quase sempre em cumprimento a obrigações definidas e com grande meticulosidade formal. O próprio motivo fundamental da dádiva, a vaidade de exibir bens e poder, exclui *a limine* quaisquer pressuposições referentes a tendências ou instituições comunistas. Não em todos os casos, mas na maioria deles, a doação de riqueza expressa a superioridade do doador em relação ao receptor. Em outros casos, representa subordinação a um chefe ou uma relação de consanguinidade ou afinidade. Além disso, é importante entendermos que, em quase todas as modalidades de troca das ilhas Trobriand, não há nenhum vestígio de lucro nem há razão para analisá-las de um ponto de vista puramente utilitário ou econômico, pois não há aumento da utilidade mútua por meio da permuta.

Dessa forma, é bastante comum nas ilhas Trobriand o tipo de transação em que *A* dá vinte cestas de inhame a *B*, recebendo em troca uma pequena lâmina polida, só para que depois, no prazo de algumas semanas, inverta-se totalmente a transação. Em determinado estágio do ritual mortuário, por exemplo, são dados como presente alguns objetos de valor e mais tarde, no mesmo dia, artigos idênticos a esses são devolvidos ao doador. Os casos como o que mencionamos ao descrever o costume *kabigidoya* (seção 3 deste capítulo) são típicos desse modo de proceder, em que cada um dos proprietários de uma nova canoa faz a ronda de todas as demais, recebendo objetos que mais tarde terá que doar. No *wasi* – troca de peixes por inhame, que analisaremos em breve –, impõe-se um pesado dever, por meio de um presente praticamente inútil, e então poderíamos falar de aumento de deveres em vez de aumento de utilidade.

A hipótese de que o nativo vive numa condição de procura individual de alimentos, ou abastecendo apenas seus próprios familiares, isolado de qualquer troca de bens, pressupõe um egoísmo calculado e frio, a possibilidade do desfrute dos bens por si próprios. Essa hipótese, bem como as que já discutimos anteriormente, ignora a tendência natural do ser humano a exibir, repartir e doar e sua tendência profunda para criar laços sociais mediante a troca de presentes. Deixando de lado qualquer consideração sobre a necessidade, ou até mesmo a utilidade do presente, a doação por si mesma constitui uma das características mais marcantes da sociologia trobriandesa e, a julgar por sua natureza tão geral e tão básica, defendo o ponto de vista de que essa é uma característica universal de todas as sociedades primitivas.

Detive-me bastante na análise de fatos econômicos que parecem não estar diretamente ligados ao *Kula*. Porém, se compreendermos que nesses mesmos fatos encontramos refletida a atitude do nativo com referência à riqueza e ao valor, sua importância para o *Kula* torna-se patente. O *Kula* é a mais alta e mais significativa expressão da concepção nativa de valor e, se desejamos entender todos os costumes e atos do *Kula* em seu contexto próprio, precisamos, antes de mais nada, entender o processo psicológico que o fundamenta.

6

Foi de propósito que falei sobre modalidades de transação, de presentes e contrapresentes, em vez de tipos de comércio ou de escambo, porque, embora existam modalidades desse último, há tantos pontos de transição e gradação entre o comércio puro e simples e a troca de presentes que é impossível estabelecer uma separação rígida entre eles. Com efeito, traçar linhas divisórias apenas para servir à nossa própria terminologia e às nossas próprias distinções é contrário aos princípios sadios da metodologia. Para tratarmos corretamente desses fatos, é preciso que façamos um levantamento completo de todas as modalidades de pagamento e de presentes. Nesse levantamento, encontraremos, de um lado, o caso extremo do presente puro e simples, ou seja, algo que se oferece sem retribuição. Então, passando por várias modalidades usuais de presente ou de pagamento, retribuídos parcial ou condicionalmente, difíceis de distinguir, chegaremos às modalidades de transação, nas quais se observa uma equivalência mais ou menos estrita entre presente e contrapresente. Finalmente, no outro extremo, encontraremos a troca em espécie propriamente dita.

No levantamento que apresento a seguir, há uma classificação aproximada de cada uma das transações, de acordo com o princípio de equivalência.

Os relatos feitos por meio de quadros não nos podem dar a mesma visão clara dos fatos que é fornecida pelas descrições detalhadas e, até mesmo, podem causar a impressão de artificialidade. Desejo enfatizar, entretanto, que não pretendo introduzir categorias artificiais e estranhas à mente nativa. Nos relatos etnográficos, não pode existir nada mais falso que a descrição dos fatos das civilizações nativas nos termos de nossa própria civilização. Não é isso que faremos aqui. Os princípios de classificação, embora estejam muito além da compreensão dos nativos, estão, no entanto, contidos em sua organização social, em seus costumes e até mesmo em sua terminologia. Essa última sempre oferece o meio mais simples e mais seguro de chegar à compreensão das distinções e classificações feitas pelos nativos. No entanto, devemos também lembrar que o conhecimento da terminologia, embora importante como pista para atingir as ideias nativas, de modo algum constitui um atalho milagroso para a mente do nativo. Com efeito, existem muitas características notáveis e extremamente importantes na sociologia e na psicologia social trobriandesa para as quais os nativos não adotam nenhum termo; ao mesmo tempo, na língua deles há subdivisões e sutilezas de distinção bastante irrelevantes para a compreensão das condições reais. Dessa forma, todo levantamento terminológico precisa ser suplementado com uma análise direta do fato etnográfico e uma investigação das ideias nativas, ou seja, pela coleta de um conjunto de opiniões, expressões típicas e frases costumeiras, por meio de inquirição direta. A compreensão final e mais profunda da natureza dos fatos, no entanto, deve ser obtida sempre pelo estudo do comportamento, pela análise etnográfica dos costumes e dos casos concretos de aplicação das regras tradicionais.

LISTA DOS PRESENTES, PAGAMENTOS E TRANSAÇÕES COMERCIAIS

1. O PURO PRESENTE

Como já foi indicado, entendemos por isso o ato em que o indivíduo oferece determinado objeto a outro ou lhe presta algum serviço sem pretender receber e sem, de fato, receber qualquer coisa em troca. Esse não é um tipo de transação que se efetue frequentemente na vida tribal dos trobriandeses. É preciso lembrar que os presentes acidentais ou espontâneos, como a esmola ou as obras de caridade, não existem nessa sociedade, pois as pessoas necessitadas são mantidas pela própria família. Além disso, há tantas obrigações econômicas específicas referentes aos parentes consanguíneos ou por afinidade que qualquer um que precise de alguma coisa ou algum serviço sabe exatamente a quem pedir. Num caso assim, é claro, não se trata mais de presente gratuito, mas de um presente imposto por determinada obrigação social. A par disso, visto que nas ilhas Trobriand a concepção que se faz dos presentes é a de que constituem atos específicos com significado social, em vez de mera transmissão de objetos, o resultado é que, quando não são impostos diretamente por deveres sociais, os presentes são muito raros.

O tipo mais importante de presente gratuito é o presente característico das relações entre marido e mulher e entre pais e filhos. Na sociedade trobriandesa, há separação de bens entre marido e mulher. Há os bens do marido e os bens da mulher, e cada um controla separadamente uma parte especial dos objetos de uso caseiro. Quando um dos dois morre, seus objetos passam, por herança, aos próprios parentes. No entanto, embora não tenham bens comuns, costumam oferecer presentes um ao outro, em especial o marido à mulher.

Quanto aos presentes que os pais dão aos filhos, é evidente que numa sociedade matrilinear em que a mãe é o parente mais próximo dos filhos, em sentido bastante diverso do que concebemos em nossa própria sociedade, os filhos participam de todos os bens pertencentes à mãe, herdando-os dela. Ainda mais extraordinário é o fato de que o pai – que, segundo a lei e a crença nativa, é apenas o marido da mãe das crianças, e não um parente – é a única pessoa de quem se esperam presentes gratuitos.[6] O pai dá objetos de valor gratuitamente a um filho, a ele transmitindo também sua parceria no *Kula*, segundo regras específicas (ver capítulo XI, seção 2). Além disso, o pai passa ao filho um dos bens mais valiosos e prezados que tem: seus conhecimentos de magia, que transmite voluntariamente, sem esperar quaisquer contrapresentes. Enquanto vivo, o pai também cede ao filho a posse de árvores frutíferas, do pomar da aldeia, bem como lotes de terra. Por ocasião de sua morte, entretanto, essas propriedades quase sempre têm de ser devolvidas aos legítimos herdeiros, ou seja, aos filhos da irmã do pai. Todos os objetos de uso, que recebem a denominação geral de *gugua*, são comumente partilhados entre o pai e os filhos. Além disso, um homem sempre partilha com

6 Esses nativos não têm noção alguma sobre a paternidade fisiológica. Ver capítulo II, seção 6.

os filhos e com a mulher quaisquer variedades especiais de alimentos e guloseimas, como a noz de bétel ou o tabaco. No tocante a esses pequenos luxos, e há também distribuição gratuita, pelo chefe ou líder de aldeia, para seus vassalos, embora não se observe, nesse caso, o mesmo espírito de generosidade que se encontra no seio da família. Com efeito, espera-se que qualquer pessoa que tenha mais nozes de bétel ou mais tabaco do que precisa para seu próprio consumo imediato os distribua entre os demais. Essa regra muito especial, que se aplica igualmente aos objetos que o nativo recebe nas transações com o homem branco, tem contribuído muito para fortalecer a ideia de um comunismo primitivo. Na verdade, muitos nativos cuidadosamente escondem tudo aquilo que não podem consumir de imediato, para escapar à obrigação de dividi-lo com outras pessoas e, ao mesmo tempo, evitar a desonra de ser taxado de mesquinho.

Não existe na terminologia nativa nenhum termo geral com que se possa designar essa categoria de presentes gratuitos. Usa-se simplesmente o verbo *sayki*, "dar", e, ao perguntarmos se há retribuição de tal presente, os nativos diretamente respondem que esse é um presente sem retribuições; *mapula* é o termo geral dado às retribuições e aos contrapresentes, econômicos ou não. Os nativos, sem dúvida, não consideram os presentes gratuitos pertencentes a uma única categoria, sendo todos de uma mesma natureza. Os atos de liberalidade por parte de chefe e a distribuição de tabaco e de nozes de bétel por aqueles que os têm de sobra se processam de maneira natural. Os presentes dados pelo marido à esposa também são considerados próprios à natureza das relações matrimoniais. Tanto o marido como a mulher expressam-se de maneira muito rude e direta ao explicar que tais presentes constituem *mapula* (pagamento) das obrigações matrimoniais, concepção essa que se coaduna com as ideias que fundamentam outra modalidade de presente, sobre a qual falaremos em breve: o presente dado como retribuição às relações sexuais. Sob o ponto de vista econômico, essas duas modalidades de presentes são completamente diferentes uma da outra, visto que os presentes dados pelo marido à mulher são presentes casuais no âmbito de um relacionamento permanente, ao passo que os outros constituem retribuição específica a favores prestados em ocasiões especiais.

O fato mais notável, porém, é que a mesma explicação é dada quanto aos presentes gratuitos dados pelo pai aos filhos; ou seja, o presente que o pai dá a seu filho é considerado retribuição da relação entre o pai e a mãe do seu filho. Segundo a ideologia matrilinear do parentesco, mãe e filho constituem uma unidade, mas o pai é um estranho (*tomakava*) – expressão essa frequentemente usada pelos nativos ao discutirem tais assuntos. Não há dúvida, porém, de que na realidade as coisas são bem mais complexas, pois há uma atitude emocional muito forte e direta entre pai e filho. O pai sempre quer dar coisas a seu filho, como já dissemos (ver capítulo II, seção 6), e os nativos compreendem muito bem esse fato.

Na realidade, o processo psicológico que fundamenta tais condições é o seguinte: o marido em geral está emocionalmente ligado à esposa e tem, pelos filhos, afeição pessoal muito grande, expressando seus sentimentos por meio de presentes e, de forma especial, tentando dotar os filhos com o máximo que pode, no que se refere à sua riqueza e posição social. Isso, entretanto, está em contraposição ao princípio matrilinear, bem como à regra geral de que a todo presente deve corresponder uma retribuição; desse modo, os nativos procuram justificar esses presentes fazendo parecer que estão de acordo com as regras. A maneira rude pela qual os nativos explicam o presente como pagamento de relações sexuais constitui um documento que, de forma bastante esclarecedora, demonstra o conflito entre a teoria matrilinear e aquilo que os nativos sentem de verdade; demonstra também como é necessário confrontar aquilo que é afirmado explicitamente, bem como os pontos de vista contidos nas palavras e na fraseologia, com a observação direta da vida real, na qual podemos ver o nativo não só a estabelecer regras e teorias, mas a comportar-se sob o impulso do instinto e da emoção.

2. PAGAMENTOS COSTUMEIROS, FEITOS DE MANEIRA IRREGULAR E SEM ESTRITA EQUIVALÊNCIA

Entre os pagamentos costumeiros, os mais importantes são os anuais, recebidos na época das colheitas pelos nativos dos irmãos de sua esposa (ver capítulo II, seções 4 e 5). Esses presentes, regulares e infalíveis, são de tal forma substanciais que constituem a maior parte do suprimento alimentar de uma família. Sob o ponto de vista sociológico, são talvez o fio mais forte na trama da constituição tribal das ilhas Trobriand. Acarretam a obrigação permanente para cada nativo de trabalhar para suas parentas e suas famílias. Quando um menino se inicia no trabalho da lavoura, ele o faz para sua mãe. Quando as irmãs dele crescem e se casam, ele trabalha para elas. Se ele não tem mãe nem irmãs, sua parenta mais próxima é que tem direito aos produtos de seu trabalho.[7]

O presente de retribuição jamais chega a ter o mesmo valor que o outro, mas espera-se que de tempos em tempos o receptor dê um objeto de valor (*vaygu'a*) ou um porco ao irmão de sua esposa. Além disso, convocam-se os parentes da esposa para realizar trabalho comunitário para ele, de acordo com o sistema *kabutu*, que paga-lhes com alimentos. Também nesse caso, o pagamento não é de todo equivalente aos serviços prestados. Vemos, assim, que o relacionamento entre um nativo e os parentes de sua esposa está permeado de presentes e de serviços mútuos; a retribuição pelo marido não é, contudo, nem equivalente nem regular, mas esporádica e de menor valor do que aquilo que recebe: e até mesmo se, por algum motivo, vier a falhar, isso não desonerará os demais de suas obrigações. No caso de um chefe, os deveres dos numerosos parentes de suas esposas têm de ser observados de maneira mais rigorosa; ou seja, eles têm de dar presentes muito maiores na colheita e precisam também criar porcos e cultivar palmeiras de bétel e coqueiro para ele. São recompensados por tudo isso por meio de presentes correspondentemente grandes, na forma de objetos de valor, os quais, no entanto, também nesse caso realmente não correspondem ao valor de suas contribuições.

Os tributos dados ao chefe pelas aldeias tributárias, geralmente retribuídos com contrapresentes menores, também pertencem a essa categoria. Além deles, há ainda as contribuições feitas de um parente a outro, quando esse último tem de realizar uma distribuição mortuária (*sagali*). Tais contribuições são por vezes retribuídas, embora de maneira irregular e esporádica, com presentes de pequeno valor.

Os nativos não adotam um termo geral para essa categoria de presentes, mas a palavra *urigubu*, que designa os presentes da colheita dados pelos irmãos da esposa, representa uma das concepções mais importantes da sociologia e da economia nativa. Os nativos reconhecem claramente as muitas características dos deveres de *urigubu*, que já tivemos a oportunidade de descrever aqui, bem como sua enorme importância. Os contrapresentes ocasionalmente

7 Ver imagem 30 [p. 257], que mostra os paióis de um líder de aldeia sendo abastecidos pelos irmãos de sua esposa.

dados pelo marido aos parentes da esposa chamam-se *youlo*. Os tributos dados ao chefe, os quais incluímos nessa mesma categoria, denominam-se *pokala*. O fato de colocarmos esses dois tipos de retribuições numa única categoria justifica-se não só pelo mecanismo parecido, mas também pela estreita semelhança que existe entre os presentes *urigubu* quando dados a um chefe e o *pokala* recebido por ele. Há até mesmo pontos de semelhança no próprio cerimonial que, no entanto, exigiriam uma descrição por demais detalhada se delas fizéssemos mais que uma simples menção. Há várias outras expressões para designar a oferta dos primeiros frutos da lavoura, os presentes dados por ocasião da colheita principal e algumas outras subdivisões. Há também termos designativos de vários contrapresentes dados pelo chefe àqueles que lhe pagam tributos, segundo consistam em carne de porco, inhame ou frutas. Não vou citar todas essas palavras nativas a fim de não sobrecarregar nosso relato com detalhes irrelevantes.

3. PAGAMENTO POR SERVIÇOS PRESTADOS

Essa categoria difere da anterior pelo fato de que, nesse caso, o pagamento se efetua dentro de limites impostos pelo costume. Tem de ser feito cada vez que o serviço é prestado, mas não podemos falar aqui de equivalência econômica direta, visto que um dos termos da equação consiste em um serviço cujo valor não pode ser determinado a não ser por meio de estimativas convencionais. Todos os serviços prestados por especialistas a indivíduos ou à comunidade pertencem a essa categoria. Desses serviços, os mais importantes são, indubitavelmente, os serviços prestados pelo mago. O especialista em mágica agrícola, por exemplo, recebe presentes específicos da comunidade e de certos indivíduos. O feiticeiro é pago pelo homem que lhe pede para matar alguém ou que deseja ser curado de alguma doença. Os presentes dados para a execução da magia da chuva e do bom tempo são bastante grandes. Já descrevi os pagamentos oferecidos ao construtor de canoas. Mais tarde deverei falar dos presentes oferecidos aos especialistas que fabricam diversos tipos de *vaygu'a*.

A essa categoria pertencem também os pagamentos associados às aventuras amorosas. O amor desinteressado é completamente desconhecido desses nativos, cuja vida sexual se caracteriza por enorme liberdade. Toda vez que uma jovem se entrega a seu amante, de imediato ele deve lhe oferecer algum presente. Isso ocorre tanto nos casos normais de aventuras amorosas costumeiras entre rapazes e moças solteiros, que se verificam todas as noites na aldeia, como nos casos mais cerimoniais de indulgência sexual, como o costume *katuyausi* ou as consolações mortuárias mencionadas no capítulo II, seção 2. Algumas nozes de areca, um pouco de pimenta de bétel, um punhado de tabaco, alguns anéis de casco de tartaruga ou discos de *Spondylus* são pequenos sinais de gratidão e apreço, jamais negligenciados pelos jovens. Uma jovem atraente nunca fica sem os pequenos luxos da vida.

As grandes distribuições de alimentos (*sagali*) realizadas durante as cerimônias mortuárias já foram mencionadas várias vezes aqui. No aspecto econômico, essas distribuições constituem pagamento pelos serviços funerários. O parente materno mais próximo do morto tem de oferecer presentes em alimentos a todos os habitantes da aldeia por sua participação no luto, ou seja, pelo fato de pintarem seu rosto de preto e cortarem o cabelo. Paga também a outras pessoas especiais que choram e cavam a sepultura; paga ainda a um menor grupo de pessoas para que cortem o cúbito do morto e o usem como colher para cal; paga ao viúvo ou à viúva pelo prolongado período de luto fechado que é rigorosamente observado.

Todos esses detalhes demonstram quão universal e estrita é a noção de que todo e qualquer dever ou obrigação social, que de forma alguma pode ser negligenciado, precisa, no entanto, ser retribuído por meio de um presente cerimonial. A função desses presentes cerimoniais, aparentemente, é estreitar os laços sociais que dão origem às obrigações.

A semelhança entre os presentes e os pagamentos que incluímos nessa categoria expressam-se pelo uso nativo do termo *mapula* (retribuição, equivalente) em conexão com todos esses presentes. Dessa forma, ao apresentar os motivos por que determinado presente é oferecido a um mago, ou por que certa porção de alimentos é dada a um indivíduo durante o *sagali* (distribuição), ou ainda por que algum objeto de valor é oferecido a um especialista, os nativos costumam dizer: "Este é o *mapula* pelo que ele fez". Outra identificação interessante incluída no uso linguístico desses nativos é a denominação dos pagamentos mágicos e dos pagamentos aos especialistas: são chamados "restaurativos" ou, literalmente, "emplastros". Certos pagamentos especiais dados ao mago são descritos pelo termo *katuwarina kaykela* ou "emplastro para sua perna", visto que o mago, em especial o agrícola ou o médico-feiticeiro, tem de fazer longas caminhadas para executar a magia. A expressão "emplastro para minhas costas" é usada pelo construtor de canoas, que trabalha curvado, ou "emplastro para minha mão", por um entalhador ou por aqueles que executam o trabalho de polir pedras. Mas a natureza intrínseca desses presentes não se expressa na terminologia detalhada dos nativos. Há, de fato, uma longa lista de palavras que descrevem os vários tipos de pagamento por serviços mágicos, os presentes dados a especialistas, os presentes de amor e os numerosos tipos de presente que se efetuam durante o *sagali*. Assim, o pagamento por serviços mágicos, do qual uma pequena parte costuma ser oferecida aos espíritos de ancestrais, é chamado *ula'ula*; um presente mágico substancial denomina-se *sousula*; o presente dado a um feiticeiro é descrito pelo verbo *ibudipeta* – e há muitos outros nomes especiais.

Os presentes dados aos especialistas são denominados, respectivamente, *vewoulo* – o presente inicial; *yomelu* – um presente em alimentos oferecido depois de o objeto ter sido cerimonialmente entregue ao proprietário; *karibudaboda* – um presente substancial de inhame oferecido por ocasião da colheita seguinte. Os presentes em alimentos, oferecidos durante o curso dos trabalhos, são denominados *vakapula*; esse último termo, porém, é de uso bem mais amplo, pois se aplica a todos os presentes em alimentos crus ou cozidos dados por um indivíduo às pessoas que trabalham para ele. Os presentes sexuais são denominados *buwana* ou *sebuwana*. Não vou enumerar aqui as diversas distinções terminológicas dos presentes *sagali*, pois isso seria impossível, a menos que entrássemos no complicadíssimo assunto dos deveres e das distribuições mortuárias.

A inclusão dos presentes de amor e dos presentes *sagali* na mesma categoria dos presentes oferecidos a magos e especialistas representa uma generalização nossa que os nativos não seriam capazes de entender. Para eles, os presentes oferecidos durante o *sagali* constituem uma categoria própria, distinta da dos presentes de amor. Podemos dizer que, do ponto de vista econômico, é correto classificar todos esses presentes numa só categoria, porque eles todos representam um tipo específico de equivalência; correspondem também à noção nativa de que todo serviço prestado a alguém deve ser pago – noção essa que é documentada pelo uso linguístico da palavra *mapula*. Porém, nessa categoria, as subdivisões correspondentes à terminologia nativa representam distinções importantes, feitas pelos nativos, entre as três subcategorias: presentes de amor, presentes *sagali* e presentes dados em troca de serviços mágicos e serviços profissionais.

4. PRESENTES RETRIBUÍDOS SOB FORMA ECONOMICAMENTE EQUIVALENTE

Estamos enumerando os vários tipos de transação à medida que vão gradualmente assumindo características de comércio. Nessa quarta categoria incluímos os presentes que precisam ser retribuídos com equivalência quase exata. Devemos, porém, salientar o fato de que a estrita equivalência entre dois presentes não identifica essa transação com comércio. Não pode existir equivalência mais perfeita entre presente e contrapresente do que quando *A* dá um objeto a *B* e, no mesmo dia, *B* retribui o presente com o mesmo objeto. Em determinado estágio das cerimônias mortuárias, um presente desse tipo é dado e recebido de volta por um dos parentes do morto e pelos irmãos da viúva. Contudo, é óbvio que nada difere mais do comércio que uma transação desse tipo. Os presentes anteriormente descritos, feitos por ocasião da apresentação das novas canoas (*kabigidoya*) pertencem a essa categoria. A ela pertencem também os numerosos presentes dados por uma comunidade a outra, durante visitas que em breve são retribuídas. Os pagamentos pelo uso de um lote de terra para o cultivo são, pelo menos em certos distritos das ilhas Trobriand, retribuídos por meio de um presente de valor equivalente.

Do ponto de vista sociológico, essa categoria de presentes é típica do relacionamento entre amigos (*luba'i*). O *kabigidoya* realiza-se entre amigos, o *Kula* realiza-se entre os parceiros do além-mar e seus amigos do interior e, é claro, as relações de afinidade pertencem *par excellence* a essa categoria.

Outras modalidades de presentes equivalentes que teremos de mencionar em breve são os presentes dados por uma família a outra durante o *milamala*, período de festas associado ao retorno dos espíritos de ancestrais às suas aldeias. As oferendas de alimento cozido são cerimonialmente expostas nas casas para o uso dos espíritos, que consomem sua substância espiritual, e depois a substância material é oferecida a uma família vizinha. Esses presentes são sempre recíprocos.

Nessa categoria, deve também ser incluída a série de presentes recíprocos que tem lugar entre um indivíduo e o pai de sua mulher (parente não matrilinear, nesse caso) imediatamente após o casamento.

A semelhança econômica desses presentes não se encontra refletida na terminologia nativa, nem mesmo no uso linguístico. Todos os presentes que enumerei até agora têm seu próprio nome especial, que não vou citar aqui a fim de que não se multiplique o número de detalhes irrelevantes de informação. Os nativos não têm qualquer noção da existência dessa categoria de presentes de que estou falando. Minha generalização baseia-se no fato interessante de que, permeando toda a vida tribal, encontramos casos esparsos de troca direta de presentes equivalentes. Nada poderia demonstrar de forma mais evidente o quanto os nativos valorizam a troca de presentes em si mesma.

5. A TROCA DE BENS MATERIAIS POR PRIVILÉGIOS, TÍTULOS E BENS NÃO MATERIAIS

Nessa categoria, incluo as transações que se aproximam do comércio, pelo fato de que dois proprietários, cada um dos quais tem algo que valoriza muito, efetuam a troca por alguma coisa que para cada um deles é de maior valor ainda. Nesse caso, o grau de equivalência não é tão estrito ou, pelo menos, não é tão mensurável quanto na categoria anterior, pois um dos termos dessa transação costuma ser um bem não material, como o conhecimento mágico, o privilégio de executar determinado tipo de dança ou o título a um lote de terra para cultivo, o qual frequentemente não passa de mero título. Porém, apesar do menor grau de equivalência, a característica comercial nesse caso é mais marcante, pelo simples fato de que existe um elemento de mútuo desejo de efetuar a transação e de que há nela vantagens mútuas. Há dois tipos importantes de transação que pertencem a essa categoria. Um é a aquisição, por determinado indivíduo, dos bens ou privilégios que lhe são devidos por herança de seu tio materno ou irmão mais velho, mas que ele deseja adquirir antes de sua morte. Se o tio materno deseja dispor de seu lote de terra enquanto ainda está vivo, ou então ensinar e transmitir um sistema mágico, seu sobrinho tem de pagar por isso. Via de regra, vários pagamentos, e pagamentos substanciais, devem ser feitos ao tio, que vai cedendo seus direitos pouco a pouco, dando a terra pedaço por pedaço, ensinando a magia em "prestações". Depois do último pagamento, o título de propriedade é definitivamente passado ao mais jovem.

Ao fazer a descrição geral da sociologia trobriandesa (ver capítulo II, seção 6), já chamei a atenção do leitor para o contraste notável entre a herança matrilinear e a transmissão de pai para filho. É digno de nota o fato de que aquilo que os nativos consideram herança legítima tem, no entanto, de ser pago, e o indivíduo que deseja desfrutar de imediato de determinado privilégio que lhe caberá de qualquer modo mais cedo ou mais tarde deve pagar por ele, e pagar bastante. Esse tipo de transação se efetua apenas quando parece desejável a ambas as partes. Não há nenhuma obrigação imposta sobre qualquer um dos dois, no sentido de realizar o negócio; ambos têm de considerá-lo vantajoso antes que possa concretizar-se. A aquisição de magia, é claro, é diferente, pois nesse caso os conhecimentos mágicos precisam necessariamente ser ensinados ao mais jovem pelo mais velho, enquanto este ainda está vivo.

O outro tipo de transação que pertence a essa categoria é o pagamento das danças. As danças são "propriedade" – ou seja, seu inventor tem o direito de "produzir" a dança e o canto na comunidade da aldeia. Se alguma outra aldeia aprecia sua canção e sua dança e quer executá-las, tem que comprar esse direito. Isso é feito dando-se à aldeia original, por meio de uma cerimônia, um presente substancial em alimentos e objetos de valor; depois disso, a dança é ensinada a seus novos proprietários.

Em alguns casos raros, o título a terras de cultivo pode passar de uma comunidade para outra. Também nesse caso, os membros e o líder da comunidade compradora têm de pagar substancialmente àqueles que lhes transmitem os direitos às terras.

Outro tipo de transação que deve ser mencionado aqui é o aluguel da canoa, com transferência temporária de propriedade feita a troco de pagamento.

Embora não seja contrária à terminologia e às ideias nativas, as generalizações de que nos servimos para formar essa quinta categoria vão além da compreensão dos nativos e contêm muitas de suas subdivisões, diferenciadas por meio de termos distintos. *Laga* é o nome dado à compra cerimonial de um privilegio ou à transferência de um lote de terra para cultivo. Esse termo denota uma transação muito grande e importante. Por exemplo, quando se oferecem alimentos ou pequenos objetos de valor em troca de um porco, os nativos chamam esse tipo de transação de troca em espécie ou comércio (*gimwali*), mas, quando um porco de maior valor é trocado por *vaygu'a*, os nativos dão à transação o nome de *laga*.

A ideia importante da aquisição gradual da herança matrilinear feita adiantadamente é designada pelo termo *pokala*, palavra que já encontramos com significado de tributos pagos ao chefe. Trata-se de homônimo, pois seus dois significados são distintos um do outro e claramente diferenciados pelos nativos. Não há dúvida de que esses dois significados surgiram de uma acepção comum, por diferenciação gradual, mas não tenho dados nem mesmo para indicar esse processo linguístico. No presente momento, seria incorreto tentarmos estabelecer quaisquer relações entre os dois significados da palavra, e esse caso demonstra a necessidade de tomarmos cuidado para não nos basearmos demais na terminologia nativa para fins de classificação. O termo com que se designa o aluguel de uma canoa é *toguna waga*.

6. TROCA CERIMONIAL COM PAGAMENTO DIFERIDO

Nessa categoria, temos de descrever os pagamentos oferecidos cerimonialmente que precisam ser recebidos e, mais tarde, retribuídos. A troca baseia-se numa parceria permanente, e os artigos têm de ser mais ou menos equivalentes em valor. Tendo em mente a definição do *Kula*, apresentada no capítulo III, é fácil verificar que essa grande troca cerimonial e circulante pertence a essa categoria. Constitui uma troca em espécie cerimonial, baseada em parceria permanente, em que um presente oferecido é sempre aceito e depois de certo tempo tem de ser retribuído com um contrapresente equivalente.

Há também uma modalidade cerimonial de transação de produtos agrícolas por peixes, baseada numa parceria permanente e na obrigação de aceitar e retribuir um presente inicial. Chama-se *wasi*.

Os membros de uma aldeia do interior, onde o inhame e o taro são abundantes, têm parceiros numa das aldeias da laguna nas quais se pratica muito a pesca, mas os produtos da lavoura são escassos. Cada pessoa tem seu parceiro e, de vez em quando, por ocasião da colheita inicial e também durante a colheita principal, ela e seus companheiros de aldeia trazem grande quantidade de produtos agrícolas à aldeia da laguna [33], cada um depositando seu quinhão em frente à casa de seu parceiro. Isso é um convite, que jamais pode ser rejeitado, para que o parceiro retribua o presente com o equivalente em peixes, tradicionalmente estabelecido.

Logo que as condições de tempo e as obrigações anteriores o permitam, os pescadores vão para o mar, não sem antes avisar a aldeia do interior. Os parceiros vão então à praia para esperar os pescadores, que chegam todos juntos. O carregamento de peixes é retirado diretamente das canoas e levado para a outra aldeia. Esses grandes carregamentos de peixes são sempre adquiridos apenas em conexão com grandes distribuições de alimentos (*sagali*). É interessante notar que, nas aldeias do interior, o *sagali* precisa consistir na distribuição de peixes, ao passo que, nas aldeias da laguna, os peixes jamais podem ser usados para fins cerimoniais e os produtos agrícolas são considerados os únicos artigos adequados. Assim, a razão da troca nesse caso não é obter alimentos para satisfazer a necessidade básica de comida, mas sim para satisfazer a necessidade social de exibir grandes quantidades de comestíveis convencionalmente sancionados. Com frequência, quando ocorre uma grande pescaria desse tipo, grandes quantidades de peixe apodrecem antes de chegarem à pessoa a que são finalmente destinadas. No entanto, o fato de os peixes estarem podres não diminui seu valor no *sagali*.

A equivalência entre o presente em peixes e o presente em produtos agrícolas é avaliada apenas de modo aproximado. Um feixe de taro, de tamanho padronizado, ou uma cesta comum de *taytu* (tubérculos pequenos do inhame) são pagos com uma partida de peixes de três a cinco quilos. A equivalência dos dois pagamentos, bem como a vantagem desfrutada pelo menos por um dos dois parceiros, fazem esse tipo de transação assemelhar-se bastante à troca em espécie ou ao comércio.[8] Mas na negociação entra também, em grande escala, um elemento de confiança, pelo fato de que cabe ao parceiro-retribuído avaliar o grau de equivalência entre os produtos trocados; além

8 Em tempos antigos, essa vantagem era provavelmente mútua. Hoje em dia, quando os pescadores, ao mergulhar à procura de pérolas, conseguem ganhar de dez a vinte vezes mais do que ao executar o que lhes compete no *wasi*, a transação em geral constitui um grande peso. Um dos mais notáveis exemplos da tenacidade dos costumes nativos é o fato de que, apesar de toda a tentação que a pesca de pérolas representa e apesar da grande pressão que os negociantes brancos exercem sobre eles, os pescadores jamais se esquivam de praticar o *wasi* e, tendo recebido o presente inaugural, dedicam seu primeiro dia de bom tempo à pesca, e não à procura de pérolas.

[33] Cena típica do *wasi* (troca cerimonial de produtos agrícolas por peixe). Comitiva vinda de uma aldeia do interior traz seus inhames de barco à aldeia de Oburaku, que é praticamente inacessível por terra. Os nativos colocam os inhames em engradados de madeira, a fim de transportá-los à aldeia cerimonialmente para deixá-los na frente da casa do parceiro.

disso, o presente inicial, que em geral é sempre oferecido pelos nativos do interior, não pode ser rejeitado. É por todas essas características que esse tipo de transação se diferencia do escambo.

Há certos arranjos semelhantes a essa troca cerimonial, em que os indivíduos levam alimentos às aldeias industriais de Kuboma e os habitantes daquela região retribuem ao presente com objetos manufaturados posteriormente. Em certos casos de produção de *vaygu'a* (objetos de valor), é difícil verificar se consiste em pagamento por serviços prestados (categoria 3) ou se é um tipo de troca em espécie cerimonial, pertencente a essa sexta categoria. Quase não há necessidade de acrescentar que os dois tipos de transação pertencentes a essa categoria, o *Kula* e o *wasi* (troca de peixe), são, no pensamento dos nativos, bastante distintos um do outro. Com efeito, o *Kula*, transação cerimonial de objetos de valor, sobressai como modalidade de comércio de tal forma notável que precisa ser colocado numa categoria toda sua não só pelos nativos, mas também por nós mesmos. Não há dúvida de que a técnica do *wasi* deve ter sofrido influência das ideias e dos costumes do *Kula*, que, dos dois tipos de transação, é realmente o mais importante e o mais difundido. Os próprios nativos, ao explicarem uma dessas formas de troca, frequentemente a comparam à outra. A existência da parceria social, da sequência cerimonial de presentes, da equivalência livre, porém inevitável, são todas características de ambos os tipos de transação. Isso demonstra que os nativos têm uma atitude mental bem definida em relação àquilo que consideram um tipo honroso e cerimonial de troca em espécie. A rigorosa exclusão do regateio, as formalidades observadas na entrega do presente, a obrigação de aceitar o presente inicial e de, mais tarde, retribuí-lo – todos esses fatos são expressão dessa atitude.

7. COMÉRCIO PURO E SIMPLES

A característica principal dessa modalidade de transação encontra-se no elemento de mútua vantagem: cada parceiro adquire aquilo de que precisa e dá em troca um objeto que lhe é de menor utilidade. Nesse caso, também a equivalência dos objetos é determinada durante a transação, mediante regateio ou pechincha.

Esse tipo de comércio puro e simples, ou escambo, é praticado principalmente entre as comunidades industriais do interior – nas quais se fabricam em grande escala pratos de madeira, pentes, potes de cal, braceletes e cestas – e os distritos agrícolas de Kiriwina, as comunidades pesqueiras do oeste e as comunidades do sul que praticam a navegação e o comércio. Os nativos das comunidades industriais, embora considerados párias e tratados com desprezo, têm, no entanto, permissão para apregoar e vender suas mercadorias nos demais distritos. Quando têm bastante mercadoria em mãos, eles vão a outras aldeias e pedem inhame, cocos, peixes, nozes de bétel e alguns ornamentos, como os brincos de casco de tartaruga e as conchas de *Spondylus*. Sentam-se em grupos e expõem seus artigos dizendo: "Vocês têm muito coco, e nós não temos nenhum. Fizemos excelentes pratos de madeira. Este aqui vale quarenta nozes, um pouco de noz de bétel e um pouco de pimenta de bétel". Os outros então poderão responder: "Ah, não. Não quero comprar. Você está pedindo muito". E então: "Que é que você vai nos dar?". Uma oferta pode surgir e ser rejeitada pelos mascates, e assim por diante, até que por fim se consiga um ajuste e se realize a transação.

Em certas ocasiões, os habitantes das outras aldeias podem precisar de alguns dos objetos feitos em Kuboma; vão até lá, então, e tentam comprar algumas mercadorias manufaturadas. Os nativos de alta posição, via de regra, fazem suas negociações da maneira já descrita no parágrafo anterior, oferecendo um presente inicial e esperando retribuição. Os outros simplesmente vão comerciar. Como já vimos em nossa descrição do *kabigidoya*, os nativos de Sinaketa e de Vakuta vão a Kuboma antes de cada expedição *kula*, a fim de comprar mercadorias que sirvam para o comércio subsidiário ao *Kula*.

A noção de puro escambo (*gimwali*), portanto, sobressai de maneira bem clara, e os nativos fazem perfeita distinção entre essa e outras modalidades de transação. Sintetizada numa palavra, essa distinção se torna ainda mais nítida mediante o uso dessa palavra. Ao criticar acerbamente o comportamento pouco digno do *Kula* ou alguma maneira inadequada de oferecer presentes, os nativos dizem que "isso foi feito como um *gimwali*". Ao lhes perguntarmos se determinada transação pertence a essa ou àquela categoria, eles respondem com um toque de desdém: "Isso foi apenas um *gimwali* (*gimwali wala!*)". No decurso da pesquisa etnográfica, oferecem descrições nítidas, quase definições, do *gimwali*, de sua falta de cerimônia, da possibilidade de regatear, da maneira como pode ser realizada entre dois estranhos quaisquer. Afirmam, de forma correta e clara, sob que condições gerais ele se processa e, de pronto, citam que artigos podem ser negociados por meio do *gimwali*.

Claro que certas características do escambo puro, as quais podemos perceber claramente como inerentes aos fatos, estão bem longe do entendimento teórico dos nativos. Assim, por exemplo, o fato de que o elemento de mútua vantagem representa uma faceta proeminente do *gimwali*; o fato de que ele se refere exclusivamente a artigos recém-fabricados, pois os objetos de segunda mão jamais constituem objeto de *gimwali* etc. etc. O etnógrafo tem de chegar por si próprio a tais generalizações. Outras propriedades do *gimwali* incorporadas aos costumes são: a ausência de cerimonial, a ausência de magia, a ausência de parceria especial – todas elas já mencionadas anteriormente. Ao efetuarem a transação, os nativos também se comportam de maneira bastante diferente dos outros tipos de troca. Em todas as modalidades cerimoniais de transação, considera-se falta de dignidade e falta de etiqueta o fato de o recebedor demonstrar qualquer interesse pelo presente ou mesmo desejo de recebê-lo. Tanto nas distribuições cerimoniais como no *Kula*, o presente é jogado pelo doador – às vezes literalmente atirado ao chão, às vezes oferecido de forma brusca, e muitas vezes nem chega a ser apanhado pelo recebedor, mas sim por alguma outra pessoa menos importante que o está acompanhando. No *gimwali*, por sua vez, há demonstração de grande interesse pela transação.

Há um tipo de *gimwali* que merece atenção especial: o comércio ou troca em espécie de peixes por produtos agrícolas, que contrasta nitidamente, portanto, com o *wasi*, a transação cerimonial de peixes por inhame. Denomina-se *vava* e se processa entre aldeias que não têm nenhuma parceria *wasi* permanente e, portanto, simplesmente *gimwali* seus produtos sempre que necessário [34, p. 284].

Com isso, concluímos nosso pequeno estudo das diversas modalidades de transação. Foi necessário apresentá-lo, embora de maneira abreviada, a fim de podermos construir um *background* para o *Kula*. Dá-nos uma ideia da extensão e da grande variedade das transações materiais que se processam na vida das ilhas Trobriand. Vemos também que as regras de equivalência, bem como as formalidades que acompanham cada uma das transações, estão muito bem definidas.

7

É fácil verificar que quase todas as categorias de presentes, que aqui classifiquei segundo princípios econômicos, também têm por base algum tipo de relação sociológica. Assim, o primeiro tipo de presente, ou seja, os presentes gratuitos, é parte integrante das relações entre marido e mulher e das relações entre pais e filhos. De maneira análoga, a segunda categoria de presente, ou seja, os presentes obrigatórios, oferecidos sem retribuição sistemática, associa-se principalmente aos parentes por afinidade, muito embora os tributos oferecidos ao chefe também se incluam nessa categoria.

Se construíssemos um esquema das relações sociológicas, cada tipo de relação se definiria por uma categoria especial de deveres econômicos. Haveria certo paralelismo entre tal classificação sociológica de pagamentos e presentes e a que apresentamos anteriormente. Mas tal paralelismo seria apenas aproximado. Será, portanto, interessante construir um esquema das transações, classificando-as de acordo com a relação social a que correspondem. Isso nos permitirá penetrar mais profundamente no mecanismo econômico da sociologia trobriandesa, bem como apresentar o assunto dos pagamentos e presentes sob uma nova perspectiva.

Ao estudarmos o esboço sociológico apresentado no capítulo II, seções 5 e 6, vemos que a família, o clã e o subclã, a comunidade da aldeia, o distrito e a tribo constituem as principais divisões da sociedade trobriandesa. A cada um desses grupos correspondem laços específicos de relacionamento social. Assim, à família correspondem nada menos do que três tipos distintos de relação, segundo o pensamento nativo. Antes de mais nada, há o parentesco matrilinear (*veyola*), que abrange pessoas que, por meio de sua mãe, podem traçar uma ascendência comum. É essa, para os nativos, a relação consanguínea, a identidade de carne e o verdadeiro parentesco. A relação de casamento inclui a relação entre marido e mulher e a entre o pai e os filhos. Por fim, a relação entre o marido e os parentes matrilineares da mulher forma a terceira categoria de laços pessoais correspondente à família. Essas três categorias de laços distinguem-se nitidamente umas das outras na terminologia nativa, no uso corrente da língua, nos costumes e nas ideias explicitamente formuladas pelos nativos.

Ao agrupamento em clãs e subclãs pertencem os laços entre os membros de cada clã e, de maneira especial, entre os membros de um mesmo subclã, e por outro lado a relação entre um indivíduo e os membros dos diferentes clãs. A filiação a um mesmo subclã é uma espécie de parentesco ampliado. A relação com outros clãs é de grande importância quando assume a forma de amizade especial denominada *luba'i*. O agrupamento dos nativos em aldeias tem por resultado a característica muito importante de afiliação à mesma comunidade aldeã. A distinção hierárquica associada à divisão clânica, à divisão

[34] O *vava* (troca direta de produtos agrícolas por peixe).

em comunidades de aldeia e distritos, resulta, como já vimos no capítulo II, na sujeição dos plebeus aos chefes. Finalmente, o fato geral de filiação à tribo cria os laços que unem uns aos outros todos os nativos da tribo e que outrora permitia livre mas não ilimitado intercâmbio; portanto, relações comerciais no âmbito tribal. Temos, portanto, oito tipos de relações pessoais a discriminar. A seguir, vamos identificá-los com um resumo de suas características econômicas.

1. PARENTESCO MATRILINEAR

A noção fundamental de que o parentesco matrilinear significa identidade de sangue e de substância não se expressa muito nitidamente nos aspectos econômicos. O direito à herança, a coparticipação em certos títulos de propriedade e o direito limitado de usar implementos e objetos de uso diário pertencentes a parentes são, na prática, muitas vezes prejudicados por ciúmes e animosidades particulares. Especialmente no que diz respeito a presentes econômicos, encontramos aqui o costume notável de comprar em vida, a prestações, os títulos de lotes de terra para cultivo, árvores e conhecimentos de magia, os quais por direito devem passar, com o falecimento dos mais velhos, à geração mais jovem de parentes matrilineares. A identidade econômica dos parentes matrilineares aparece mais nitidamente nos *sagali*, distribuições tribais em que todos têm de partilhar a responsabilidade de fornecer alimentos.

2. OS LAÇOS MATRIMONIAIS (MARIDO E MULHER; PROCEDENTE DISSO, PAI E FILHOS)

É suficiente mencionar esse tipo de relação e lembrar ao leitor que se caracteriza pelo oferecimento de presentes gratuitos, minuciosamente descrito na classificação dos presentes já apresentada.

3. RELAÇÕES DE AFINIDADE

Esses laços não são, em seu aspecto econômico, nem recíprocos nem simétricos. Em outras palavras, o marido é a parte economicamente favorecida, ao passo que os irmãos da esposa recebem dele presentes que, em geral, são de menor valor. Como sabemos, esse tipo de relacionamento define-se, sob o ponto de vista econômico, por presentes regulares e substanciais de produtos da colheita, com os quais os irmãos da esposa abastecem o celeiro do marido todos os anos, além de lhe prestar determinados serviços. Em troca, recebem um presente de *vaygu'a* (objetos de valor) de tempos em tempos, como também certa quantidade de alimentos por serviços prestados.

4. RELAÇÕES CLÂNICAS

A principal identificação econômica desse grupo se verifica durante o *sagali*, muito embora a responsabilidade pelo fornecimento de alimentos recaia apenas sobre os parentes consanguíneos do falecido. Todos os membros do subclã e, em menor grau, os membros do mesmo clã no âmbito de uma comunidade de aldeia têm de contribuir com pequenos presentes que oferecem aos organizadores do *sagali*.

5. A RELAÇÃO DE AMIZADE PESSOAL

Via de regra, dois indivíduos unidos por laços de amizade efetuam o *Kula* entre si e, no caso de pertencerem respectivamente a uma aldeia do interior e a uma aldeia da laguna, atuam como parceiros no *wasi*, a troca de peixes por produtos agrícolas.

6. PARTICIPAÇÃO EM UMA MESMA COMUNIDADE DE ALDEIA

Há muitos tipos de presentes oferecidos por uma comunidade à outra. Sob o ponto de vista econômico, os laços de concidadania consistem na obrigação de contribuir para esses presentes. Além disso, nas distribuições mortuárias (*sagali*), os concidadãos pertencentes ao clã que não o do morto recebem uma série de presentes pela execução de seus deveres mortuários.

7. RELACIONAMENTO ENTRE CHEFES E PLEBEUS

São característicos desse tipo de relacionamento, de um lado, os tributos e serviços prestados ao chefe por seus vassalos e, de outro, os pequenos, mas frequentes, presentes que o chefe oferece, como também as grandes e importantes contribuições que ele faz a todos os empreendimentos tribais.

8. RELAÇÃO ENTRE NATIVOS DE UMA MESMA TRIBO

Esse tipo de relacionamento caracteriza-se por pagamentos e presentes, por comércio ocasional entre dois indivíduos e por presentes esporádicos e gratuitos de tabaco ou noz de bétel, os quais nenhuma pessoa pode negar a outra, a menos que haja inimizade entre ambas.

Com isso, damos término ao nosso estudo sobre doações e presentes. A importância geral do "dar e receber" para o mecanismo social de Boyowa e o grande número de distinções e subdivisões dos diversos presentes não podem deixar quaisquer dúvidas quanto ao importantíssimo papel que os atos e os motivos econômicos desempenham na vida desses nativos.

CAPÍTULO VII

A partida de uma expedição marítima

Chegamos, em nossa narrativa sobre o *Kula*, ao estágio em que já se fizeram todos os preparativos, aprontou-se a canoa, realizaram-se as cerimônias de lançamento e de apresentação e coletaram-se as mercadorias para o comércio subsidiário. Falta apenas carregar as canoas e fazer-se à vela. Até agora, ao descrever o processo de construção, o *tasasoria* e o *kabigidoya*, falamos dos trobriandeses em geral. Daqui para a frente teremos de limitar-nos a um distrito, a porção meridional da ilha, e acompanharemos uma expedição *kula* de Sinaketa a Dobu, pois há certas diferenças entre os vários distritos e cada um deles deve ser estudado isoladamente. Tudo o que se diz de Sinaketa, no entanto, aplica-se também a outra comunidade meridional, a de Vakuta. Portanto, o cenário de todos os acontecimentos que descreveremos nos dois próximos capítulos será o de apenas um local, ou seja, o conjunto de umas oito aldeias, muito próximas umas das outras, situadas na praia plana e lamacenta da laguna de Trobriand. Há uma praia curta e arenosa sob uma orla de palmeiras de onde se pode avistar toda a laguna, com o largo semicírculo de sua borda orlado com o verde brilhante da vegetação do mangue e guarnecido, ao fundo, pela selva alta da crista de coral do *raybwag*. Algumas ilhas pequenas e planas delineiam a marca do horizonte e, nos dias claros, as montanhas das ilhas d'Entrecasteaux aparecem como sombras azuladas a distância.

Da praia entramos diretamente numa das aldeias, que consiste numa fileira de casas atrás de uma fileira de celeiros de inhame. Atravessando-a e deixando para trás, à direita, uma aldeia de forma circular e passando por locais vazios em que se encontram apenas pés de bétel e coqueiros, chegamos a Kasiyetana, a principal aldeia componente de Sinaketa. Nesse local, sobressaindo entre as elegantes cabanas nativas, existe um enorme abrigo de zinco, construído sobre pilares, mas com o espaço entre o soalho e o solo cuidadosamente preenchido com pedras de coral brancas. Esse monumento serve de testemunho não só à vaidade nativa, como também à força de suas superstições – vaidade de imitar o homem branco em seu hábito de erguer a casa sobre pilares e o temor tradicional dos nativos pelo *bwaga'u* (feiticeiro), cujos feitiços mais poderosos são feitos queimando ervas mágicas e cuja ação não poderia ser evitada se ele pudesse entrar debaixo da casa. Podemos acrescentar que até mesmo os professores-missionários, nativos das ilhas Trobriand, sempre preenchem cuidadosamente com pedras todo o espaço existente debaixo de suas casas. To'udawada, o chefe de Kasiyetana, é, a propósito, o único nativo de Boyowa que tem uma casa de zinco e, com efeito, não existe na ilha inteira mais do que uma dúzia de casas que não tenham sido construídas exatamente segundo os padrões tradicionais. To'udawada é também o único nativo que vi usando um capacete colonial; em outros aspectos, ele é uma pessoa decente (fisicamente bem-composto), alto, de rosto largo e inteligente. Na frente de sua cabana de zinco estão situadas as belas cabanas nativas pertencentes às suas quatro esposas.

Andando em direção ao norte, sobre o solo negro pontilhado aqui e acolá por formações de coral, em meio a árvores altas e porções de selva, campos e terrenos de cultivo, chegamos a Kanubayne, aldeia chefiada por Kouta'uya, o segundo chefe em importância do distrito de Sinaketa. Muito provavelmente o encontraremos sentado sobre a plataforma de sua cabana ou celeiro, velho desdentado e cheio de rugas, com uma grande cabeleira postiça. Tanto Kouta'uya como To'udawada pertencem às mais altas posições de chefia, e ambos se julgam iguais aos chefes de Kiriwina. O poder deles, no entanto, limita-se apenas à respectiva aldeia e nem no cerimonial nem na riqueza chegavam os dois a igualar-se, pelo menos em épocas passadas, a seus parentes do norte. Em Sinaketa, há ainda outro chefe da mesma posição social que eles – o chefe da pequena aldeia de Oraywota. Seu nome é Sinakadi; é um velho prepotente, de aparência doentia, desdentado e careca, de caráter realmente odioso e desprezível, desprezado tanto pelos nativos como pelo homem branco. Sinakadi tem a reputação, já bem comprovada, de ir a bordo dos barcos dos homens brancos assim que estes se aproximam da praia, levando consigo, em sua canoa, uma ou duas de suas jovens esposas e voltando logo depois sozinho, com muito tabaco e mercadorias finas. Apesar de muito tolerante no seu senso de moralidade em assuntos desse tipo, até mesmo o nativo fica chocado com sua conduta e, por isso, Sinakadi não é respeitado nem em sua aldeia.

As demais aldeias são chefiadas por líderes de posição social inferior, mas de não menor importância e poder que os chefes principais. Um deles, um velho estranho, magro e aleijado, mas de atitude nobre e decidida, chamado Layseta, é famoso pelos seus grandes conhecimentos de todos os tipos de magia e por suas longas permanências em terras estranhas, como as ilhas Amphlett e Dobu. Encontraremos de novo alguns desses chefes posteriormente em nossa jornada. Tendo feito uma descrição das aldeias e dos líderes de Sinaketa, voltemos agora à nossa narrativa.

Alguns dias antes da data marcada para a partida da expedição *kula*, há grande movimentação nas aldeias. Comitivas de visitantes chegam das vizinhanças trazendo presentes, em sua maior parte alimentos que servirão como provisões da viagem. Sentam-se à frente das cabanas, conversando e fazendo comentários, enquanto os nativos locais continuam em suas tarefas. Ao anoitecer, realizam-se grandes reuniões ao redor das fogueiras, que se prolongam até tarde da noite. O preparo dos alimentos cabe principalmente às mulheres, enquanto os homens dão os toques finais às canoas e executam sua magia.

Do ponto de vista sociológico, o grupo de nativos que vai empreender a viagem naturalmente difere daquele que fica. Mas, mesmo no grupo dos viajantes, há uma diferenciação estabelecida por suas respectivas funções no *Kula*. Em primeiro lugar, há os donos das canoas, os *toliwaga*, que desempenharão funções bastante específicas nas semanas seguintes. Sobre cada um deles recai, com maior rigor, a responsabilidade de observar os tabus, sejam os que se aplicam em Sinaketa, sejam os que têm vigor em Dobu. Cada um deles precisa executar a magia e atuar nas cerimônias. Cada um desfrutará também das maiores honras e privilégios do *Kula*. Os membros da tripulação, os *usagelu*, de quatro a seis homens para cada canoa, formam outro grupo. Manobram a canoa, executam certos rituais mágicos e, em geral, cada um deles executa o *Kula* por conta própria. Na canoa vão também dois nativos mais jovens, que ainda não participam do *Kula*, mas que ajudam nos trabalhos de navegação; chamam-se *silasila* e constituem outra categoria. Por vezes, um menino pequeno acompanha o pai numa expedição *kula*, recebendo o nome de *dodo'u* e a incumbência de soprar o búzio. A tripulação completa consiste, portanto, em quatro categorias de pessoas: o *toliwaga*, os *usagelu*, os ajudantes e as crianças. As mulheres de Sinaketa, casadas ou não, jamais participam das expedições marítimas, embora exista um costume diferente na porção oriental das ilhas Trobriand. Cada *toliwaga* tem de pagar seus *usagelu* com alimentos; isso é feito mediante uma pequena cerimônia de distribuição de alimentos, conhecida pelo nome de *mwalolo* e realizada na praça central da aldeia após a expedição retornar.

Alguns dias antes da partida, o *toliwaga* dá início à serie de seus rituais mágicos e começa a observar os tabus; as mulheres se ocupam da preparação final dos alimentos; e os homens aprestam a *waga* (canoa) para a longa jornada que está prestes a começar.

O tabu do *toliwaga* refere-se à sua vida sexual. Durante as duas últimas noites, ele tem mesmo de manter-se acordado até tarde para executar os rituais mágicos e para receber a visita de amigos e parentes vindos de outras aldeias, que lhe trazem provisões para a viagem e presentes em mercadorias negociáveis e discutem a expedição que está prestes a realizar-se. Mas ele precisa também manter vigília noite adentro, por imposição da tradição, e deve dormir sozinho, embora sua esposa possa dormir na mesma casa que ele.

Os preparativos referentes à canoa iniciam quando os nativos a cobrem com esteiras de palha trançada chamadas *yawarapu*. Essas esteiras são colocadas sobre a plataforma da canoa, a fim de torná-la mais cômoda para se sentar, andar e arrumar pequenos objetos sobre ela. Esse primeiro ato no aprestamento da canoa está associado a um ritual mágico. O *toliwaga* entoa uma fórmula mágica sobre as esteiras na praia, à medida que são colocadas sobre a canoa. Num outro sistema de magia *kula*, o *toliwaga* trata magicamente um pouco de raiz de gengibre, que é cuspida sobre as esteiras na sua cabana. Eis uma amostra da fórmula mágica usada nesse ritual.

ENCANTAMENTO *YAWARAPU*

Noz de bétel, noz de bétel, noz de bétel fêmea; noz de bétel, noz de bétel, noz de bétel macho; noz de bétel da cusparada cerimonial!

Os companheiros dos chefes; os chefes e seus seguidores; seu sol, o sol da tarde; seu porco, um porco pequeno. Apenas um é o meu dia, [aqui o *toliwaga* profere seu próprio nome], sua madrugada, sua manhã.

Esse é o exórdio do encantamento. A seguir, vem a parte principal. As palavras *boraytupa* e *badederuma*, justapostas uma à outra, são repetidas com uma série de outras palavras. *Boraytupa* significa, em tradução livre, "navegação veloz", e *badederuma*, "carga abundante". A série de palavras sucessivamente juntadas a esses dois termos descrevem vários tipos de colares *kula*. Os colares de diferentes tamanhos e diversos tipos de acabamento têm, cada um deles, um nome especial referente à sua categoria; há aproximadamente doze tipos de colar. Depois disso, o *toliwaga* profere uma série de palavras referentes à cabeça humana:

Minha cabeça, meu nariz, meu occipício, minha língua, minha garganta, minha laringe etc.

Finalmente são mencionados os vários objetos levados na expedição *kula*. Os bens a serem ofertados (*pari*); um pacote ritualmente embrulhado (*lilava*); a cesta pessoal; a esteira que serve de cama; cestas grandes; a espátula para cal; o pote para cal e o pente; todos esses objetos são mencionados, uns após os outros.

Enfim, o mágico recita a parte final do encantamento:

Vou chutar a montanha, a montanha se move, a montanha desmorona, a montanha inicia suas atividades cerimoniais, a montanha aplaude, a montanha cai por terra, a montanha jaz prostrada! Minha fórmula mágica irá para o topo da montanha de Dobu, minha fórmula mágica penetrará no interior de minha canoa. O casco de minha canoa afundará; o flutuador de minha canoa ficará debaixo d'água. Minha fama é como o trovão, meus passos são como o estrondo das bruxas voadoras.

A primeira parte desse encantamento contém uma referência à noz de bétel, uma das coisas que os nativos esperam receber no *Kula*. No entanto, é uma das substâncias tratadas magicamente pelos nativos e dadas a seus parceiros para induzi-los a fazer o *Kula*. É impossível determinar a qual desses dois atos o encantamento se refere – nem mesmo os nativos podem dizer. A parte em que o *toliwaga* exalta sua própria rapidez e sucesso é típica das fórmulas mágicas, encontrando-se em muitas delas.

A parte principal do encantamento é, como sempre, de interpretação mais fácil. De maneira geral, pressupõe a seguinte afirmativa: "Vou ser veloz e bem-sucedido com referência às várias modalidades de *vaygu'a*; vou ser veloz e bem-sucedido com minha cabeça, com minhas palavras, com minha aparência; com todos os meus bens comerciais e pertences pessoais". A parte final do encantamento descreve a impressão a ser produzida pela magia do *toliwaga* na "montanha", que aqui significa Dobu e seus habitantes. Com efeito, os distritos das ilhas d'Entrecasteaux, para os quais está rumando a expedição, são sempre chamados *koya* (montanha). As hipérboles, as metáforas e a insistência sobre os poderes do encantamento são bastante características de todas as fórmulas mágicas.

Um ou dois dias depois – pois frequentemente há um atraso na partida –, o chefe da expedição oferece um ou dois porcos a todos os participantes. Na noite anterior à partida, o proprietário de cada canoa vai ao campo buscar um pé de hortelã aromática (*sulumwoya*). Segurando um dos ramos, ele o agita no ar, de um lado para o outro, proferindo um encantamento e depois o arranca. Eis a fórmula:

ENCANTAMENTO *SULUMWOYA*[1]

Quem é que corta o *sulumwoya* de Laba'i? Eu, Kwoyregu, e meu pai – nós dois cortamos o *sulumwoya* de Laba'i! O *sulumwoya* estrondoso, ele produz estrondos; o *sulumwoya* trepidante, ele trepida; o *sulumwoya* sussurrante, ele sussurra; o *sulumwoya* fervente, ele ferve.

Meu *sulumwoya*, ele ferve, minha colher para cal, ela ferve, meu pote para cal, ele ferve, meu pente... minha cesta... minha cesta... pequena minha esteira... meu pacote *lilava*... minhas mercadorias de apresentação (*pari*)...

Com cada um desses termos a palavra "ferve(r)" ou "espuma(r)" é repetida várias vezes. Depois disso, o mesmo verbo "ferver" é repetido com os termos designativos da cabeça, como na fórmula anterior.

A última parte é:

Espírito de Mwoyalova, meu tio materno recentemente falecido, sopra teu encantamento sobre a cabeça de Monikiniki. Sopra o encantamento sobre a cabeça de minha canoa ligeira. Vou chutar a montanha, a montanha se inclina; a montanha alui; a montanha se abre;

1 Ver a análise linguística do texto original desse encantamento apresentada no capítulo XVIII.

a montanha rejubila-se; ela tomba. Vou realizar o *Kula* de modo que minha canoa afunde; vou realizar o *Kula* de modo que meu flutuador externo afunde na água. Minha fama é como o trovão, meus passos são como o estrondo das bruxas voadoras.

O exórdio desse encantamento contém referências míticas sobre as quais, no entanto, meus informantes só puderam dar-me explicações confusas. Mas, pelo menos no que se refere diretamente à hortelã e sua eficácia mágica, o exórdio é bastante claro. Na segunda parte, há mais uma vez uma lista de palavras referentes aos objetos usados no *Kula* e à aparência pessoal e ao poder de persuasão do mágico. O verbo com que essas palavras são repetidas refere-se à fervura da hortelã e do óleo de coco, que em breve terei de mencionar e indica que as propriedades mágicas da hortelã são passadas ao *toliwaga* e às suas mercadorias. Na última parte, o mágico invoca o espírito de seu próprio parente materno do qual obteve o encantamento e pede-lhe que transmita virtude mágica à sua canoa. O nome mitológico *Monikiniki*, ao qual não está associado nenhum mito, exceto a tradição de que Monikiniki foi o primeiro proprietário de todos esses encantamentos, é empregado aqui como sinônimo da canoa. Bem no fim, no *dogina*, que contém diversas expressões idênticas às expressões usadas na parte final do encantamento *yawarapu*, nota-se também a linguagem muito exagerada, tão frequente nas fórmulas mágicas.

Depois de haver ritualmente arrancado o pé de hortelã, o mágico o leva para sua casa. Lá ele procura um de seus *usagelu* (membros da tripulação), que o ajuda a ferver um pouco de óleo de coco (*bulami*) num pequeno pote de barro. O pé de hortelã é colocado no óleo fervente e, enquanto ferve, o mágico profere uma fórmula mágica sobre o pote.

ENCANTAMENTO *KAYMWALOYO*

"Nenhuma noz de bétel, nenhum *dogu* (ornamento feito da presa circular de javali), nenhuma casca de bétel! Meu poder de mudar-lhe a mente; minha magia *mwasila*, minha *mwase, mwasare, mwaserewai.*" Essa última sentença contém um jogo de palavras bastante característico dos encantamentos de Kiriwina; a primeira sentença é difícil interpretar. Provavelmente significa o seguinte: "Nenhuma noz ou a casca de bétel, nenhum presente *doga* pode ser tão forte quanto meu *mwasila* e seu poder de fazer meu parceiro mudar de ideia a meu favor!

Em seguida, vem a parte principal do encantamento:

Há um *sulumwoya* (pé de hortelã) meu, um *sulumwoya* de Laba'i que colocarei no topo de Gumasila.

Farei, assim, um *Kula* rápido no topo de Gumasila; assim esconderei meu *Kula* no topo de Gumasila; assim roubarei meu *Kula* no topo de Gumasila; assim saquearei meu *Kula* no topo de Gumasila; assim furtarei meu *Kula* no topo de Gumasila.

Esses últimos parágrafos são repetidos várias vezes, inserindo, em lugar do nome da ilha Gumasila, os seguintes nomes: Kuyawaywo, Domdom, Tewara, Siyawawa, Sanaroa, Tu'utauna, Kamsareta e Gorebubu. São esses os nomes sucessivos de lugares onde o *Kula* é efetuado. Nesse longo encantamento, o oficiante segue o curso de uma expedição *kula* enumerando seus pontos de referência mais conspícuos. A última parte dessa fórmula é idêntica à última parte do encantamento *yawarapu* já citado: "Vou chutar a montanha etc.".

Depois de proferir esse encantamento sobre o óleo e a hortelã, o mágico põe essas duas substâncias num receptáculo feito de folha de bananeira enrijecida na grelha – mas, atualmente, às vezes se usa no lugar uma garrafa de vidro. O receptáculo é então atado a uma vareta enfiada por entre as tábuas de proa da canoa, ficando suspenso de lado por sobre o bico da proa. Como veremos mais adiante, o óleo aromatizado é utilizado para untar alguns objetos quando a expedição chega a Dobu.

A série de rituais mágicos, porém, ainda não terminou. No dia seguinte, logo de manhãzinha, o pacote ritual de amostras de bens de comércio, chamado *lilava*, é preparado, recitando-se sobre ele uma fórmula mágica. Alguns objetos comerciáveis – como um bracelete de fibras trançadas, um pente, um pote para cal e um pacote de nozes de bétel – são dispostos sobre uma esteira nova e limpa e o encantamento é proferido sobre essa esteira dobrada. Em seguida, a esteira é enrolada e sobre ela coloca-se outra, enrolando as duas com ainda outras esteiras; o pacote hermeticamente fechado, contém, portanto, o poder mágico do encantamento; mais tarde, é posto num local especial no centro da canoa e não é aberto até que a expedição chegue a Dobu. Existe uma crença de que a ele está associado um portento mágico (*kariyala*). Toda vez que o *lilava* é desembrulhado, cai uma chuva leve acompanhada de trovões e relâmpagos. O europeu cético poderia acrescentar que, na época da monção, ao pé ou na encosta de montanhas tão altas quanto as que se encontram no grupo de ilhas d'Entrecasteaux, chove praticamente todas as tardes, com trovoadas. Apesar disso, quando o *kariyala* não aparece, nós todos sabemos, é claro, que algo saiu errado na execução do ritual mágico sobre o *lilava*! Eis o encantamento proferido sobre o embrulho tabu do *lilava*.

ENCANTAMENTO *LILAVA*

Costeio a borda da praia de Kaurakoma; a praia de Kayli, Kayli de Muyuwa.

Não tenho explicações a acrescentar para tornar essa frase mais clara. Ela obviamente contém referências mitológicas sobre as quais não tenho informações. O encantamento continua assim:

Agirei magicamente em minha montanha... Onde vou me deitar? Vou me deitar em Legumatabu; sonharei, meus sonhos me trarão visões; a chuva vai cair como portento mágico meu... a mente dele está alerta; ele não se deita, não se senta, fica de pé e treme, fica de pé, está agitado; é pequena a fama de Kewara, minha própria fama fulgura...

Esse parágrafo inteiro é repetido várias e várias vezes; o nome de outras localidades é usado em vez do de Legumatabu cada vez que o parágrafo é repetido. Legumatabu é uma pequena ilha de coral, de cerca de 180 metros de comprimento por 90 metros de largura, onde crescem apenas algumas árvores do pandano; as aves selvagens e as tartarugas põem ovos na areia de suas praias. Nessa ilha, que fica na metade do caminho entre Sinaketa e as ilhas Amphlett, os navegadores de Sinaketa com frequência passam uma ou duas noites quando há mau tempo ou o vento não está ajudando.

Esse parágrafo contém, primeiro, uma alusão direta ao portento mágico do *lilava*. Em sua segunda metade, descreve o estado de inquietação do parceiro dobu sob a influência dessa mágica, estado de inquietação que o leva a ser generoso no *Kula*. Não sei se a palavra *Kewara* é um nome próprio ou que significados tem, mas a frase contém a exaltação da fama do próprio mago – coisa muito característica dessas fórmulas mágicas.

As localidades citadas em lugar de Legumatabu nas repetições sucessivas do parágrafo são as seguintes: Yakum, outra pequena ilha de coral; Urasi, termo dobu correspondente a Gumasila, Tewara, Sanaroa e Tu'utauna – todas localidades que já conhecemos em nossa descrição de Dobu.

Esse encantamento é muito longo. Depois da longa recitação do último parágrafo e de suas variantes, uma nova mudança é introduzida. Em lugar da primeira frase "Onde vou me deitar? [...]" usa-se a frase "Onde se ergue o arco-íris? Ele se ergue sobre o topo de Koyatabu", e em seguida repete-se o resto do parágrafo: "sonharei, meus sonhos me trarão visões [...]". Essa nova frase sofre ainda outra alteração: em vez de Koyatabu, são usados os nomes Kamsareta, Koyava'u e Gorebubu,[2] que novamente percorrem a rota; mas, nesse caso, em vez dos locais de pousada, são mencionadas as balizas da expedição marítima, ou seja, os topos das montanhas altas. A parte final dessa fórmula é, mais uma vez, idêntica à do encantamento *yawarapu*.

2 Koyatabu – montanha situada na praia setentrional de Fergusson; Kamsareta – a mais alta montanha de Domdom, nas ilhas Amphlett; Koyava'u – montanha situada na praia setentrional dos estreitos Dawson, no lado oposto à ilha de Dobu; Gorebubu – vulcão situado na ilha de Dobu.

Esse ritual mágico se realiza na manhã do último dia. Imediatamente após a recitação do encantamento, o *lilava* é enrolado, transportado para a canoa e colocado em seu posto de honra. A essas alturas, os *usagelu* já terminaram de preparar a canoa para a viagem.

Cada canoa *masawa* é dividida em dez, onze ou doze compartimentos por meio de varas grossas, horizontais, chamadas *riu*, que unem o casco da canoa ao flutuador externo. Esses compartimentos recebem o nome geral de *liku*, e cada *liku* tem um nome e uma função particular. A começar da popa, o primeiro *liku*, que como se pode facilmente imaginar, é estreito e raso, denomina-se *ogugwau*, "na névoa", e é o local apropriado para colocar os búzios. Os meninos pequenos sentam-se aí e sopram os búzios nas ocasiões cerimoniais.

O compartimento seguinte denomina-se *likumakava*; nele armazena-se uma parte dos alimentos. A terceira divisão denomina-se *kayliku*; nela tradicionalmente se colocam os recipientes de água feitos de casca de coco. O quarto *liku*, que recebe o nome de *likuguya'u*, é, como o nome indica, o lugar onde fica o *guya'u* ou chefe; o termo *guya'u*, a propósito, é usado nesse caso informalmente como título de cortesia para qualquer líder de aldeia ou homem importante. A pessoa encarregada de retirar a água que entra na canoa, o *yalumila*, permanece sempre nesse compartimento. Depois, vêm os compartimentos centrais, chamados *gebobo* – em geral, dois ou três, conforme o tamanho da canoa. É nesse local que o *lilava* é colocado sobre a plataforma; nele também são armazenados os alimentos melhores, que deverão ser reservados até que a expedição chegue a Dobu, e todos os artigos de valor a serem comerciados. Depois das divisões centrais, seguem os mesmos compartimentos de antes, em ordem inversa **[35]**.

Quando a canoa vai levar muita carga, como sempre acontece nas expedições a Dobu, os nativos fazem um cercado em volta do lugar correspondente ao *gebobo* da canoa, construindo assim uma espécie de engradado no meio dela, que enchem de pacotes enrolados em esteiras e, quando ela não está navegando, cobrem-no usualmente com a esteira da vela. No fundo da canoa, constroem um chão com uma estrutura de varas. As pessoas podem andar e

[35] Uma canoa carregada. Uma canoa *masawa* na praia de Nu'agasi (nas ilhas Amphlett), com a carga principal no *gebobo* (compartimento central da canoa).

colocar coisas sobre essa estrutura, enquanto a água acumulada no casco corre embaixo e, de tempos em tempos, é jogada para fora. Nessa estrutura, no *gebobo*, os nativos põem quatro cocos, cada um num canto do quadrado, e um encantamento é proferido sobre eles. É depois disso que o *lilava*, os alimentos selecionados e o restante das mercadorias são armazenados na canoa. O encantamento que transcrevemos abaixo pertence à categoria dos proferidos sobre os quatro cocos.

> ENCANTAMENTO DO *GEBOBO*
>
> "Meu pai, minha mãe... *Kula, mwasila.*" Esse pequeno exórdio, de estilo conciso, próprio da parte inicial das fórmulas mágicas, é bastante enigmático, exceto pela menção ao *Kula* e ao *mwasila*, que são autoexplicativos. A segunda parte é menos obscura:
>
> "Vou encher minha canoa de *bagido'u*, vou encher minha canoa de *bagiriku*, e vou encher minha canoa de *bagidudu* [...]" São enumerados todos os nomes específicos de colares. A última parte é assim:
>
> "Vou ancorar no mar aberto e minha fama chegará à laguna; vou ancorar na laguna e minha fama chegará ao mar aberto. Meus companheiros estarão no mar aberto e na laguna. Minha fama é como o trovão, meus passos são como o terremoto".

Essa última parte é semelhante à de várias outras fórmulas. Esse ritual é obviamente um ritual *kula*, a julgar pela fórmula, mas os nativos afirmam que ele tem por finalidade especial fazer que os alimentos armazenados na canoa se conservem por muito tempo. Depois que esse ritual chega ao fim, faz-se rapidamente o carregamento da canoa; o *lilava* é colocado em seu posto de honra e, com ele, os alimentos de melhor qualidade, que serão comidos em Dobu. Outros alimentos escolhidos, que servirão como *pokala* (oferendas), são também colocados no *gebobo* para serem oferecidos aos parceiros de ultramar. Sobre eles são colocadas as mercadorias restantes, denominadas *pari*; por cima de tudo isso são empilhados os bens de uso pessoal dos *usagelu* e do *toliwaga*, em suas respectivas cestas, que têm a forma de malas de viagem.

Os nativos das aldeias do interior, denominados *kulila'odila*, reúnem-se na praia. Com eles ficam as mulheres, as crianças, os velhos e mais alguns nativos deixados para cuidar da aldeia. O chefe da frota levanta-se e se dirige à multidão na praia, mais ou menos nos seguintes termos:

> Mulheres, nós vamos navegar; vocês vão permanecer na aldeia, tomar conta dos campos e das casas; vocês devem manter-se castas. Ao entrarem no mato para apanhar lenha, nenhuma de vocês deve ficar para trás, afastada das demais. Quando forem para o campo para trabalhar, mantenham-se juntas. Voltem juntas, com suas irmãs mais novas.

Ele admoesta os nativos de outras aldeias a manter-se afastados, e a nunca visitar Sinaketa de noite ou ao anoitecer, e a nunca se aproximar sozinhos da aldeia. Ao ouvir isso, o líder de uma aldeia do interior levanta-se e diz o seguinte:

> Nada vai acontecer, ó chefe de todos nós; vós partis, e vossa aldeia permanecerá aqui, intacta. Olhai quando estais aqui, nós viemos visitar-vos. Partis na expedição, nós nos limitamos a ficar em nossas aldeias. Quando voltardes, viremos novamente. Talvez então vós nos dareis nozes de bétel, um pouco de sagu, alguns cocos. Talvez nos dareis como *Kula* alguns colares de contas feitas de conchas.

Após esses discursos, as canoas se põem ao mar, todas juntas. Algumas das mulheres na praia podem chorar na hora da partida, mas é tabu chorar depois. As mulheres devem também observar os tabus, ou seja, não devem sair da aldeia sozinhas, não devem receber visitas masculinas, devem manter-se castas e fiéis a seus maridos durante a ausência deles. Se alguma mulher se comporta mal, a canoa do marido passa a navegar lentamente. Via de regra, há recriminações entre maridos e mulheres na volta da expedição e, em consequência, uma atmosfera desagradável entre os dois; é difícil dizer quem tem a culpa: se a canoa ou a mulher.

As mulheres ficam agora à espreita da chuva e dos trovões, sinais de que os homens abriram o *lilava* (pacote mágico especial). Depois ficam sabendo que a expedição chegou à praia de Sarubwoyna e realiza agora seu ritual mágico final, preparando-se para entrar nas aldeias de Tu'utauna e Bwayowa. As mulheres desejam ansiosamente que os homens consigam chegar a Dobu e que não sejam forçados, devido ao mau tempo, a voltar das ilhas Amphlett. Preparam saias de palha especiais para usar ao irem ao encontro das canoas quando estas, na volta, aproximam-se da praia; também esperam receber o sagu, que é considerado uma guloseima, bem como alguns dos enfeites que seus maridos trazem de Dobu. Se, por algum motivo, a frota volta antes da data prevista, há desapontamento geral na aldeia, pois isso significa que a expedição foi malsucedida, nada foi trazido para os que ficaram e as mulheres não têm oportunidade de usar seus trajes cerimoniais.

CAPÍTULO VIII

A primeira parada da frota em Muwa

1

Depois de tantos preparativos e preliminares, poderíamos supor que, uma vez iniciada a expedição, os nativos rumassem diretamente para as altas montanhas que, do sul distante, lhes acenam de forma tentadora. Muito pelo contrário, eles se satisfazem com um estágio muito curto no primeiro dia e, depois de navegar apenas alguns quilômetros, param num grande banco de areia denominado Muwa, situado a sudoeste da aldeia de Sinaketa. Nesse local, junto à praia orlada de árvores velhas e retorcidas, ficam atracadas as canoas, enquanto a tripulação se prepara para a cerimônia de distribuição de alimentos e arruma o acampamento na praia para passar a noite.

Esse atraso um pouco estranho se torna mais compreensível se lembrarmos de que, depois de se terem preparado para uma expedição distante, agora os nativos finalmente se acham reunidos pela primeira vez, separados de seus companheiros de aldeia. Uma espécie de inspeção e revisão de forças, via de regra, associadas ao festejo preliminar realizado pelos participantes da expedição, é típica de todas as expedições ou visitas nas ilhas Trobriand.

Já falei a respeito das grandes e pequenas expedições, mas talvez não tenha deixado bem claro que os próprios nativos fazem distinção perfeita entre as grandes expedições *kula* competitivas, que recebem o nome de *uvalaku* e as viagens marítimas de pequena escala, que eles mesmos descrevem como "simples *Kula*" (*Kula wala*). Os *uvalaku* se realizam num dado distrito, a cada dois ou três anos; atualmente, no entanto, como em tudo o mais, os nativos vêm se tornando relapsos. Realiza-se um *uvalaku* sempre que há um grande aglomerado de *vaygu'a*, por motivos que mencionarei mais adiante. Às vezes, algum acontecimento especial, como a posse, por um dos líderes de aldeia, de um porco excepcionalmente bom, ou de algum objeto de alto valor, pode dar origem a um *uvalaku*. Em 1918, por exemplo, foi realizada em Dobu uma grande expedição competitiva (*uvalaku*) de forma ostensiva porque Kauyaporu, um dos líderes de Tu'utauna, tinha então um enorme javali cujas presas quase formavam um círculo. Além disso, a existência de grande quantidade de alimentos ou, nos tempos de outrora, o término de uma expedição de guerra vitoriosa podiam constituir a *raison d'être* de um *uvalaku*. Logicamente esses motivos apresentados de maneira explícita pelos nativos são, por assim dizer, motivos acessórios, pois na realidade um *uvalaku* é sempre organizado nos prazos tradicionais, exceto quando há grande escassez de alimentos ou quando morre algum personagem importante.

O *uvalaku* é uma expedição *kula* feita em escala excepcionalmente grande, levada a efeito por meio de uma organização social específica e em cuidadosa observância de todos os ritos cerimoniais e mágicos, distinguindo-se das expedições menores não só pelo tamanho, mas também pelo aspecto competitivo e por uma ou duas características adicionais. No *uvalaku*, todas as canoas de um distrito participam da expedição e navegam com tripulação completa. Todos desejam participar. Ao lado desse desejo natural, entretanto, há também a noção de que todos os membros da tripulação têm obrigação de participar da expedição. Esse dever é para com o chefe ou mestre do *uvalaku*. O *toli'uvalaku*, como os nativos o chamam, é sempre um dos chefes de distrito ou um líder de aldeia. Ele desempenha o papel de mestre de cerimônias na partida da expedição das praias de Sinaketa, nas distribuições de alimentos, na chegada às aldeias de ultramar e na cerimônia de retorno. O galhardete feito de folhas do pandano, secas e alvejadas, atado a uma vareta na proa da canoa, é o sinal ostensivo da dignidade. Na língua kiriwina, esse galhardete é denominado *tarabauba'u*; na língua dobu, *doya*. O líder da aldeia que desempenha as funções de *toli'uvalaku* numa expedição por direito recebe maior número de presentes *kula* que os demais. A ele também cabe a glória dessa expedição. Portanto, o título do *toli* é, nesse caso, um título de propriedade honorária e nominal, trazendo renome (*butura*) ao seu portador e, como tal, é altamente valorizado pelos nativos.

Do ponto de vista econômico e legal, entretanto, a obrigação que une os membros da expedição ao *toli'uvalaku* é, de todas as características sociológicas, a mais importante. Ele faz a distribuição de alimentos, da qual os demais participam, e isso lhes impõe o dever de levar a cabo a expedição, por mais custosa que seja, por mais que tenham de parar durante a viagem e mesmo que tenham de voltar ao ponto de partida devido ao mau tempo, aos ventos contrários ou, em épocas anteriores, à interferência de nativos hostis. Como costumam dizer, "Não podemos voltar ao *uvalaku*, pois comemos a carne de porco e mascamos as nozes de bétel dadas pelo *toli'uvalaku*".

Só após terem alcançado a comunidade mais distante entre aquelas com as quais os nativos de Sinaketa realizam o *Kula* e após haver passado tempo suficiente para coletar todos os *vaygu'a* disponíveis é que a expedição inicia sua viagem de volta. Os nativos citam casos concretos em que determinadas expedições tiveram de partir várias vezes de Sinaketa, sempre voltando no espaço de apenas alguns dias, depois de todas as provisões terem se esgotado em Muwa, de onde, em virtude dos ventos contrários, a expedição não tinha possibilidade de rumar para o sul. Ou, ainda, o caso de uma expedição memorável que, há algumas décadas, teve início uma ou duas vezes, foi retardada em Vakuta, teve de dar enormes presentes ao mago dos ventos na aldeia de Okinai, a fim de que ele lhes proporcionasse ventos favoráveis vindos do norte, e finalmente, ao rumar para o sul, foi surpreendida pelo *vineylida*, um dos temíveis perigos do mar: uma pedra viva que salta do fundo do mar para a canoa. Porém, apesar de tudo isso, a expedição foi perseverante, chegou sã e salva a Dobu e conseguiu voltar.

Vemos, assim, que do ponto de vista sociológico o *uvalaku* é um empreendimento parcialmente financiado pelo *toli'uvalaku* e, portanto, reverte em seu crédito e lhe traz honra; e que, por outro lado, a obrigação imposta aos demais, por meio da distribuição de alimentos, é a de levar a cabo, com êxito, a expedição.

Para nós, que não estamos habituados à ideia de que o prazer possa ser imposto às pessoas, é bastante estranho o fato de que, embora todos os nativos anseiem por participar da expedição e mesmo que todos aproveitem a viagem e por meio dela satisfaçam suas ambições e aumentem suas riquezas, ainda assim existe nela o fator de coação ou obrigatoriedade. Entretanto, o *uvalaku* não é um exemplo isolado, pois em quase todas as diversões tribais e nos festejos realizados em grande escala vigora exatamente o mesmo princípio. O mestre das festividades, por meio de uma distribuição preliminar de alimentos, impõe aos demais a obrigação de realizar as danças, os esportes e os jogos. E, com efeito, considerando-se a facilidade com que o entusiasmo nativo esmorece e com que o ciúme, a inveja e as brigas aparecem e destroem a unanimidade dos divertimentos sociais, a necessidade de coação por forças exteriores, para que eles se divirtam, já não parece tão despropositada como nos pôde parecer de início.

Já mencionei o fato de que uma expedição *uvalaku* distingue-se das expedições comuns porque nela é preciso observar todas as cerimônias próprias do *Kula*. Assim, todas as canoas têm de ser novas ou reformadas e, sem exceção, devem ser pintadas de novo e reornamentadas. A cerimônia completa de lançamento (*tasasoria*) e a cerimônia de apresentação (*kabigidoya*) são levadas a efeito com todos os detalhes pertinentes apenas quando o *Kula* assume a forma de um *uvalaku*. O porco ou os porcos sacrificados na aldeia antes da partida constituem também uma faceta especial do *Kula* competitivo. O mesmo se pode dizer do *kayguya'u*, cerimônia de distribuição de alimentos realizada em Muwa, acontecimento a que estamos agora chegando em nossa narrativa. O *tanarere*, que é uma grande exibição de *vaygu'a* e comparação das aquisições individuais, que ocorre ao fim de uma expedição, constitui outra faceta cerimonial do *uvalaku* e lhe confere parte do aspecto competitivo. Há também competição no que se refere à velocidade, qualidade e beleza das canoas no início de tal expedição. Algumas das comunidades que apresentam seus *vaygu'a* a um *uvalaku* competem entre si para saber qual delas fornecerá mais; com efeito, o aspecto de rivalidade e competição é bastante visível durante todo o processo. Nos capítulos a seguir, terei a oportunidade, em várias outras questões, de distinguir entre o *uvalaku* e as expedições *kula* comuns.

Devo de imediato acrescentar que, embora todas essas características cerimoniais sejam compulsórias unicamente na expedição *uvalaku*, e todas infalivelmente observadas em sua realização, algumas delas e até mesmo todas podem ser observadas nas expedições *kula* comuns, sobretudo se consiste numa expedição um pouco maior. O mesmo se refere aos diversos rituais mágicos – ou seja, os mais importantes que, embora executados em toda e qualquer expedição *kula*, são levados a efeito com maiores minúcias no *uvalaku*.

Por fim, uma característica muito importante é a regra de que, na ida de uma expedição *uvalaku*, não se podem carregar quaisquer *vaygu'a*. Não devemos esquecer que a finalidade principal de toda expedição *kula* é receber, e não dar presentes, e na expedição *uvalaku* essa regra é levada ao extremo, de modo que a expedição visitante não possa oferecer nenhum objeto *kula* de valor. Os nativos de Sinaketa que partem para Dobu numa expedição *kula* comum podem levar alguns braceletes consigo, mas quando seguem numa expedição competitiva cerimonial *uvalaku* jamais levam consigo qualquer bracelete. É preciso lembrar que as transações *kula*, como já ficou explicado no capítulo III, jamais são realizadas simultaneamente. Consistem sempre em um presente seguido, depois de certo lapso de tempo, por um contrapresente. Assim, numa expedição *uvalaku*, os nativos recebem em Dobu certa quantidade de presentes que mais ou menos no período de um ano são devolvidos aos nativos de Dobu, quando estes visitam Sinaketa. Há sempre um grande número de objetos de valor que os nativos de Dobu devem aos de Sinaketa, de modo que, quando vão a Dobu, os nativos de Sinaketa reclamam todos os presentes que lhes são devidos das ocasiões anteriores. Todos esses pormenores técnicos da transação *kula* serão esclarecidos no capítulo XIV.

Em resumo, o *uvalaku* é uma expedição cerimonial e competitiva. É cerimonial no que diz respeito à distribuição preliminar de alimentos, feita pelo mestre do *uvalaku*. É cerimonial também pelo fato de que todas as formalidades do *Kula* são nele rigorosamente observadas, sem quaisquer exceções, pois, em certo sentido, qualquer expedição marítima *kula* é cerimonial. É competitiva principalmente pelo fato de que, ao encerrar-se a expedição, todos os artigos coletados são comparados entre si e contados. A proibição de carregar *vaygu'a* também está relacionada a esse fato, para que dessa forma seja possível proporcionar igualdade de condições iniciais a todos.

2

Voltemos agora à frota de Sinaketa reunida em Muwa. Logo depois de ali terem chegado, ou seja, por volta do meio-dia, os nativos dão início à cerimônia de distribuição dos alimentos. Embora o *toli'uvalaku* seja o mestre de cerimônias, nesse caso ele costuma permanecer sentado e observar, a distância, as atividades preliminares. Um grupo formado pelos parentes ou amigos de posição social menos elevada se ocupa dos trabalhos. Talvez fosse melhor fornecer aqui um relato mais concreto, já que é sempre difícil visualizar a exata maneira como essas coisas são levadas a efeito.

Isso me ocorreu quando, em março de 1918, assisti a esses estágios iniciais do *Kula* nas ilhas Amphlett. Durante vários dias, os nativos se haviam preparado para partir, e no último dia passei a manhã inteira observando e fotografando o carregamento e aprestamento das canoas, as despedidas e a partida da frota. À noite, após um dia de muito trabalho, com a lua cheia no céu, saí para um passeio num barquinho. Embora já me houvesse sido relatado, nas ilhas Trobriand, o costume da primeira parada da frota, tive, no entanto, uma grande surpresa quando, ao contornar um local rochoso, deparei com a multidão inteira dos nativos de Gumasila, que haviam partido para o *Kula* na manhã daquele mesmo dia, sentados na praia, sob a luz do luar, a apenas alguns quilômetros da aldeia que haviam deixado com tanto aparato cerca de dez horas antes. Com o vento razoavelmente forte que soprava naquele dia, eu julgara que os nativos acampariam pelo menos na metade do caminho para as ilhas Trobriand, num dos pequenos bancos de areia situados a uns trinta quilômetros ao norte. Sentei-me por um momento entre os taciturnos e pouco amistosos nativos das ilhas Amphlett, que, ao contrário dos de Trobriand, nitidamente se ressentiam com a presença inquisitiva e maçante de um etnógrafo.

Voltando à nossa frota de Sinaketa, podemos imaginar os chefes sentados na parte superior da praia, sob os galhos retorcidos e as folhas largas das árvores de sombra. Podiam estar descansando em grupo, cada qual com alguns atendentes; ou, então, cada líder de aldeia e chefe próximo de sua própria canoa: To'udawada quieto, mascando noz de bétel, com dignidade bovina, o excitável Kouta'uya conversando, com sua voz fria e alta, com alguns de seus filhos adultos, entre os quais se acham dois ou três dos mais bonitos nativos de Sinaketa. Mais adiante, com um grupo menor de atendentes, está sentado o ignóbil Sinakadi, conferenciando com seu sucessor à chefia, Gomaya, filho de sua irmã e também notório velhaco. Em ocasiões como essa, é regra de boas maneiras que os chefes não se imiscuam entre os grupos nem supervisionem as atividades, mas conservem uma atitude distante e desprendida. Em companhia de outras pessoas importantes, debatem usando sentenças curtas e esporádicas – que tornam as línguas nativas tão difíceis de entender – os preparativos e as perspectivas do *Kula*, fazendo de vez em quando referências mitológicas, prevendo o tempo e debatendo o mérito das canoas.

Nesse ínterim, os apaniguados do *toli'uvalaku*, seus filhos, seus irmãos mais novos e seus parentes por afinidade fazem os preparativos para a distribuição. Via de regra, um dos dois – To'udawada ou Kouta'uya – é o *toli'uvalaku*. Aquele que na ocasião tem maior riqueza em mãos e a possibilidade de receber maior número de *vaygu'a* é o que assume a honra e as responsabilidades da função. Sinadaki é bem menos rico que eles, portanto seria excepcional que ele, seus predecessores e sucessores viessem a desempenhar esse papel. Os líderes menores das outras aldeias que compõem Sinaketa jamais chegariam a preencher o papel.

O mestre da expedição – seja ele quem for – deve trazer dois porcos, que são então colocados na praia para júbilo dos membros da expedição. Em pouco tempo acendem-se algumas fogueiras e os porcos, com uma longa vara enfiada por entre as patas atadas, são dependurados de barriga para cima sobre as fogueiras. Seus grunhidos horríveis enchem o ar e causam prazer aos espectadores. Depois que o porco foi chamuscado até a morte, ou pelo menos até a insensibilidade, os nativos o tiram do fogo e o cortam. Especialistas cortam-no em porções apropriadas, prontas para a distribuição. Inhames, cocos e cana-de-açúcar já foram devidamente dispostos em grandes pilhas, uma para cada canoa – atualmente oito. Sobre essas pilhas são colocados alguns cachos de banana madura ou nozes de bétel. No chão, ao lado delas, em bandejas feitas de folhas de coqueiro trançadas, são colocados os pedaços de carne. Todos esses alimentos foram fornecidos pelo *toli'uvalaku*, que previamente recebeu, para esse fim, presentes especiais em alimentos, tanto de seus parentes como dos parentes de sua esposa. Na realidade, se tentássemos deslindar toda a trama de presentes e contribuições associadas a uma distribuição desse tipo, verificaríamos que é de tal forma intrincada que até mesmo o longo relato de nosso capítulo anterior não lhe faz inteira justiça.

Depois de fazerem as pilhas de alimentos, os ajudantes do chefe as passam em revista, certificando-se de que a divisão está bem-feita, mudando alguns alimentos de uma pilha para outra e guardando na memória o nome da canoa a cuja tripulação cada uma das pilhas será oferecida. Geralmente a inspeção final é feita pelo próprio *toli'uvalaku*, que volta, a seguir, para o local onde estava sentado. Depois vem o ato culminante da distribuição. Um dos apaniguados do chefe, sempre um nativo de posição social inferior, acompanhado dos ajudantes do chefe, vai andando ao longo da fileira de alimentos empilhados e, ao aproximar-se de cada pilha, grita em alta voz:

> "Ó Siyagana, tua pilha, aí, ó Siyagana, ó!" Aproximando-se da pilha seguinte, ele grita o nome de outra canoa: "Ó Gumawora, tua pilha, aí! Ó Gumawora, ó!".

Vai, assim, percorrendo a fila inteira, conferindo cada uma das pilhas à canoa correspondente. Feito isso, alguns dos nativos mais jovens de cada canoa aproximam-se para apanhar sua respectiva pilha. Levam-na até sua fogueira, onde então assam a carne de porco e distribuem o inhame, a cana-de-açúcar e as nozes de bétel aos membros da tripulação; em seguida sentam-se no chão para comer, formando cada canoa um grupo isolado dos demais. Vemos que, embora o *toli'uvalaku* seja responsável pelo festejo e receba dos nativos total crédito por ele, sua parte ativa no processo é bem pequena e mais nominal do que real. Talvez nem mesmo seja apropriado chamá-lo de "mestre de cerimônias" nessa ocasião, embora ele realmente assuma essa função em outras cerimônias. Não obstante, o *toli'uvalaku* é para os nativos o centro de todas as atividades. Os nativos fazem todo o trabalho necessário e, em determinados casos, dirigem-se a ele a fim de que lhes dê orientação em questões de etiqueta.

Terminada a refeição, os nativos descansam, mascam nozes de bétel e fumam, olhando para o mar e para o sol poente – estamos agora no fim da tarde –, onde, acima das canoas que balançam, atracadas nas águas rasas da praia, aparece no horizonte a tênue silhueta das montanhas. São essas as *koya* distantes, as altas colinas das ilhas d'Entrecasteaux e Amphlett, para as quais os nativos mais velhos já velejaram muitas vezes e das quais os mais jovens frequentemente ouviram falar nos mitos, nas histórias e nos encantamentos mágicos. Nessas ocasiões predominam nas conversas os assuntos referentes ao *Kula*; a conversa é pontuada pelo nome dos parceiros do além-mar, bem como pelo nome específico de *vaygu'a* particularmente valioso, o que a torna ininteligível àqueles que ainda desconhecem os pormenores técnicos e as tradições históricas do *Kula*. A lembrança de como determinado colar especial de *Spondylus* passou por Sinaketa alguns anos antes, de como fulano o entregou a sicrano em Kiriwina, que, por sua vez, o ofereceu a um de seus parceiros de Kitava (mencionando-se, é claro, os nomes de todas essas pessoas), e de como foi parar na ilha de Woodlark, onde se perdeu sua pista – tais reminiscências levam os nativos a levantar hipóteses sobre o atual paradeiro do colar e sobre a possibilidade de encontrá-lo em Dobu. Citam-se transações famosas, brigas causadas por ofensas feitas durante o *Kula*, casos em que um nativo foi morto por magia em virtude de seu grande êxito nas transações do *Kula*; todas essas histórias são relatadas uma após a outra e ouvidas com infalível interesse. Os nativos mais jovens podem divertir-se com debates menos sérios a respeito dos perigos que os esperam no mar, a respeito da fúria das bruxas e dos seres temíveis que habitam nas montanhas (*koya*), enquanto muitos jovens trobriandeses são prevenidos, a essa altura dos acontecimentos, a respeito da atitude pouco obsequiosa das mulheres de Dobu e da impetuosidade de seus homens.

Depois do anoitecer, os nativos acendem algumas pequenas fogueiras na praia. As rígidas esteiras de pandano, dobradas ao meio, servem de abrigo aos nativos, formando uma espécie de pequeno telhado sobre cada um deles – e, com isso, todos se recolhem para dormir.

3

Na manhã seguinte, se o vento está propício ou se há esperança de que venha a sê-lo, os nativos levantam-se de madrugada e se põem em atividade febril. Alguns deles preparam os mastros e a cordoalha das canoas de maneira mais completa e cuidadosa do que na manhã anterior, pois poderão ter à frente um dia inteiro no mar, e o vento poderá soprar forte e ocasionar situações perigosas. Feito isso, com as velas prontas a serem içadas e as cordas devidamente aprestadas, os membros da tripulação sentam-se todos em seus postos e esperam, a algumas jardas de distância da praia, a chegada do *toliwaga* (proprietário da canoa). O *toliwaga* permanece por algum tempo na praia a fim de executar um dos vários rituais mágicos que, a essa altura da viagem, irrompem de permeio aos acontecimentos puramente prosaicos. Todos esses rituais mágicos têm por objetivo fazer que as canoas naveguem velozmente, estejam sem problemas e em segurança. No primeiro ritual, o *toliwaga* trata magicamente algumas folhas, acocorando-se sobre elas na praia e recitando uma fórmula. O fraseado da fórmula mostra que se trata da magia da velocidade, como também as explicações dos nativos o indicam.

> ENCANTAMENTO *KADUMIYALA*
> No início deste encantamento, o *toliwaga* invoca o peixe voador e o solho, peixe saltador. Depois, exorta a canoa a voar com a proa e com a popa. Em seguida, num longo *tapwana*, repete uma palavra que significa "dotar de velocidade magicamente", e a ela acrescenta o nome das diversas partes componentes da canoa. A última parte é como se segue: "A canoa voa, a canoa voa de manhã, a canoa voa ao nascer do sol, a canoa voa como uma bruxa voadora", e conclui com as palavras onomatopaicas *"Saydidi, tatata, numsa"*, que imitam o ruído dos galhardetes do pandano agitados pelo vento ou, segundo outros, o barulho feito pelas bruxas voadoras quando cortam os ares nas noites de tempestade.

Depois de proferir esse encantamento sobre as folhas, o *toliwaga* as entrega a um dos *usagelu* (membros da tripulação) que, andando ao redor da *waga*, esfrega as folhas primeiro no *dabwana*, a "cabeça" da canoa, depois na parte central do casco e, por fim, no *u'ula* (base). Dirigindo-se para o lado do flutuador, esfrega mais uma vez as folhas na "cabeça" da canoa. Devemos lembrar aqui que, para as canoas nativas, proa e popa são permutáveis no sentido náutico, visto que a canoa navega sempre com o vento a bater do lado do flutuador e frequentemente tem de trocar popa por proa. Ficando, porém, de pé na canoa, com o flutuador à esquerda e o casco da canoa à direita, o nativo chama de *dabwana* (cabeça) a ponta da canoa à sua frente e de *u'ula* (base) a ponta oposta.

Feito isso, o *toliwaga* entra a bordo da canoa. Iça-se a vela e a canoa se põe em movimento. Nesse ínterim, são atados à cordoalha e ao mastro dois ou três galhardetes de pandano que o *toliwaga* havia tratado magicamente na aldeia, antes da partida da expedição. O encantamento que apresentamos a seguir foi proferido sobre esses galhardetes.

ENCANTAMENTO *BISILA*

"Bora'i, Bora'i [nome mitológico]. Bora'i voa, vai voar; Bora'i, Bora'i, Bora'i se levanta, vai levantar-se. Na companhia de Bora'i – *sidididi*. Atravessa tua passagem de Kadimwatu, atravessa teu promontório de Salamwa. Vai e ata teu galhardete de pandano em Salamwa, vai e sobe a encosta de Loma.

Levanta o casco de minha canoa; seu casco é como os fios que esvoaçam, seu casco é como a folha seca da bananeira, seu casco é como penugem."

Há na mente dos nativos estreita associação entre os galhardetes de pandano, com os quais eles costumam enfeitar o mastro, a cordoalha e a vela, e a velocidade da canoa. O efeito decorativo das tiras de pandano, de amarelo-pálido e brilhante, a flutuar, é de fato maravilhoso quando a velocidade da canoa as faz esvoaçar ao vento. Como bandeirolas feitas de tecido rijo e dourado, elas envolvem a vela e a cordoalha de luz, cor e movimento.

Os galhardetes de pandano e, em especial, a maneira como tremulam ao vento, são uma característica específica da cultura trobriandesa [36, p. 313]. Em algumas de suas danças, os nativos usam longas tiras de pandano alvejado, segurando-as em ambas as mãos e agitando-as no ar enquanto dançam. Fazer isso bem é uma das principais conquistas do bom dançarino. Em muitas ocasiões festivas, os *bisila* (galhardetes de pandano) são atados às cabanas, em varas, para fins decorativos. São também enfiados em braceletes e cintos como enfeites pessoais. Ao serem preparados para o *Kula*, os *vaygu'a* são decorados com tiras do *bisila*. No *Kula*, o chefe costuma mandar a um parceiro distante um galhardete *bisila* sobre o qual foi proferido um encantamento para que o parceiro fique predisposto a doar-lhe objetos de valor. Como já vimos, um grande *bisila* é atado à canoa do *toli'uvalaku* como seu distintivo de honra.

Os nativos supõem que as bruxas voadoras (*mulukwausi*) usam galhardetes de pandano para adquirir velocidade e levitação em seus voos noturnos pelos ares.

Depois que as tiras mágicas de pandano foram atadas à cordoalha, ao lado dos galhardetes não mágicos e puramente ornamentais, o *toliwaga* senta-se com a corda *veva*, com que a vela é estendida ao vento; movendo-se de um lado para o outro, ele profere um encantamento.

ENCANTAMENTO *KAYIKUNA VEVA*

Dois verbos, que significam influência mágica, são repetidos com o prefixo *bo–*, o qual denota o conceito de "ritual", "sagrado" ou "sendo transformado em *tabu*".[1] A seguir, o *toliwaga* diz:

"Vou tratar minha canoa magicamente no meio do casco, vou tratá-la em seu casco. Vou pegar meu *butia* (grinalda de flores), de flores de doce perfume. Vou colocá-la sobre a cabeça de minha canoa."

Depois, o *toliwaga* recita uma estrofe central muito longa, na qual todas as partes da canoa são mencionadas com dois verbos, um após o outro: "*Engrinaldar* a canoa de maneira ritual" e "*Pintá-la* de vermelho, de maneira ritual". O prefixo *bo–*, acrescentado aos verbos, foi aqui traduzido pela frase "de maneira ritual".

A parte final dessa fórmula mágica é semelhante à de muitas outras fórmulas mágicas referentes à canoa:

"Ó minha canoa, tu és como o redemoinho de vento, como uma sombra evanescente! Desapareça na distância, torna-te como a névoa, suma!"

São esses os três rituais costumeiros, executados no início da viagem e que visam dotar a canoa de velocidade. Se, porém, a canoa permanece lenta, executa-se um ritual auxiliar; um pedaço de folha seca de bananeira é colocado entre a amurada e uma das varetas da estrutura interna da canoa, e por sobre ela recita-se um novo encantamento. Depois disso, os nativos batem na proa e na popa da canoa com essa folha de bananeira. Se a canoa ainda continua pesada e fica para trás das demais, o *toliwaga* coloca um pedaço de *kuleya* (inhame cozido e velho) numa esteira e pronuncia um encantamento que transfere a lentidão da canoa para o inhame. O encantamento em questão é o mesmo que já vimos anteriormente, quando

1 O prefixo *bo–* tem três etimologias, cada uma delas com significado próprio. Primeiro, *bo–* pode aparecer na palavra *bomala*, significando, nesse caso, "ritual" ou "sagrado". Segundo, *bo–* vem da palavra *bu'a*, noz de areca, substância usada e mencionada com muita frequência nos encantamentos não só por ser narcótica, mas também por ser corante, de maravilhosa cor vermelha. Terceiro, o prefixo pode ser derivado da palavra *butia*, nome da flor de perfume adocicado que entra na confecção de grinaldas; nesse caso, o prefixo, em geral, assume a forma *bway–*, mas por vezes reduz-se a *bo–*, significando "festivo" ou "ornamentado". Para o nativo, que não vê os encantamentos como documentos etnológicos, mas sim como instrumentos do poder mágico, o prefixo *bo–* prova-

[36] Os rolos de folhas secas do pandano. É esse o material com que se confeccionam as velas. O *bisila* (galhardete) é feito de um tipo de material mais flexível de folha do pandano, alvejado ao fogo.

velmente significa as três coisas a um só tempo, e a palavra "ritual" é a que melhor se adapta a esses três significados.

o pesado tronco de árvore estava sendo arrastado para a aldeia. Naquela ocasião, o *toliwaga* batera no tronco com um punhado de capim enquanto recitava a fórmula e depois jogara fora o capim.[2]

No presente caso, é lançado ao mar o pedaço de inhame ao qual foi transferida a lentidão da canoa. Às vezes, porém, nem isso adianta – a canoa continua lenta. O *toliwaga* senta-se então na plataforma, com o timoneiro, e profere um encantamento sobre um pedaço de casca de coco, que a seguir é jogado no mar. Esse ritual, denominado *bisiboda patile*, pertence à magia negra (*bulubwalata*) e tem por fim retardar o andamento das demais canoas. Se nem isso ajuda, então os nativos chegam à conclusão de que algum tabu referente à canoa deixou de ser observado, e o *toliwaga* pode começar a desconfiar da conduta de sua esposa ou esposas.

2
Ver seção 2 do capítulo V.

[37] Uma canoa *waga* numa expedição *Kula*. A canoa com carga completa e com tripulação de doze homens prepara-se para ferrar a vela, ao se aproximar das ilhas Amphlett. A carga está colocada no *gebobo*. A bagagem pessoal de cada nativo está embrulhada em esteira e disposta sobre a carga.

CAPÍTULO IX

Navegando no braço de mar de Pilolu

1

A expedição *kula* se encontra agora, enfim, em plena viagem. As canoas iniciam um longo estágio da viagem pelo braço de mar de Pilolu, que se estende das ilhas Trobriand às ilhas d'Entrecasteaux. Essa porção de mar é limitada ao norte pelo arquipélago Trobriand, ou seja, pelas ilhas Vakuta, Boyowa e Kayleula, atingindo a oeste o cinturão disperso das ilhas Lousançay. A leste, um longo recife submerso se estende do extremo sul de Vakuta às ilhas Amphlett, formando uma extensa barreira à navegação, mas oferecendo pouca proteção contra os ventos e os mares orientais. Ao sul, essa barreira se une às ilhas Amphlett, que, com o litoral norte das ilhas de Fergusson e Goodenough, forma a praia meridional de Pilolu. A oeste, Pilolu se abre para o mar entre o continente da Nova Guiné e o arquipélago de Bismarck. Com efeito, o que os nativos chamam de Pilolu nada mais é do que a enorme bacia da laguna de Lousançay, o maior atol de coral do mundo. Para os nativos, o nome de "Pilolu" tem inúmeras associações emocionais que tem origem na magia e nos mitos; está relacionado às experiências de gerações passadas, relatadas pelos velhos ao redor das fogueiras na aldeia e com aventuras pessoais vividas.

À medida que os aventureiros do *Kula* prosseguem rapidamente com velas enfunadas, a rasa laguna das ilhas Trobriand logo fica bem para trás; as águas verde-opacas, salpicadas de manchas marrons onde as algas marinhas crescem altas e viçosas e iluminadas aqui e acolá por trechos de um verde esmeraldino e brilhante, que deixam entrever, nas águas rasas, o fundo de areia alva e brilhante, cedem lugar a um mar mais profundo de tom verde-escuro. A plana faixa de terra que, extensa e larga, circunda a laguna de Trobriand, afina--se e desaparece na bruma e, à frente da expedição, as montanhas do sul parecem cada vez maiores. Nos dias claros, podem-se avistar essas montanhas até mesmo das ilhas Trobriand. Os elegantes contornos das ilhas Amphlett parecem diminutos, porém mais nítidos e substanciais contra o fundo de silhuetas azuis das montanhas mais altas. Estas, como uma nuvem distante, acham-se engrinaldadas de cúmulos que quase sempre se agarram a seus cumes. A mais próxima delas, Koyatabu – a montanha do tabu[1] –, no extremo norte da ilha Fergusson, uma pirâmide adelgaçada e ligeiramente inclinada, constitui um atraente marco quando os navegadores rumam para o sul. À sua direita, na direção sudoeste, situa-se uma ampla e volumosa montanha, Koyabwaga'u – a montanha dos feiticeiros –, marco do extremo noroeste da ilha Fergusson. As montanhas da ilha Goodenough são visíveis apenas em dias muito claros, mas mesmo assim seus contornos aparecem apenas ligeiramente.

Em um ou dois dias, essas silhuetas tênues e brumosas assumem, para os trobriandeses, formas maravilhosas e imenso volume. Em breve, cercarão a expedição *kula* com suas paredes sólidas de rocha escarpada e selva verdejante sulcada de ravinas e estriada por cursos de água a precipitarem-se montanha abaixo. Os trobriandeses navegam em baías de águas profundas e escuras, que ressoam com o ruído, para eles desconhecido, das cascatas e com o misterioso alarido de pássaros estranhos que nunca visitam as ilhas Trobriand; com o riso do *kookooburra* e o grito melancólico do corvo do Pacífico Sul. Mais uma vez o mar muda de cor, tornando-se muito azul: sob suas águas límpidas, revela-se um mundo maravilhoso e multicolorido de coral, peixes e algas marinhas – um mundo que, por estranha ironia geográfica, os habitantes de uma ilha de coral quase não conhecem em sua própria terra e só vêm descobrir ao chegar a essa região vulcânica.

Nesses arredores, eles encontram também maravilhosas pedras compactas, pesadas, de várias cores e formas, enquanto em sua própria terra o único tipo de pedra que conhecem é o insípido e morto coral branco. Além dos diversos tipos de granito, basalto e rochas vulcânicas, eles encontram aqui a obsidiana negra, com suas arestas cortantes e de tom metálico, e locais cheios de ocre amarelo e vermelho. Além das grandes colinas de cinzas vulcânicas, podem

1 A palavra *tabu*, que significa "proibição", pode ser usada como verbo na língua dos trobriandeses, mas não com muita frequência. O substantivo que significa "proibição" ou "coisa sagrada" é sempre *bomala*, usado com os pronomes pessoais que lhe servem de sufixos.

ver também as nascentes de água fervente a borbulhar periodicamente. Para o jovem trobriandês que ouviu histórias sobre todas essas maravilhas e viu as amostras trazidas à sua terra, não há dúvida de que é mesmo uma experiência maravilhosa encontrar-se em meio delas pela primeira vez; e também não resta dúvida de que ele se agarrará avidamente a qualquer oportunidade que se lhe ofereça de navegar de novo para *koya*. A paisagem que ora se apresenta à vista dos nativos é uma espécie de terra prometida, um país de que se fala em tons quase legendários.

Com efeito, o cenário dessas terras, situadas na fronteira de dois mundos diferentes, é singularmente impressionante. Partindo das ilhas Trobriand em minha última expedição, tive, em virtude do tempo, de passar dois dias num pequeno banco de areia coberto por algumas árvores de pandano, a aproximadamente meio caminho entre as ilhas Trobriand e Amphlett. Um mar escuro estendia-se para o norte, com grandes nuvens de tempestade acima do local onde eu sabia estar situada a enorme ilha plana de Boyowa – as ilhas Trobriand. Ao sul, tendo por fundo um céu mais limpo, erguiam-se os cones íngremes das montanhas, espalhadas em mais da metade da linha do horizonte. O cenário parecia saturado de mitos e contos legendários, de estranhas aventuras, esperanças e temores de várias gerações de navegadores nativos. Eles haviam acampado muitas vezes nesse mesmo banco de areia, em ocasiões de calmaria ou mau tempo. Numa ilha semelhante, aportou o grande herói mítico Kasabwaybwayreta e, abandonado pelos companheiros, só conseguiu escapar voando pelo céu. Nesse mesmo local, uma canoa legendária certa vez aportou, a fim de ser recalafetada. Sentado ali, olhando para as montanhas do sul, visíveis porém tão inacessíveis, compreendi as sensações dos trobriandeses, o desejo de chegar a *koya*, de encontrar seus estranhos habitantes e com eles fazer o *Kula* – desejo esse que se torna ainda agudo pelo fato de estar misturado ao medo. Lá, a oeste das ilhas Amphlett, podem avistar a grande baía de Gabu, onde outrora as tripulações de toda uma frota de canoas trobriandesas foram assassinadas e comidas pelos habitantes de aldeias desconhecidas ao tentarem realizar o *Kula* com eles. Contam-se também as histórias de canoas isoladas, que se desgarraram da frota e foram jogadas à praia norte da ilha Fergusson, onde a tripulação pereceu nas mãos dos canibais. Há também lendas a respeito de nativos inexperientes que, visitando os arredores de Deyde'i e chegando às grandes baías rochosas da região, mergulharam nas águas cristalinas e encontraram morte pavorosa nessa piscina quase fervente.

Mas, embora os perigos legendários das praias distantes possam aterrorizar a imaginação nativa, os perigos da navegação em si são ainda mais reais. O mar em que viajam está entrecortado de recifes, matizado de bancos de areia e rochas de coral. Embora em tempo bom não constitua tão grande ameaça às canoas nativas como poderia constituir às embarcações europeias, é, no entanto, bastante perigoso. Os maiores perigos que os nativos têm de enfrentar residem na fragilidade de suas canoas. Como já dissemos anteriormente, a canoa não pode navegar com vento de través e, portanto, não pode bordejar. Se o vento muda, a canoa tem de dar meia-volta e retroceder seu curso. Isso é muito desagradável, mas não necessariamente perigoso. Porém, se o vento diminui e a canoa está navegando em fortes correntes marinhas que atingem velocidade de três a cinco nós, ou se ela sofre alguma avaria e deriva em ângulo reto em relação a seu curso, a situação então se torna perigosa. A oeste está o mar aberto e, uma vez lá, a canoa teria pouca chance de voltar. A leste, estende-se o recife; no mau tempo, a canoa nativa certamente seria arremessada contra ele e reduzida a frangalhos. Em maio de 1918, uma canoa de Dobu, voltando à sua terra após alguns dias de descanso da frota, foi surpreendida por um vento sudeste tão forte que ela teve de mudar seu curso e rumar na direção noroeste para uma das ilhas Lousançay. Havia sido dada por perdida, quando em agosto retornou, impulsionada pelo vento noroeste, que soprava por acaso. A canoa, entretanto, por pouco não haveria conseguido alcançar a pequena ilha. Se o vento a tivesse levado ainda mais para o oeste, ela por certo jamais teria chegado a terra.

Existem outros contos a respeito de canoas perdidas; é de admirar que os acidentes não sejam mais frequentes, tendo em conta as condições em que as canoas têm de navegar. As viagens, por assim dizer, têm de ser feitas em linhas retas pelo mar. Se as canoas se desviam dessa rota, perigos de toda espécie aparecem de repente. E não é só isso. As canoas têm também de navegar entre pontos fixos de terra, pois (e isso, é claro, se refere aos tempos de outrora), se as canoas precisassem ir à praia em qualquer local que não o do distrito de uma tribo amiga, o perigo que as estaria esperando seria quase tão grande quanto o perigo representado por recifes e tubarões. Se os navegadores não conseguissem alcançar as aldeias amigas, ou seja, as das ilhas Amphlett e de Dobu, em quaisquer outras por certo seriam exterminadas. Mesmo hoje em dia, quando o perigo de ser assassinado é menor – embora talvez não absolutamente inexistente –, os nativos sentem-se mal só de pensar que poderão aportar em distritos estranhos, temendo não só a morte pela violência, mas, muito mais ainda, a morte pela magia negra. Dessa forma, à medida que navegam atravessando Pilolu, apenas pequeninas porções do horizonte constituem portos seguros para a viagem.

No leste, com efeito, do outro lado da perigosa barreira de recifes, existe um horizonte de segurança representado pelas ilhas Marshall Bennett e Woodlark, região conhecida pelo nome de Omuyuwa. Ao sul, há o *koya*, também conhecido como terra dos *kinana*, termo geral pelo qual são conhecidos os habitantes das ilhas d'Entrecasteaux e Amphlett. A oeste e sudoeste, porém, há o mar aberto e profundo (*bebega*) e, além dele, terras habitadas por povos que têm rabos e povos que têm asas, a respeito dos quais muito pouco se conhece. Ao norte, do outro lado do recife constituído por pequenas ilhas de coral, situadas além das ilhas Trobriand, há duas regiões, Kokopawa e Kaytalugi. Kokopawa é habitada por homens e mulheres normais que andam nus e são excelentes lavradores.

É difícil dizer se essa região corresponde ao litoral sul da Nova Bretanha, onde os nativos de fato não usam quaisquer vestimentas.

A outra região, Kaytalugi, é terra de mulheres apenas, onde nenhum homem consegue sobreviver. As mulheres que a habitam são lindas, grandes e fortes, andam nuas e não raspam os pelos do corpo (o que é contrário aos costumes). Devido à grande violência de suas paixões, essas mulheres representam imenso perigo a qualquer homem. Os nativos nunca se cansam de descrever graficamente o modo como elas satisfazem seus próprios desejos sexuais se algum náufrago desventurado cai em suas mãos. Ninguém consegue sobreviver, nem mesmo por um curto espaço de tempo, aos brutais ataques amorosos dessas mulheres. Os nativos os comparam aos ataques amorosos que fazem costumeiramente no *yousa*, ato orgiástico em que um homem, apanhado pelas mulheres em certos estágios do trabalho comunitário feminino em Boyowa, é por elas maltratado (capítulo II, seção 2). Nem mesmo os meninos nascidos nessa ilha de Kaytalugi conseguem sobreviver à tenra idade. Devemos lembrar que os nativos não veem necessidade de cooperação masculina na perpetuação da espécie. As mulheres, portanto, propagam a espécie, ainda que as necessidades dos homens tenham que ser interrompidas prematuramente antes de se tornar adultos.

Apesar de tudo, há uma lenda de que alguns homens da aldeia de Kaulagu, situada na porção oriental de Boyowa, forçados pelo vento, afastaram-se do itinerário leste de uma expedição *kula* e, desviando-se muito para o norte, acabaram por naufragar na praia de Kaytalugi. Sobrevivendo à primeira recepção, foram então distribuídos entre as mulheres e forçados a casar-se com elas. Tendo consertado sua canoa, sob o pretexto de trazer peixe para as esposas, colocaram certa noite água e alimentos nela e partiram às escondidas. Ao voltar à própria aldeia, descobriram que suas mulheres haviam se casado de novo. Casos como esse, entretanto, jamais têm fim trágico nas ilhas Trobriand. Assim que seus legítimos senhores reapareceram, suas mulheres voltaram para eles. Entre outras coisas, esses nativos trouxeram para Boyowa uma variedade de banana chamada *usikela*, até então desconhecida.

2

Voltando mais uma vez à nossa expedição *kula*, vemos que, ao atravessar Pilolu, ela navegou nos estreitos limites de uma região segura, cercada de todos os lados não só de perigos verdadeiros, mas também de terras de horrores imaginários. Em sua rota, no entanto, os nativos jamais perdem de vista a terra. No caso de serem apanhados pela névoa ou pela chuva, há sempre a possibilidade de localizar a ilha ou o banco de areia mais próximos, que nunca estão a mais de dez quilômetros e que, nessa distância, podem ser alcançados a remo, nos casos de calmaria.

Há outro fator que contribui para que a viagem não seja tão perigosa quanto poderíamos supor: a regularidade dos ventos nessa parte do mundo. Via de regra, em cada uma das duas estações principais do ano, há uma direção predominante do vento, cujo desvio máximo é de aproximadamente noventa graus. Assim, na estação das secas, de maio a outubro, o vento alísio sopra quase ininterruptamente do sudeste ou do sul, movendo-se às vezes para o nordeste, mas nunca ultrapassando esse ponto. Na realidade, porém, essa época, justamente devido à constância do vento, não se presta muito bem à navegação nativa, pois, apesar de ser fácil navegar de sul a norte, ou de leste a oeste, com esse vento é impossível navegar na direção contrária; e já que, com frequência, o vento sopra por meses a fio sem mudar de direção, os nativos preferem fazer suas navegações entre uma e outra estação ou na época da monção. Entre uma e outra estação – ou seja, nos meses de novembro e dezembro ou março e abril –, os ventos não são tão regulares e, de fato, variam de um ponto cardeal para outro. Contudo, como raramente há ventos muito fortes nessa época, ela constitui a estação ideal para a navegação. Nos meses quentes do verão – de dezembro a março –, a monção sopra do noroeste ou sudoeste, com menor regularidade que o vento alísio, mas em geral culminando em violentas tempestades que quase sempre vem do noroeste. Como os dois ventos predominantes nesses mares vêm de direções fixas, minimiza-se, com, isso a possibilidade de perigo. Além disso, os nativos, via de regra, são capazes de prever, com um ou dois dias de antecedência, a aproximação de uma borrasca. Correta ou incorretamente, eles associam a força dos vendavais noroeste às fases da lua.

Há, é claro, muita magia cuja finalidade é fazer que o vento sopre ou pare de soprar. Como diversas outras formas de magia, a do vento está localizada em determinadas aldeias. Os habitantes de Simsim – a maior aldeia das ilhas Lousançay e a povoação mais distante do noroeste desse distrito – são considerados hábeis controladores do vento noroeste, talvez por associação à sua posição geográfica. Apesar disso, o poder de controlar o vento sudeste é outorgado aos habitantes de Kitava, que vivem a leste de Boyowa. Os nativos de Simsim controlam todos os ventos que sopram habitualmente na estação das chuvas, ou seja, os ventos do lado oeste da bússola, do norte para o sul. A outra metade é controlada pela magia de Kitava.

Muitos dos nativos de Boyowa aprenderam ambos os tipos de magia e os praticam. As fórmulas são proferidas como que lançadas ao vento, sem quaisquer outros rituais. É um espetáculo impressionante andar pela aldeia durante um dos vendavais devastadores, que sempre irrompem à noite e durante os quais os nativos saem de suas cabanas e se reúnem em locais abertos. Eles temem que a ventania arranque as casas do chão ou então derrube alguma árvore que, ao cair, possa machucá-los – acidente que, de fato, ocorreu em Wawela um ou dois anos antes e no qual morrera a esposa do chefe. Pelas portas escuras de algumas cabanas e de dentro dos grupos de nativos aconchegados, ressoam vozes altas, entoando em falsete penetrante os encantamentos que abaterão a força do vento. Em ocasiões como essa, sentindo-me também um pouco nervoso, ficava profundamente impressionado com o esforço persistente de frágeis vozes humanas, repletas de fé inabalável, contrapondo-se de maneira tão débil à força monótona e devastadora do vento.

Estabelecendo a posição pelos marcos de terra e auxiliados pela uniformidade dos ventos, os nativos não têm necessidade nem mesmo dos conhecimentos mais elementares de navegação. Salvo em casos de acidente, jamais precisam orientar-se pelas estrelas. Destas, conhecem certas constelações mais marcantes – o suficiente para lhes indicar a direção, caso necessitem. Adotam nomes para a constelação das Plêiades de Órion, para o Cruzeiro do Sul, e distinguem algumas constelações próprias. Seus conhecimentos sobre as estrelas (como já mencionamos no capítulo II, seção 5), centralizam-se na aldeia de Wawela, onde são transmitidos em linha materna pelos chefes da aldeia.

A fim de que possamos entender melhor os costumes e problemas referentes à navegação, devemos dizer algumas palavras sobre a técnica de manejo de uma canoa. Como já afirmamos anteriormente, o vento precisa soprar sempre do lado da canoa em que se localiza o flutuador externo, para que a canoa sempre veleje inclinada, com o flutuador erguido e a plataforma em declive na direção do casco. Para isso, é preciso que a canoa tenha a possibilidade de trocar proa por popa livremente; se a canoa, rumando para o sul, tiver de navegar sob o vento nordeste, o *lamina* (flutuador) deverá ficar à esquerda, e a embarcação se move com aquilo que os nativos chamam de "cabeça da canoa" para a frente.

Imagine, agora, que o vento mude para noroeste. Se isso acontecer de imprevisto, em meio a um vendaval, a canoa afundará na hora. Porém, visto que essa mudança costuma ser gradativa, os nativos podem facilmente enfrentá-la, salvo em caso de acidente. O mastro, que é atado à quarta viga transversal (*ri'u*) a contar da popa temporária da canoa, é desamarrado, a canoa faz uma volta de 180 graus, de modo que sua "cabeça" passa agora a ser popa, seu *u'ula* (base) volta-se para o sul e passa a ser proa, e a plataforma fica à nossa direita, voltada para oeste. O mastro é mais uma vez atado à quarta viga transversal (*ri'u*) a contar do *u'ula*, a vela é içada e a canoa passa a deslizar com o vento a bater-lhe de novo pelo lado do flutuador externo, tendo trocado a popa pela proa **[20, p. 198]**.

Os nativos têm uma série de expressões náuticas para descrever as diversas operações de mudança do mastro, ajustamento da vela, arreamento da corda *veva*, mudança de posição da vela para que ela fique com sua extremidade inferior para cima e sua ponta toque a canoa ou, então, para que ela fique com o pau-de-carga e a verga quase horizontais. Adotam também regras específicas referentes ao modo como as várias manobras devem ser executadas, segundo a força do vento e o quadrante do qual ele sopra contra a canoa. Usam quatro expressões que denotam o vento favorável, o vento que sopra contra a viga do flutuador, o vento que sopra contra a canoa vindo da direção do *katala* (parte superior do casco) e o vento que sopra contra a canoa do lado do flutuador externo, próximo à direção em que a canoa está rumando. Não há, entretanto, necessidade de apresentarmos toda essa terminologia, pois não faremos mais referências a ela; é suficiente saber que os nativos adotam regras específicas e meios com que expressá-las, no que se refere ao manejo da canoa.

Já várias vezes mencionamos aqui o fato de que as canoas trobriandesas não podem navegar próximas do vento. São muito leves e rasas, seu casco fica pouco submerso, e oferecem pouca resistência a desvios. Acho que é também por esse motivo que há necessidade de dois homens para governá-la, pois os remos funcionam como tábuas de sotavento. Um dos homens maneja o *kuriga*, remo grande e alongado. Obviamente, senta-se na popa, no interior do casco. O outro usa um remo menor, de formato semelhante ao de uma folha, mas com lâmina maior que a do outro remo; esse remo menor denomina-se *viyoyu*. Senta-se sobre a plataforma, na extremidade mais próxima da popa, e maneja o remo através dos interstícios do *pitapatile* (plataforma).

Os outros membros ativos da tripulação são os *tokwabila veva*, nativos encarregados das velas; sua função é soltar ou puxar a *veva* (corda), conforme a direção e a força do vento.

Outro nativo, via de regra, mantém-se de pé sobre a popa, ficando de sobreaviso; caso necessário, ele sobe no mastro a fim de ajustar a cordoalha. Esse nativo também desempenha por vezes a função de retirar a água que se acumula ou que respinga dentro da canoa. Dessa forma, quatro homens podem manejar uma canoa, embora as duas últimas funções – vigiar e retirar a água – nem sempre sejam desempenhadas por uma única pessoa.

Quando há calmaria, os nativos têm de recorrer aos remos pequenos, de formato semelhante ao de uma folha, enquanto um deles se encarrega de manejar o remo maior. Entretanto, para que uma pesada canoa *masawa* possa, nessas circunstâncias, adquirir velocidade, são necessários pelo menos dez homens a remar. Como veremos, em determinadas ocasiões cerimoniais as canoas têm de ser movidas a remo, como quando estão se aproximando de seu destino, após ter-se executado a grande magia *mwasila*. Ao chegar ao destino, as canoas, se necessário, são levadas para a terra. Via de regra, porém, as pesadas canoas carregadas de uma expedição *kula* são amarradas ou ancoradas, conforme a natureza da praia. Se o chão for lamacento (como acontece na laguna de Trobriand), os nativos enfiam uma vara comprida na lama e amarram a ela uma das extremidades da canoa. Na outra ponta amarram uma corda atada a uma pedra grande, servindo de âncora. Quando o fundo é duro e rochoso, os nativos usam apenas a pedra-âncora.

Pode-se facilmente perceber que, com esse tipo de canoa e com essas limitações em seu manejo, existem muitos perigos reais que ameaçam os nativos. Se o vento está forte demais e o mar se torna violento, a canoa pode sair do curso e, desviando-se ou mesmo correndo à frente do vento, pode ser levada a pontos em que é impossível aportar ou de onde é impossível voltar nessa época do ano. É isso que aconteceu à canoa de Dobu já mencionada. Ou, então, a canoa, paralisada em virtude de uma calmaria e da maré, não consegue mover-se nem a remo. Ou ainda, em virtude de uma tempestade, a canoa pode despedaçar-se de encontro a rochedos e bancos de areia ou ser incapaz de resistir ao impacto das ondas. Como toda embarcação aberta, é fácil a canoa nativa se encher de água do mar e, durante uma chuva forte, com a água da chuva. No mar calmo, isso não representa grande perigo, pois a canoa, sendo de madeira, não afunda: mesmo que esteja quase totalmente submersa, a água pode ser retirada e a canoa volta a flutuar. No mau tempo, entretanto, a canoa encharcada perde sua capacidade de flutuação e se quebra. Por fim, mas igualmente terrível, há o perigo de a canoa ser forçada para dentro da água, com o flutuador para baixo, caso o vento sopre do lado contrário. Com tantos perigos reais, é maravilhoso o fato de que, para crédito da navegação nativa, os acidentes sejam relativamente raros.

Conhecemos agora a tripulação da canoa e as diversas funções que cada um de seus membros tem a desempenhar. Lembrando o que ficou dito no capítulo IV, seção 5, com referência à divisão sociológica dessas funções, podemos visualizar concretamente a embarcação com seus tripulantes, à medida que navegam no Pilolu; o *toliwaga* costuma sentar-se próximo do mastro, no compartimento denominado *kayguya'u*. Com ele, fica às vezes um de seus filhos ou parentes mais jovens, enquanto outro menino permanece na proa, próximo do búzio, pronto para soprá-lo quando as circunstâncias o requeiram. Assim se ocupam o *toliwaga* e os *dodo'u* (meninos pequenos). Os *usagelu*, ou membros da tripulação, quatro ou cinco nativos fortes, ficam cada um deles em seu posto, talvez com um supranumerário para auxiliá-los em casos de emergência, onde seja preciso. Na plataforma repousam alguns dos *silasila*, os jovens que ainda não desempenham nenhuma função nem participam do *Kula*, mas que ali estão para divertir-se e para aprender como se maneja uma canoa **[37, p. 314]**.

3

Todos esses nativos não só têm postos especiais e ocupações que lhes são designados, mas também precisam observar determinadas regras. A canoa, numa expedição *kula*, está envolta em tabus; muitas práticas têm de ser rigorosamente observadas a fim de que alguma coisa não saia errada. Assim, por exemplo, é proibido "apontar para os objetos com a mão" (*yosala yamada*) – e aqueles que o fizerem ficarão doentes. Às canoas novas associam-se diversas proibições denominadas *bomala vayugo* (tabus do cipó de amarração). Não se pode comer nem beber a bordo de uma canoa nova, a não ser depois que o sol se põe. A desobediência a esse tabu faria a canoa se tornar muito vagarosa. Quando se trata de uma *waga* veloz, a regra pode ser quebrada, em especial se um dos meninos está com fome ou com sede. O *toliwaga* então apanha um pouco da água do mar e a derrama sobre as amarras da canoa, proferindo as seguintes palavras: "Estou aspergindo teu olho, ó cipó kudayuri, para que a nossa tripulação possa comer".

Depois disso, ele dá ao menino algo para comer e beber. Além desse tabu referente ao comer e beber, há outro: a bordo de uma *waga* nova os nativos não podem atender às suas outras necessidades fisiológicas. Em caso de necessidade urgente, os homens mergulham no mar, segurando-se a uma das vigas transversais do flutuador – ou, no caso de um menino pequeno, um dos nativos mais velhos o abaixa na água. Esse tabu, quando não observado, faz também a canoa se tornar vagarosa. Esses dois tabus, entretanto, como já dissemos, são observados apenas numa *waga* nova, ou seja, naquela que está navegando pela primeira vez ou então que foi reamarrada e pintada de novo antes da viagem. Nenhum desses tabus, entretanto, é observado na viagem de volta. As mulheres não têm permissão para ir a bordo de uma *waga* nova antes de sua primeira viagem. Certos tipos de inhame não podem ser transportados numa canoa que tenha sido amarrada com os rituais de um dos sistemas mágicos *wayugo*. Há vários sistemas desse tipo de magia (ver capítulo XVII, seção 7), cada um deles com seus tabus específicos. Esses últimos tabus devem ser observados durante toda a viagem. Devido a um ritual mágico que descreveremos em nosso próximo capítulo – a magia da segurança, como poderíamos chamá-la –, a canoa deve ser conservada livre do contato com terra, areia e pedras. Assim, os nativos de Sinaketa não atracam suas canoas na praia, a não ser que isso seja absolutamente necessário.

Entre os tabus específicos do *Kula* que recebem o nome de *bomala lilava* (tabus do pacote mágico), há um estritamente observado que se refere ao modo de entrar na canoa. Só se pode entrar numa canoa pelo *vitovaria*, ou seja, a parte anterior da plataforma, em frente ao mastro. O nativo tem de escalar a plataforma nesse lado e a seguir, agachando-se, passar para os fundos ou para a frente e de lá descer para dentro da canoa ou sentar-se em outro lugar. O compartimento em frente do *lilava* (pacote mágico) é onde ficam as outras mercadorias para o comércio. À frente dele senta-se o chefe e atrás, a pessoa encarregada das velas. Os nativos adotam expressões especiais para designar as diversas maneiras ilícitas de entrar a bordo de uma canoa; em alguns dos exorcismos relativos à canoa, essas expressões são usadas com a finalidade de anular os efeitos maléficos da não observância desses tabus. Outras proibições, a que os nativos chamam de *tabu do mwasila*, embora não associadas ao *lilava*, impedem o uso de grinaldas de flores, enfeites vermelhos ou flores vermelhas na decoração da canoa ou do corpo dos tripulantes. Segundo a crença, a cor vermelha desses enfeites é magicamente incompatível com as finalidades da expedição – ou seja, a aquisição dos colares feitos de *Spondylus* vermelho. O inhame também não pode ser assado na viagem de ida, ao passo que, mais tarde, em Dobu, os nativos não podem ingerir alimentos locais, tendo então de depender de suas próprias provisões até que os primeiros presentes *kula* lhes tenham sido entregues.

Além disso, há regras bem definidas que se referem ao comportamento de uma canoa em relação a outra; essas regras, no entanto, são bastante variáveis de aldeia para aldeia. Em Sinaketa, são poucas as regras desse tipo; não há sequência fixa na ordem em que as canoas navegam; qualquer uma delas pode ser a primeira a iniciar a viagem e, se for mais veloz que as demais, pode ultrapassar as outras, até mesmo a do chefe. Isso, porém, tem de ser feito de modo que a canoa mais vagarosa não seja ultrapassada pelo lado do flutuador. Se isso acontecer, a canoa infratora terá de fazer à outra uma oferta de paz (*lula*), pois quebrou o tabu *bomala lilava*, ofendeu o pacote mágico.

Há um ponto interessante com referência às questões de prioridade em Sinaketa: para descrevê-lo, precisamos voltar ao assunto da construção e do lançamento das canoas. Um dos subclãs do clã Lukwasisiga, o subclã Tolabwaga, tem o direito de prioridade em todos os estágios sucessivos de junção das peças, amarração, calafetagem e pintura das canoas de Sinaketa. Todos esses estágios da construção e toda a magia devem ser executados primeiro na canoa *tolabwaga*, que é também a primeira a ser lançada. Só depois disso é que as canoas do chefe e dos plebeus podem navegar. A correta observância dessa regra "faz o mar se manter limpo" (*imilakatile bwarita*). Se a regra não for seguida e os chefes mandarem construir ou lançar suas próprias canoas antes que os *tolabwaga* o façam, o *Kula* não terá êxito.

> Nós vamos a Dobu, não recebemos nem porcos nem colares *soulava*. Perguntamos aos chefes: "Por que construíram suas canoas primeiro? Os espíritos de nossos ancestrais voltaram-se contra nós, pois quebramos a velha tradição!".

Uma vez em viagem, os chefes assumem de novo a liderança, pelo menos teoricamente, pois na prática a canoa mais veloz pode navegar à frente.

Nos costumes náuticos de Vakuta, outra comunidade do sul de Boyowa que pratica o *Kula* com os Dobu, um subclã do clã Lukwasisiga, denominada Tolawaga, tem o privilégio de prioridade em todo o processo da construção de canoas. Durante a viagem, esses nativos reservam a si mesmos uma prerrogativa negada a todos os demais: o nativo encarregado de manejar o remo menor, o *tokabina viyoyu*, tem permissão permanente para ficar de pé sobre a plataforma. Nas palavras dos nativos:

> Este é o sinal do Tolawaga (subclã) de Vakuta: onde quer que vejamos um nativo de pé sobre o *viyoyu*, dizemos: "Lá está a canoa de Tolawaga!".

Os maiores privilégios concedidos a um subclã na viagem, porém, são aqueles que se encontram em Kavataria. Essa comunidade de pesca e navegação, que habita a praia setentrional da laguna, faz viagens distantes e perigosas ao extremo noroeste da ilha de Fergusson. Essas expedições, cujo objetivo é obter sagu, nozes de bétel e porcos, serão analisadas no capítulo XXI. Seus costumes náuticos, porém, têm de ser mencionados agora.

O subclã Kulutula do clã Lukwasisiga desfruta dos mesmos privilégios de prioridade na construção dos clãs Tolabwaga e Tolawaga das aldeias meridionais, só que em grau ainda mais alto. Suas canoas têm de passar por todos os estágios de construção no primeiro dia e só no dia seguinte é que vêm as outras. Isso se refere até mesmo ao lançamento: a canoa kulutula é lançada num dia, e no dia seguinte são lançadas as dos chefes e plebeus. Ao chegar o momento da partida, a canoa kulutula é a primeira a sair e durante a viagem nenhuma das outras canoas têm permissão para ultrapassá-la. Quando a frota chega aos bancos de areia ou a algum pouso intermediário nas ilhas Amphlett, as canoas kulutula são as primeiras a ancorar e suas tripulações, as primeiras a descer à praia e preparar acampamento. Só depois disso é que vêm as demais. Essa prioridade expira quando a frota chega a seu destino. Ao chegarem ao *koya* mais distante, os nativos kulutula são os primeiros a descer à praia e, também, os primeiros a receber o presente de boas-vindas do "estrangeiro" (*tokinana*). Este os recebe com um ramo de nozes de bétel, com o qual bate na cabeça da canoa, até que as nozes se espalhem. Na viagem de retorno, o subclã Kulutula volta mais uma vez à sua posição naturalmente inferior.

É interessante observar que os três subclãs privilegiados das três aldeias pertencem ao clã Lukwasisiga e que o nome de dois deles, Talowaga e Tolabwaga, assemelha-se extraordinariamente à palavra *toliwaga*, embora essa semelhança tenha de ser posta à prova por meio de métodos de comparação etimológica mais rigorosos do que aqueles de que disponho no momento. O fato de que esses clãs, em circunstâncias especiais de viagem, dão continuidade àquilo que pode ter sido uma superioridade perdida, indica uma interessante sobrevivência histórica. O nome Kulutula é, sem dúvida, igual a Kulutalu, que é o nome de um clã totêmico independente, encontrado nas ilhas Marshall Bennett orientais e na ilha de Woodlark.[2]

2 Futuramente, pretendo investigar certas hipóteses históricas relativas às migrações e aos estratos culturais da Nova Guiné oriental. Existe um número considerável de indícios independentes que parecem corroborar certas hipóteses quanto à estratificação dos vários elementos culturais.

4

Voltemos agora à nossa frota de Sinaketa, que se move em direção do sul, ao longo da barreira de recifes, avistando pequenas ilhas, umas após as outras. Se não tiver partido muito cedo de Muwa – e os atrasos são características típicas da vida nativa – e se o vento não a tiver favorecido, a frota provavelmente terá de aportar numa das pequenas ilhas de areia, Legumatabu, Gabuwana ou Yakum. Nessa região, do lado ocidental, protegida dos ventos alísios predominantes, há uma pequenina laguna delimitada por dois quebra-mares naturais de recifes de coral, que se estendem a partir dos extremos norte e sul da ilha. Os nativos acendem fogueiras na areia branca e limpa, sob as delicadas árvores de pandano, e nelas cozinham o inhame e os ovos de aves marinhas, apanhados no próprio local. Quando a escuridão os cerca e as fogueiras os fazem reunir todos num círculo, tem início mais uma vez as conversas sobre o *Kula*.

Vamos escutar algumas dessas conversas, tentando nos impregnar da atmosfera que envolve esse punhado de nativos, temporariamente isolados nesse estreito banco de areia, longe de seus lares, tendo de depender exclusivamente de suas canoas para a longa viagem que os espera. A escuridão, o rugir das ondas que se quebram no recife, o ciciar seco das folhas de pandano ao vento – tudo produz um estado mental em que é fácil acreditar na existência de bruxas perigosas e de todos os seres que costumam se manter escondidos, mas sempre prontos a aparecer em algum momento especial de horror. A mudança no tom da conversa é perceptível quando levamos os nativos a falar sobre essas coisas em certas ocasiões, é bem diferente do tom calmo e em geral racionalista com que esses temas são abordados à luz do dia na tenda do etnógrafo. Algumas das revelações mais extraordinárias sobre essa faceta da crença e da psicologia nativa me foram feitas em ocasiões como essa. Foi sentado numa praia solitária de Sanaroa, rodeado por nativos das ilhas Trobriand e de Dobu e pelos habitantes locais, que ouvi pela primeira vez a história das pedras saltadoras. Numa das noites anteriores, ao tentar ancorar num local próximo de Gumasila, nas ilhas Amphlett, havíamos sido apanhados por um impetuoso vendaval que rasgou uma de nossas velas e nos forçou a correr à frente do vento, numa noite escura, sob uma chuva torrencial. Toda a tripulação, exceto eu, viu claramente as bruxas voadoras sob a forma de uma chama no topo do mastro. Não sei dizer se era fogo de santelmo, pois estava na cabina com enjoo de mar e indiferente aos perigos, às bruxas e até mesmo às revelações etnográficas. Inspirados por esse incidente, os nativos de minha tripulação contaram-me que essa chama é quase sempre sinal de desastre; contaram-me também que, alguns anos antes, ela havia aparecido num barco que afundara no mesmo local em que fomos apanhados pelo vendaval, mas que, felizmente, toda a tripulação havia conseguido salvar-se. A partir disso, foram mencionados diversos tipos de perigos, em tons de profunda convicção, que deixava transparecer perfeita sinceridade em virtude das experiências da noite anterior, da escuridão que nos cercava e das dificuldades em que nos encontrávamos, pois tivemos de consertar nossa vela e, de novo, tentar o difícil aportamento nas ilhas Amphlett.

Pude sempre constatar que, toda vez que os nativos se acham em situações semelhantes, rodeados pela escuridão e pela possibilidade de perigo iminente, passam naturalmente a falar sobre as coisas e os seres nos quais tradicionalmente se cristalizaram as apreensões e os temores de várias gerações.

Se nós, portanto, nos imaginarmos a ouvir um relato dos perigos e horrores dos mares, sentados ao redor de uma fogueira em Yakum ou Legumatabu, não nos estaremos afastando da realidade. Um dos nativos que são especialmente versados nas tradições e gostam de contar histórias poderia referir-se a uma de suas próprias aventuras ou, então, a algum acontecimento do passado; os outros entrariam na conversa, fazendo comentários, contando suas próprias histórias. Seriam feitas declarações de crença, enquanto os nativos mais jovens ouviriam as histórias já tão conhecidas, mas sempre escutadas com renovado interesse.

Ouviram a história do enorme polvo (*kwita*) que fica à espera das canoas que viajam em alto-mar. Não se trata de um *kwtia* normal de tamanho excepcional, mas sim de um *kwita* especial, de tal forma gigantesco que poderia ocupar uma aldeia inteira com seu corpo; seus tentáculos são tão grossos quanto o tronco dos coqueiros e se estendem pelo mar, atravessando-o. Com o exagero que lhes é típico, os nativos dirão: "*ikanubwadi Pilolu* [...]", "ele é do tamanho do Pilolu" (o braço de mar que se estende das ilhas Trobriand às ilhas Amphlett). Sua moradia fica para leste, "o Muyuwa", nome com que os nativos descrevem aquela região de mar e ilhas onde, segundo a crença, é conhecida uma magia contra a temível criatura. O monstro raramente vem à porção de mar entre as ilhas Trobriand e Amphlett, mas há nativos que já o viram lá. Um dos velhos nativos de Sinaketa conta como, ao voltar de Dobu quando era ainda muito jovem, navegou numa canoa adiante da frota, com algumas canoas à direita e outras à esquerda, mas todas atrás da sua. De repente, os tripulantes de sua canoa viram o gigantesco *kwita* bem à frente. Paralisados pelo medo, ficaram todos silenciosos e o próprio narrador, subindo à plataforma, fez sinais às outras canoas, avisando-as do perigo. Elas fizeram meia-volta de imediato e a frota se dividiu em duas partes, desviando-se bastante da rota e, com isso, saindo fora do alcance do monstro. Infeliz é a canoa apanhada nos tentáculos do gigantesco *kwita*! Agarrada com força, fica impossibilitada de mover-se por dias a fio, até que sua tripulação, morrendo de fome e de sede, decida sacrificar um dos meninos pequenos vindos com eles. Enfeitando-o com objetos de valor, os nativos o atiraram ao mar e, então, satisfeito, o *kwita* soltou a canoa, deixando-a livre. Certa vez perguntei a um nativo por que, numa ocasião dessas, a tripulação sacrificava um menino, e não um adulto. Ele me respondeu: "Um nativo adulto não gostaria disso; os meninos não podem se manifestar. Nós o pegamos à força e o atiramos ao *kwita*".

Outro perigo que ameaça as canoas em alto-mar é o *Sinamatanoginogi*, a Chuva especial, forte, ou a Água que cai do céu. Quando, devido à chuva e ao mau tempo, e apesar de todos os esforços para esvaziá-la, a canoa se enche de água, *Sinamatanoginogi* ataca-a de cima e a destrói. É difícil dizer se isso se baseia nos acidentes causados pelas trombas-d'água pelos aguaceiros ou simplesmente por ondas extremamente grandes, a ponto de estraçalhar a canoa. No geral, porém, essa crença é mais facilmente justificável que a anterior.

De todas essas crenças, a mais notável é a de que há no mar enormes pedras vivas, as quais ficam à espera das canoas, correm atrás delas e, saltando, reduzem-nas a pedaços. Sempre que os nativos têm razões para temê-las, todos os membros da tripulação se conservam em silêncio, pois as risadas e a conversas em voz alta atraem as pedras. Às vezes elas podem ser vistas a distância, saltando para fora da água ou movendo-se sobre o mar. Com efeito, foram apontadas para mim quando deixamos Koyatabu, e, embora eu não visse coisa nenhuma, os nativos, é claro, genuinamente acreditavam tê-las visto. De uma coisa, no entanto, estou certo: a muitos quilômetros em nosso redor não havia sequer um recife a aflorar nas águas. Os nativos também sabem muito bem que essas pedras vivas são diferentes dos recifes e dos baixios, pois elas se movem e, ao avistar uma canoa, passam a persegui-la, estraçalham-na de propósito e esmagam a tripulação. Esses hábeis pescadores também jamais poderiam confundir um peixe voador com qualquer outra coisa, embora, ao falar das pedras, eles com frequência as comparem aos golfinhos saltadores ou às arraias de ferrão.

Há dois nomes dados a essas pedras. Um deles, *nuwakekepaki*, refere-se às pedras encontradas nos mares de Dobu. O outro, *viney-*

lida, refere-se às pedras que vivem em "o Muyuwa". Desse modo, em mares abertos, as duas esferas de cultura se encontram, pois as pedras diferem não só quanto ao nome, mas também quanto à natureza. As *nuwakekepaki* provavelmente não passam de pedras malignas. As *vineylida* são habitadas por bruxas ou, segundo outros, por seres malévolos do sexo masculino.[3] Por vezes, as *vineylida* saltam à superfície, segurando fortemente a canoa, à moda do polvo gigantesco. Nesse caso, também teriam que ser feitas oferendas. Atiram primeiro uma esteira dobrada para ver se conseguem enganar a pedra; se isso não traz resultados, os nativos então passam óleo de coco no corpo de um dos meninos pequenos, enfeitam-no com braceletes de conchas e colares *bagi* e o atiram às pedras malignas.

É difícil dizer em que fenômenos naturais ou em que fatos concretos fundamentam essa crença e a do polvo gigantesco. Em breve analisaremos um novo ciclo de crenças que apresentam as mesmas características extraordinárias. Encontraremos uma história em que o comportamento humano se confunde com elementos sobrenaturais, estabelecendo as regras do que pode acontecer e de como as pessoas devem se comportar com a mesma naturalidade com que se descrevem os acontecimentos da vida tribal. Terei de tecer comentários sobre a psicologia dessas crenças no próximo capítulo, onde também apresentaremos a história. De todos os seres perigosos e temíveis que podemos encontrar no decorrer de uma expedição, os mais desagradáveis, os mais bem conhecidos e os mais temidos são as bruxas voadoras, as *yoyova* ou *mulukwausi*. O primeiro nome significa "mulher dotada de tais poderes", ao passo que o segundo, *mulukwausi*, refere-se ao espírito desencarnado da mulher, que voa pelos ares. Assim, por exemplo, os nativos dizem que tal mulher de Wawela é uma *yoyova*. Mas, ao viajar à noite, o nativo tem de ficar à espreita das *mulukwausi* entre as quais pode estar o espírito desencarnado daquela mulher de Wawela. Com muita frequência, e especialmente nos momentos em que o narrador das histórias está sob a influência do medo desses seres, emprega-se o eufemismo da deprecação, *vivila* (mulheres). Provavelmente nossos navegadores de Boyowa usam esse termo para descrevê-las enquanto conversam ao redor da fogueira, com medo de atraí-las se pronunciarem seu verdadeiro nome. Perigosas em qualquer parte, no mar elas se tornam infinitamente mais temíveis, pois

3 A palavra *vineylida* sugere a primeira dessas suposições, pois *vine* significa "fêmea" e *lida*, "pedra coral".

os nativos têm a firme crença de que, em casos de naufrágio ou de desastre no mar, todo mal que acomete as tripulações é proveniente da ação nefasta dessas temíveis mulheres.

Visto que, por estarem associadas aos naufrágios, essas bruxas voadoras inevitavelmente fazem parte de nossa narrativa, será melhor deixarmos nossa expedição *kula* na praia de Yakum, em pleno Pilolu e voltarmos à etnografia kiriwina no próximo capítulo, fazendo uma análise da crença sobre as bruxas voadoras e das lendas de naufrágios.

CAPÍTULO X

A história de um naufrágio

1

Neste capítulo, faremos um relato das ideias e crenças associadas a naufrágios, bem como das diversas precauções tomadas pelos nativos para garantir sua própria segurança. Encontraremos uma estranha mistura de informações específicas e concretas e de superstições fantásticas. Do ponto de vista crítico-etnográfico, podemos dizer diretamente que os elementos fantasiosos estão de tal forma entrelaçados aos fatos reais que é difícil distinguir entre aquilo que se pode rotular de simples ficção poético-mitológica e o que constitui uma regra comum de comportamento, retirada de experiências reais. A melhor maneira de apresentar esse material será fornecendo um relato completo de um naufrágio, tal como é contado pelos nativos mais velhos e experientes à geração mais jovem, nas aldeias de Kiriwina. Vou mencionar, neste relato, as diversas fórmulas mágicas, as regras de conduta, o papel desempenhado pelos peixes milagrosos e o complexo ritual executado pela tripulação que foge a salvo das *mulukwausi* que a perseguem.

As *mulukwausi* (bruxas voadoras) desempenham papel tão importante neste relato, que devo iniciá-lo com uma análise detalhada das várias crenças referentes a ela, embora já tenha feito alusões ao assunto uma ou duas vezes (capítulo II, seção 7, entre outros). Na mente do nativo de Boyowa, há estreita conexão entre o mar, a navegação marítima e essas mulheres. Tivemos de mencioná-las ao descrevermos a magia da canoa e veremos que desempenham papel de grande importância nas lendas relativas à construção dessas embarcações. Nas viagens do navegador de Boyowa, quer ele vá a Kitava ou ainda mais para o leste, quer viaje para o sul, rumo às ilhas Amphlett e de Dobu, as bruxas voadoras constituem uma de suas maiores preocupações. Isso ocorre porque, além de lhe serem perigosas, também são, até certo ponto, estranhas. Boyowa, como exceção de Wawela e de uma ou duas outras aldeias da costa oriental e do sul da ilha, constitui um distrito etnográfico onde não existem bruxas voadoras, embora elas o visitem de quando em quando. No entanto, em todas as tribos circunvizinhas há uma porção de mulheres que praticam essa forma de bruxaria. Desse modo, ao navegar para o sul, o nativo de Boyowa ruma diretamente ao centro do território dessas bruxas.

Essas mulheres têm o poder de se tornar invisíveis e voar à noite pelos ares. A crença ortodoxa é de que toda mulher *yoyova* tem poderes para gerar uma sósia, a qual se pode tornar invisível segundo sua própria vontade, mas pode aparecer sob a forma de um morcego, de um pássaro noturno ou de um vaga-lume. Há também a crença de que uma *yoyova* produz, dentro de si, algo como um ovo ou como um coco verde pequeno. Esse "algo", com efeito, recebe o nome de *kapuwana*, palavra que também significa coco pequeno.[1] Essa noção permanece de forma vaga, indefinida e não diferenciada na mente do nativo; qualquer tentativa para extrair definições mais detalhadas por meio de perguntas sobre a materialidade ou não materialidade do *kapuwana* seria uma introdução de nossas próprias categorias na crença dos nativos, onde elas não existem. De qualquer modo, eles acreditam que o *kapuwana* é algo que, durante os voos noturnos, pode sair do corpo da *yoyova*, assumindo as diversas formas sob as quais as *mulukwausi* aparecem. Outra variante dessa crença nas *yoyova* é que aquelas que têm conhecimentos de magia excepcionais podem voar por si próprias, transportando-se fisicamente pelos ares.

Devemos, entretanto, enfatizar que todas essas crenças não podem ser consideradas um conjunto coerente de conhecimentos; elas se acham envolvidas umas nas outras, e um mesmo nativo provavelmente tem vários pontos de vista racionalmente inconsistentes entre si. Nem mesmo a terminologia usada por eles (ver seção 4 do capítulo anterior) pode ser tomada como veículo de distinções ou definições estritas. Assim, a palavra *yoyova* refere-se à mulher tal como a encontramos na aldeia, e a palavra *mulukwausi* será usada toda vez que virmos algo suspeito a voar nos ares. Seria, porém, incorreto sistematizar o emprego desses termos numa espécie de

1 O *Professor* Seligman descreveu uma crença em seres semelhantes às *yoyova* e às *mulukwausi* existente no litoral nordestino da Nova Guiné. Em Gelaria, no interior, à altura da baía Bartle, as bruxas voadoras produzem sósias ou "mensageiras", às quais os nativos dão o nome de *labuni*. "As *labuni* existem dentro das mulheres e podem ser comandadas por qualquer mulher que tenha tido filhos. Dizia-se que as *labuni* existiam num órgão chamado *ipona* ou eram dele originárias; esse órgão, situado no flanco, tem o sentido literal de ovo ou ovos (op. cit., p. 640). A equivalência de crenças é evidente nesse caso.

doutrina e dizer: "Os nativos supõem que cada mulher seja um ser constituído, de um lado, por uma personalidade realmente viva, chamada *yoyova* – e, de outro, por um princípio imaterial, espiritual, denominado *mulukwausi*, que em sua forma potencial constitui o *kapwana*". Ao afirmarmos isso, estaríamos fazendo praticamente o mesmo que os escolásticos medievais fizeram à fé viva das eras primitivas. O nativo antes sente e teme sua própria fé do que a formula de modo claro. Usa termos e expressões que devemos coletar na forma em que ele os emprega, como documentos de sua crença, porém precisamos abster-nos de elaborá-los como partes integrantes de uma teoria coerente, pois isso não retrataria nem a mente nativa nem qualquer outro tipo de realidade.

Como já vimos no capítulo II, as bruxas voadoras são criaturas nefastas, de menor importância que o *bwaga'u* (feiticeiro homem), mas de poderes até mesmo mais fatais que os dele. Em contraste com o *bwaga'u*, que é apenas um homem que tem um tipo especial de magia, as *yoyova* têm de ser gradualmente iniciadas em seu *status*. Apenas a criancinha cuja mãe é bruxa pode tornar-se bruxa também. Ao dar à luz uma criança do sexo feminino, a bruxa enfeitiça um pedaço de obsidiana e lhe corta o cordão umbilical. A seguir, ela enterra o cordão umbilical, recitando uma fórmula mágica – em sua própria casa, e não no campo de cultivo, como acontece nos casos comuns. Logo depois, a bruxa carrega a filha até a praia, pronuncia um feitiço sobre um pouco de água salgada colocada numa espécie de tigela de casca de coco e a dá à criança para beber. Depois disso, a criança é mergulhada e lavada na água – uma espécie de batismo de bruxa! Então, a bruxa traz a filha de volta à casa e pronuncia um feitiço sobre uma esteira, com a qual embrulha a criança. À noite, a bruxa carrega o bebê pelos ares, indo para o local ao encontro de outras *yoyova*, onde lhes apresenta ritualmente a filha. Em contraste com o costume típico das mães jovens, de dormir com uma pequenina fogueira acesa debaixo da cama, as bruxas se deitam no frio com seus bebês. Quando a criança já está um pouco maior, a mãe a leva nos braços, carregando-a pelo ar em suas rondas noturnas. Ao tornar-se mocinha, atingindo a idade em que veste sua primeira saia de palha, a pequena futura bruxa começa a voar por si mesma.

Há um outro sistema de treinamento feito paralelamente aos voos; consiste em habituar a criança a gostar da carne humana. Até mesmo antes de a futura bruxa começar a voar por conta própria, a mãe a leva para os horríveis repastos em que ela e as demais bruxas, sentando-se sobre um cadáver, comem os olhos, a língua, os pulmões e as entranhas de um ser humano. Aí a menina recebe seu primeiro quinhão de carne de cadáver, treinando seu paladar a esse tipo de dieta.

Há outras formas de treinamento que devem ser seguidas pelas mães que pretendem fazer que suas filhas, ao crescerem, venham a se tornar eficientes *yoyova* e *mulukwausi*. À noite, a mãe fica de pé num dos lados da cabana e, segurando a criancinha nas mãos, atira-a por cima do telhado. Rapidamente, então, com a velocidade que só é possível a uma *yoyova*, ela contorna a cabana e apanha a criança do outro lado. Isso se dá antes que a criança comece a voar e tem por finalidade habituá-la a mover-se rapidamente pelo ar. Outras vezes, a mãe segura a filha pelos pés, de cabeça para baixo e, conservando-a nessa posição, profere um encantamento. Assim, com todo esse treinamento, a criança vai aos poucos adquirindo os mesmos poderes e gostos de uma *yoyova*.

É fácil distinguir essas meninas das outras. Elas se caracterizam por gostos pouco refinados e, de maneira especial, pelo hábito de comer carne de porco crua ou peixe cru. Chegamos aqui a um ponto em que a superstição mítica se mistura a algo mais real, pois informantes de confiança – e não só nativos – asseguraram-me que há casos de meninas que demonstram grande apetite por carne crua e que, quando um porco está sendo esquartejado na aldeia, elas lhe bebem o sangue e rasgam a carne. Não me foi possível constatar a veracidade dessas afirmações pela observação direta; é possível que sejam apenas o resultado de uma crença muito profunda a projetar suas próprias realidades, como costuma acontecer em nossa própria sociedade, nas curas milagrosas, nos fenômenos espíritas etc. Se, no entanto, ocorre mesmo o caso de as meninas novas comerem carne crua, isso significa apenas que elas desempenham o papel que julgam lhes ser atribuído. Trata-se, mais uma vez, de um fenômeno psicossocial com que deparamos em muitas fases da sociedade trobriandesa e em nossa própria sociedade.

Isso não significa que as *yoyova* assumam seu caráter publicamente. Com efeito, embora um nativo frequentemente se confesse *bwaga'u* e fale abertamente de sua especialidade, uma mulher jamais admite abertamente que é uma *yoyova* – nem mesmo para o próprio marido. Mas ela com certeza é estigmatizada como *yoyova* por todos e, em geral, passa a desempenhar esse papel, pois lhe é sempre vantajoso ser considerada dotada de poderes sobrenaturais. Além disso, ser feiticeira representa uma boa fonte de renda. Com frequência, recebe presentes com a insinuação de que cause dano a determinada pessoa. Aceita abertamente presentes que lhe são explicitamente oferecidos em pagamento pela cura de alguém que foi prejudicado por outra bruxa. O caráter de uma *yoyova* é, pois, de certo modo, público, e as bruxas mais importantes e poderosas são citadas pelo nome. Nenhuma mulher, entretanto, fala abertamente de si própria como sendo *yoyova*. Claro que o fato de uma mulher ser *yoyova* de forma alguma a impede de se casar e representa, com efeito, um aumento de seu prestígio social.

De tal modo profunda é a crença no poder da magia e no fato de que a magia constitui o único meio de adquirir faculdades mentais extraordinárias, que todos os poderes das *yoyova* são atribuídos à magia. Como já pudemos verificar no treinamento das jovens *yoyova*, encantamentos mágicos têm de ser proferidos a cada estágio do processo a fim de dotá-las do caráter próprio às bruxas. As *yoyova* adultas têm de proferir um encantamento especial todas as vezes que desejam tornar-se invisíveis, quando querem voar ou desenvolver maior velocidade, ou ainda atravessar a escuridão e a distância para descobrir onde algum acidente está ocorrendo. Porém, como em tudo o que se refere a essa espécie de feitiçaria, essas fórmulas jamais são apresentadas. Embora eu tenha conseguido obter todo um conjunto de feitiços relativos à magia *bwaga'u*, não consegui sequer levantar a ponta do véu impenetrável que encobre os feitiços *yoyova*. Com efeito, não me restam quaisquer dúvidas de que, na realidade, jamais existiu um só ritual ou uma única palavra que fosse dessa magia.

Depois de bem treinada no ofício, a *mulukwausi* frequentemente sai à noite para alimentar-se de cadáveres ou exterminar náufragos, pois essas são suas duas principais ocupações. Usando um sentido especial obtido pela magia, ela consegue "ouvir" – segundo a expressão nativa – que determinada pessoa morreu em tal e tal lugar ou que alguma canoa está em perigo. Até mesmo a jovem aprendiz de feiticeira tem sua audição de tal modo aguçada que diz à mãe: "Mãe, eu os ouço gritar!". Isso significa que algum nativo está morto ou morrendo em algum lugar. Ou então diz: "Mãe, uma *waga* está afundando!". Então, ambas voam para o local.

Ao sair em busca do local de um acidente, a *yoyova* abandona seu próprio corpo. Sobe então numa árvore e, recitando uma fórmula mágica, amarra nela um cipó. Em seguida, a *yoyova* alça voo ao longo do cipó, que estala por trás dela. É nesse momento que vemos o fogo a voar pelo céu. Toda vez que os nativos veem uma estrela cadente, eles sabem que é uma *mulukwausi* em pleno voo. Segundo outra versão, quando a *mulukwausi* profere determinada fórmula, uma árvore próxima ao seu local de destino inclina-se na direção da árvore na qual ela está empoleirada. Ela pula do topo de uma árvore para o da outra e então vemos o fogo. De acordo com algumas versões, a *mulukwausi*, ou seja, a bruxa em seu estado voador, perambula em completa nudez, deixando sua saia amarrada à volta do corpo, que permanece adormecido na cabana. Outras versões retratam-na com a saia firmemente amarrada ao redor de seu próprio corpo enquanto voa, batendo nas nádegas com um galhardete de pandano mágico. Essas últimas versões estão incorporadas aos feitiços mencionados no capítulo V.

Chegando ao local onde se encontra o cadáver, a *mulukwausi* junta-se às outras que também voaram para o local e se empoleira em algum objeto alto, como o topo de uma árvore ou a cumeeira de uma cabana. Lá todas elas esperam até que possam banquetear-se do cadáver e tal é a avidez e o apetite das *mulukwausi* que também para os vivos elas representam enorme ameaça. Os nativos que se reúnem ao redor do morto para carpi-lo e vigiá-lo frequentemente pedem a alguém que o conheça que pronuncie um encantamento especial contra as *mulukwausi* para protegê-los. Eles têm o cuidado de não se afastar dos demais, pois acreditam que, durante o enterro e depois dele, o ar fica infestado dessas bruxas perigosas, que espalham cheiro de carniça a seu redor.

As *mulukwausi* costumam comer os olhos, a língua e o "interior" (*lopoula*) do cadáver; quando atacam um nativo vivo, é possível que elas simplesmente batam nele ou o chutem, fazendo-o adoecer. Às vezes, porém, elas agarram um indivíduo e o tratam como um cadáver, comendo-lhe alguns dos órgãos; o indivíduo então morre. É possível diagnosticar essa condição, pois o indivíduo enfraquece rapidamente, perdendo a voz e a visão e, por vezes, ficando paralisado. Para a vítima, é menos perigoso quando as *mulukwausi*, em vez de lhe comerem as entranhas no próprio local, simplesmente as extirpam, escondendo-as em lugar que só elas conhecem a fim de armazenar provisões para um futuro banquete. Nesse caso, ainda resta alguma esperança para a vítima. Outra *yoyova*, rapidamente convocada pelos parentes do moribundo e bem paga por eles, sai, na forma de uma *mulukwausi*, à procura dos órgãos perdidos. E, se tiver a sorte de encontrá-los, restitui-os à vítima, salvando-lhe a vida.

Kenoriya, filha favorita de To'uluwa, chefe de Omarakana, enquanto visitava outra aldeia, foi despojada de seus órgãos internos pelas *mulukwausi*. Quando foi trazida para casa, estava paralisada e sem fala, estendida como se tivesse morrido. Sua mãe e seus outros parentes deram início às lamentações mortuárias ao redor de seu corpo e o próprio chefe pôs-se a chorar alto. Como última esperança, mandaram buscar uma mulher de Wawela, uma conhecida *yoyova* que, depois de receber objetos de valor e alimentos, alçou voo como uma *mulukwausi* e já na noite seguinte encontrou as entranhas de Kenoriya em algum lugar do *raybwag*, perto da praia de Kaulukuba, e restituiu-lhe a saúde.

Outra história autêntica é a que se refere à filha de um comerciante grego casado com uma mulher de Kiriwina proveniente de Oburaku. Essa história me foi contada pela própria moça, num inglês perfeitamente correto, aprendido numa das colônias de brancos da Nova Guiné, onde fora criada na casa de um missionário importante. Não obstante isso, a história não sofreu quaisquer danos devidos a ceticismo; foi-me contada com perfeita simplicidade e convicção.

Quando ela era ainda garotinha, uma mulher chamada Sewawela, nascida na ilha de Kitava, mas casada com um nativo de Wawela, veio à casa de seus pais com a intenção de vender-lhes uma esteira. Eles não quiseram comprar a esteira e lhe deram apenas um pouco de comida. Sewawela, sendo uma famosa *yoyova* e estando, portanto, habituada a um tratamento obsequioso, enfureceu-se com isso. Ao anoitecer, quando a criança estava brincando na praia que se estende à frente da casa, os pais viram um enorme vaga-lume voando em torno da criança. Voando a seguir ao redor dos pais, o inseto entrou no quarto. Percebendo que havia algo estranho com esse vaga-lume, os pais chamaram a menina e a colocaram na cama no mesmo instante. Porém, ela adoeceu imediatamente, não conseguiu dormir aquela noite, e os pais, com vários ajudantes nativos, tiveram de manter vigília. Na manhã seguinte, acrescentou a mãe, que comigo escutava a história da filha, a menina "*boge ikarige; kukula wala ipipisi*", isto é, "já estava morta, mas seu coração ainda batia". Todas as mulheres presentes irromperam em lamentações cerimoniais. O pai da mãe da criança, entretanto, foi a Wawela em busca de outra *yoyova*, chamada Bomrimwari. Bomrimwari apanhou algumas ervas e as esfregou em seu próprio corpo da cabeça aos pés. Depois, saiu na forma de uma *mulukwausi* à procura do *lopoula* (entranhas) da menina. Fez investigações por toda parte e as encontrou na cabana de Sewawela, na prateleira onde são guardados os grandes potes, nos quais o *mona* (pudim de taro) é cozido cerimonialmente. Lá estavam as entranhas, "vermelhas como o percal". Sewawela as deixara ali ao sair para o campo com o marido, com a intenção de comê-las ao voltar. Se isso tivesse acontecido, a menina não poderia ter sido salva. Assim que encontrou as entranhas, Bomrimwari realizou lá mesmo e no mesmo instante um tratamento mágico sobre elas. Voltou a seguir ao vilarejo do comerciante e, por meio de uma magia realizada sobre raiz de gengibre e água, fez as *lopoula* (entranhas) voltarem a seu devido lugar. Depois disso, a garotinha logo melhorou. Os pais fizeram um grande pagamento à *yoyova* por ela lhes ter salvo a criança.

Vivendo em Oburaku, uma das aldeias da porção meridional de Boyowa, eu estava na fronteira entre o distrito onde não existem *yoyova* e aquele, a leste, onde elas se encontram em grande número. No outro lado da ilha, que é muito estreita nessa parte, está a aldeia de Wawela, onde quase todas as mulheres têm reputação de serem feiticeiras, algumas delas bem notórias. Atravessando o *raybwag* à noite, os nativos de Oburaku costumavam chamar minha atenção para certos vaga-lumes que desapareciam de súbito para não mais acender suas "luzinhas". Eram as *mulukwausi*. Além disso, à noite, bandos de morcegos sobrevoavam as florestas altas, rumando para a grande ilha pantanosa de Boymapo'u, que fecha a laguna do lado oposto da aldeia. Eram *mulukwausi* também; vinham do leste, seu verdadeiro lugar de origem. Elas também costumavam pousar no topo das árvores que crescem à beira da água, local especialmente perigoso depois do pôr do sol. Os nativos muitas vezes me advertiam para que eu não me sentasse lá, nas plataformas das canoas que ficavam atracadas na praia, como eu gostava de fazer, apreciando o jogo de cores nas águas plácidas e lamacentas e nos mangues. Quando adoeci, pouco tempo depois, os nativos foram todos da opinião de que eu tinha sido "chutado" pelas *mulukwausi*. Meu amigo Molilakwa – o mesmo que me forneceu algumas fórmulas do *kayga'u*, magia proferida em alto-mar contra as bruxas – pronunciou algumas fórmulas mágicas. Seus esforços surtiram efeito no caso, e o fato de eu ter sarado logo foi atribuído pelos nativos apenas às fórmulas de Molilakwa.

2

O que mais nos interessa a respeito das *mulukwausi* é que elas se acham associadas ao mar e aos naufrágios. Quase sempre vagueiam sobre o mar, reunindo-se num local de encontro sobre um recife. Lá elas comem um tipo especial de coral arrancado do recife – um tipo que os nativos chamam de *nada*. Isso lhes estimula o apetite pela carne humana, o mesmo que acontece aos *bwaga'u* quando bebem água salgada. Elas têm também certo poder indireto sobre os elementos do mar. Embora os nativos não sejam todos da mesma opinião sobre o assunto, não resta dúvida de que há grande conexão entre as *mulukwausi* e os demais perigos com que se pode deparar no mar, como os tubarões, os "abismos escancarados" (*ikapwagega wiwitu*), muitos dos animais marinhos pequenos, caranguejos, algumas das conchas e outras coisas que mencionaremos brevemente – todas elas consideradas letais às pessoas que estão prestes a afogar-se. A crença é, pois, bastante específica: ao serem atirados na água durante o naufrágio, os indivíduos não correm verdadeiro perigo a não ser o de serem devorados pelas *mulukwausi*, por tubarões e outros animais. Se, pela magia adequada, essas influências puderem ser afastadas, os indivíduos que estão prestes a afogar escaparão ilesos. A crença na onipotência do homem, ou melhor, da mulher nesse caso, e o antídoto equivalente da magia governam todas as noções que esses nativos têm a respeito dos naufrágios. Os recursos e as garantias supremos contra quaisquer perigos estão representados pela magia da névoa, conhecida pelo nome de *kayga'u*, que, ao lado da magia do *Kula* e da magia da canoa, constitui o terceiro equipamento mágico indispensável ao navegador.

Todo indivíduo que conhece bem o *kayga'u* é considerado capaz de navegar em segurança pelos mares mais perigosos. Maniyuwa, um chefe famoso que gozava da reputação de ser um dos grandes mestres em *kayga'u*, bem como em outras magias, perdeu a vida em Dobu durante uma expedição realizada mais ou menos duas gerações antes. Seu filho, Maradiana, aprendera o *kayga'u* do pai. Embora as *mulukwausi* sejam extremamente perigosas na presença de um cadáver e embora os nativos jamais sonhem em colocar um cadáver numa canoa, multiplicando, com isso, as possibilidades de um ataque pelas bruxas, ainda assim Maradiana, confiando no poder de seu *kayga'u*, trouxe o corpo do pai de volta a Boyowa sem nenhum contratempo. Esse ato, testemunho de sua grande ousadia e bravura e da eficácia da magia *kayga'u*, mantém-se vivo na memória e na tradição dos nativos. Um de meus informantes, gabando-se de seu *kayga'u*, contou-me que certa vez, ao voltar de Dobu, executou seus ritos. Em consequência disso, formou-se tal nevoeiro que as demais canoas da frota perderam o rumo, indo parar na ilha de Kayleula. Com efeito, se podemos dizer que uma crença está *viva*, ou seja, que exerce grande influência sobre a imaginação humana, a crença no perigo representado pelas *mulukwausi* no mar pode ser definitivamente classificada como tal. Nas ocasiões de tensão mental, nas ocasiões de mínimo perigo no mar ou ainda quando se aproximam de um moribundo ou de um cadáver, os nativos na hora reagem emocionalmente em função dessa crença. Ninguém poderia viver entre esses nativos, falando sua língua e seguindo os costumes de sua vida tribal, sem deparar constantemente com a crença nas *mulukwausi* e no poder dos *kayga'u*.

Como em toda magia, nesse caso também há vários sistemas de *kayga'u*, ou seja, existem várias fórmulas, ligeiramente diferentes umas das outras quanto ao conteúdo, mas em geral semelhante quanto ao fraseado fundamental e certas expressões-chave. Há, em cada sistema, dois tipos principais de fórmulas – o *giyotanawa*, ou *kayga'u* das Profundezas, e o *giyorokaywa*, ou *kaiga'u* das Alturas. O primeiro consiste, em geral, em uma pequena fórmula ou de fórmulas pronunciadas sobre algumas pedras e um pouco de cal num pote para cal, ou sobre um pouco de raiz de gengibre. O *giyotanawa*, como o próprio nome indica, é magia feita contra os agentes do mal que, no fundo do mar, aguardam os indivíduos que se afogam. Suas fórmulas fecham o "abismo escancarado" e protegem os náufragos dos tubarões. Protegem-nos também de outras coisas malignas, que causam a morte de um indivíduo prestes a se afogar. Os diversos vermes do mar encontrados na praia, os caranguejos, o peixe venenoso *soka* e o peixe espinhento *baiba'i*, bem como as pedras saltadoras, sejam as *vineylida*, sejam as *nu'akekepaki*, são todos afastados e cegados pelos *giyotanawa*. Talvez a mais extraordinária dessas crenças seja a de que os *tokwalu* – as figuras humanas entalhadas nas tábuas de proa –, o *guwaya* – a efígie semi-humana entalhada no topo do mastro –, bem como as cavernas da canoa, costumam "comer" os homens que estão se afogando caso não sejam tratados magicamente.

O *kayga'u* das Alturas, o *giyorokaywa*, consiste em longos encantamentos recitados sobre raiz de gengibre, em várias ocasiões, antes da viagem e durante o mau tempo ou o naufrágio. São dirigidos exclusivamente contra as *mulukwausi* e constituem, portanto, a mais importante das duas categorias. Jamais podem ser recitados à noite, pois então as *mulukwausi* poderiam ver e ouvir o nativo e tornar sua magia ineficaz. Além disso, o encantamento das Alturas, quando recitado em alto-mar, tem de ser proferido quando o mago não está coberto de borrifos, pois, se sua boca ficar molhada com a água do mar, o cheiro atrairá as bruxas voadoras, em vez de dispersá-las. O nativo que conhece o *kayga'u* precisa também ter muito cuidado durante a refeição. As crianças não podem falar, brincar nem fazer qualquer barulho enquanto ele está comendo; além disso, ninguém deve ficar atrás dele nem apontar as coisas com o dedo. Se alguém o perturbar desse modo, ele tem de parar de comer no mesmo instante e só poderá voltar a alimentar-se quando chegar a hora da próxima refeição.

A ideia principal a respeito do *kayga'u* é a de que ele produz uma espécie de nevoeiro. As *mulukwausi* que perseguem a canoa, os tubarões e as pedras vivas que ficam à espera dela, as profundezas do mar com todos os seus horrores e os destroços da canoa, prontos a causar danos ao proprietário – todas essas coisas são cegadas pela névoa que se levanta em obediência a esses encantamentos.

O efeito paralisador desses tipos de magia e a esfera especializada da influência de cada um deles são, assim, dogmas específicos e bem claros da crença nativa.

Não devemos aqui, entretanto, forçar longe demais a interpretação desses dogmas. Uma espécie de névoa cobre os olhos de todos os agentes do mal ou os cega; faz os nativos invisíveis a eles. Mas querer saber se o *kayga'u* produz névoa verdadeira, visível ao homem, ou apenas uma névoa sobrenatural, visível só às *mulukwausi*; ou, ainda, se ela simplesmente lhes cega os olhos para que não possam enxergar – isso seria esperar demais. O mesmo nativo que se gaba de ter produzido névoa verdadeira, tão intensa que desviou seus companheiros do rumo, no dia seguinte executa o *kayga'u* na aldeia, durante um enterro, afirmando que as *mulukwausi* estão na névoa, embora obviamente a atmosfera esteja perfeitamente limpa. Os nativos costumam contar que, navegando num dia ventoso, porém claro, depois de terem recitado um *kayga'u* no olho do vento, ouvem os gritos das *mulukwausi*, que, perdendo suas companheiras e o cheiro do rastro, gritam umas para as outras na escuridão. Entretanto, há algumas expressões que parecem representar a noção de que se trata apenas de um efeito sobre o olho das bruxas. "*Idudubila matala mulukwausi*", isto é, "Faz escurecer a vista das *mulukwausi*", ou "*Iguyugwayu*", "Cega", dizem os nativos. E quando lhes perguntamos: "Que é, então, que as *mulukwausi* enxergam?". Eles respondem: "Elas só enxergam a névoa. Não enxergam os lugares, não enxergam os homens, enxergam somente a névoa".

Assim, nesse caso, como em todos os casos de crença, há certa latitude dentro da qual as opiniões e os pontos de vista podem variar, e somente os princípios gerais que os cercam são definidamente determinados pela tradição, incorporados a rituais e expressos pela fraseologia das fórmulas mágicas ou dos enunciados de um mito.

Defini, assim, o modo como os nativos enfrentam os perigos do mar; verificamos que as concepções fundamentais subjacentes a essa atitude são que, nos casos de naufrágio, as pessoas estão inteiramente nas mãos das bruxas e que apenas seus recursos mágicos podem salvá-las. Essa defesa consiste em ritos e fórmulas do *kayga'u*, cujos princípios fundamentais já são também de nosso conhecimento. Agora, precisamos apresentar uma descrição completa de como essa magia é executada quando um *toliwaga* parte numa expedição. E, acompanhando essa expedição, precisamos explicar como os nativos imaginam um naufrágio e qual o comportamento que, acreditam, assumiriam os náufragos.

3

Vou apresentar esta narrativa de maneira consequente, tal como ela me foi relatada por alguns dos mais experientes e renomados navegadores trobriandeses de Sinaketa, Oburaku e Omarakana. Podemos imaginar essa mesma narrativa feita por um veterano *toliwaga* a seus *usagelu* na praia de Yakum, enquanto nossa expedição *kula* se senta ao redor das fogueiras à noite. Um dos velhos, famoso pela excelência do seu *kayga'u* e orgulhoso dele, contaria sua história, narrando de forma minuciosa todos os detalhes, mesmo que os outros já tivessem ouvido muitas vezes antes ou mesmo presenciado a realização dos rituais mágicos. Ele então passaria a contar, com extremo realismo, descrevendo cada detalhe, a história de um naufrágio exatamente como se ele próprio tivesse sido um dos participantes. Na realidade, nenhum nativo atualmente vivo teve uma experiência pessoal de tal catástrofe, embora muitos tenham diversas vezes escapado por um triz. Baseados nisso e no que eles mesmos ouviram contar sobre a tradição relativa a naufrágios, os nativos costumam contar sua história com uma vividez bastante característica. Assim, o relato que apresentamos a seguir é mais do que o resumo da crença nativa; é um documento etnográfico em si mesmo, por representar o modo como esse tipo de narrativa seria apresentado ao redor das fogueiras, sendo o mesmo assunto repetido várias vezes pelo mesmo nativo e ouvido pelos mesmos espectadores, da exata maneira como nós, quando crianças, ou camponeses da Europa Oriental costumamos escutar contos de fadas e *Märchen*. A única diferença entre esse relato e a apresentação do narrador nativo consiste na inserção de fórmulas mágicas na narrativa. O narrador poderia, com efeito, repelir as fórmulas caso estivesse falando em plena luz do dia, em sua aldeia, a um grupo de amigos e parentes próximos. Estando, porém, numa pequena ilha no meio do oceano, à noite, recitar as fórmulas seria um tabu do *kayga'u*; nenhum nativo jamais recitaria sua magia perante um grande número de espectadores, exceto em determinadas ocasiões de vigílias mortuárias, nas quais se espera que as pessoas entoem seus encantamentos em voz alta, diante de centenas de ouvintes.

Voltando novamente ao nosso grupo de navegadores, sentados sob atrofiadas árvores de pandano em Yakum, vamos ouvir um dos descendentes do grande Maniyuwa, companheiros do ousado Maradiana, agora já morto. Ele nos contará como, de manhã cedinho, no dia da partida de Sinaketa, ou, às vezes, na manhã seguinte, quando partem de Muwa, executa-se o primeiro ritual do *kayga'u*. Embrulhando um pedaço de *leyya* (raiz de gengibre silvestre) num pedaço de folha seca de bananeira, ele entoa sobre ela o longo encantamento *giyorokaywa*, o *kayga'u* das Alturas. Ele entoa a fórmula dentro da folha, dando-lhe o formato de xícara, com o pedaço de gengibre no fundo, de modo que o encantamento possa penetrar na substância a ser tratada. Depois, a folha é imediatamente embrulhada, aprisionando, assim, o efeito mágico, e o mago amarra o pacote ao redor do braço esquerdo com um pedaço de fibra ou barbante. Às vezes, ele encanta dois pedaços de gengibre e faz dois pacotes, colocando um deles num colar de barbante pendurado no peito. Nosso narrador, mestre de uma das canoas, provavelmente não é o único no grupo reunido ao redor da fogueira que carrega esses pacotes de gengibre mágico, pois, embora o *toliwaga* deva sempre executar esse ritual, bem como conhecer toda a magia relativa a naufrágios, via de regra, vários dos homens mais velhos da tripulação também os conhecem e preparam seus próprios pacotes mágicos.

Eis um dos encantamentos *giyorokaywa*, tal como o velho nativo o proferiu sobre a raiz de gengibre:

GIYOROKAYWA Nº 1 (*Leyya kayga'u*)

"Envolverei Muyuwa na nevoa! [repetido] Envolverei Misima na névoa! [repetido] A névoa se levanta; a névoa os faz tremer. Envolvo a frente na névoa, fecho a parte de trás; envolvo a parte de trás na névoa, fecho a frente. Eu encho de névoa, a névoa se levanta; eu encho de névoa, a névoa que os faz tremer".

Essa é a parte inicial da fórmula, bastante clara e fácil de interpretar. A névoa é magicamente invocada, e a palavra que significa névoa é repetida com várias combinações verbais, de maneira rítmica e aliterante. A expressão "tremer" (*maysisi*) refere-se à crença peculiar de que, quando um feiticeiro ou feiticeira se aproxima da vítima e esta os paralisa por meio de contramagia, eles perdem a direção e ficam parados, tremendo.

A parte principal dessa fórmula tem início com a palavra *aga'u* (eu envolvo na névoa), a qual, como todas as palavras mais importantes de um encantamento, é, primeiramente, entoada num longo e prolongado cântico e então repetida de forma rápida com uma série de palavras. A seguir, a palavra *aga'u* é substituída por *aga'usulu* (eu envolvo na névoa, faço desviar do rumo), que, por sua vez, cede lugar a *aga'uboda* (eu envolvo na névoa, eu fecho). É longa a lista de palavras repetidas em sequência com cada uma dessas três expressões. Abre-se com as palavras "os olhos das bruxas". Então vem, "os olhos do caranguejo do mar". Sempre com a palavra "olhos" são enumerados os animais, os vermes e os insetos que ameaçam a vida dos náufragos no mar. Esgotada a lista, repetem-se os nomes das várias partes do corpo, e, por fim, recita-se uma longa lista dos nomes das aldeias, precedidos da palavra *aga'u*, formando frases como "envolvo na névoa os olhos das mulheres de Wawela etc.".

Vamos reconstruir um trecho da parte intermediária da fórmula, em sequência.

Eu envolvo na névoa! Eu envolvo na névoa, envolvo na névoa, os olhos das bruxas! Envolvo na névoa os olhos dos pequenos caranguejos! Envolvo na névoa os olhos do bernardo-eremita! Envolvo na névoa os olhos dos insetos da praia! etc.

Eu envolvo na névoa a mão, envolvo na névoa o pé, envolvo na névoa a cabeça. Envolvo na névoa os ombros etc.

Envolvo na névoa os olhos das mulheres de Wawela; envolvo na névoa os olhos das mulheres de Kaulasi; envolvo na névoa os olhos das mulheres de Kumilabwaga; envolvo na névoa os olhos das mulheres de Vakuta etc.

Envolvo na névoa, faço perder o rumo os olhos das bruxas; envolvo na névoa, faço perder o rumo os olhos do pequeno caranguejo etc.

Envolvo na névoa, fecho os olhos das bruxas, envolvo na névoa, fecho os olhos do pequeno caranguejo etc.

É fácil concluir o quanto se pode prolongar esse encantamento, especialmente em sua parte intermediária, em que o mago com frequência volta à parte inicial, repetindo a palavra-chave várias e várias vezes com as outras palavras. Com efeito, podemos considerar essa parte um *tapwana* (parte intermediária) típico de uma fórmula longa, no qual as palavras-chave são, por assim dizer, exauridas com as diversas outras expressões. Essa parte intermediária tem uma característica excepcional, a saber, que os seres das profundezas, os caranguejos, os insetos e os vermes do mar são invocados, muito embora a fórmula pertença ao tipo *giyorokaywa*, magia das Alturas. Essa é uma incoerência com que deparamos muitas vezes: uma contradição entre as ideias incorporadas na fórmula e a teoria da magia explicitamente formulada pelos informantes. As partes do corpo enumeradas no *tapwana* referem-se à própria pessoa do mago e a seus companheiros de canoa. Com isso, ele envolve a si mesmo e a todos os seus companheiros com a névoa, que os torna invisíveis a todas as influências malignas.

Após o longo *tapwana*, vem a última parte, que, no entanto, nesse caso, não é entoada, mas sim proferida em voz baixa, suave e persuasiva.

> "Bato em teus flancos; dobro tua esteira, tua esteira de pandano alvejado; farei dela teu manto. Apanho tua *doba* (saia de palha) de dormir, cubro tuas ancas; fica ai, ronca dentro de tua casa! Eu sozinho [nesse ponto, quem recita o encantamento menciona seu próprio nome] permanecerei no mar, nadarei!"

Essa última parte revela alguns fatos interessantes sobre a crença nativa nas *mulukwausi*. Vemos aqui a expressão da ideia de que o corpo da bruxa permanece em casa enquanto ela parte em sua jornada nefasta. Molilakwa, o mago de Oburaku que me forneceu esse encantamento, ao comentar essa última parte, disse-me:

> A *yoyova* abandona seu corpo (*inini wowola*, expressão que, na realidade, significa "ela despe a pele de seu corpo"): ela se deita e dorme, e nós a ouvimos roncar. Sua cobertura (*kapwalela*, ou seja, a parte externa do seu corpo, sua pele) permanece na casa, e ela voa (*titolela biyova*). Sua saia fica na casa, ela voa nua. Quando encontra homens, ela nos come. De manhã, ela volta a seu próprio corpo e se deita na cabana. Quando lhe cobrimos as ancas com o *doba*, ela já não pode voar mais.

Essa última sentença refere-se ao ato mágico de cobrir, que se expressa na parte final da fórmula.

Aqui encontramos outra variante de crença referente à natureza das *mulukwausi* e a ser acrescentada às que já mencionamos antes. A princípio, encontramos a crença na dissociação da mulher em duas partes – a que permanece na casa e a parte que voa. Mas, nesse caso, a verdadeira personalidade está localizada na parte voadora, ao passo que aquilo que permanece na cabana é a "cobertura". Seria incorreto imaginar a *mulukwausi*, ou seja, a parte voadora, como uma projeção à luz dessa crença. Em geral, categorias como "agente" e "projeção" ou como "personalidade real" e "emanação" etc. só podem ser aplicadas à crença nativa como aproximações, e a definição precisa deve ser feita nos termos das afirmações nativas.

A última sentença desse encantamento, contendo o desejo de permanecer sozinho no mar, de poder nadar e flutuar, é um testemunho à crença de que, sem as *mulukwausi*, não corre perigo o homem que está a flutuar no mar, agarrado a um dos destroços do naufrágio, por entre as ondas espumantes de um mar tempestuoso.

Depois de recitar essa longa fórmula, o *toliwaga*, como ele mesmo nos diz em sua narrativa, tem de efetuar um novo ritual, agora sobre seu pote para cal. Retirando a tampa feita de folha de palmeira enrolada e fibra trançada da cabaça queimada e ornamentada na qual ele conserva a cal, ele profere um novo encantamento do ciclo *giyorokaywa*.

GIYOROKAYWA Nº 2 (*Pwaka kayga'u*)

"Lá em Muruwa, eu me levanto, fico de pé! Iwa, Sewatupa à frente – produz um estrondo, eu disperso, Kasabwaybwayreta, Namedili, Toburitolu, Tobwebweso, Tauva'u, Bo'abwa'u, Rasarasa. Eles estão perdidos, eles desaparecem."

Essa introdução, cheia de expressões arcaicas, significados implícitos, alusões e nomes pessoais, é muito obscura. As primeiras palavras provavelmente referem-se à sede da feitiçaria; Muruwa (ou Murua – ilha de Woodlark), Iwa, Sewatupa. A longa lista de nomes pessoais proferida a seguir contém alguns nomes míticos, como Kasabwaybwayreta, e alguns outros para os quais não tenho explicação, embora as palavras Tobwebweso, Tauva'u e Bo'abwa'u indiquem tratar-se de uma lista na qual figuram os nomes de alguns feiticeiros. Via de regra, em tais fórmulas, uma lista de nomes significa que todos aqueles que a usaram e transmitiram são enumerados. Em alguns casos, as pessoas mencionadas são realmente heróis míticos. Às vezes, são mencionados alguns nomes míticos e, em seguida, uma série de nomes de pessoas realmente existentes, formando uma espécie de linhagem do encantamento. Se, nessa fórmula, os nomes são de ancestrais, trata-se de personalidades míticas, e não ancestrais verdadeiros.[2] As últimas palavras continham uma expressão típica do *kayga'u*. Agora vem o trecho do meio.

"Eu me levanto, eu escapo das *bara'u*; eu me levanto, eu escapo das *yoyova*. Eu me levanto, eu escapo das *mulukwausi*. Eu me levanto, eu escapo das *bowo'u*" etc., repetindo as palavras-chave "Eu me levanto, eu escapo" com as palavras usadas para descrever as bruxas voadoras dos vários distritos circunvizinhos. A palavra *bara'u* é originária de Muruwa (ilha de Woodlark), onde ela descreve a feiticeira, e não, como em outros distritos Massim, o feiticeiro do sexo masculino. As palavras *yoyova* e *mulukwausi* não necessitam de explicações. *Bowo' u* é uma palavra das ilhas Amphlett. Depois, vêm palavras de Dobu, Tubetube etc. O parágrafo inteiro é então repetido, acrescentando-se as palavras "olhos de" no meio de cada frase, como se segue.

"Eu me levanto, eu escapo dos olhos das *bara'u*. Eu me levanto, eu escapo dos olhos das *yoyova*" etc. As palavras-chave "Eu me levanto, eu escapo" são substituídas por "Elas vagueiam perdidas", que, por sua vez, cede lugar às palavras "o mar está livre". A porção intermediária do encantamento é bastante clara e não requer comentários. Vem, assim, a conclusão (*dogina*):

"Eu sou um *manuderi* (um pequeno pássaro), eu sou um *kidikidi* (pequeno pássaro marítimo), eu sou um tronco que flutua, eu sou um pedaço de alga marinha; vou produzir um nevoeiro em que tudo vai ficar envolto, vou envolver tudo na névoa, vou isolar tudo com a névoa. Névoa, envolto na névoa, dissolvido na névoa. O mar está livre, [as *mulukwausi* estão] vagueando na névoa."

Essa parte também não requer comentários especiais.

Trata-se novamente de uma longa fórmula do tipo *giyorokaywa*, ou seja, dirigido contra as *mulukwausi*, e nesse particular a fórmula é coerente, pois em seu trecho intermediário são invocadas apenas as *mulukwausi*.

2 Nem todos os encantamentos que consegui obter foram igualmente bem traduzidos e comentados. Esse, embora muito valioso por ser um dos encantamentos do velho chefe Maniyuwa e por ter sido recitado quando seu corpo foi trazido de Dobu por seu filho Maradiana, foi obtido no início de minha carreira etnográfica. Gomaya, filho de Maradiana, que o forneceu a mim, é um mau comentarista. Tampouco pude encontrar, mais tarde, algum informante competente que pudesse elucidá-lo completamente para mim.

Depois que o encantamento foi enunciado dentro do pote para cal, o pote é tampado de maneira firme e só pode ser aberto no final da viagem. Precisamos salientar que esses dois encantamentos *giyorokaywa* foram proferidos por nosso *toliwaga* na aldeia, ou na praia de Muwa, à luz do dia. Como já dissemos anteriormente, é tabu proferi-los de noite ou em alto-mar. A partir do momento em que profere essas duas fórmulas, ambas as substâncias encantadas – a raiz do gengibre e a cal – permanecem perto dele. Ele também leva na canoa algumas das pedras trazidas de Koya, denominadas *binabina* em contraposição ao coral morto, ao qual se dá o nome de *dakuna*. É sobre essas pedras que, nos momentos de perigo, vai ser recitado um *giyotanawa*, a magia das Profundezas. A fórmula que apresentamos a seguir é desse tipo, como sempre muito curto:

GIYOTANAWA Nº 1 (*Dakuna kayga'u*)

"Homem, homem solteiro, mulher, moça jovem; mulher, moça jovem, homem, homem solteiro! Vestígios, vestígios obliterados por teias de aranha; vestígios, destruídos virando-se para cima [o material em que eles foram deixados]; eu empurro para baixo, eu fecho! Tubarões e Dukutabuya, eu empurro para baixo, eu fecho; tubarões de Kaduwaga, eu empurro para baixo, eu fecho" etc., sendo invocados sucessivamente os tubarões de Muwa, Galeya, Bonari e Kaulolok i. Todas essas palavras são nomes de locais do mar, na laguna de Trobriand e ao seu redor. A fórmula tem o seguinte epílogo: "Eu forço teu pescoço para baixo, eu abro tua passagem de Kiyawa, eu te chuto para baixo, ó tubarão. Foge para baixo d'água, tubarão. Morre, tubarão, morre".

O comentário que Molilakwa, meu informante de Oburaku, fez sobre as sentenças introdutórias foi o seguinte: "Essa magia é ensinada às pessoas quando elas são ainda bem jovens. Daí a menção feita aos jovens".

A obliteração de vestígios será esclarecida no relato que se segue; nele, veremos que a principal preocupação da frota naufragada é destruir vestígios e eliminar cheiros que pudessem atrair os tubarões e as *mulukwausi*. A porção intermediária do encantamento refere-se exclusivamente aos tubarões; o mesmo se dá no epílogo. A passagem de Kiyawa, próxima de Tuma, é mencionada em diversos tipos de exorcismos mágicos, quando influências malignas estão sendo banidas. Essa passagem localiza-se entre a ilha principal e a ilha de Tuma, seguindo na direção de regiões desconhecidas dos mares noroestes.

Será melhor citarmos aqui outra fórmula do tipo *giyotanawa* – uma bastante empolgante, proferida no instante crítico do naufrágio. No momento em que os navegadores decidem abandonar sua embarcação, mergulhando no mar, o *toliwaga* se põe de pé na canoa e, virando-se lentamente para dirigir suas palavras aos quatro ventos, entoa, em voz alta, a seguinte fórmula:

GIYOTANAWA Nº 2

"Faz espuma, faz espuma, onda que se quebra, onda! Vou penetrar na onda que se quebra, vou sair por detrás dela. Vou penetrar na onda por detrás dela, saindo por entre sua espuma que se quebra!

Névoa, névoa que acumula, névoa que rodeia, envolve, envolve-me!

Névoa, névoa que se acumula, névoa que rodeia, envolve, envolve a mim, meu mastro!

Névoa, névoa que se acumula [...] envolve a mim, a ponta de minha canoa.

Nevou, [...] envolve a mim, a minha vela.

Névoa, [...] envolve a mim, o meu remo.

Névoa, [...] envolve a mim, minha cordoalha.

Névoa, [...] envolve a mim, minha plataforma."

E assim por diante, enumerando, uma após as outras, todas as partes da canoa e seus acessórios. A seguir, vem a parte final da fórmula mágica:

"Eu fecho os céus com a névoa; faço o mar tremer com a névoa: fecho tua boca, tubarões, *bonubonu* (vermezinhos), *ginukwadewo* (outros tipos de vermes). Voltai às profundezas, e nós nadaremos na superfície."

Essa magia não requer grandes comentários. Sua parte inicial está bastante clara e descreve, de maneira singularmente exata, a situação em que é proferida. A parte final refere-se diretamente ao objetivo fundamental da magia, a proteção contra as Profundezas, contra os seres perigosos do mar. A única ambiguidade refere-se à parte do meio, em que as palavras-chave mágicas "envolvendo na névoa" são associadas a uma lista de nomes das partes componentes da canoa. Não tenho certeza se isso deve ser interpretado com o sentido de que o *toliwaga* deseja envolver a canoa inteira na névoa, de modo que ela fique invisível aos tubarões etc., ou se, pelo contrário, já pronto a abandonar sua canoa, e ansioso para desvencilhar-se de suas várias partes que poderão cair sobre ele e "comê-lo", o *toliwaga* deseja envolvê-las uma por uma na névoa, de modo que fiquem cegas. Essa última interpretação se coaduna com a crença, anteriormente citada, de que certas partes da canoa, em particular as figuras humanas entalhadas na tábua de proa e no mastro, as cavernas e certas outras partes de sua construção "comem" os náufragos. Porém, nesse encantamento não são enumeradas apenas certas partes, e sim todas as partes da canoa – e isso, sem dúvida, é incompatível com essa crença e, portanto, a questão deve permanecer aberta.

4

Antecipei alguns dos acontecimentos que fazem parte da narrativa consequente do naufrágio a fim de fornecer primeiro as duas últimas fórmulas mágicas mencionadas e de não interromper a história de nosso *toliwaga*, à qual voltamos agora. Paramos no ponto em que, tendo proferido suas duas primeiras fórmulas *kayga'u* sobre o gengibre e dentro do pote para cal, ele sobe a bordo, mantendo essas duas coisas à mão e colocando algumas pedras *binabina* ao seu alcance. Daqui para diante, sua narrativa torna-se mais empolgante. Ele descreve o temporal que se aproxima:

> NARRATIVA DO NAUFRÁGIO E SEUS RESTOS
> A canoa navega veloz; o vento se levanta; aproximam-se enormes ondas; o vento ruge, du-du-du-du. [...] As velas tremem, o *lamina* [flutuador externo] ergue-se bem alto! Todos os *usagelu* se acocoram sobre o *lamina*. Eu digo palavras mágicas para acalmar o vento. O grande encantamento Sim-sim. Eles conhecem bem o *yavata* [vento monção noroeste]. Eles vivem no olho do *yavata*. O vento não diminui nem um pouco. Ele ruge, ganha força, ruge alto, du-du-du-du-du. Todos os *usagelu* sentem medo. As *mulukwausi* gritam, u-ú, u-ú, u-ú, u; suas vozes se fazem ouvir no vento. Com o vento elas gritam e vêm voando.

A *veva* [corda da tralha] é arrancada das mãos do *tokabina veva*. A vela se agita livremente ao vento; é arrancada. Ela voa para bem longe no mar; cai sobre as águas. As ondas se quebram por sobre a canoa. Eu me ponho de pé. Apanho as pedras *binabina*: recito o *kayga'u* sobre elas, o *giyotanawa*, o encantamento das Profundezas. A fórmula curta, a fórmula muito eficaz. Atiro as pedras ao fundo do mar. Elas forçam os tubarões e os *vineylida* a ficar lá embaixo; elas fecham o abismo escancarado. Os peixes não nos podem enxergar. Fico de pé, apanho meu pote para cal; quebro-o. Atiro a cal ao vento. Ele nos envolve em névoa. Névoa tão grande que ninguém pode nos enxergar. As *mulukwausi* nos perdem de vista. Nós as ouvimos gritar, próximas de nós. Elas gritam u-ú, u-ú, u-ú, u. Os tubarões, os *bonubonu*, os *soka* não podem nos enxergar, as águas estão turvas. A canoa se inunda, a água fica em seu interior. Ela desliza vagarosa e pesada, as ondas se quebram por sobre nós. Quebramos os *vatotuwa* [as vigotas que ligam o flutuador à plataforma]. O *lamina* se parte; nós pulamos para fora da *waga*; seguramo-nos ao *lamina*. Boiamos sobre o *lamina*. Eu prefiro o grande encantamento *kaytaria*: o grande peixe *iraviyaka* se aproxima. Ele nos levanta. Ele ampara o *lamina* sobre seu dorso e nos carrega. Nós flutuamos, flutuamos, flutuamos.

Aproximamo-nos de uma praia; o *iraviyaka* nos leva para lá, o *iraviyaka* nos põe nas águas rasas. Eu apanho uma vara forte e a levanto; profiro um encantamento. O *iraviyaka* volta para o mar profundo.

Estamos todos no *dayaga* [orla de recifes]. Ficamos de pé na água. A água está fria, nós todos trememos de frio. Não vamos para a praia. Sentimos medo das *mulukwausi*. Elas nos seguem até a praia. Elas esperam por nós na praia. Eu apanho uma *dakuna* [um pedaço de pedra de coral], sobre ela profiro um encantamento. Atiro a pedra à praia; ela produz um grande baque; ótimo; as *mulukwausi* não estão lá. Nós vamos para a praia. Mais uma vez, atiro uma pedra, não ouvimos nada: as *mulukwausi* estão na praia; elas a apanham; não ouvimos nada. Permanecemos no *dayaga*. Eu apanho um pouco de *leyya* [gengibre]. Cuspo-o na praia. Atiro outra pedra. As *mulukwausi* não a veem. A pedra cai; nós a ouvimos. Subimos à praia; sentamo-nos na areia, em fila. Sentamo-nos numa fila, cada um de nós próximo do outro, como estávamos no *lamina* [na mesma ordem em que eles flutuaram sobre o *lamina*]. Faço um feitiço sobre o pente: todos os *usagelu* penteiam o cabeio; eles desembaraçam o cabelo durante um longo período. Eles sentem muito frio; nós não acendemos fogueira. Primeiro ponho ordem na praia; apanho o pedaço de *leyya*, cuspo-o por sobre a praia. Uma vez terminado o *leyya*, apanho algumas folhas de *kasita* [a praia está sempre cheia dessas folhas]. Eu as coloco sobre a areia, ponho uma pedra sobre elas, proferindo uma fórmula mágica; depois, nós acendemos uma fogueira. Todos sentam-se ao redor da fogueira e se aquecem.

Não vamos à aldeia durante o dia; as *mulukwausi* iriam ao nosso encalço. Quando escurece, nós vamos. Como no *lamina*, nós caminhamos na mesma ordem, um atrás do outro. Vou por último; entoo um encantamento sobre um ramo de *libu*. Apago nossas pegadas. Coloco o *libu* em nosso caminho; junto o mato; confundo nossa trilha. Faço um feitiço para a aranha, para que ela construa uma teia. Faço um feitiço para a galinha-do-mato, para que ela espalhe a terra.

Nós vamos à aldeia. Entramos na aldeia, atravessamos a praça principal. Ninguém nos vê; estamos envoltos na névoa, somos invisíveis. Entramos na casa de meu *veyola* [parente materno], ele encanta um pouco de *leyya*, ele cospe [magicamente] por sobre todos nós. As *mulukwausi* sentem nosso cheiro; elas sentem o cheiro da água do mar nas nossas peles. Elas se aproximam da casa, a casa treme. Um vento forte sacode a casa, ouvimos grandes baques contra a casa. O dono da casa enfeitiça o *leyya* e cospe por sobre nós; elas não podem nos enxergar. Acendemos uma grande fogueira na casa; a casa se enche de muita fumaça. O *leyya* e a fumaça lhes cegam os olhos. Durante cinco dias nos sentamos em meio à fumaça, nossa pele cheira a fumaça; nosso cabelo cheira a fumaça; as *mulukwausi* não podem sentir nosso cheiro. Então eu encanto um pouco de água e de coco, os *usagelu* se lavam e se untam. Eles saem da casa, sentam-se no *kaukweda* [local à frente da casa]. O dono da casa os espanta, fazendo-os fugir. "Vão, vão para vossas esposas"; nós todos vamos, retornamos a nossas casas.

Acabo de apresentar uma reconstrução de um relato nativo, tal qual eu frequentemente o ouvi, contado com a vividez que lhe é bastante típica: apresentado em sentenças curtas e esporádicas, com representação onomatopaica, a narrativa exagera certas facetas e omite outras. A eficácia da magia do próprio narrador, a violência dos elementos nos momentos críticos – tudo isso é reiterado com monótona insistência. É costume divagar para outros assuntos correlatos, pular os fatos, omitindo vários estágios, voltando depois a eles e assim por diante, de modo que o todo da narrativa se torna incoerente e ininteligível ao ouvinte branco, embora os nativos sigam perfeitamente o fio da história. Devemos lembrar que, quando um nativo relata uma história desse tipo, os acontecimentos já são bem conhecidos dos ouvintes que cresceram nesse ambiente e familiarizaram-se gradativamente com o conjunto limitado de seu folclore tribal. Nosso *toliwaga*, ao contar mais uma vez a história no banco de areia de Yakum, demorava-se em certos pontos da narrativa a fim de vangloriar-se de seu *kayga'u*, descrever a violência do temporal e prestar testemunho dos efeitos tradicionais da magia.

É necessário que o etnógrafo ouça várias vezes tais narrativas para ter a oportunidade de formar uma ideia coerente sobre a sequência do tema. Depois disso, por meio de indagações diretas, pode conseguir colocar os fatos em sua devida ordem. Por meio de perguntas feitas aos informantes a respeito de detalhes relativos ao ritual e à magia, é possível, então, obter interpretações e comentários. Assim, o todo da narrativa pode ser reconstruído e os diversos fragmentos, com seu vigor espontâneo, podem ser colocados nos devidos lugares – e é isso que fiz ao apresentar esse relato do naufrágio.[3]

Devemos fazer alguns comentários sobre o texto dessa narrativa. Nela foram mencionados certos rituais mágicos, além daqueles que foram antes descritos com as fórmulas correspondentes. Precisamos fornecer mais detalhes sobre as fórmulas dos rituais mágicos subsequentes. Há cerca de onze deles. Em primeiro lugar, vem o ritual de invocação do peixe que auxilia os náufragos. A fórmula correspondente, denominada *kaytaria*, é muito importante e deve ser conhecida por todo *toliwaga*. Cumpre indagar, entretanto, se esse ritual já foi alguma vez realmente praticado. Algumas das iniciativas tomadas pelos náufragos nativos, como o fato de cortarem o flutuador externo ao abandonarem a canoa, são bastante racionais. Seria perigoso flutuar na grande e pesada canoa, que poderia ficar girando o tempo todo em virtude das ondas e que, se reduzida a pedaços, poderia ferir os nativos com seus destroços. Nesse fato, talvez resida também o fundamento empírico da crença de que alguns fragmentos da canoa "comem" os náufragos. O tronco arredondado e simétrico do *lamina*, por outro lado, pode servir como excelente salva-vidas. Talvez o *toliwaga*, em meio a tal impasse, efe-

3 Tais reconstruções são legítimas tanto para o etnógrafo como para o historiador. Mas é dever de ambos mostrar suas fontes, como também explicar o modo como as manipularam. Em um dos próximos capítulos (capítulo XVIII, seções 14 a 17), daremos uma amostra desse aspecto metodológico de nosso trabalho, embora a elaboração completa de fontes e métodos deva ser adiada para outra publicação.

tivamente profira a fórmula *kaytaria*. E, caso a tripulação consiga se salvar, é provável que seus membros todos declarem – e, sem dúvida, acreditem – que o peixe respondeu à sua invocação e de alguma forma os socorreu.

Não é tão fácil imaginar quais elementos podem ter dado origem ao mito de que os nativos, tendo chegado à praia, levantam magicamente o peixe das águas rasas por meio de uma vara encantada. Isso parece mesmo ser um incidente puramente imaginário; meu principal informante, Molilakwa, de Oburaku, que me forneceu o encantamento *kaytaria*, não conhecia o encantamento da vara e teria precisado deixar o *iraviaka* abandonado a seu próprio destino nas águas rasas. Tampouco soube eu de qualquer outra pessoa que se professasse conhecedora da fórmula. A fórmula proferida sobre a pedra a ser atirada na praia era também desconhecida no círculo dos meus informantes. Logicamente, em todos os casos desse tipo, quando um nativo que pratica um sistema de magia chega a uma lacuna em seus conhecimentos, costuma executar o ritual sem a fórmula ou então profere o encantamento mais adequado do sistema. Assim, nesse caso, no momento em que a pedra é atirada para saber se as *mulukwausi* estão à espera dos nativos, pode-se proferir sobre a pedra um dos encantamentos *giyorokaywa*, o encantamento das *mulukwausi*. Sobre os pentes e sobre as ervas da praia, segundo meus informantes, poder-se-ia proferir um dos encantamentos *giyorokaywa* – mas, provavelmente, uma fórmula diferente das originariamente proferidas sobre a raiz de gengibre. Molilakwa, por exemplo, conhece dois encantamentos do tipo *giyorokaywa*, ambos próprios a serem proferidos sobre o gengibre e por sobre a praia, respectivamente. A seguir vem outra fórmula, a ser proferida sobre o ramo de *lilu* e ao invocar a aranha e a galinha-do-mato. Molilakwa disse-me que a mesma fórmula é usada nos três casos; mas nem ele nem qualquer outro dos meus informantes puderam fornecer-me esse encantamento. A magia proferida na aldeia enquanto os náufragos permaneciam na cabana cheia de fumaça seria acompanhada dos encantamentos *leyya* (gengibre).

Um incidente da narrativa pode ter surpreendido ao leitor como uma contradição à teoria geral referente à crença nas *mulukwausi*: o fato de o narrador declarar que o grupo de nativos tem de esperar na praia até o anoitecer, antes de poder entrar na aldeia. A crença geral que se expressa em todas as lendas relativas às *mulukwausi*, bem como nos tabus do *kayga'u*, é a de que as bruxas só são de fato perigosas à noite, quando então podem ver e ouvir melhor. Tais contradições, como já dissemos, são muitas vezes encontradas nas crenças nativas e, nesse particular, a propósito, os nativos nada diferem de nós. Meu informante, do qual recebi essa versão, simplesmente disse que isso era de regra e de costume e que eles tinham de esperar até a noite. Num outro relato, contudo, fui informado de que os náufragos têm de rumar para a aldeia logo depois de terem executado os diversos rituais na praia, quer seja de dia, quer de noite.

Surge também a principal questão referente a essa narrativa, à qual já fizemos alusão antes e que consiste em saber até que ponto ela representa o comportamento normal num caso de naufrágio e até que ponto constitui uma espécie de mito padronizado. Não há dúvida de que o naufrágio nesses mares, rodeados como estão em diversas partes por ilhas, provavelmente culmina com o salvamento da tripulação. Isso resultaria em explicações tais como as que encontramos em nossa narrativa. Naturalmente, tentei registrar todos os casos reais de naufrágio guardados na memória dos nativos. Há mais ou menos duas gerações, um dos chefes de Omarakana chamado Numakala pereceu no mar com toda a sua tripulação. Uma canoa de outra aldeia de Trobriand oriental, Tilakaywa, foi, em virtude do vento, parar bem ao norte, encalhando em Kokopawa, de onde voltou, quando o vento mudou de direção para o noroeste. Embora essa tripulação não tenha realmente naufragado, seu salvamento é atribuído à magia *kayga'u* e ao benévolo peixe *iraviyaka*. Um de meus informantes, nativo muito inteligente, em resposta a alguns de meus sofismas, explicou: "Se essa canoa tivesse naufragado, teria também sido salva".

Um grupo de Muyuwa (ilha de Woodlark) salvou-se na praia de Boyowa. Ao sul da ilha, há registro de vários casos de naufrágio e salvamento nas ilhas d'Entrecasteaux ou Amphlett. Certa vez, uma tripulação inteira foi devorada por canibais ao chegar à praia de um distrito hostil da ilha Fergusson; apenas um nativo conseguiu escapar, correndo ao longo da praia para sudeste, na direção de Dobu. Dessa forma, há certa evidência histórica para o poder da magia no salvamento de náufragos, e a mistura de elementos reais e imaginários faz de nossa história um bom exemplo daquilo a que poderíamos chamar de mito padronizado ou universalizado – ou seja, um mito referente não a um acontecimento histórico, mas a um tipo de ocorrência que se verifica universalmente.

5

Apresentemos agora o texto dos demais encantamentos que pertencem à narrativa anterior, mas que nela não incluímos a fim de não interromper seu fluxo. Em primeiro lugar, há o encantamento *kaytaria*, ou seja, aquele que o *toliwaga*, agarrado com a tripulação ao flutuador externo que foi separado da canoa, entoa em voz alta e lenta a fim de atrair o *iraviyaka*.

> ENCANTAMENTO *KAYTARIA*
> "Eu me deito, vou deitar-me em minha casa, uma casa grande. Vou aguçar meu ouvido, vou ouvir o rugido do mar – ele espuma, faz barulho. Ao fundo de Kausubiyai, vem, levanta-me, leva-me, leva-me ao topo da praia Nabonabwana."
>
> A seguir, vem uma sentença com alusões mitológicas que não consegui interpretar. Depois dela, vem a parte principal do encantamento: "O peixe *suyusayu* vai levantar-me; meu filho, o *suyusayu* vai levantar-me; coisas de meu filho, o *suyusayu* vai levantar-me; meu cesto etc.; meu pote para cal etc.; minha colher para cal etc.; minha casa etc."; repetindo as palavras "o *suyusayu* vai levantar-me", com várias expressões referentes ao equipamento do *toliwaga*, bem como de seu filho, presumivelmente membro da tripulação naufragada.

Essa fórmula, tal qual me foi dada, não tem epílogo, apenas sua parte inicial é repetida depois da parte principal. É possível que meu informante, o próprio Molilakwa, não soubesse a fórmula inteira até o fim. É fácil esquecer uma magia desse tipo, aprendida uma vez mas nunca usada e recitada talvez uma vez por ano durante uma cerimônia mortuária ou, ocasionalmente, com o propósito de ostentação. Há uma diferença marcante entre a maneira indecisa e incerta com que os informantes recitam esses encantamentos e a maravilhosa precisão e fluência com que, por exemplo, são proferidos pelo mago agrícola os encantamentos utilizados publicamente todos os anos.

Não posso oferecer um comentário correto a respeito dos nomes mitológicos Kausubiyai e Nabonabwana, que aparecem na primeira parte do encantamento. Não consegui descobrir se o indivíduo que se deita e ouve os barulhos do mar é o mago ou se essa primeira parte representa as sensações do peixe que ouve os chamados de socorro. A parte do meio, entretanto, tem um significado bastante claro. *Suyusayu* significa o mesmo que *iraviyaka* e é, com efeito, o nome mágico desse peixe, usado apenas em encantamentos, e não quando dele se fala nas conversas do dia a dia.

A outra fórmula a ser apresentada é a do outro encantamento *giyorokaywa*, usado quando o mago cospe o gengibre sobre a praia, depois do salvamento, e também quando ele trata as ervas, que são colocadas na praia e batidas com uma pedra. Esse encantamento está associado ao mito de origem do *kayga'u*, que devemos relatar para esclarecer a fórmula.

No início dos tempos, vivia em Kwayawata, uma das ilhas Marshall Bennett, uma família estranha às nossas noções de vida familiar, mas bastante natural no mundo da mitologia kiriwinense. Consistia em um homem, Kalaytaytu, sua irmã Isenadoga, e seu irmão mais novo, um cachorro de nome Tokulubwaydoga. Como ocorre com outros personagens mitológicos, os nomes sugerem que originariamente expressava algum tipo de descrição. *Doga* significa a presa arredondada e quase circular do javali, usada como ornamento. O nome do membro canino da família talvez signifique algo como "Homem com presas circulares na cabeça" e o nome da irmã, "Mulher enfeitada com *doga*". O irmão mais velho tem, no nome, a palavra *taytu*, que significa o alimento básico dos nativos, um inhame pequeno e um verbo, *kalay*, que significa "colocar ornamentos". Quase nada se pode auferir dessa etimologia, pelo que vejo, para interpretar esse mito. Vou citar, em tradução literal, a versão curta desse mito, tal como a obtive a princípio, quando Molilakwa espontaneamente ofereceu-me a informação em Oburaku.

MITO DE TOKULUBWAYDOGA

Eles vivem em Kwaywata; um dia Kalaytaytu vai pescar, entra numa pequena canoa (*kewo'u*). Atrás dele nada o cachorro. Ele chega a Digumenu. Eles pescam em companhia do irmão mais velho. Eles apanham peixes! O irmão mais velho rema; aquele, de novo, segue atrás;

> segue, retorna a Kwayawata. Eles morreram; veio Madokei, ele aprendeu o *kayga'u*, as entranhas de Tokulubwaydoga. O nome da mãe deles, a mãe de Tokulubwaydoga, é Tobunaygu.

Esse pequeno fragmento dá uma boa noção do que é a primeira versão, até mesmo de uma narrativa tão fixa como a de um mito. Deve ser suplementada por meio de perguntas relativas aos motivos do comportamento dos vários personagens e às relações entre uma ocorrência e outra. Dessa forma, as perguntas revelaram que o irmão mais velho recusou-se a levar consigo o cachorro nessa expedição de pesca. Tokulubwaydoga decidiu ir de qualquer forma e nadou até Digumenu, seguindo a canoa do irmão. Esse último surpreendeu-se ao vê-lo; não obstante, ambos se puseram a trabalhar juntos. Na pesca, o cachorro teve mais êxito que o irmão, com isso provocou-lhe ciúmes. O irmão então recusou-se a levá-lo de volta. Tokulubwaydoga, portanto, mergulhou na água e de novo nadou, chegando a Kwayawata são e salvo. O ponto central da história reside no fato de que o cachorro foi capaz de nadar porque conhecia o *kayga'u*, caso contrário os tubarões, as *mulukwausi* e outros seres malignos o teriam devorado. Ele o aprendeu com a mãe, a senhora Tobunaygu, que lhe pôde ensinar essa magia pelo fato de ser ela própria uma *mulukwausi*. Outra questão importante no que diz respeito a esse mito, também omitida na primeira versão a mim oferecida espontaneamente, é seu aspecto sociológico. Em primeiro lugar, há o incidente deveras interessante, sem paralelo na tradição de Kiriwina; a mãe dos três personagens pertencia ao clã Lukwasisiga. É bastante incongruente o fato de um cachorro, animal que pertence ao clã Lukuba, ter nascido no seio de uma família lukwasisiga. Lá estava ele, entretanto, e assim disse: "Ótimo, eu serei um lukuba, este é o meu clã".

Agora, o incidente da briga assume seu significado pelo fato de que o cachorro, o único a receber da mãe o *kayga'u*, não o transferiu nem ao irmão nem à irmã, que eram do clã Lukwasisiga, de maneira que a magia foi legada apenas ao clã do próprio cachorro, o clã Lukuba. Deve-se supor (embora isso não fosse do conhecimento de meu informante) que Madokei, a quem o cachorro ensinou o feitiço, também pertencia ao clã Lukuba.

Como todas as mães ancestrais mitológicas, Tobunaygu não tinha marido, fato que não provoca nem surpresa nem comentários, visto que entre os nativos desconhece-se a paternidade fisiológica, como já mencionei diversas vezes.

Como podemos ver ao comparar o fragmento original com as ampliações subsequentes, obtidas por meio de perguntas, verifica-se que a versão que me foi espontaneamente oferecida omite os pontos mais importantes. A concatenação dos fatos, a origem do *kayga'u*, os detalhes sociológicos relevantes têm de ser arrancados do informante ou, mais precisamente, temos de levá-lo a prolongar o detalhar dos fatos, a discorrer sobre todos os assuntos relativos ao mito; e então, com base em suas afirmações, temos de selecionar e juntar as peças do quebra-cabeças. Por sua vez, o nome das pessoas, as asserções pouco importantes a respeito daquilo que fizeram e das coisas com que se ocuparam nos são totalmente fornecidas.

Vamos agora apresentar o *kayga'u* que, segundo os nativos, originou-se com o cachorro e, em última instância, com a mãe dele:

KAYGA'U DE TOKULUBWAYDOGA

"Tobunaygu [repetido], Manemanaygu [repetido], minha mãe uma cobra, eu próprio uma cobra; eu próprio uma cobra, minha mãe uma cobra. Tokulubwaydoga, Isenadoga, Matagagai, Kalaytaytu; *bulumava'u tabugu* Madoei. Vou envolver a frente na névoa, vou fechar a parte de trás; vou envolver a parte de trás na névoa, vou fechar a parte da frente."

Esse exórdio contém no início a invocação do nome da *mulukwausi* que deu origem ao encantamento. O nome que vem em seguida, Manemanaygu, deriva, segundo meu informante, de uma palavra arcaica, *nema*, equivalente à atual palavra *yama*, "mão". "Da mesma forma que a mão direita está para a esquerda, assim está Tobunaygu para Manemanaygu", sentença que me foi de fato apresentada de maneira menos gramatical: "esta mão direita, esta esquerda" [com as mãos juntas], "assim Tobunaygu, Manemanaygu".

Fica aberta a questão da validade ou não dessa interpretação feita por meu informante. Devemos lembrar que a magia não é concebida pelos nativos como um documento etnográfico aberto a interpretações e elaborações, mas sim como instrumentos de poder. As palavras estão aí para agir, e não para ensinar. Perguntas relativas ao significado da magia, via de regra, causavam perplexidade a meus informantes; não é fácil, portanto, explicar uma fórmula ou obter um comentário correto a respeito dela. Apesar disso, há certos nativos que obviamente tentaram chegar ao âmago daquilo que as diversas palavras representam na magia.

Voltando ao nosso comentário: a frase "Minha mãe uma cobra" etc. foi-me assim explicada por Molilakwa: "Supondo que ataquemos uma cobra, ela imediatamente desaparece, ela não fica no lugar; de igual forma, nós, seres humanos, quando as *mulukwausi* nos apanham, nós desaparecemos". Isto é, desaparecemos depois de havermos proferido essa fórmula mágica, pois numa fórmula o resultado esperado sempre se expressa antecipadamente. A descrição que Molilakwa faz do comportamento da cobra não é correta do ponto de vista científico, segundo minhas próprias experiências, mas é provável que expresse a ideia subjacente, ou seja, o caráter elusivo da cobra, que naturalmente é uma das metáforas usadas no encantamento.

A série de palavras que se segue à invocação da cobra é constituída de nomes míticos, quatro dos quais se acham citados no mito fornecido antes, ao passo que os demais permanecem obscuros. O último a ser citado, Madokei, é precedido das palavras *bulumava'u tabugu,* que significam "espírito recente de meu ancestral", palavras que, via de regra, são usadas nos encantamentos referindo-se aos avós reais dos recitadores.

O trecho intermediário do encantamento é o seguinte:

"Vou cobrir os olhos das bruxas de Kitava; vou cobrir os olhos das bruxas de Kumwageya; vou cobrir os olhos das bruxas de Iwa; vou cobrir os olhos das bruxas de Gawa" etc., enumerando todas as aldeias e ilhas famosas por suas bruxas. Essa lista é mencionada mais uma vez, substituindo-se a expressão "vou cobrir" pelas expressões "vou envolver na névoa" e "o orvalho envolve", em sequência. Esse trecho dispensa comentários.

O epílogo da fórmula é o seguinte:

"Vou chutar teu corpo, vou apanhar a saia de teu espírito, vou cobrir-te as nádegas, vou apanhar tua esteira, uma esteira de pandano, vou apanhar teu manto. Vou te golpear com meus pés, vai, voa por sobre Tuma, desaparece voando. Eu mesmo no mar [aqui o recitador menciona seu próprio nome], vou flutuar para longe, bem."

Essa última parte do encantamento é de tal modo análoga à do primeiro apresentado neste capítulo que não é necessário comentá-la.

Os dados mitológicos e mágicos apresentados neste capítulo estão baseados na crença nativa em bruxas voadoras e perigos do mar, crença essa em que os elementos do mundo real estranhamente se mesclam com os elementos de um mundo imaginário, tradicionalmente estabelecidos. Mescla essa, entretanto, que não é estranha às crenças humanas em geral.

É hora de voltarmos agora à nossa frota, que se encontra na praia de Yakum e que, na manhã seguinte, depois de ali passar a noite, levanta seus mastros e, com vento favorável, em pouco tempo chega às águas de Gumasila e Domdom.

CAPÍTULO XI

Nas ilhas Amphlett

Sociologia do *Kula*

1

Nossa frota, navegando do norte, alcança primeiro a ilha principal de Gumasila, montanha alta e escarpada, de contornos arredondados e rochedos enormes, que lembram vagamente um imenso monumento gótico. À esquerda, uma pirâmide maciça, a ilha de Domdom, parece afastar-se por detrás da montanha mais próxima, à medida que os navegadores se aproximam. A frota navega agora ao longo da praia ocidental de Gumasila; desse lado, a floresta, que aqui e ali se abre em clareiras, cobre uma escarpa íngreme, encrustada de paredes rochosas e vincada de vales que se estendem a seus pés e se abrem em amplas baías. Apenas aqui e acolá é que se podem ver as clareiras de forma triangular, sinais do cultivo feito pelos nativos vindos do outro lado da ilha, onde estão situadas as duas aldeias. No extremo sudoeste de Gumasila, um promontório estreito termina numa região baixa e plana com uma praia arenosa de ambos os lados. Na porção norte dessa região, escondida das aldeias, a frota faz uma parada na praia de Giyawana (a que os trobriandeses chamam de Giyasila). É nesse local que todas as frotas vindas do norte param antes de se aproximarem das aldeias. É também aqui que os habitantes das ilhas Amphlett descansam por um dia, depois dos primeiros ensaios de partida das aldeias e antes de realmente velejarem em demanda das ilhas Trobriand. Em suma, essa praia é, para os habitantes das ilhas Amphlett, a contraparte do banco de areia de Muwa. Foi também aqui que deparei com as canoas de Gumasila numa noite de lua cheia, em março de 1918, depois de terem partido para juntar-se à expedição *uvalaku* em demanda a Sinaketa.

Nessa praia, os nativos de Sinaketa executam o estágio final da magia *kula* antes de se aproximarem de seus parceiros em Gumasila. A mesma magia é repetida antes de a frota chegar a Dobu, e, de fato, quando o destino da grande expedição *uvalaku* é Dobu, a execução cerimonial e completa da magia em geral é postergada para o final da viagem. Será melhor, portanto, adiarmos a descrição desses encantamentos até que nossa frota chegue à praia de Sarubwoyna. Por enquanto, basta dizer que nas ocasiões em que a magia é realizada, depois de uma parada de meia hora ou uma hora na praia de Giyawana, todos os nativos sobem a bordo de suas canoas, apanham suas pás e seus remos e a frota contorna o local em que, numa pequena baía, muito pitoresca, está localizada a menor das duas aldeias de Gumasila, chamada Nu'agasi [1, p. 61]. Outrora, essa aldeia assentava-se num terreno estreito, a uns cem metros acima do nível do mar, local seguro e de difícil acesso, de onde se podiam vigiar todos os caminhos. Agora que a influência do homem branco tornou desnecessária qualquer precaução contra incursões inimigas, a aldeia desceu até uma estreita faixa junto à praia que forma uma ponte entre o mar e um pequeno pântano ao pé da colina. Algumas das canoas virão a essa praia; outras continuarão a navegar por baixo de um rochedo negro e escarpado de aproximadamente 150 metros de altura e 300 metros de largura [38]. Contornando mais um canto de terra, elas chegam à grande aldeia de Gumasila, construída sobre terraços artificiais feitos de pedra, rodeada por diques de pedras pequenas, formando lagunas quadradas e baías diminutas (ver descrição apresentada no capítulo I, seção 5). Essa é a aldeia velha que, praticamente inacessível pelo mar, formava uma fortaleza de espécie diferente das outras aldeias típicas desse distrito, localizadas em terrenos elevados. Exposta aos ataques das ondas e dos ventos de sudeste, contra os quais se protegia por meio de amuradas e diques, essa aldeia era acessível, em qualquer tempo, apenas por um pequeno canal situado ao sul, onde um grande rochedo e um recife a abrigam do mar bravio.

Sem quaisquer cerimônias preliminares de boas-vindas ou recepção formal, os visitantes de Sinaketa saem agora de suas canoas e se dispersam por entre os habitantes da aldeia, sentando-se em grupos próximos das casas de seus amigos, põem-se a conversar e a mascar noz de bétel. Eles falam kiriwina, língua univer-

[38] Paisagem das ilhas Amphlett.

salmente conhecida nas ilhas Amphlett. Tão logo chegam à praia, dão a seus parceiros presentes *pari* (presente inicial), algum objeto pequeno, como um pente, um pote para cal ou uma espátula para cal. Depois, aguardam que lhe sejam oferecidos os presentes *kula*. O líder mais importante oferece primeiro um presente desse tipo a Kouta'uya ou To'udawada, dependendo de quem seja o *toli'uvalaku* na ocasião. O som grave e penetrante de um búzio logo anuncia que o primeiro presente foi oferecido. Seguem-se outros toques de búzios, e o *Kula* está em pleno andamento. Nesse caso, porém, o que acontece nas ilhas Amphlett é apenas um pequeno interlúdio para os aventureiros de Sinaketa, que têm Dobu por seu objetivo maior. E, a fim de que possamos estar em harmonia com a perspectiva nativa, vamos deixar a descrição detalhada e circunstancial das atividades *kula* para quando chegarmos à praia de Tu'utauna, em

Dobu. O relato concreto do modo como a frota visitante é recebida e se comporta à sua chegada será apresentado quando eu descrever uma cena que vi com meus próprios olhos na aldeia de Nabwageta, outra ilha Amphlett, quando sessenta canoas de Dobu lá chegaram em sua expedição *uvalaku*, a caminho de Boyowa.

Para dar uma ideia precisa das conversas travadas entre os visitantes e os nativos das ilhas Amphlett, vou apresentar uma amostra do que consegui anotar durante a visita de alguns trobriandeses a Nu'agasi, a menor das aldeias de Gumasila. Um ou dois dias antes, algumas canoas haviam chegado à ilha vizinha, Nabwageta, vindas das pequenas ilhas ocidentais das Trobriand numa expedição *kula*. Uma delas foi até Nu'agasi com uma tripulação de seis nativos para oferecer presentes *pari* a seus parceiros e verificar o que podia ser feito no tocante ao *Kula*. A canoa foi avistada a certa distância, e seus propósitos imediatamente adivinhados, pois já existiam notícias a respeito dessa pequena expedição antes de sua chegada a Nabwageta. O líder de Nu'agasi, Tovasana, saindo de minha barraca – onde eu fazia grandes esforços para obter dele certas informações etnográficas –, correu com pressa de volta à sua casa.

Tovasana é um nativo muito franco, o líder mais importante das ilhas Amphlett. Não uso a palavra "chefe", porque nas ilhas Amphlett, como já disse, os nativos não observam as cerimônias da corte, agachando-se ou inclinando-se, e os líderes tampouco detêm qualquer poder ou influência econômica comparáveis aos das ilhas Trobriand. Não obstante isso, e embora eu tivesse vindo de Trobriand, surpreendeu-me o tom autoritário de Tovasana e o grau de influência por ele evidentemente exercida. Sem dúvida, isso se devia, pelo menos em parte, à falta de interferência do homem branco, que tanto fez para diminuir a autoridade e a moralidade nativa nas ilhas Trobriand, ao passo que os nativos das ilhas Amphlett, até o presente, conseguiram escapar à catequese missionária e à lei e à ordem governamentais. Ao mesmo tempo, entretanto, a pequena esfera de seu poder, que se limita à autoridade sobre uma pequena aldeia, consolida a influência do líder. O mais velho e, por sua ascendência, o mais aristocrático de todos os líderes, Tovasana é reconhecidamente seu decano.

A fim de receber seus visitantes, Tovasana foi à praia em frente de sua casa e lá sentou-se num tronco, a olhar para o mar, de forma impassível. Quando os trobriandeses chegaram, cada um deles apanhou um presente e rumou para a casa de seu parceiro. O chefe não se levantou para ir ao encontro deles nem eles vieram em grupo para cumprimentá-lo. O *toliwaga* veio até o local onde Tovasana se achava sentado; carregava um pacote de taro e um *gugu'a* (objeto de pouco valor, como pente, pote para cal etc.). Colocou-os perto do líder, que permanecia sentado sem prestar atenção ao *toliwaga*. Um menino pequeno, um dos netos de Tovasana, penso eu, apanhou os presentes do chão e os levou para sua casa. Em seguida, sem ainda ter trocado quaisquer palavras, o *toliwaga* sentou-se na plataforma, ao lado de Tovasana. Debaixo de uma árvore frondosa, cujos galhos se estendiam como um toldo acima da canoa desbotada, os nativos formavam um grupo pitoresco, sentados sobre a plataforma, de pernas cruzadas. Ao lado da figura esguia e jovem do nativo de Kaduwaga, o velho Tovasana, de traços marcantes, toscamente esculpidos, com seu nariz aquilino a despontar por baixo de uma enorme peruca parecida com um turbante, lembrava um velho gnomo. De início trocando apenas umas poucas palavras, os dois logo passaram a uma conversa mais animada, e, quando os outros habitantes da aldeia e os demais visitantes se reuniram a eles, a conversa generalizou-se. Como falavam na língua kiriwina, consegui anotar o início da conversa.

Tovasana perguntou:

– Onde é que vocês ancoraram?

– Em Nabwageta.

– Quando chegaram?

– Ontem.

– De onde partiram no dia anterior à sua chegada?

– De Gabuwana.

– Quando?

– Antes de ontem.

– Com que vento?

– Partimos de casa com *yavata*; o vento mudou. Chegamos ao banco de areia (Gabuwana); dormimos; fulano executou a magia do vento; o vento mudou novamente; bom vento.

A seguir, Tovasana indagou dos visitantes a respeito de um dos chefes da ilha de Kayleula (situada a oeste de Kiriwina), perguntando-

-lhes quando ele lhe daria um par de grandes *mwali*. Os nativos disseram que não sabiam; pelo que lhes parece, aquele chefe não tem nenhum grande *mwali* no momento. Tovasana enfureceu-se e, numa longa arenga, revertendo às vezes para a língua falada em Gumasila, declarou que jamais voltaria a realizar o *Kula* com aquele chefe, que é um *topiki* (homem mesquinho), que havia muito tempo lhe devia um par de *mwali* como *yotile* (contrapresente) e que é sempre muito vagaroso no *Kula*. Uma série de outras acusações relativas a alguns potes de barro dados por Tovasana àquele mesmo chefe, e a alguns porcos prometidos mas jamais dados, foi também feita pelo líder enfurecido. Os visitantes o ouviram com aquiescência polida, fazendo de quando em quando uma observação não comprometedora. Eles, por sua vez, fizeram reclamações sobre certa quantidade de sagu que haviam esperado receber em Nabwageta, mas que, por algum motivo, fora grosseiramente recusada a todos os nativos de Kaduwaga, Kaysiga e Kuyawa.

Tovasana então lhes perguntou:

– Quanto tempo pretendem ficar?

– Até que cheguem os homens de Dobu.

– Eles virão – disse Tovasana –, não em dois dias, não em três dias, não em quatro dias; eles virão amanhã ou, quando muito, depois de amanhã.

– Você vai com eles a Boyowa?

– Vou primeiro a Vakuta, depois a Sinaketa com os homens de Dobu. Eles vão à praia de Susuwa para pescar, eu vou às aldeias de vocês, a Kaduwaga, a Kaysiga, a Kuyawa. Há muitos *mwali* nas aldeias de vocês?

– Há, sim. Fulano de tal tem...

Seguiu-se uma longa lista de nomes próprios de braceletes grandes, o número aproximado de braceletes menores e sem nome e o nome das pessoas que, na época, estavam de posse deles.

Era óbvio o interesse tanto dos que ouviam como dos que falavam, e Tovasana deu aos seus visitantes as datas aproximadas de seu itinerário. A lua cheia estava para chegar, e os nativos dão nomes específicos para cada um dos dias da semana antes e depois da lua cheia, e os dias que a precedem ou sucedem podem, assim, ser mencionados com precisão. Além disso, cada período de sete dias de uma mesma fase da lua recebe o nome do quarto de lua correspondente. Isso torna possível aos nativos determinar datas com relativa exatidão. Esse exemplo mostra o modo como, outrora, os itinerários das diversas expedições ficavam sendo conhecidos em regiões bem distantes; nos dias atuais, em que os barcos dos homens brancos, com tripulações nativas, movem-se de uma ilha para outra frequentemente, as notícias se espalham com ainda mais facilidade. Em épocas anteriores, pequenas expedições preliminares, como a que estivemos descrevendo, determinavam as datas e faziam preparativos às vezes até com um ano de antecedência.

Os nativos de Kaduwaga a seguir perguntaram se havia em Gumasila estrangeiros vindos das ilhas Trobriand. Responderam-lhes que havia na aldeia um homem de Ba'u e outro de Sinaketa. Fizeram-se, depois, perguntas relativas ao número de colares existentes em Gumasila, e a conversa passou de novo aos pormenores técnicos do *Kula*.

Os nativos das ilhas Trobriand costumam permanecer por longo período de tempo nas ilhas Amphlett, ou seja, de uma expedição para outra. Por algumas semanas ou mesmo meses, eles ficam morando na casa de seus parceiros, amigos ou parentes, observando com cuidado os costumes da região. Costumam sentar-se com os nativos da aldeia para conversar. Ajudam-nos em seu trabalho e partem com eles em expedições de pesca. Essas expedições constituem especial atração ao trobriandês, que é hábil pescador e que nessa região depara com um tipo inteiramente novo de pesca. Quer a expedição vá para um dos bancos de areia – onde os pescadores permanecem por alguns dias lançando suas redes para pescar o dugongo ou tartarugas –, quer eles saiam numa pequena canoa tentando apanhar o solho saltador com uma ave pescadora ou então usando armadilha para peixes de alto-mar, tudo isso constitui novidade para o trobriandês, que está habituado apenas aos métodos de pesca apropriados às águas rasas e extremamente piscosas.

Em apenas um particular o trobriandês provavelmente considera sua estada nas ilhas Amphlett inconfortável: lá ele fica inteiramente privado de qualquer relação com mulheres. Acostumado às intrigas fáceis de sua terra natal, ele aqui tem de abster-se por completo não só das relações sexuais com mulheres casadas ou solteiras, mas também de desfrutar de sua companhia social, da maneira livre e feliz, característica de Boyowa. Um de meus principais informantes, Layseta, um nativo de Sinaketa que passou vários anos nas ilhas Amphlett, confessou-me, não sem vergonha e pesar, que jamais conseguira ter um caso amoroso com as mulheres de lá. Para salvar as aparências, afirmou que várias mulheres das ilhas Amphlett lhe haviam declarado seu amor, oferecendo-lhe seus préstimos, mas que ele sempre as recusara: "Eu tinha medo: eu temia os *bowo'u* de Gumasila; eles são muito maus".

Os *bowo'u* são os feiticeiros locais das ilhas Amphlett. Não importa o que pensemos a respeito das tentações de Layseta – e sua aparência física e seu charme não nos fazem acreditar muito em sua jactância – nem se estava com medo de feitiçaria ou de uma boa surra, o fato é que o trobriandês tem de mudar seu comportamento enquanto estiver em Amphlett e afastar-se completamente das mulheres. Quando as grandes expedições chegam a Gumasila ou a Nabwageta, as mulheres fogem, acampando no mato até que a praia esteja livre de novo.

Os nativos das ilhas Amphlett, por sua vez, estavam habituados aos favores das mulheres solteiras de Sinaketa. Hoje em dia, os homens dessa aldeia, que sempre desaprovaram esse costume, mas não o suficiente para tomarem qualquer providência, dizem aos nativos de Amphlett que o governo do homem branco proibiu os nativos de Gumasila e de Nabwageta de terem relações sexuais em Sinaketa. Uma das raras ocasiões em que os nativos das ilhas Amphlett demonstraram interesse em conversar comigo foi quando me perguntaram se isso era verdade.

"Os homens de Sinaketa nos dizem que seremos postos na cadeia se dormirmos com as jovens de Sinaketa. O governo poderia mesmo nos prender?"

Como de costume, eu simplesmente declarei ignorar os desígnios do homem branco em tais assuntos.

O pequeno grupo de nativos Kaduwaga, cuja visita a Tovasana eu estava descrevendo, sentou-se ali por cerca de duas horas, fumou, mascou nozes de bétel; a conversa de quando em quando arrefecia, e os nativos fixavam os olhos na distância com o habitual ar de importância que os caracteriza em tais ocasiões. Depois de trocadas as palavras finais a respeito de planos mútuos e depois que alguns meninos trouxeram potes à canoa, como *taio'i* (presentes de despedida aos visitantes), os nativos embarcaram, remando cerca de cinco quilômetros em direção a Nabwageta.

Devemos imaginar os nativos da grande expedição *kula* vinda de Sinaketa, os quais vimos aportar nas duas aldeias de Gumasila, comportando-se de maneira semelhante, travando conversas parecidas, oferecendo o mesmo tipo de presentes *pari* a seus parceiros. Só que, é claro, tudo acontece em escala bem maior. Há grandes grupos de nativos sentados à frente de cada casa, outros grupos a movimentar-se pela aldeia, e o mar em frente a ela está recoberto com as canoas bizarras, pesadamente carregadas. Na pequena aldeia da qual Tovasana é o líder, os dois chefes, To'udawada e Kouta'uya, sentam-se na mesma plataforma em que vimos o velho nativo receber seus outros visitantes. Os outros líderes de Sinaketa rumam para a aldeia maior situada ali perto, lá acampando debaixo das altas palmeiras, olhando, para além dos estreitos, em direção das formas piramidais de Domdom e, mais para o sul, em direção da ilha principal que lhes faz frente com o majestoso vulto do Koyatabu. Nesse local, por entre as cabanas sustentadas por pilares espalhados pitorescamente pelo labirinto de pequenos portos, lagunas e diques, grandes grupos de pessoas se acham sentadas em esteiras de folhas de coqueiro trançadas, permanecendo, em geral, cada nativo sob a cabana de seu próprio parceiro; mascando nozes de bétel com ar desinteressado, olham furtivamente para os potes que estão sendo trazidos para lhes serem oferecidos e esperam com maior ansiedade pelos presentes *kula*, embora ao observador menos atento pareçam impassíveis.

2

Falei no capítulo III a respeito da sociologia do *Kula*, apresentando uma definição concisa da parceria com suas funções e obrigações. Mencionei então que as pessoas entram nessa relação de maneira específica e nela permanecem para o resto da vida. Disse também que o número de parceiros que cada nativo tem depende de seu prestígio social e de sua posição hierárquica. O caráter protetor do parceiro de além-mar torna-se agora muito mais claro depois que compreendemos a tensão nervosa com que cada comitiva *kula* outrora se aproximava de terras cheias de *mulukwausi*, *bowo'u* e outras formas de feitiçaria, terras das quais se originaram os próprios *tauva'u*.[1] Ter um amigo nessas terras, um amigo sem más intenções aparentes, é um grande auxílio. O que isso representa para os nativos só pode, no entanto, ser plenamente compreendido quando chegarmos a Dobu, aprendermos a magia especial de segurança já executada e verificarmos quão genuinamente sérias são essas apreensões.

1 Ver capítulo II, seção 7.

Precisamos agora fazer uma nova digressão de nosso relato e discutir, um após o outro, os diversos aspectos da sociologia do *Kula*.

1. LIMITAÇÕES SOCIOLÓGICAS À PARTICIPAÇÃO NO *KULA*

Nem todos os nativos que vivem na esfera cultural do *Kula* participam dele. Especialmente nas ilhas Trobriand, há distritos inteiros que não praticam o *Kula*. Uma série de aldeias ao norte da ilha principal, as aldeias da ilha de Tuma, bem como as aldeias industriais de Kuboma e as aldeias agrícolas de Tilataula, não praticam o *Kula*. Em aldeias como Sinaketa, Vakuta, Gumasita e Nabwageta, todo nativo pratica o *Kula*. O mesmo se aplica às pequenas ilhas que constituem elos nos grandes vazios do circuito *kula*, as ilhas de Kitava, Iwa, Gawa e Kwayawata, esparsas no mar entre as ilhas Trobriand e a ilha de Woodlark, a de Tubetube e Wari etc. No distrito em que se fala a língua dobu, entretanto, penso que alguns grupos de aldeias ou não praticam o *Kula* de forma alguma, ou praticam em pequena escala, ou seja, seus líderes têm apenas alguns parceiros nas aldeias da vizinhança.

Em algumas das aldeias lideradas por grandes chefes, em Kiriwina, há determinados nativos que jamais praticam o *Kula*. Desse modo, numa aldeia em que o líder pertença à categoria de *guya'u* (chefe) ou *gumguya'u* (chefe de menor importância), os plebeus de posição hierárquica muito baixa e não aparentados ao líder não devem praticar o *Kula*. Outrora, essa regra costumava ser rigorosamente observada, e até mesmo nos dias de hoje, embora não seja seguida com tal rigor, entre plebeus não há muitos que pratiquem o *Kula*.

As restrições quanto à participação no *Kula* existem, portanto, apenas nos grandes distritos *kula*, como o de Dobu e o das ilhas Trobriand, e são, em parte, locais, excluindo aldeias inteiras, e, em parte, sociais, excluindo certos nativos de posição social mais baixa.

2. RELAÇÃO DE PARCERIA

Na língua falada nas ilhas Trobriand, o parceiro de além-mar recebe o nome de *karayta'u*; a expressão *ulo karayta'u* significa "meu parceiro"; *ulo* é o pronome possessivo que indica relação remota. Em Gumasila, o parceiro é denominado *ulo ta'u*, expressão que significa simplesmente "meu homem"; na língua dobu, *yegu gumagi*. Os parceiros do interior são conhecidos, na língua kiriwina, pelo termo que significa "amigo", *lubaygu*, em que o sufixo *-gu* (pronome possessivo) denota a posse mais próxima.

Só depois que esse tipo de relação foi estabelecido entre duas pessoas é que elas podem praticar o *Kula* entre si. O visitante de além-mar, via de regra, vai à casa de seu parceiro e lhe oferece um pequeno presente como *pari*, dele recebendo em troca um presente *talo'i*. Não costuma haver intimidades muito grandes entre dois parceiros de além-mar. Porém, em severo contraste com a hostilidade básica entre dois nativos estranhos um ao outro, essa relação de amizade sobressai como a mais notável exceção à regra geral. Mesmo na relação entre dois parceiros de aldeias vizinhas do interior, a proximidade e o grau de intimidade costumam ser relativamente pequenos quando comparados a outros tipos de relação. Essa relação me foi definida nos seguintes termos:

> Meu parceiro, o mesmo que o membro de meu clã [*kakaveyogu*] – ele pode lutar contra mim. Meu verdadeiro parente [*veyogu*], mesmo cordão umbilical, sempre está do nosso lado.

A melhor maneira de obter informações detalhadas e de eliminar quaisquer erros involuntariamente cometidos nas generalizações etnográficas é coletar dados concretos. Fiz uma lista completa dos parceiros de Kouta'uya, um dos mais importantes nativos de todo o circuito *kula*; fiz outra lista dos parceiros de Toybayoba, um dos líderes de Sinaketa; além disso, conheço, é claro, complementos de parceiros de nativos de posição social mais baixa, os quais, via de regra, têm de quatro a seis sócios cada um.

A lista completa de Kouta'uya inclui 55 nativos que vivem na metade setentrional de Boyowa, ou seja, Kulumata e Kiriwina. Deles o chefe recebe braceletes. Ao sul, seus parceiros nos distritos suli-

[39] Kouta'uya, um dos chefes de Sinaketa. Kouta'uya em frente de um dos seus celeiros decorados; sua *lisiga* (casa de moradia) aparece ao fundo.

nos de Boyowa e de Vakuta são, ao todo 23; nas ilhas Amphlett, 11; e, em Dobu, 27. Vemos assim que o número de parceiros do sul e do norte está quase contrabalançado, a diferença sendo de 6 em favor do sul. Esse número inclui seus parceiros de Sinaketa, onde ele pratica o *Kula* com todos os chefes colegas seus e com todos os líderes dos segmentos de aldeias; e, em seu próprio segmento de aldeia, ele pratica o *Kula* com os filhos. Mesmo em sua própria aldeia, todos os seus parceiros estão situados ao norte ou ao sul em relação a ele, ou seja, fornecem-lhe os colares ou braceletes.

Todos os clãs estão representados na lista. Frequentemente, quando alguém lhe pergunta, referindo-se ao nome de algum nativo, por que ele é seu parceiro, sua resposta é: "Porque é meu parente", o que, nesse caso, significa "membro do mesmo clã e de mesma posição hierárquica". Nativos pertencentes a outros clãs se acham incluídos na lista como "amigos" ou parentes por afinidade ou por algum outro motivo mais ou menos imaginário. Vamos agora apresentar o mecanismo pelo qual um nativo entra nessa relação.

A lista dos parceiros de Toybayoba inclui 12 nativos do norte, 4 de Boyowa do sul, 3 das ilhas Amphlett e 11 de Dobu; também nesse caso, a maioria dos parceiros é da porção meridional. Como já disse anteriormente, os nativos de posição social mais baixa têm, ao todo, de 4 a 10 parceiros; há nativos em Boyowa do norte que têm apenas 2 parceiros, cada um deles num lado do circuito, por assim dizer, com os quais eles praticam o *Kula*.

Ao compilar essas listas, que não reproduzirei aqui por extenso, aparece outra faceta notável: de ambos os lados há um limite geográfico bem definido, além do qual nenhum nativo pode ter parceiros. Para todos os nativos da aldeia de Sinaketa, por exemplo, esse limite, no tocante aos braceletes, coincide com o limite mais longínquo de Kiriwina; ou seja, nenhum dos nativos de Sinaketa tem parceiros em Kitava, que é o próximo distrito *kula* além de Kiriwina. Ao sul, na direção em que os *soulava* são recebidos, as aldeias situadas no extremo sudeste da ilha Fergusson são os últimos lugares onde ainda se encontram parceiros dos nativos de Sinaketa. A pequena ilha de Dobu fica situada pouco além desse limite, e nenhum nativo dessa ilha ou de qualquer uma das aldeias da ilha de Normanby pratica o *Kula* com os nativos de Sinaketa (ver os círculos do mapa 5 **[p. 148]**, indicadores das comunidades *kula*).

Para além desses distritos, as pessoas ainda conhecem o nome daqueles que poderíamos chamar de "parceiros em segundo grau", ou seja, parceiros de seus parceiros. No caso de um nativo que tenha apenas 2 parceiros de cada lado do circuito, os quais, por sua vez, sendo pessoas modestas, também têm apenas 1 ou 2, essa relação não é totalmente destituída de importância. Se eu, em Sinaketa, tenho um parceiro – digamos, em Kiriwina –, o qual, por sua vez, tem um parceiro em Kitava, é fato de grande importância para mim saber que esse nativo de Kitava acaba de receber um esplêndido par de braceletes, pois isso significa que eu tenho 25% de probabilidade de receber esses braceletes, supondo-se que o nativo de Kitava e o de Kiriwina tenham, cada um, 2 parceiros, entre os quais escolherão a quem vão oferecê-los. No caso de uma grande chefe como Kouta'uya, entretanto, o número de parceiros em segundo grau aumenta de tal forma que perdem qualquer sentido pessoal. Kouta'uya tem aproximadamente 25 parceiros em Kiriwina; entre eles encontra-se To'uluwa, o grande chefe, que pratica o *Kula* com mais da metade dos nativos de Kitava.

Alguns outros dos parceiros de Kouta'uya em Kiriwina, nativos de posição social menos alta, porém bastante importantes, também praticam o *Kula* com grande número de parceiros, de modo que provavelmente quase todos os nativos de Kitava são "parceiros em segundo grau" de Kouta'uya.

Se imaginássemos que no circuito *kula* houvesse muitos nativos que tivessem apenas um parceiro de cada lado, o circuito então consistiria em um grande número de circuitos fechados e em cada um deles passariam constantemente os mesmos artigos. Assim, se em Kiriwina um indivíduo *A* sempre praticasse o *Kula* com um indivíduo *B* de Sinaketa, que, por sua vez, praticasse o *Kula* com um indivíduo *C* de Tubetube, e este com um indivíduo *D* de Murua, e este com um indivíduo *E* de Kitava, e este com o indivíduo *A* de Kiriwina, *A*, *B*, *C*, *D*, *E* e *F* formariam, então, um circuito fechado dentro do círculo *kula*. Se um bracelete caísse nas mãos de um deles, jamais sairia desse círculo. O circuito *kula*, porém, não é nada semelhante a isso, porque cada pequeno parceiro *kula* tem, em geral, de um ou de outro lado, um grande parceiro, ou seja, um chefe, e cada chefe desempenha o papel de "manobrista" dos objetos *kula*. Tendo tantos parceiros de cada lado, ele constantemente transfere os objetos de um circuito para outro. Dessa forma, qualquer objeto que em seu itinerário tenha passado pelas mãos de certos nativos poderá, no segundo itinerário, passar por canais inteiramente diferentes. Isso, é claro, proporciona grande parte do interesse e do entusiasmo pela troca *kula*.

Na língua kiriwina, a expressão que designa o "parceiro em segundo grau" é *murimuri*. Ao dizer que fulano de tal é "meu parceiro em segundo grau", os nativos usam a expressão *ulo murimuri*. Outra expressão referente a esse tipo de relação consiste em perguntar "por que mãos" passou tal e tal *vaygu'a*. Quando To'uluwa oferece um par de braceletes a Kouta'uya, esse último lhe pergunta: *Availe yamala?* (por que mãos?). A resposta é *Yamala Pwata'i* (a mão de Pwata'i). E, via de regra, segue-se uma conversa mais ou menos assim: "Quem deu esse par de braceletes a Pwata'i?", "Por quanto tempo foi conservado por um nativo da ilha de Yeguma antes de ser distribuído por ocasião de um *so'i* (festa)?", "Quando estiveram em Boyowa da última vez?" etc.

3. COMO SE ENTRA NUMA RELAÇÃO *KULA*

Para tornar-se membro praticante do *Kula*, a pessoa deve ter superado o estágio de adolescência; precisa ter o *status* e a posição social necessários, isto é, nas aldeias em que essa condição constitui um requisito; precisa conhecer a magia do *Kula*; por último, mas não menos importante, precisa ter em mãos um objeto *vaygu'a*. O direito à participação no *Kula*, com suas implicações concomitantes, pode ser recebido do pai, que ensina a magia a seu filho, dá-lhe um objeto *vaygu'a* e lhe fornece um parceiro, quase sempre ele mesmo.

Suponhamos que um dos filhos de Kouta'uya tenha atingido idade suficiente para poder começar a praticar o *Kula*. Há algum tempo o chefe lhe vem ensinando as fórmulas mágicas. Além disso, o rapaz, que desde seus tempos de criança vem participando de expedições marítimas, já presenciou muitas vezes a execução dos rituais e ouviu recitar os encantamentos. Na ocasião apropriada, Kouta'uya, mandando soar o búzio e observando as devidas formalidades, dá de presente ao filho um *soulava*. Esse último, logo depois, parte para algum local do norte. Talvez vá apenas a uma das aldeias vizinhas, no próprio distrito de Sinaketa, talvez acompanhe o pai numa visita a Omarakana; de qualquer modo pratica o *Kula*, seja com um dos amigos e parceiros de seu pai, seja com um dos seus próprios amigos especiais. Assim, de uma só vez, o rapaz se vê equipado com magia, *vaygu'a* e dois sócios, um dos quais é seu próprio pai. Seu parceiro do norte lhe oferecerá, na ocasião oportuna, um bracelete que ele, por sua vez, oferecerá ao pai. Uma vez iniciadas, as transações continuam. O pai, em breve, lhe dá outro *vaygu'a*, que ele poderá oferecer ao mesmo parceiro de antes ou tentar estabelecer uma nova parceria. Os próximos *mwali* (braceletes) que ele receber do norte provavelmente ofereceria a outro parceiro do sul, estabelecendo, assim, uma nova relação. O filho de um chefe, que é sempre um plebeu (visto que o chefe não pode casar-se no âmbito de seu próprio subclã e o filho tem o mesmo *status* da mãe), não multiplicaria o número de seus parceiros além do limite numérico fornecido pelos parceiros de Toybayoba, anteriormente mencionados.

Nem todos, porém, têm a sorte de ser filhos de chefe, posição que, nas ilhas Trobriand, de modo geral, é uma das mais invejáveis, pois proporciona muitos privilégios e não está vinculada a quaisquer responsabilidades especiais. Um chefe jovem tem de pagar substancialmente para estabelecer sua posição no *Kula*, pois o chefe é sempre o filho de uma mulher de alta posição social e sobrinho de um chefe, embora seu pai possa ser um plebeu de pouca influência. De qualquer forma, seu tio materno espera dele *pokala* (oferendas a prestações) em pagamento pela magia, pelos *vaygu'a* e, finalmente, por uma posição de liderança no *Kula*. Quando o jovem chefe se casa, adquire alguma riqueza, com a qual presenteia seu tio materno; este, por sua vez, o introduz no *Kula*, assim como os chefes introduzem seus filhos, porém não desinteressadamente.

Os plebeus entram no *Kula* como os chefes, só que no caso do plebeu tudo se passa em menor escala: a quantidade de *pokala* que oferece a seu tio materno, os *vaygu'a* que dele recebe e o número de parceiros com os quais pratica o *Kula*. Quando um nativo dá a outro um objeto *vaygu'a*, do tipo usado no *Kula*, mas não em transação *kula* e sim como presente – digamos, como *youlo* (presente dado como retribuição em alimentos, conforme capítulo VI, seção 6) –, o *vaygu'a* não sai do circuito *kula*. O nativo que o recebe, caso ainda não participe do *Kula*, passa a participar ao adquirir o *vaygu'a* e pode, então, escolher seu parceiro e levar adiante a transação.

Há uma restrição importante a fazer ao que afirmamos no início desta seção. Dissemos que o nativo, para pertencer ao circuito *kula*, precisa aprender a magia *mwasila*. Isso se refere apenas àqueles que praticam o *Kula* ultramarino. Para os nativos que praticam apenas o *Kula* do interior, a magia não é necessária e, de fato, jamais a aprendem.

4. PARTICIPAÇÃO DE MULHERES NO *KULA*

Como já disse no capítulo I, na descrição geral das tribos que praticam o *Kula*, a posição das mulheres de modo algum se caracteriza por opressão ou insignificância social. Elas têm seu próprio âmbito de influência, o qual, em certos casos e em certas tribos, é de grande importância. O *Kula*, no entanto, é em essência uma atividade dos homens. Como foi dito antes, na seção entre Sinaketa e

Dobu, as mulheres não participam das grandes expedições. De Kiriwina, jovens solteiras podem navegar a Kitava, Iwa e Gawa, a leste, e dessas ilhas até mesmo as mulheres velhas, casadas – e, com efeito, famílias inteiras –, vêm para Kiriwina. No entanto, elas não praticam o *Kula* ultramarino nem entre si mesmas nem com os homens.

Em Kiriwina, algumas mulheres, sobretudo as esposas dos chefes, desfrutam da honra e do privilégio de trocar *vayguʼa*, embora em casos desse tipo as transações sejam feitas em família. Para citar um caso concreto: em outubro ou novembro de 1915, Toʼuluwa, chefe de Omarakana, trouxe de Kitava um belo carregamento de *mwali*. Destes ele ofereceu o melhor à sua esposa mais velha, Bokuyoba, esposa que havia herdado de seu irmão mais velho, Numakala. Bokuyoba, por sua vez, deu o par de *mwali*, sem demora, a Kadamwasila, esposa favorita do chefe, mãe de quatro filhos e uma filha. Kadamwasila, por sua vez, deu-o ao filho, Namwana Guyau, que o ofereceu em transação *kula* a um de seus parceiros do sul. Da próxima vez que receber um colar *soulava*, ele o dará não a seu pai diretamente, mas à mãe, que o entregará à sua colega mais velha, e esta venerável senhora o oferecerá a Toʼuluwa. A transação toda é evidentemente uma interpolação complementar das duas *giyovila* (esposas do chefe), de permeio à transação simples do chefe, que dá o *vayguʼa* ao filho. Essa interpolação causa grande prazer às mulheres, que a valorizam muito. Realmente, nessa ocasião ouvi muito mais a respeito disso do que sobre todas as demais transações associadas a essa expedição marítima.

Em Boyowa do sul, ou seja, em Sinaketa e em Vakuta, as mulheres desempenham papel semelhante, mas também um outro. Os homens costumam por vezes mandar suas esposas com um presente *kula* a seus parceiros da aldeia vizinha. Em certas ocasiões, quando algum tem grande necessidade de um *vayguʼa*, como quando espera visitantes *uvalaku*, sua esposa pode ajudá-lo a obter os *vayguʼa* de seu parceiro da aldeia vizinha, pois este, embora possa recusar-se a dá-los ao parceiro de Sinaketa, não os negaria à sua esposa. É preciso acrescentar que não há motivos sexuais associados a esse costume, que constitui apenas uma gentileza costumeira feita ao sexo feminino.

Em Dobu, sempre se atribui à mulher ou à irmã de um nativo grande influência em suas decisões sobre o *Kula*. Há, por isso, um tipo especial de magia, usada pelos nativos de Sinaketa para influir sobre a mente das mulheres de Dobu. Embora, em questões de sexo, o trobriandês deva manter-se totalmente afastado das mulheres de Dobu, casadas ou solteiras, ele costuma procurá-las com palavras amáveis e presentes quando se trata de assunto do *Kula*. Pode, por exemplo, queixar-se a uma jovem solteira da conduta de seu irmão para com ele. Ela, então, pode lhe pedir um pouco de bétel. O bétel é oferecido depois de se pronunciar um encantamento sobre ele e a jovem, acredita-se, influenciaria seu irmão a praticar o *Kula* com seu parceiro.[2]

2 Não sei dizer que tipo de influência seria essa que a mulher exerce sobre o irmão em Dobu. Nem sei ainda se, nesse distrito, existe o mesmo tabu entre irmão e irmã, como nas ilhas Trobriand.

3

No pequeno esboço da tribo de Amphlett, que apresentamos no capítulo II, seção 4, chamamos os nativos dessas ilhas de "monopolistas típicos", não só em referência à posição econômica, mas também ao caráter. Eles são monopolistas em dois aspectos, a saber: como fabricantes dos maravilhosos potes de barro, dos quais constituem a única fonte de suprimento para os distritos circunvizinhos; e, em segundo lugar, como comunidade comercial, situada a meio caminho entre a populosa região de Dobu, com suas ricas terras de cultivo e suas plantações de coqueiro, por um lado, e as ilhas Trobriand, principal comunidade industrial da Nova Guiné oriental, por outro.

O termo "monopolistas" deve, no entanto, ser corretamente interpretado. As ilhas Amphlett não são um centro de intermediários comerciais, sempre ocupados em importar e exportar mercadorias desejáveis. Apenas uma ou duas vezes ao ano é que uma grande expedição chega a essas ilhas, e de poucos em poucos meses seus habitantes navegam para o sudeste ou para o norte, além de receberem a visita de expedições menores vindas de uma ou outra aldeia vizinha. É por meio dessas pequenas expedições que eles conseguem coletar uma quantidade relativamente considerável de artigos vindos de todos os distritos vizinhos, que podem oferecer aos visitantes que os desejem ou que deles precisem. Eles não impõem preços altos nas transações desse tipo, mas certamente são considerados menos liberais, menos dispostos a dar ou trocar, sempre interessados em obter contrapresentes de maior valor e presentes extras.

[40] Excelentes amostras dos potes fabricados nas ilhas Amphlett. Os potes maiores, usados apenas para o preparo do pudim de taro, são de grande valor. São frequentemente utilizados e exibidos nas cerimônias de distribuição de alimentos (*sagali*) e no preparo comunitário da comida.

No escambo dos potes de barro, também não podem pedir preços exorbitantes, como os que, de acordo com as leis da oferta e da procura, poderiam impor a seus vizinhos, pois, como quaisquer outros nativos, não podem desobedecer às regras do costume que regulam esse e todos os demais tipos de transação. Com efeito, considerando sua grande dificuldade para obter o barro, bem como o alto grau de perícia necessário à produção dos potes, o preço pelo qual são vendidos são muito baixos. Mas também nesse aspecto a atitude dos nativos de Amphlett durante a transação é visivelmente arrogante, e estão bem cônscios de seu valor como fabricantes e distribuidores de potes aos demais.

Devemos dizer mais algumas palavras a respeito da fabricação de potes, bem como a respeito do comércio praticado nessas ilhas.

[3] Essa é a informação que obtive durante minha curta visita a Murua (ilha de Woodlark) e que me foi confirmada pelos nativos das ilhas Trobriand. Seligman afirma também que os potes sepulcrais, encontrados nessa ilha, são provenientes das ilhas Amphlett (op. cit., p. 731. Ver também pp. 15 e 535).

Os nativos das ilhas Amphlett são, em uma vasta região, os únicos produtores de artigos de cerâmica. São os únicos fornecedores dos trobriandeses, dos habitantes das ilhas Marshall Bennett e acredito também que todos os potes de barro que se encontram na ilha de Woodlark sejam provenientes das ilhas Amphlett.[3] Para o sul, exportam seus potes a Dobu, Du'a'u, e ainda mais para o sul, até a baía de Milne. Isso, porém, não é tudo, pois, embora em alguns desses distritos mais longínquos os potes vindos das ilhas Amphlett sejam usados paralelamente a outros potes de outras regiões, eles são infinitamente superiores a quaisquer objetos de barro de toda a Nova Guiné britânica. De tamanho grande, porém extremamente finos, são de grande durabilidade, de forma muito bem moldada e com excelente acabamento **[40, p. 385]**.

A alta qualidade dos melhores potes fabricados nas ilhas Amphlett se deve à excelência do material, bem como à habilidade artesanal desses nativos. O barro usado em sua fabricação tem de ser importado pelas ilhas Amphlett de Yayawana, jazida situada na praia setentrional da ilha Fergusson, e a um dia de viagem das ilhas Amphlett. Nas ilhas de Gumasila e de Nabwageta, encontra-se apenas barro de qualidade inferior, que serve para a fabricação de potes pequenos, mas é imprestável para fabricação dos grandes.

Existe uma lenda que explica por que hoje em dia já não se consegue encontrar barro de boa qualidade nas ilhas Amphlett. Antigamente, num dos picos de Gumasila chamado Tomonumonu, viviam dois irmãos, Torosipupu e Tolikilaki. Havia, na época, grande abundância de barro nesse local. Um dia Torosipupu saiu para pescar com uma armadilha e apanhou um excelente marisco gigante. Ao voltar, Tolikilaki disse: "Ó minha concha! Vou comê-la!". Torosipupu recusou-se a dá-la ao irmão, respondendo com uma alusão muito obscena ao molusco bivalve e aos usos que faria dele. Tolikilaki fez novo pedido; Torosipupu recusou mais uma vez. Os dois brigaram. Tolikilaki então levou parte do barro consigo e rumou para Yayawana, na ilha principal. Torosipupu depois apanhou o restante

[41] e [42] Tecnologia da fabricação de potes. Foto superior: os pedaços de barro são dispostos em círculo e ligados uns aos outros formando um rolo grosso, de forma circular. Foto inferior: o rolo de barro está sendo moldado de baixo para cima, fechando para o centro.

do barro e foi ao encalço do irmão. Que destino tiveram, a lenda não diz. Mas em Gumasila ficou apenas um barro de baixa qualidade, o único que desde então se pode encontrar na região.

Desde essa época, os nativos têm de ir cerca de duas vezes por ano a Yayawana a fim de buscar o barro com o qual as mulheres depois fabricarão os potes. Levam mais ou menos um dia para chegar a Yayawana; visto que Yayawana está situada a sudoeste, podem navegar para lá com qualquer vento e voltar com igual facilidade. Lá permanecem durante uns dois dias, escavando o barro, secando-o e colocando-o em algumas cestas *vataga*. Calculo que cada canoa carregue cerca de duas toneladas de carga na sua viagem de volta. Isso é o suficiente para a produção de meio ano. O barro claro, cor de palha, é guardado sob as casas, em grandes coxos feitos com o fundo de canoas que já estão fora de uso.

Antigamente, antes do advento do homem branco, a situação era um pouco mais complicada. Apenas uma ilha, Kwatouto, com relações de amizade com os nativos locais, tinha acesso à praia setentrional. Não pude averiguar se as outras ilhas também costumavam buscar o barro naquele local, armadas e prontas para atacar, ou se costumavam adquirir o barro mediante escambo de Kwatouto. A informação que se recebe nas ilhas Amphlett é extremamente insatisfatória e meus diversos informantes apresentaram-me relatos contraditórios a esse respeito. Parece evidente, entretanto, que Kwatouto, tanto hoje como antigamente, era a fonte da melhor cerâmica, mas que Gumasila e Nabwageta também sempre fabricaram potes, embora talvez inferiores. A quarta ilha, Domdom, jamais participou desse comércio e até hoje não há nesse local uma só mulher capaz de fabricar um pote.

A fabricação desse artigo, como já dissemos, é trabalho exclusivo das mulheres. Elas se sentam debaixo das casas, em grupos de duas ou três, rodeadas de grandes montes de barro e dos implementos de seu trabalho, e produzem, nessas condições de pobreza e precariedade, verdadeiras obras-primas de sua arte. Pessoalmente tive oportunidade de observar apenas grupos de mulheres muito velhas a trabalhar, embora tenha passado cerca de um mês nas ilhas Amphlett.

Com referência à tecnologia da fabricação de potes, o método é primeiro moldar o barro na forma aproximada, em seguida bater com uma espátula e, subsequentemente, raspar as paredes do pote com uma concha de mexilhão até que elas atinjam a espessura desejada. Para dar uma descrição detalhada: a mulher começa por amassar certa quantidade de barro durante longo tempo. Desse barro ela faz dois montes semicirculares, ou vários montes, caso tencione fabricar um pote grande. Os montes de barro são então colocados sobre uma pedra chata ou uma tábua, dispostos em círculo, uns encostados aos outros, formando um rolo grosso, de forma circular [41, p.387]. A mulher começa a trabalhar com o rolo, usando ambas as mãos, apertando-os gradualmente e, ao mesmo tempo, vai fazendo-os subir à toda a volta, formando uma parede inclinada [42, p.387]. Via de regra, ela trabalha com a mão esquerda na parte de dentro e com a direita na parte de fora dessa parede; aos poucos, o barro vai assumindo a forma de uma cúpula semiesférica. No topo da cúpula, há um buraco, por onde a mulher enfia a mão esquerda, que trabalha por dentro [43 e 44, p.391]. No começo, os movimentos principais das mãos são de baixo para cima, achatando os rolos para que formem paredes finas. Os traços deixados pelos dedos ao mover-se para cima e para baixo sobre o lado externo da parede formam sulcos longitudinais (ver os detalhes das imagens 43 e 44 [p.391]). No fim dessa fase do trabalho, ela movimenta as mãos em círculos, deixando na cúpula marcas horizontais concêntricas. Continua fazendo isso até que o pote adquira uma boa curvatura em toda a volta.

Parece quase um milagre ver como, num período relativamente breve, usando um material que, afinal de contas, é quebradiço e sem o auxílio de quaisquer implementos, a mulher consegue formar um hemisfério praticamente perfeito, às vezes de até um metro de diâmetro.

Depois de obter a forma desejada, a mulher, tomando uma espátula de madeira leve com a mão direita, começa a bater suavemente no barro [44, p.391]. Esse estágio se prolonga por um período relativamente longo, de mais ou menos uma hora, quando se trata de um pote grande. Depois de assim trabalhar a cúpula, a mulher adapta pequenos pedaços do barro na parte superior, fechando o orifício e, a seguir, bate com a espátula essa porção da cúpula. No caso de potes pequenos, a espátula só é usada depois que o orifício foi fechado. O pote é colocado ao sol com a esteira, onde permanece durante um ou dois dias para endurecer. É então virado de cabeça para cima, e sua parte inferior é, cuidadosamente colocada dentro de uma cesta. Em seguida, à volta da abertura, é colocada uma tira achatada de barro, no sentido horizontal, voltada para dentro, formando uma graciosa aba. Três pequenos pedaços de barro são colocados perto dessa aba, a 120 graus de distância um do outro, como enfeites; com uma vareta pontiaguda, são feitos desenhos em volta de toda a aba e, às vezes, em todo o exterior do pote. Terminado isso, o pote é de novo colocado ao sol por certo período.

Depois que está suficientemente endurecido para ser manuseado sem o perigo de quebrar-se, embora isso deva ser feito com o máximo cuidado, o pote é colocado de cabeça para baixo sobre um pouco de lenha seca, apoiado em pedras colocadas entre a madeira. Ele é coberto pelo lado de fora com lenha e gravetos e acende-se o fogo; a lenha de baixo coze-o por dentro e a de cima, por fora. O resultado final é um lindo pote de cor vermelho-tijolo enquanto novo, embora depois de certo tempo, com o uso, torne-se completamente preto. Seu formato não é perfeitamente hemisférico, mas sim uma meia elipsoide, semelhante à metade maior de um ovo cortado ao meio. Dá, no total, a impressão de algo perfeito e elegante, jamais igualado por qualquer outra cerâmica do Pacífico Sul que eu conheça.

Esses potes, conhecidos como *kuria* na língua kiriwina, são denominados *kuyana* ou *va'ega* pelos nativos das ilhas Amphlett. Os maiores espécimes têm cerca de um metro de diâmetro na abertura e cerca de sessenta centímetros de profundidade; são usados exclusivamente para a cocção cerimonial *mona* [32, p. 261] e são denominados *kwoylamona* (nas ilhas Amphlett, *nokunu*). Os potes de tamanho um pouco menor que esses, os *kwoyalakalagila* (nas ilhas Amphlett, *nopa'eva*) são utilizados comumente para cozinhar inhame ou taro. Os *kwoylugwawaga* (nas ilhas Amphlett, *nobadala*), bem menores, têm a mesma finalidade. Potes de tamanho especial, chamados *kwoylamegwa* (nas ilhas Amphlett, *nosipoma*) são usados para feitiçaria. Os menores de todos (não me lembro de tê-los visto nas ilhas Trobriand, embora os trobriandeses tenham uma palavra, *kwoylakekila*, para descrevê-los) servem para o preparo diário

[43] e [44] Tecnologia da fabricação de potes. O barro, formando uma cúpula, é moldado em sua parte superior, que em breve será fechada; visto que esse é um pote pequeno, só mais tarde é que o barro é batido, como mostra a foto inferior.

da comida nas ilhas Amphlett, onde são conhecidos pelo nome de *va'ega*, no sentido mais estrito da palavra.

Prolonguei-me sobre essa singular e artística conquista dos nativos das ilhas Amphlett porque é importante, sob todos os pontos de vista, conhecer os detalhes de uma arte que está tão à frente das realizações semelhantes no mundo melanésio.

Devemos agora dizer algumas palavras a respeito do comércio nas ilhas Amphlett. A posição central desse pequeno arquipélago indica em que direção esse tipo de comércio tenderia a se desenvolver, pois está situado entre as grandes ilhas planas de coral, extremamente férteis, mas que não dispõem de muitos recursos naturais indispensáveis de um lado e, de outro lado, a selva pujante e os diversos recursos minerais das regiões vulcânicas do arquipélago d'Entrecasteaux. A essa desigualdade natural entre os nativos das ilhas Amphlett e seus vizinhos acrescentam-se elementos sociais. Os trobriandeses são habilidosos, laboriosos e, sob o ponto de vista econômico, altamente organizados. Nesse aspecto, até mesmo os nativos de Dobu se acham em nível mais baixo, e os outros habitantes das ilhas d'Entrecasteaux, num nível mais baixo ainda.

Se imaginarmos um diagrama comercial desenhado no mapa, notaríamos, antes de mais nada, a exportação de artigos de barro irradiando-se das ilhas Amphlett, que são seu ponto de origem. No sentido inverso, convergindo para essas ilhas, estão as importações de alimentos, como o sagu, os porcos, o coco, a noz de bétel, o taro e o inhame. Um artigo muito importante antigamente, que tinha de ser importado pelas ilhas Amphlett, era a pedra usada na fabricação de implementos, vinda da ilha de Woodlark via ilhas Trobriand. Essas pedras eram, na verdade, renegociadas pelos nativos das ilhas Amphlett, visto que todas as ilhas d'Entrecasteaux dependiam, pelo menos na maioria dos casos, das importações provenientes da ilha de Woodlark, segundo informações que obtive nas ilhas Amphlett. Além disso, estas dependiam das ilhas Trobriand quanto aos seguintes artigos: travessas de madeira manufaturadas em Bwoytalu; potes para cal manufaturados em diversas aldeias de Kuboma; cestas de três divisões e cestas de dobrar feitas em Luya; potes para cal feitos de ébano e conchas de mexilhão, essas últimas apanhadas principalmente pelos nativos da aldeia de Kavataria, na laguna. Esses artigos eram pagos ou trocados como presentes pelos seguintes artigos: antes de mais nada, é claro, potes; em segundo lugar, brincos feitos de casco de tartaruga, enfeites de nariz especiais, ocre vermelho, pedra-pomes e obsidiana, todos obtidos no próprio local. Além disso, os nativos das ilhas Amphlett buscavam na ilha de Fergusson, para os trobriandeses, sementes de bananeira silvestre usadas na confecção de colares, tiras de junco usadas como cintos e também para amarração, penas de casuar e de papagaio vermelho, usadas como enfeites para as danças, cintos de fibra trançada, bambu e lanças farpadas.

Podemos acrescentar que antes os nativos das ilhas Amphlett não costumavam navegar livremente para todos os locais da ilha principal. Cada uma das aldeias das ilhas Amphlett tinha um distrito na ilha principal, com o qual mantinha termos amigáveis e com o qual podia comerciar sem correr perigo. Dessa forma, como já foi dito antes, apenas a aldeia de Kwatouto, situada na mais meridional das ilhas Amphlett habitadas, tinha a liberdade de ir ao distrito circunvizinho de Yayawana sem ser molestada, lá obtendo o barro amarelo-pálido, excelente para a confecção de potes. Os nativos de Nabwageta negociavam com algumas aldeias situadas a leste de Yayawana, e os de Gumasila iam ainda mais para o leste. Os nativos de Domdom jamais foram grandes negociantes ou navegadores. As condições de comércio nas ilhas tornavam-se ainda mais complicadas em virtude das constantes brigas internas e guerras entre os distritos. Kwatouto e Domdom de um lado, Gumasila e Nabwageta de outro, eram aliados, e entre essas duas facções havia hostilidade constante e latente, que, de vez em quando, irrompia em guerras abertas e impossibilitava o desenvolvimento de relações comerciais amistosas. É esse o motivo pelo qual as aldeias foram todas estabelecidas em lugares altos e inacessíveis ou, como no caso de Gumasila, protegidas dos ataques pelo mar e pelos recifes.

A influência dos grandes distritos circunvizinhos, ou seja, das ilhas Trobriand e de Dobu sobre as ilhas Amphlett não foi nem é meramente comercial. Do restrito material linguístico que pude coletar nas ilhas Amphlett, só posso dizer que a língua usada nessas ilhas está relacionada tanto à das ilhas Trobriand como à de Dobu. Sua organização social assemelha-se muito à dos trobriandeses, a não ser no tocante à chefia, que não existe nas ilhas Amphlett. Em suas crenças na feitiçaria, nos espíritos etc., os nativos de Amphlett parecem assemelhar-se mais aos nativos de Dobu que aos trobriandeses. A magia da canoa foi importada das ilhas Trobriand, mas a arte de sua construção é de Dobu, que, como já vimos, também foi adotada pelos trobriandeses. A magia do *Kula*, conhecida nas ilhas Amphlett é em parte trobriandesa, em parte importada de Dobu. Existe apenas um sistema indígena de magia originário das próprias ilhas Amphlett. Há muito tempo existiu um nativo do clã Malasi, cuja habitação ficava no rochedo de Selawaya, que se sobressai em meio à selva, acima da grande aldeia de Gumasila. Esse homem conhecia a magia de *ayowa*, nome dado ao *mwasila* (magia *kula*) na língua falada pelos nativos das ilhas Amphlett e de Dobu. Alguns nativos passaram por perto do rochedo quando a magia estava sendo recitada, aprenderam-na e a passaram a seus descendentes.

4

Mais uma questão importante precisa ser mencionada aqui, questão essa referente às relações intertribais nesse distrito. Como vimos, alguns trobriandeses permanecem por vezes nas ilhas Amphlett em prolongadas visitas. Esse costume, no entanto, jamais é correspondido: os nativos das ilhas Amphlett nunca permanecem muito tempo entre os vizinhos do norte. O mesmo se aplica às relações entre os trobriandeses e os nativos do distrito de Dobu. Ao comentar as listas de parceiros *kula* de Kouta'uya e Toybayoba, foram-me dadas algumas informações a respeito de seus parceiros do sul, a saber, que eles eram *veyola* (parentes matemos) de meu informante. Novas indagações revelaram-me que esses nativos parecem ter emigrado das ilhas Trobriand, fixando residência em Tewara, Sanaroa ou nas grandes povoações de Dobu, situadas nas praias noroeste dos estreitos Dawson.

Quando perguntei se, pelo contrário, havia casos de nativos de Dobu que tivessem fixado residência em Boyowa, foi-me enfaticamente negado que tal coisa pudesse acontecer. Com efeito, nos numerosos dados genealógicos que pude coletar em todo o distrito, não há vestígios de migração proveniente do sul, embora sejam frequentes as migrações dentro do próprio distrito e, às vezes, das ilhas Marshall Bennett. De modo geral, todas essas migrações no âmbito das ilhas Trobriand demonstram também uma tendência marcante de seguir a direção do norte para o sul. Assim, o subclã mais aristocrático, o Tabalu, originou-se em Laba'i, aldeia mais setentrional. Agora, porém, seu centro está localizado mais ao sul, em Omarakana, e os membros desse mesmo subclã governam também Olivilevi e Tukwa'ukwa, na parte central da ilha. Alguns deles migraram ainda mais para o sul, para Vakuta, onde criaram uma fraca imitação de chefia, jamais tendo conseguido impor-se decisivamente aos demais nativos. Diversos subclãs, agora firmemente estabelecidos nas porções central e meridional da ilha, traçam sua ascendência do norte, e nas ilhas Amphlett há também alguns casos de subclãs que imigram de Boyowa.

Em contraste com essa migração de nativos do norte para o sul, verificamos a disseminação de um dos principais elementos culturais, ou seja, a canoa, do sul para o norte. Vimos como a *nagega*, a grande canoa própria para navegação marítima, porém pesada e vagarosa, foi suplantada pela canoa *masawa* ou *tadobu*, cujo uso se disseminou algumas gerações antes, até alcançar a ilha de Kitava. É mais difícil traçar os movimentos das crenças, porém tenho motivos para supor que as crenças sobre feitiçaria, em especial as referentes às *mulukwausi* e *tauva'u*, movem-se do sul para o norte.

No próximo capítulo, voltaremos à nossa expedição de Sinaketa a fim de acompanhá-la por um pequeno trecho de sua rota até as primeiras povoações da língua de Dobu. Essas regiões sugerem um novo tema para uma longa digressão para assuntos mitológicos e lendas relacionados ao *Kula*.

[45] Uma canoa em Gumasila carregando potes. Os potes, principal produto de exportação das ilhas Amphlett, têm de ser cuidadosamente arrumados nas canoas.

CAPÍTULO XII

Em Tewara e Sanaroa

Mitologia do *Kula*

1

Ao romper do dia, a frota parte das ilhas Amphlett. É esse o estágio em que os presentes de despedida, os *talo'i*, são oferecidos. Os potes de barro, os diversos produtos das ilhas e de Koya, que haviam sido deixados em separado, são agora trazidos para as canoas [45]. Nem o doador nem o receptor principal, o *toliwaga*, dão muita atenção às atividades, visto que a atitude correta prescrita pelas boas maneiras é uma grande indiferença a respeito do "dar e receber". As crianças trazem os objetos e os membros mais novos da tripulação os armazenam nas canoas. O comportamento geral da multidão, tanto o dos que estão na praia como o dos que estão na canoa, é tão sem ostentação nesse momento de partida quanto na hora da chegada. Não há despedidas, como não houve cumprimentos; não há, tampouco, demonstrações visíveis nem formais de tristeza ou de esperança de novo encontro nem de qualquer outra emoção. As tripulações atarefadas, absortas em seu próprio trabalho, desatracam as canoas impassivelmente, erguem o mastro, içam a vela e afastam-se no mar.

Rumam agora para a ampla costa de Koyatabu; com ventos favoráveis, poderão alcançá-la em cerca de duas horas. É provável que naveguem suficientemente próximos da costa para avistar as grandes árvores à beira da selva e a longa cachoeira que divide bem ao meio o flanco da montanha e os terrenos de cultivo, de forma triangular, cobertos pelas plantações de inhame e pelas folhas grandes do taro. Podem também avistar, aqui e acolá, a fumaça que serpeia para o céu, saindo da selva, onde, escondida sob as árvores, existe uma aldeia composta de algumas miseráveis cabanas. Nos dias de hoje, essas aldeias se aproximaram da beira da praia a fim de suplementar com a pesca o produto da lavoura. Em tempos antigos, ficavam todas situadas bem no alto das encostas, e do mar eram quase invisíveis.

Os habitantes dessas aldeias pequenas e dilapidadas são esquivos e tímidos, embora antigamente fossem perigosos para os trobriandeses. Falam uma língua que difere bastante da de Dobu e que os nativos costumam chamar de "o falar de Basima". Parece haver mais ou menos quatro ou cinco línguas diferentes na ilha de Fergusson, além da língua dobu. Meus conhecimentos sobre os nativos de Basima são muito poucos e se devem apenas a duas paradas forçadas que fiz nesse distrito. Minha impressão é a de que, fisicamente, são de tipo diferente dos nativos de Dobu – mas trata-se apenas de impressão. Não têm barcos e só navegam na medida do estritamente necessário, usando pequenas jangadas de três ou cinco troncos amarrados juntos. Suas casas são menores e de construção inferior às de Dobu. Seria muito interessante fazer novas investigações sobre esses nativos, mas provavelmente bem difícil também, como sempre acontece quando se estudam comunidades muito pequenas que vivem fora de contato com qualquer homem branco.

Essa região deverá permanecer, pelo menos por enquanto, desconhecida para nós, como também o é para os nativos das ilhas Trobriand. Para eles, com efeito, as poucas tentativas que fizeram ocasionalmente no sentido de entrar em contato com aqueles nativos, bem como alguns incidentes que os trouxeram àquelas praias, tiveram todos resultados desanimadores, reforçando apenas o tradicional medo supersticioso que sentem dessa população. Há diversas gerações, uma ou duas canoas provenientes de Burakwa, na ilha de Kayleula, fizeram uma viagem de exploração ao distrito de Gabu, situado numa ampla baía sob o flanco noroeste de Koyatabu. Os nativos de Gabu, de início, recebendo-as com demonstração de interesse e fingindo entrar em relações comerciais, fizeram mais tarde um ataque traiçoeiro, matando o chefe Toraya e todos os seus companheiros. Essa história tornou-se famosa e, com efeito, passou a ser um dos mais notáveis acontecimentos históricos para os trobriandeses, porque Tomakam, o irmão mais novo do chefe assassinado, foi a Koya de Gabu e matou o líder de uma das aldeias, vingando-se, assim, da morte do irmão. Tomakam então compôs uma canção e criou uma dança que até hoje são executadas em Kiriwina e que, com efeito, têm uma das mais belas melodias de todas essas ilhas.

Apresento a seguir o relato *ipsis litteris* dessa história, segundo me foi contada pelo próprio To'uluwa, chefe de Omarakana, que hoje é "dono" dessa dança Gumagabu; seus ancestrais a adquiriram dos descendentes de Tomakam mediante um pagamento *laga*.[1] É um comentário à canção e tem início apenas com a expedição de vingança de Tomakam, que é o tema da canção.

1 Ver capítulo VI, seção 6.

A HISTÓRIA DE *GUMAGABU*

Tomakam pegou uma *waga* nova. Tocou o búzio e foi a Koya. Ele disse à mãe [ou seja, antes de partir]: "Minha mãe, tu ficas, eu vou navegar. Ouvirás um búzio, será o búzio de um colar. [Ou seja, será o sinal de que ele teve êxito, conseguindo um bom colar *kula*.] O segundo búzio será o búzio do morto; o sinal de que já levei a cabo minha vingança. Vou navegar, vou ancorar, vou dormir. No segundo dia, vou navegar, vou ancorar, vou dormir. No terceiro dia, vou ancorar numa aldeia, já tendo chegado à montanha. No quarto dia, vou oferecer *pari*, o *kinana* [estrangeiro do sul] virá, vou abatê-lo. No quinto dia, voltarei. Vou navegar rapidamente até que a noite caia sobre o mar. No dia seguinte, vou ancorar em Burakwa. Ouves o búzio, estás dormindo na casa, levanta-te. Ouves um toque do búzio – o toque do *bagi* (colar). Ouves dois toques – o toque do morto! Então os homens de Burakwa vão dizer: "Dois toques do búzio, dois colares", então sais da casa, dizes: "Homens de Burakwa, de um lado da aldeia e do outro; deveras zombastes de meu filho, Tomakam. Vossas palavras foram: Vai, leva a cabo tua vingança em Gabu. O primeiro toque de búzio é o do colar, o segundo é o do morto. Temos dito!". [Aqui terminam as palavras de Tomakam à sua mãe.]

Ele ancorou na aldeia de Koya. Ele disse a seu irmão mais novo: "Vai, diz aos homens *kinana* estas palavras: Teu amigo tem dor na perna, bem, se formos juntos até a canoa, ele te oferecerá os *pari*!". O irmão mais novo foi e disse essas palavras ao líder dos *kinana*: "Alguns cocos verdes, algumas nozes de bétel, carne de porco – traz essas coisas a nós, e nós te daremos *pari*. Teus braceletes, tua grande lâmina de pedra, tua presa de javali, tua espátula de osso de baleia esperam por ti na canoa. O recado para ti é que teu amigo sente dores na perna e não pode caminhar". Diz o homem *kinana*: "Bem, vamos!"

Ele apanhou um porco, juntou noz de bétel, cana-de-açúcar, bananas, colares, vagem de bétel, ele disse: "Bem, vamos juntos à canoa". *Pu'u* ele dá o colar; *pu'u*, o porco; então ele deu o coco, a noz de bétel, a cana-de-açúcar, as bananas. Tomakam estava deitado de lado: ele havia enfaixado a perna com uma esteira de pandano, branca e macia. Anteriormente havia dito a seu irmão mais novo [isto é, ele também lhe deu a seguinte instrução ao mandá-lo encontrar-se com os homens de Gabu]: 'Vós todos, vinde com o homem *kinana*. Não permaneçais na aldeia". E então [depois que os primeiros presentes foram trocados] o homem *kinana* ficou de pé na canoa. Sua vagem de bétel caiu. Assim falou Tomakam, dirigindo-se ao homem *kinana*: "Meu amigo, apanha a vagem de bétel. Ela caiu e correu para dentro da canoa". O homem *kinana* abaixou-se, apanhou a vagem de bétel. Tomakam viu que o homem de Kinana estava abaixado, apanhou um machado e, sentando-se, deu-lhe um golpe. Cortou-lhe o pescoço. Então Tomakam apanhou a cabeça decepada e jogou o corpo do homem *kinana* ao mar. A cabeça, ele a espetou numa vara da canoa. Eles navegaram, chegaram à sua aldeia. Ele apanhou um porco, preparou um pudim de taro, cortou cana-de-açúcar, eles fizeram uma grande festa, ele inventou essa canção.

Essa é a história que o chefe de Omarakana me contou sobre a canção e a dança de Gumugabu, que na ocasião estavam sendo executadas em sua aldeia. Citei-a por completo, numa tradução quase literal do texto nativo, a fim de mostrá-la paralelamente à canção. A narrativa, assim reproduzida, apresenta lacunas características e não inclui sequer os incidentes da canção.

A seguir, apresento uma tradução livre da canção, que, no texto original nativo, é bastante condensada e impressionista. Cenas inteiras e incidentes são aludidos por apenas uma ou duas palavras, em vez de descritos, e o comentário tradicional, transmitido à comunidade, paralelamente à canção, se faz necessário para um completo entendimento.

A CANÇÃO DE *GUMAGABU*

I
O forasteiro de Gumagabu senta-se no topo da montanha.
"Vai ao topo da montanha, a montanha alta..."
– Eles choram por Toraya... –
O forasteiro de Gumugabu senta-se na encosta da montanha.
– A orla de pequenas nuvens se erguem por sobre Boyowa;
A mãe chora por Toraya –
"Eu me vingarei."
A mãe chora por Toraya.

II
Nossa mãe, Dibwaruna, sonha deitada na esteira.
Ela sonha com o assassinato.
"Vinga os gemidos;
Ancora; golpeia os forasteiros de Gabu!"
– O forasteiro vem para fora;
O chefe lhe dá *pari*:
"Eu te darei *doga*;
Traz-me coisas da montanha para a canoa!"

III
Nós trocamos nossos *vaygu'a*;
O rumor de minha chegada se espalha pelo *koya*
Nós conversamos e conversamos.
Ele se abaixa e é morto.
Seus companheiros fogem;
Seu corpo é jogado no mar;
Os companheiros do *kinana* fogem.
Nós navegamos de volta para nossa terra.

IV
No dia seguinte, o mar se enche de espuma,
A canoa do chefe para no recife;
A tempestade se aproxima;
O chefe tem medo de afogar-se.
Toca-se o búzio:

Seu toque ressoa pela montanha.
Eles todos choram no recife.

V

Eles remam a canoa do chefe;
Eles circundam a porta de Bewara.
"Pendurei minha cesta.
Eu o encontrei."
Assim diz o chefe em altas vozes.
Assim grita repetidamente o chefe.

VI

As mulheres, com decoração festiva,
Andam pela praia.
Nawaruva põe seus brincos de tartaruga;
Ela veste sua saia *luluga'u.*
Na aldeia de meus ancestrais, em Burakwa.
Há muita comida;
Trazem muita comida para distribuir.

O caráter dessa canção é extremamente elíptico; poderíamos dizer até mesmo futurista, já que diversas cenas se comprimem simultaneamente no mesmo quadro. Na primeira estrofe, vemos o *kinana* – palavra que designa, em Boyowa, todos os nativos do arquipélago d'Entrecasteaux – sentado no topo de sua montanha, em Gabu. Logo depois, somos informados da intenção de Tomakam de subir a montanha, enquanto as mulheres, provavelmente suas parentes e viúvas, choram por Toraya, pelo chefe assassinado. O quadro seguinte abrange de novo todo o espaço de uma ilha à outra: numa praia vemos o nativo de Gabu, sentado na escarpa de sua colina; ao longe, na outra, sob a orla de pequenas nuvens que se erguem por sobre Boyowa, a mãe chora a morte do filho, o chefe assassinado. Ao ouvi-la chorar, Tomakam toma uma decisão: "Eu me vingarei".

Na segunda estrofe, a mãe sonha com a expedição; as palavras sobre a vingança a ser executada sobre os homens de Gabu, bem como as instruções de ancorar e golpeá-lo devem ter sido tiradas desse sonho. Em seguida, somos logo transportados para a montanha, onde a expedição já chegou. Os forasteiros, os *kinana*, já estão descendo rumo à canoa; ouvimos as palavras trocadas entre eles e os nativos de Burakwa.

É na terceira estrofe que chegamos à cena culminante do drama; mas até mesmo nessa estrofe o herói, que é seu próprio bardo, não pode deixar de introduzir algumas palavras, vangloriando-se de sua fama, que se espalha em *koya*. A tragédia é descrita em poucas palavras: o *kinana* se abaixa, é assassinado, e seu corpo é atirado à água. Não há, nesses versos, nada sobre sua cabeça.

Na próxima estrofe, uma tempestade ameaça a expedição em seu caminho de volta. Os sinais de aflição ecoam na montanha e, como os heróis homéricos, os membros dessa nossa expedição não se envergonham de chorar de medo e de desespero. Conseguem, no entanto, escapar ao perigo de algum modo e, na estrofe seguinte, já se acham próximos de sua aldeia. Tomakam, seu líder, irrompe num canto de triunfo. Não é bem claro o significado da alusão à cesta – não sabemos se nela estão seus troféus *kula* ou a cabeça do inimigo assassinado. Essa última hipótese está em contradição com o que ouvimos na versão em prosa da história, em que a cabeça é espetada numa vara. A canção termina com a descrição de uma festa. A mulher mencionada na única estrofe é a filha de Tomakam, que se enfeita festivamente para dar boas-vindas ao pai.

Comparando a canção com a história, vemos que uma não corresponde exatamente à outra. Na história, há o aspecto dramático da intervenção da mãe e concluímos que Tomakam, instigado pelas calúnias de seus concidadãos, empenha-se em fazer de sua volta um acontecimento importante. Ele combina com a mãe sobre os dois toques do búzio e lhe pede que faça uma alocução ao povo no momento de sua chegada. Nada disso existe na canção. O estratagema da perna machucada do chefe é também omitido na canção, o que não significa entretanto que o herói estivesse envergonhado de seu ardil. Além disso, a tempestade descrita na canção não se encontra na história, e há uma discrepância no que se refere à cabeça do líder de Gabu – não sabemos se a cabeça foi mesmo colocada numa cesta, segundo se diz na canção, ou se foi espetada numa vara, conforme nos conta a história!

Apresentei aqui a história e a canção em todos os detalhes porque constituem uma boa amostra da atitude dos nativos em relação aos perigos e ao romance heroico de Koya. São também interessantes como documentos que mostram quais fatos são capazes de excitar a imaginação dos nativos em tais ocorrências dramáticas. Tanto na história como na canção, são enfatizados os motivos do dever social, da autoestima e da ambição satisfeitas; os perigos enfrentados no recife, o subterfúgio no assassinato e, finalmente, as festas realizadas à volta da expedição. Muito do que nos poderia interessar na história é omitido, como qualquer um pode perceber por si mesmo.

Outras histórias, embora não tão ilustres por não terem sido transformadas em canções, são relatadas a respeito de Koya. Eu mesmo tive a oportunidade de encontrar um velho nativo da ilha de Vakuta, o qual, quando ainda criança, havia sido capturado, com uma expedição inteira, por uma comunidade de nativos que falavam a língua de Dobu, na ilha de Normanby. Os homens e outro menino da expedição foram mortos e comidos, mas algumas mulheres tiveram pena e essa criança foi poupada, para ser criada entre eles. Há outro nativo em Kawataria, vivo ainda ou morto recentemente, que teve experiência semelhante na ilha de Fergusson. Outro nativo chamado Kaypoyla, da pequena ilha de Kuyawa nas Trobriand ocidentais, naufragou com sua tripulação a oeste da ilha de Fergusson, mas não no distrito em que costumava comerciar. Seus companheiros foram assassinados e comidos. Ele foi levado vivo para engordar até a festa seguinte. Seu anfitrião – ou melhor, o anfitrião da festa em que ele forneceria a *pièce de résistance* – estava fora, no interior, convidando as pessoas para a festa quando a esposa do anfitrião saiu por um instante, indo para trás da casa para varrer o chão. Kaypoyla deu um salto e correu para a praia. Perseguido pelos nativos da aldeia, escondeu-se na praia, entre os galhos de uma enorme árvore, e seus perseguidores não conseguiram encontrá-lo. À noite, ele desceu da árvore, apanhou uma canoa ou uma jangada e foi remando ao longo da costa. Dormia na praia durante a noite e remava durante o dia. Certa noite, dormiu entre algumas palmeiras de sagu e de manhã, ao acordar, viu-se, para seu terror, rodeado de *kinana*. Qual não foi sua agradável surpresa quando, afinal, reconheceu entre eles seu amigo e parceiro do *Kula*, com quem sempre havia negociado! Depois de algum tempo, Kaypoyla foi mandado de volta à sua própria aldeia, na canoa de seu parceiro.

Muitas histórias desse tipo têm grande circulação, fornecendo à vida nativa um elemento heroico – elemento esse que nos dias atuais, com o estabelecimento da influência do homem branco, já desapareceu. Apesar disso, ainda hoje as praias sombrias que nossa frota vai deixando para trás, a selva alta, os vales profundos, os cumes das montanhas escurecidos pelas nuvens, constituem um cenário sombrio e misterioso, contribuindo para o caráter solene e maravilhoso do *Kula*, embora não façam parte dele. A esfera das atividades desses negociantes se localiza ao pé das altas montanhas, onde uma cadeia de rochedos e ilhas se estende ao longo do litoral. Passamos por algumas delas logo após deixarmos Gumasila. Em seguida, percorrida uma boa distância, encontramos um pequeno rochedo chamado Gureway, notável pelos tabus a ele associados. Logo atrás desse rochedo existem duas ilhas, Tewara e Uwama, separadas por uma passagem, os estreitos míticos de Kadimwatu. Na primeira delas, há uma aldeia cujos nativos cultivam ambas as ilhas. A aldeia não é muito grande; é possível que tenha de sessenta a oitenta habitantes, pois consegue tripular três canoas para o *Kula*. Não tem importância comercial nem industrial, mas é notável por suas associações mitológicas. Essa ilha é a pátria do herói mitológico Kasabwaybwayreta, cuja história constitui uma das lendas mais importantes do *Kula*. Com efeito, nesse local, em Tewara, estamos bem no centro mitológico do *Kula*. Aliás, entramos nessa região lendária no momento em que a frota de Sinaketa saiu da laguna para entrar nas águas profundas do Pilolu.

2

Mais uma vez devemos fazer uma pausa, agora para tentarmos entender a atitude mental dos nativos em relação ao aspecto mitológico do *Kula*. No decorrer de todo esse relato, nossa constante preocupação vem sendo a de compreender a visão do mundo tal qual ela se acha refletida na mente dos nativos. As frequentes referências à paisagem não estão aqui apenas para dar vida à narrativa nem mesmo para ajudar o leitor a visualizar o cenário dos costumes nativos. Tenho procurado mostrar como o nativo realmente vê o cenário de suas ações, além de descrever suas impressões e sensações relativas a esses lugares da forma como as pude perceber em seu folclore, em suas conversas na aldeia e em seu comportamento ao atravessar esses locais.

Vamos tentar reconstruir aqui a influência dos mitos sobre essa vasta região, mitos esses que lhe emprestam colorido, dão-lhe significado e a transformam em algo vivo e familiar. O que antes era um simples rochedo agora assume personalidade; o que era apenas um pontinho no horizonte transforma-se em ponto de referência importante, consagrado pela associação romântica com os heróis; um acidente geográfico sem importância adquire um significado – sem dúvida obscuro, mas repleto de intensa emoção. Ao navegar com os nativos, sobretudo com os que ainda eram novatos no *Kula*, várias vezes pude perceber quão profundo era o interesse deles em trechos da paisagem impregnados de significado lendário, apontados e explicados pelos mais velhos, examinados e admirados pelos mais jovens, enquanto a conversa se tornava prenhe de nomes mitológicos. É a adição do interesse humano aos acidentes naturais, em si mesmos menos atraentes para o nativo do que para nós, que tem importância para ele, ao olhar a paisagem. Uma pedra atirada ao mar por um dos heróis contra uma canoa que fugia; uma passagem criada entre duas ilhas por uma canoa mágica; aqui, duas pessoas transformadas em rocha; ali, uma *waga* petrificada – são todas essas coisas que fazem a paisagem representar uma história contínua ou então o incidente dramático culminante de uma lenda conhecida. Esse poder de transformar a paisagem, o ambiente visível, é apenas uma das muitas influências que o mito exerce na visão geral dos nativos. Embora aqui estejamos estudando os mitos apenas em sua relação com o *Kula*, suas implicações mais amplas transparecem mesmo dentro desses estreitos limites, em especial sua influência na sociologia, na magia e no cerimonial.

Ao tentarmos compreender a visão do nativo sobre esse assunto, as primeiras questões que se nos apresentam são: que é mito para os nativos? De que modo o concebem e definem? Há uma linha de demarcação entre os fatos reais e os fatos míticos e, se assim for, em que eles se baseiam para fazer essa distinção?

Seu folclore – ou seja, a tradição verbal, o acervo de contos, lendas e textos que lhes foi legado por gerações anteriores – compõe-se das seguintes categorias: em primeiro lugar, há o que os nativos chamam de *libogwo*, "falar antigo", a que chamaríamos de tradição; em segundo lugar, *kukwanebu*, contos de fadas recitados com o objetivo de divertir, em épocas específicas do ano, e que relatam acontecimentos manifestamente não verdadeiros; em terceiro lugar, *wosi*, canções diversas, e *vinavina*, cançonetas entoadas durante os folguedos e em outras circunstâncias especiais; por fim, mas não menos importantes, *megwa* ou *yopa*, fórmulas mágicas. Todas essas categorias são estritamente distintas umas das outras, por nome, função, cenário social e por certas características formais. Esse breve resumo do folclore de Boyowa deve, em geral, ser suficiente, pois não podemos entrar em mais detalhes, e a única categoria que nos interessa no momento é a primeira, que recebe o nome de *libogwo*.

Essa categoria, a do "falar antigo", o conjunto das velhas tradições tidas como verdadeiras, consiste, por um lado, nos contos históricos, como os que relatam os feitos de chefes anteriores, as façanhas em Koya, as histórias de naufrágios etc. Por outro, a categoria *libogwo* inclui também aquilo a que os nativos chamam de *lili'u* – mitos, narrativas em que acreditam profundamente, pelas quais têm grande respeito e que exercem influência ativa em seu comportamento e na vida tribal. Os nativos distinguem perfeitamente o mito do relato histórico, mas essa distinção é difícil de formular e só pode ser estabelecida com muito cuidado.

Em primeiro lugar, devemos lembrar que um nativo não se preocupa espontaneamente em analisar tais distinções e expressá-las em palavras. Se um etnógrafo conseguisse tornar claro o problema a um informante inteligente (e eu tentei isso, conseguindo êxito), o nativo simplesmente afirmaria:

> Todos sabemos que as histórias a respeito de Tudava, a respeito de Kudayuri, a respeito de Tokosikuna, são *lili'u*; nossos pais, nossos *kadada* [tios maternos] assim o disseram; e nós sempre ouvimos esses contos; nós os conhecemos bem; sabemos que não há outros contos além desses que sejam *lili'u*. Assim, ao ouvirmos uma história, sabemos se ela é ou não é um *lili'u*.

Com efeito, toda vez que uma história é contada, qualquer nativo, mesmo uma criança, sabe dizer se é ou não um dos *lili'u* de sua tribo. Eles não adotam nenhum vocábulo especial para os outros contos, ou seja, os contos históricos, mas descreveriam os acontecimentos tal como se dão entre "seres humanos como nós próprios". Dessa forma, a tradição da qual provêm esses contos os faz passar de geração em geração sob o rótulo de *lili'u*, e a definição de *lili'u* se aplica a toda história transmitida com esse rótulo. Até mesmo essa definição está contida nos próprios fatos e não é explicitamente colocada em palavras pelos nativos em seu estoque corrente de expressões.

Para nós, entretanto, nem mesmo isso é suficiente, e temos que continuar pesquisando a fim de verificar se podemos encontrar outros indícios, outras facetas características que diferenciam o mundo dos acontecimentos míticos do mundo dos acontecimentos reais. Uma reflexão que naturalmente poderia ocorrer seria esta: "Os nativos, por certo, situam seus mitos em épocas antigas, pré--históricas, ao passo que situam as ocorrências históricas em épocas recentes". Há algo de verdade nisso, pois a maioria dos acontecimentos históricos relatados pelos nativos é bastante recente, tendo ocorrido no âmbito da comunidade em que são relatados e podem ser relacionados diretamente com pessoas e situações existentes na época atual, por meio da memória dos vivos, de genealogias e de outros tipos de registro. No entanto, quando se relatam ocorrências históricas de outros distritos, que não podem ser associados diretamente aos tempos atuais, seria errado imaginar que os nativos se situam num compartimento temporal próprio, diferente do mito. Devemos compreender que esses nativos não concebem o passado como uma época de longa duração, a desenrolar-se em estágios de tempos sucessivos. Não têm a noção de um longo panorama de ocorrências históricas, que vão se estreitando e tornando obscuros à medida que recuam a um plano distante de lendas e mitos, os quais se configuram como algo completamente diferente dos acontecimentos mais recentes. Essa visão, tão típica do pensamento histórico de tipo ingênuo, encontrado entre nós, é totalmente estranha aos nativos. Ao falarem de algum acontecimento passado, eles sempre especificam se o fato ocorreu ou não no âmbito de sua própria memória e na de seus pais. Mas, uma vez além dessa linha demarcatória, todos os acontecimentos do passado são situados pelos nativos num único plano, e não existem gradações como "há tempos" ou "há muito tempo". As noções relativas a épocas estão ausentes do pensamento deles; o passado é um vasto acervo de acontecimentos, e a linha que separa os mitos dos acontecimentos históricos não coincide com quaisquer divisões em períodos específicos e distintos uns dos outros. Com efeito, várias vezes pude verificar que, toda vez que eles me contavam alguma coisa do passado que para mim obviamente pertencia à mitologia, achavam necessário enfatizar o fato de que ela se passara não na época de seus pais nem na de seus avós, mas havia muito tempo e que era um *lili'u*.

Eles também não têm noção alguma daquilo a que poderíamos chamar de evolução do mundo ou evolução da sociedade; em outras palavras, eles não apreendem o passado como uma série de mudanças sucessivas que se operaram na natureza ou na humanidade, como nós fazemos. Tanto em nossa visão religiosa como científica, sabemos que a terra envelhece e que a humanidade envelhece e consideramos ambas sob esse ponto de vista; para eles, ambas são eternamente as mesmas, eternamente jovens. Assim, ao calcular quão remotos são os acontecimentos tradicionais, eles não podem usar as coordenadas de um cenário social em constante transformação e dividido em épocas. Podemos encontrar um exemplo concreto nos mitos de Torosipupu e Tolikalaki; como vimos, ambos têm os mesmos interesses e preocupações, praticam o mesmo tipo de pesca, usam os mesmos meios de transporte que os nativos dos tempos atuais. Os personagens míticos das lendas nativas, como veremos em breve, moram no mesmo tipo de casa, comem o mesmo tipo de alimento, usam o mesmo tipo de armas e implementos que estão em uso nos dias de hoje. Nós, por outro lado, em qualquer um de nossos relatos históricos, lendas ou mitos, encontramos todo um conjunto de condições culturais diferentes, que nos permitem coordenar qualquer acontecimento com uma determinada época e que nos faz perceber que um acontecimento histórico distante – e, mais ainda, um acontecimento mitológico – ocorreu num cenário de condições culturais inteiramente diversas daquelas em que ora vivemos. Ao contarmos histórias como as de Joana d'Arc, Salomão, Aquiles e Rei Artur, temos de mencionar todos os tipos de coisas e situações que há muito desapareceram de nosso meio e que farão até mesmo o ouvinte desatento ou iletrado reconhecer a história como se fosse de um passado remoto e diferente.

Disse, há pouco, que os personagens míticos da tradição trobriandesa vivem o mesmo tipo de vida, nas mesmas condições sociais e culturais que os nativos da época atual. Isso requer uma qualificação na qual encontraremos um excelente critério de distinção entre o lendário e o histórico: no mundo mítico, embora em condições semelhantes, ocorriam fatos de toda espécie que não ocorrem atualmente, e as pessoas eram dotadas de poderes que os nativos de hoje, bem como seus ancestrais históricos, não têm. Nos tempos míticos, os seres humanos saem do solo, transformam-se em animais, e estes, por sua vez, transformam-se de novo em seres humanos; homens e mulheres rejuvenescem e mudam de pele; canoas voadoras atravessam os ares e as coisas se transformam em pedra.

Essa linha divisória entre o mundo dos mitos e o mundo real, essa diferença entre os dois – no primeiro acontecem coisas que jamais acontecem no segundo – é, sem dúvida, apreendida e compreendida pelos nativos, muito embora eles não a consigam expressar em palavras. Eles sabem muito bem que hoje ninguém emerge do solo; que as pessoas não se transformam em animais e vice-versa; que as pessoas tampouco podem dar à luz animais; que as canoas de hoje não voam. O fato que apresento a seguir deu-me oportunidade de entender a atividade mental deles em relação a tais coisas. Um professor-missionário, vindo das ilhas Fiji e sediado em Omarakana, estava falando sobre as máquinas voadoras do homem branco. Os nativos me perguntaram se o que ele dizia era verdade e, quando corroborei o relato do missionário de Fiji e lhes mostrei fotografias de aviões numa revista ilustrada, perguntaram-me se isso acontecia nos tempos atuais ou se era um *lili'u*. Essa circunstância me fez ver claramente, então, que os nativos, ao depararem com algum fato extraordinário e, para eles, sobrenatural, tendem a rejeitá-lo como falso ou relegá-lo ao plano dos *lili'u*. Isso não significa, entretanto, que os fatos não verdadeiros e os fatos míticos sejam, para eles, uma só coisa. Os nativos insistem em considerar *sasopa* (mentiras) certas histórias que lhes são relatadas e asseveram que essas histórias não são *lili'u*. Por exemplo, aqueles que se opõem aos ensinamentos dos missionários não aceitam a hipótese de que as histórias que estes lhes contam sejam *lili'u* e as rejeitam como *sasopa*. Muitas vezes ouvi de nativos conservadores a seguinte argumentação:

> Nossas histórias sobre Tudava são verdadeiras; são *lili'u*. Se você for a Lala'i, poderá ver a gruta em que Tudava nasceu, poderá ver a praia em que ele brincava quando criança. Você poderá ver sua pegada numa rocha de um certo local do *raybwag*. Mas onde estão os vestí-

gios de Yesu Keriso? Ninguém jamais viu sinais das histórias contadas pelos *misinari*! Realmente, elas não são *lili'u*.

Para resumir, a distinção entre os *lili'u* e a realidade atual ou histórica é feita com firmeza e há, definitivamente, uma linha divisória entre as duas. *Prima facie*, essa distinção baseia-se no fato de que todo mito é rotulado como *lili'u* e conhecido por todos os nativos como tal. Outro sinal distintivo do mundo dos *lili'u* está no caráter supranormal, sobrenatural, de certos acontecimentos neles incluídos. Os nativos acreditam que o sobrenatural é verdadeiro, e essa verdade é sancionada pela tradição e pelos diversos sinais e vestígios deixados pelas ocorrências míticas e, de maneira especial, pelos poderes mágicos transmitidos pelos ancestrais que viveram na época dos *lili'u*. Essa herança mágica é, sem dúvida, o elo mais palpável entre o presente e o passado mítico. Mas não devemos imaginar esse passado como um *background* pré-histórico e muito remoto, algo que precedeu uma longa evolução da humanidade. É, em vez disso, uma realidade passada, mas extremamente próxima, muitíssimo viva e verdadeira para os nativos.

Como acabei de dizer, há um ponto em que a linha divisória entre mito e realidade atual, por mais profunda que seja, é atravessada pelas ideias nativas. Nos mitos, os poderes extraordinários dos homens decorrem principalmente de seus conhecimentos de magia. Esses conhecimentos, em muitos casos, acham-se perdidos; portanto, os poderes para fazer essas coisas maravilhosas desapareceram por completo ou reduziram-se consideravelmente. Se a magia pudesse ser recuperada, os homens poderiam voltar a voar em suas canoas, rejuvenescer, desafiar os ogros e realizar os muitos feitos heroicos de que eram capazes nos tempos remotos. Dessa forma, a magia, bem como os poderes que ela confere, constitui de fato o elo entre a tradição mítica e a atualidade. Os mitos cristalizaram-se em fórmulas mágicas, e a magia, por sua vez, testemunha a autenticidade dos mitos. Muitas vezes, a função principal do mito é servir como fundamento para um sistema de magia e, onde quer que a magia constitua a espinha dorsal de uma instituição, encontra--se também um mito a fundamentá-la. Nisso talvez resida a maior importância sociológica do mito, ou seja, em sua influência sobre instituições por meio da magia a ele vinculada. Coincidem nesse aspecto o ponto de vista sociológico e a ideia dos nativos. No presente volume, esse fato se encontra ilustrado num caso concreto: o da relação entre a mitologia, a magia e a instituição social do *Kula*.

Assim, podemos definir o mito como um relato de acontecimentos que para o nativo são sobrenaturais, no sentido de que ele bem sabe que não ocorrem nos tempos atuais. Ao mesmo tempo, ele acredita firmemente que ocorreram outrora. As narrativas socialmente sancionadas desses acontecimentos, os vestígios que deixaram na superfície da Terra, a magia em que deixaram parte de seus poderes sobrenaturais, as instituições sociais que se acham associadas à prática dessa magia, tudo isso mostra que para o nativo o mito constitui uma realidade viva, embora tenha acontecido muito tempo antes e numa ordem de coisas em que as pessoas eram dotadas de poderes sobrenaturais.

Já disse antes que os nativos não têm qualquer perspectiva histórica, que eles não classificam os acontecimentos, exceto, é claro, os das décadas mais recentes, em estágios sucessivos. Tampouco classificam seus mitos em divisões correspondentes à sua antiguidade. Mas, ao analisarmos seus mitos, torna-se evidente, de imediato, o fato de que representam acontecimentos dos quais alguns devem ser anteriores aos outros. Há uma série de histórias que descrevem a origem da humanidade, a emergência das diversas unidades sociais do mundo subterrâneo. Há outra série de contos míticos que relatam como certas instituições importantes foram introduzidas e de que modo determinados costumes se cristalizaram. Há ainda mitos referentes a pequenas mudanças verificadas na cultura ou à introdução de novos detalhes e costumes menos importantes. De modo geral, o folclore trobriandês pode ser subdividido em três grupos relativos a três diferentes níveis de acontecimentos. Para dar uma ideia geral da mitologia trobriandesa, é interessante apresentar uma breve caracterização de cada um desses grupos.

1. MITOS MAIS ANTIGOS

Referem-se às origens dos seres humanos, à sociologia dos subclãs e das aldeias, ao estabelecimento de relações permanentes entre este mundo e o outro. Esses mitos relatam acontecimentos ocorridos no momento em que a Terra começou a ser povoada por humanos vindos do subsolo. A humanidade já existia em algum lugar subterrâneo, visto que as pessoas emergiam desse local para a superfície de Boyowa totalmente enfeitadas, equipadas com a magia, já pertencendo às divisões sociais e obedecendo a leis e costumes bem definidos. Mas, além disso, nada sabemos sobre o que essas pessoas faziam no subsolo. Existe, porém, uma série de mitos, cada um dos quais vinculado a um dos subclãs mais importantes e que dizem respeito aos vários ancestrais que emergiram do solo e imediatamente realizaram alguns feitos importantes, com os quais deram caráter definitivo ao subclã. Também pertencem a essa série certas versões mitológicas referentes ao mundo do além.

2. MITOS CULTURAIS

A essa categoria pertencem as histórias sobre os ogros e aqueles que os venceram; sobre seres humanos que estabeleceram costumes e características culturais definidos; sobre a origem de certas instituições. Esses mitos diferem dos anteriores pelo fato de se referirem a uma época em que a humanidade já havia se estabelecido na superfície da Terra e em que todas as divisões sociais já haviam assumido caráter permanente. O ciclo principal de mitos que pertencem a essa categoria é o de um herói cultural, Tudava, que matou um ogro e, desse modo, permitiu que os nativos voltassem a viver em Boyowa, de onde todos haviam fugido com medo de serem devorados. A essa categoria pertence também uma história sobre as origens do canibalismo e sobre as origens da lavoura.

3. MITOS NOS QUAIS FIGURAM APENAS SERES HUMANOS NORMAIS, DOTADOS, PORÉM, DE EXTRAORDINÁRIOS PODERES MÁGICOS

Esses mitos diferem dos anteriores pelo fato de que neles não figuram nem ogros nem seres não humanos e de que eles se referem não a todo um aspecto da cultura, tal como o canibalismo ou a agricultura, mas a instituições bem definidas e a formas específicas de magia. Nessa categoria estão incluídos o mito sobre as origens da feitiçaria, o mito sobre as origens da magia do amor, o mito da canoa voadora e, por fim, os diversos mitos *kula*.

A linha divisória entre essas três categorias, é lógico, não é rígida, e muitos dos mitos poderiam, de acordo com suas diversas características e episódios, ser colocados em duas dessas categorias, ou até mesmo nas três. Cada mito, porém, via de regra contém um assunto principal em relação ao qual é possível classificar o mito numa categoria precisa.

Uma questão que poderia parecer contraditória numa leitura superficial é que salientamos antes o fato de que os nativos não têm noção alguma de mudança e agora falamos de mitos sobre as "origens" das instituições. É importante compreendermos que, embora os nativos falem a respeito de eras em que a humanidade ainda não estava sobre a superfície da Terra, de épocas em que não havia roças, todas essas coisas, no entanto, chegam prontas; elas não mudam nem evoluem. As primeiras pessoas vindas do subsolo apareceram adornadas com os mesmos penduricalhos, carregando seus potes para cal e mascando sua noz de bétel. O acontecimento, a emergência da Terra, é mítico, isto é, já não ocorre agora, mas os seres humanos e a região que os recebeu eram iguais aos de hoje.

3

Os mitos do *Kula* se acham espalhados ao longo de uma seção do atual circuito *kula*. Iniciando-se num local da ilha de Woodlark ocidental, ou seja, na aldeia de Wamwara, os centros mitológicos se espalham quase num semicírculo até a ilha de Tewara, onde deixamos nossa frota de Sinaketa.

Em Wamwara vivia um indivíduo chamado Gere'u, o qual, de acordo com um dos mitos, originou o *Kula*. Na ilha de Digumenu, situada a oeste da ilha de Woodlark, morou a princípio Tokosikuna, outro herói do *Kula*, que terminou sua carreira em Gumasila, nas ilhas Amphlett. Kitava, a mais ocidental das ilhas Marshall Bennett, é o centro da magia da canoa associada ao *Kula*. É também a pátria de Monikiniki, cujo nome figura em muitas fórmulas da magia *kula* e que, embora não haja nenhum mito explícito a respeito dele, sabe-se ter sido o primeiro nativo a pôr em prática um importante sistema de *mwasila* (magia *kula*), provavelmente um dos sistemas mais disseminados nos dias atuais. Mais para o oeste, em Wawela, estamos no outro extremo do mito Kasabwaybwayreta, que começa em Tewara e se estende até Wawela na narrativa dos acontecimentos, voltando de novo a Tewara. Essa narrativa mitológica atinge o ponto mais meridional da ilha de Boyowa, a passagem Giribwa, que a separa de Vakuta. Quase todos os mitos têm um de seus incidentes localizados numa pequena ilha entre Vakuta e as ilhas Amphlett, denominada Gabuwana. Um dos mitos nos leva às ilhas Amphlett, o de Tokosikuna; outro começa e termina em Tewara. Essa é a geografia dos mitos *kula* no grande setor localizado entre Murua e Dobu.

Embora eu não conheça a outra metade por meio de investigações feitas no próprio local, tive oportunidade de conversar com nativos desses distritos e penso que não há nenhum mito localizado em nenhum ponto do setor Mutua (ilha de Woodlark), Tubetube e Dobu. Tenho certeza absoluta, no entanto, de que o arquipélago inteiro de Trobriand, com exceção dos dois pontos anteriormente mencionados, está fora da região mitológica do *Kula*. Não existe nenhum mito *kula* relativo a qualquer aldeia da metade setentrional de Boyowa; nenhum dos heróis míticos das outras histórias jamais chegou às províncias trobriandesas do norte ou do oeste. Centros extremamente importantes como Sinaketa e Omarakana jamais são mencionados nos mitos. Isso indica aparentemente que antes a ilha de Boyowa, com exceção de seu extremo meridional e da colônia oriental de Wawela, ou não participava do *Kula*, ou não desempenhava nele papel muito importante.

Vou apresentar um relato mais ou menos sumário das diversas histórias e, a seguir, transcrever por extenso a última história que mencionei, talvez o mais notável dos mitos *kula*: o mito de Kasabwaybwayreta, bem como o importantíssimo mito da canoa, o mito da *waga* voadora de Kudayuri.

O mito de Murua, do qual consegui apenas um ligeiro esboço, está localizado na aldeia de Wamwara, no extremo oriental da ilha. Um homem chamado Gere'u, do clã Lukuba, conhecia muito bem a magia *mwasila*; onde quer que fosse, todos os objetos de valor eram-lhe oferecidos, de modo que os demais voltavam de mãos vazias. Ele foi a Gawa e Iwa, e logo que apareceu, *pu-pu*, lá se foram as conchas, e todos lhe deram colares *bagi*. Gere'u voltou à sua aldeia cheio de glória e de espólios do *Kula*. Em seguida, ele foi a Du'a'u, onde conseguiu também uma enorme quantidade de braceletes. Foi ele que estabeleceu a direção em que os objetos valiosos do *Kula* têm de mover-se. Os colares *bagi* tem de "ir" e os braceletes tem de "voltar". Já que isso foi dito em Boyowa, "ir" significava transportar de Boyowa a Woodlark e "vir", transportar da aldeia de Gere'u para Sinaketa. O herói cultural Gere'u foi, por fim, assassinado por causa da inveja suscitada por seu êxito no *Kula*.

Consegui obter duas versões a respeito do herói mitológico Tokosikuna, de Digumenu. Na primeira delas, ele é caracterizado como um homem totalmente aleijado, sem mãos e sem pés, que precisava ser carregado para a canoa por suas duas filhas. Elas partem com o pai numa expedição *kula* atravessando Iwa, Gawa e os estreitos de Giribwa rumo a Gumasila. Lá as filhas o colocam sobre uma plataforma, onde ele faz sua refeição e adormece. Elas o deixam ali e vão para uma roça que avistaram sobre uma colina, a fim de apanhar algum alimento. Ao voltar, encontram-no morto. Ao ouvir os lamentos das filhas, um ogro sai de sua toca, casa-se com uma delas e adota a outra. Visto ser ele muito feio, porém, as jovens o assassinam de maneira obscena e fixam residência na ilha. Essa versão, obviamente mutilada e superficial, não nos oferece muitas pistas para compreender as ideias nativas a respeito do *Kula*.

A outra versão é bem mais interessante. Segundo ela, Tokosikuna é também ligeiramente aleijado, manco, muito feio, de pele enrugada; tão feio era ele que não conseguia casar-se. Muito ao norte, na terra lendária de Kokopawa, tocam uma flauta de sons tão belos que o chefe de Digumenu, a aldeia de Tokosikuna, chega a ouvi-la. Ele quer a flauta. Muitos homens partem, mas todos falham, voltando do meio do caminho, porque aquela terra fica muito longe. Tokosikuna consegue chegar e, devido a uma mistura de astúcia e ousadia, consegue apoderar-se da flauta e voltar a Digumenu são e salvo. Lá chegando, pela magia que, segundo somos levados a concluir, ele conseguiu obter durante a viagem, Tokosikuna muda de aparência, torna-se um jovem bonito, de pele macia. O *guya'u* (chefe), que está fora, em sua roça, ouve a flauta tocada na aldeia e, voltando, vê o belo Tokosikuna tocando flauta sentado numa plataforma alta. "Bem", diz o chefe, "todas vocês, minhas filhas, todas vocês, minhas netas, minhas sobrinhas e minhas irmãs, todas se casem com Tokosikuna! Seus maridos, esses vocês devem abandonar! Casem-se com

Tokosikuna, pois ele trouxe a flauta da terra distante!" Tokosikuna, então, casou-se com todas as mulheres.

Obviamente, os outros homens não gostaram muito disso. Decidiram livrar-se de Tokosikuna lançando mão de um estratagema. Disseram: "O chefe deseja comer molusco gigante, vamos pescá-lo". "E de que modo posso apanhá-lo?", perguntou Tokosikuna. "Você deve colocar sua cabeça na abertura da concha" (Isso, é claro, significaria a morte, pois a concha se fecharia e, se fosse mesmo grande, facilmente deceparia a cabeçadele. Tokosikuna, entretanto, deu um mergulho e, com as duas mãos, abriu completamente a concha do molusco, feito para o qual era preciso força sobre-humana. Os outros se enfureceram com isso e planejaram nova forma de vingança. Combinaram pescar um tubarão e aconselharam Tokosikuna a apanhar o peixe com as próprias mãos. Ele, porém, simplesmente estrangulou o enorme tubarão e o colocou na canoa. No outro dia, Tokosikuna rasgou com as mãos a boca de um javali, causando desespero aos outros homens. Por fim decidiram livrar-se de Tokosikuna no mar. Primeiro, tentam matá-lo, deixando cair sobre ele uma árvore pesada, que estava sendo cortada para construir uma canoa. Tokosikuna, no entanto, segura a árvore com os braços estendidos, sem se machucar. Na época da amarração das canoas, seus companheiros embrulham o *wayugo* (cordel de amarração) numa tolha macia de pandano e o convencem a usar o pandano para a amarração de sua própria canoa. Tokosikuna assim faz, iludido pelo fato de vê-los usando o que é, aparentemente, o mesmo material. Todos então partem: os outros homens em canoas fortes e seguras, Tokosikuna numa canoa inteiramente imprópria para uso no mar, amarrada apenas com a folha macia e quebradiça do pandano.

Começa, nesse ponto, a parte desse mito que diz respeito ao *Kula*. A expedição chega a Gawa, onde Tokosikuna permanece com sua canoa na praia, enquanto os outros rumam para a aldeia a fim de fazer o *Kula*. Eles coletam todos os braceletes menores do tipo *soulava*: porém os maiores, os *bagi*, continuam na aldeia, pois os donos não estão dispostos a dá-los. Tokosikuna, então, ruma para a aldeia depois que os outros voltaram. Passado pouco tempo, ele volta da aldeia trazendo consigo todos os *bagido'u*, *bagidudu* e *bagiriku*, ou seja, todas as espécies mais valiosas de colares feitos de *Spondylus*.

O mesmo acontece em Iwa e Kitava. Seus companheiros das outras canoas vão primeiro e conseguem coletar apenas os objetos de qualidade inferior. Mais tarde, Tokosikuna vai à aldeia e facilmente consegue os melhores tipos de colares que haviam sido recusados aos demais. Estes ficam furiosos; em Kitava, eles inspecionam as amarras da canoa de Tokosikuna, percebendo que estão apodrecidas. "Não faz mal. Amanhã, Vakuta! Depois de amanhã, Gumasila – ele morrerá afogado em Pilolu." Em Vakuta acontece o mesmo que antes e aumenta a ira de seus malsucedidos companheiros.

Eles continuam a navegar e, ao passarem pelo banco de areia de Gabula (Gabula é a palavra trobriandesa que significa Gabuwana, conforme os nativos das ilhas Amphlett a pronunciam), Tokosikuna afrouxa o timão; então, ao tentar mais uma vez trazer a canoa contra o vento, as amarras se arrebentam e a canoa afunda. Tokosikuna nada por entre as ondas, carregando consigo, debaixo do braço, uma cesta cheia de objetos valiosos. Ele grita às outras canoas: "Venham buscar seus *bagi*! Quero ir a bordo de sua *waga*!". "Você se casou com todas as nossas mulheres", respondem-lhe, "agora, os tubarões vão devorá-lo! Nós iremos a Dobu para fazer o *Kula*!" Tokosikuna, entretanto, continua nadando e consegue chegar são e salvo à região chamada Kamsareta, situada na ilha de Domdom. Dali ele avista o rochedo de Selawaya, que se ergue sobre a selva na encosta oriental de Gumasila. "É um rochedo grande, vou morar nele", diz Tokosikuna e, voltando-se em direção das canoas de Digumenu, roga uma praga.

"Vocês não conseguirão nada em Dobu, a não ser colares malfeitos, *soulava* do tipo de *tutumuyuwa* e *tutuyanabwa*. Os grandes *bagido'u* ficarão retidos comigo." Tokosikuna permanece nas ilhas Amphlett e nunca mais volta a Digumenu. Aqui termina o mito.

Apresentei um resumo bastante detalhado desse mito, incluindo a primeira parte, que nada tem a ver com o *Kula*, porque ele dá um esboço completo da personalidade do herói como navegador ousado e aventureiro. O mito mostra como Tokosikuna, depois de sua viagem ao norte, adquiriu a magia que lhe permitiu transformar sua aparência feia e franzina num corpo forte e de bela aparência. Essa primeira parte inclui também referências a seu grande sucesso com as mulheres, uma associação entre a magia *kula* e a magia do amor, que, como veremos, é de certa importância. Nessa primeira parte, ou seja, até o momento em que eles iniciam o *Kula*, Tokosikuna aparece como herói, dotado de poderes extraordinários em virtude de seus conhecimentos de magia.

Como vemos, nesse mito não são relatadas ocorrências por meio das quais se modifica a aparência natural da paisagem. Portanto, é um exemplo típico daquilo a que chamei de nível mais recente da mitologia.

Isso se comprova também pelo fato de que nesse mito não há alusões feitas a origens, nem mesmo a origens da magia *mwasila*. Do modo como o mito é atualmente relatado e comentado, todos os homens que seguem com nosso herói na expedição *kula* conhecem um sistema de magia *kula*, o *mwasila* de Monikiniki. A superioridade de Tokosikuna está baseada em sua especial magia da beleza, em sua capacidade de mostrar uma força extraordinária e de enfrentar impunemente grandes perigos; em sua habilidade de escapar à morte por afogamento; e, finalmente, em seu conhecimento de magia maligna, *bulubwalata*, que lhe permite evitar que seus companheiros tenham êxito no *Kula*. Essa última observação estava incluída num comentário ao mito feito pelo nativo que o narrou. Quando eu analisar a magia *kula* de maneira mais explícita nas próximas páginas, o leitor perceberá que os quatro pontos de superioridade mencionados correspondem às categorias em que temos que agrupar a magia do *Kula* quando a classificamos de acordo com suas ideias principais e com os objetivos a que se destina.

Há uma magia que Tokosikuna não conhece. Percebemos, na narrativa do mito, que ele desconhece a natureza do *wayugo*, o cipó de amarração. Tokosikuna não é, portanto, construtor de canoas nem está familiarizado com a magia referente à construção de canoas. É esse o ponto fraco por meio do qual seus companheiros o conseguem apanhar.

Geograficamente, esse mito liga Digumenu às ilhas Amphlett, como já aconteceu na versão anterior da história de Tokosikuna. Tanto na primeira versão como na segunda, o herói, por fim, estabelece-se em Gumasila, e o elemento de migração se acha presente em ambas as versões. Além disso, na segunda versão, Tokosikuna decide permanecer nas ilhas Amphlett ao avistar o rochedo Selawaya. Se nos lembrarmos da lenda de Gumasila sobre as origens da magia do *Kula*, veremos que ela também se refere ao mesmo rochedo. Não consegui obter o nome do indivíduo que, segundo a crença, viveu no rochedo Selawaya, mas é obviamente o mesmo mito, só que bastante mutilado na versão de Gumasila.

4

A oeste de Digumenu, à qual pertence o mito de Tokosikuna, o próximo centro de importância no que diz respeito à magia *kula* é a ilha de Kitava. A ela está associado, por tradição, o sistema de magia de Monikiniki, embora não haja histórias especiais contadas a respeito desse indivíduo. Um mito muito importante localizado em Kitava é o mito que serve de fundamento à magia das canoas. Consegui obter desse mito três versões independentes; as três coincidem substancialmente. Vou apresentar essa história por extenso, conforme me foi relatada pelo melhor informante e minhas anotações na língua kiriwina; em seguida, mostrarei em que pontos as duas outras versões diferem dessa. Não omitirei do relato completo certas repetições tediosas e certos detalhes obviamente irrelevantes, pois ambos são indispensáveis para dar à narrativa o sabor característico do folclore nativo.

Para que possamos entender o relato que se segue, é necessário compreendermos que Kitava é uma ilha de coral elevada. Sua porção interna se eleva a uma altura de cerca de noventa metros. Por trás da praia plana ergue-se uma escarpada parede de coral, de cujo topo a terra gradativamente desce em direção ao declive central. É nessa parte central que estão localizadas as aldeias e seria praticamente impossível transportar uma canoa de qualquer uma delas para a praia. Desse modo, em Kitava, ao contrário do que acontece com algumas das aldeias da laguna em Boyowa, as canoas sempre têm de ser escavadas e montadas na praia.

O MITO DA CANOA VOADORA DE *KUDAYURI*

Mokatuboda do clã Lukuba e seu irmão mais novo, Toweyre'i, moravam na aldeia de Kudayuri. Com eles viviam suas três irmãs, Kayguremwo, Na'ukuwakula e Murumweyri'a. Todos eles haviam saído do solo num local chamado Labikewo, em Kitava. Eram os *u'ula* [alicerce, base; nesse texto, primeiros possuidores] da magia *ligogu* e *wayugo*.

Todos os homens de Kitava decidiram empreender uma grande expedição *kula* a Koya. Os homens de Kumwageya, Kaybutu, Kabululo e Lalela construíram suas canoas. Eles escavaram a parte interna da *waga*, entalharam o *tabuyo* e o *lagim* [tábuas de proa ornamentadas] e fizeram o *budaka* [tábuas laterais da amurada]. Trouxeram todos os acessórios para a praia, a fim de fazer o *yowaga* [isto é, colocá-los juntos e amarrá-los].

Os nativos de Kudayuri construíram sua canoa na aldeia. Mokatuboda, líder da aldeia de Kudayuri, ordenou que assim o fizeram. Eles estavam zangados: "Canoa muito pesada. Quem vai carregar até a praia?". Ele disse: "Não, não é assim; tudo vai dar certo. Eu vou apenas fazer a amarração de minha *waga* na aldeia". Ele se recusou a mudar a canoa de lugar; ela permaneceu na aldeia. Os outros nativos montaram suas canoas na praia; ele montou a sua na aldeia. Eles as amarraram com o cordel *wayugo* na praia; ele fez a amarração da sua na aldeia. Eles calafetaram suas canoas na praia; ele calafetou a sua na aldeia. Eles pintaram suas canoas de preto na praia; ele enegreceu a dele na aldeia. Eles fizeram o *youlala* [ou seja, pintaram suas canoas de vermelho e branco] na praia; ele fez o *youlala* na aldeia. Eles costuraram suas velas na praia; ele costurou a dele na aldeia. Eles levantaram o mastro e apresentaram suas canoas na praia; ele, na aldeia. Depois disso, os homens de Kitava fizeram *tasasoria* (viagem inaugural) e *kabigidoya* (visita de apresentação cerimonial), mas a canoa de Kudayuri não fez nenhuma dessas duas coisas.

Pouco a pouco, todos os homens de Kitava mandaram suas mulheres preparar os alimentos. Um dia, as mulheres puseram todos os alimentos, os *gugu'a* (objetos de uso pessoal) e os *pari* (presentes e objetos negociáveis) dentro da canoa. Os nativos de Kudayuri mandaram colocar todas essas coisas na sua canoa na aldeia. O líder de Kudayuri, Mokatuboda, pediu a todos os irmãos mais novos, a todos os membros de sua tripulação, que trouxessem alguns de seus *pari*, e ele executou a magia sobre esses presentes e fez um *lilava* [embrulho mágico] deles.

Os nativos de outras aldeias foram à praia; cada canoa foi preparada pelos seus *usagelu* [membros da tripulação]. O homem de Kudayuri ordenou a seus companheiros que preparassem sua canoa na aldeia. Os das outras aldeias ergueram o mastro na praia; ele ergueu o mastro na aldeia. Eles prepararam a cordoalha na praia; ele preparou a cordoalha na aldeia. Eles içaram a vela no mar; ele falou: "Seja nossa vela

2
O leitor perceberá que esse nome é o mesmo dado a outro cachorro mítico, pertencente também, como todos os cachorros, ao clã Lukuba, com o qual se originou a magia *kayga'u*. Ver capítulo X, seção 5.

içada!", e seus companheiros içaram a vela. Ele falou: "Sentem-se em seus lugares, homens!". Ele entrou em casa, pegou seu *ligogu* [enxó], pegou um pouco de óleo de coco, pegou uma vara. Ele pronunciou as fórmulas mágicas sobre a enxó, sobre o óleo de coco. Ele saiu de casa, aproximou-se da canoa. Um cachorrinho seu chamado Tokulubwaydoga saltou para dentro da canoa.[2] Ele falou a seus tripulantes: "Ergam mais a vela". Eles puxaram a adriça. Ele esfregou óleo de coco na vara. Ele bateu nos calços da canoa com a vara. Em seguida, bateu com seu *ligogu* no *u'ula* e no *dabwana* da canoa [em ambas as pontas da canoa]. Ele saltou para dentro da canoa, sentou-se, e a canoa voou!

Havia um rochedo em frente. A canoa quebrou o rochedo em dois e o atravessou voando. Ele se abaixou, ele olhou; seus companheiros [os das outras canoas de Kitava] navegavam no mar. Ele disse a seus irmãos mais novos [a seus parentes que estavam na canoa]: "Vão retirando a água de dentro da canoa, façam ela jorrar para fora!". Os que navegavam na terra pensaram que fosse chuva essa água que eles derramavam de cima.

Eles [os das outras canoas] rumaram para Giribwa, viram uma canoa ancorada lá. Disseram: "É aquela a canoa de Dobu?". Acharam que sim, eles queriam *lebu* [levar por força, mas não necessariamente como ato de hostilidade] as conchas *buna* [grandes conchas cauri] dos nativos de Dobu. Eles, então, viram o cachorro andando na praia. Disseram: "Wi-i-i! Esse é Tokulubwaydoga, o cachorro dos Lukuba! Esta canoa é a que eles montaram a aldeia, na aldeia de Kudayuri. Por onde vieram? Ela estava ancorada na selva!". Eles se aproximaram dos nativos de Kudayuri, disseram: "Por onde vieram vocês?". "Ah, eu vim com vocês [pelo mesmo caminho]", "Choveu. A chuva caiu sobre vocês?", "Ah, sim, a chuva caiu sobre nós".

No dia seguinte, eles [os nativos das outras aldeias de Kitava] navegaram para Vakuta e foram para a praia. Fizeram seu *Kula*. No dia seguinte, navegaram, e ele [Mokatuboda] permaneceu em Vakuta. Quando eles desapareceram no mar, a canoa dele alçou voo. Ele saiu voando de Vakuta. Quando eles [as tripulações das outras canoas] chegaram a Gumasila, ele já estava lá, no promontório de Lububuyama. Eles disseram: "Esta canoa parece-se com a de nosso companheiro", e o cachorro saiu. "É o cachorro do clã Lukuba de Kudayuri." Eles lhe perguntaram novamente por qual caminho viera; ele disse que viera pelo mesmo caminho que eles. Fizeram *Kula* em Gumasila. Ele disse:

“Ponham-se a caminho primeiro, eu partirei mais tarde”. Eles estavam espantados: “Por onde ele navega?”. Eles dormiram em Gumasila.

No dia seguinte, eles navegaram para Tewara, chegaram à praia de Kadimwatu. Viram a canoa dele ancorada lá, o cachorro saiu e correu ao longo da praia. Eles perguntaram aos nativos de Kudayuri: “Como é que vocês vieram para cá?”. “Nós viemos como vocês, pelo mesmo caminho.” Eles fizeram *Kula* em Tewara. No dia seguinte, navegaram para Bwayowa [aldeia do distrito de Dobu]. Ele voou e ancorou na praia de Sarubwoyna. Eles chegaram lá, eles viram: “Ah, veja a canoa, são pescadores de Dobu?”. O cachorro saiu. Eles reconheceram o cachorro. Perguntaram a ele [Mokatuboda] por onde viera: “Eu vim com vocês. Ancorei aqui”. Eles rumaram para a aldeia de Bwayowa, fizeram *Kula* na aldeia, puseram toda a carga nas canoas. Receberam presentes dos nativos de Dobu na hora da partida, e os nativos de Kitava começaram a viagem de volta. Eles partiram primeiro, e ele voou pelo céu.

Na viagem de volta, em cada parada eles o veem primeiro, perguntam-lhe por onde veio, e ele lhes dá o mesmo tipo de resposta que antes.

De Giribwa eles navegaram para Kitava, ele permaneceu em Giribwa; ele voou de Giribwa; ele foi a Kitava, à praia. Seus *gugu'a* [objetos de uso pessoal] estavam sendo carregados para a aldeia quando seus companheiros chegaram remando e viram sua canoa ancorada e o cachorro correndo na praia. Todos os outros nativos estavam muito zangados porque a canoa dele voava.

Permaneceram em Kitava. No ano seguinte, todos fizeram suas roças, todos os nativos de Kitava. O sol estava muito forte, não havia chuva nenhuma. O sol queimou suas plantas. Esse homem [o líder de Kudayuri, Mokatuboda] foi para a roça. Permaneceu lá, fez um *bulubwalata* [magia maligna] da chuva. Uma pequena nuvem apareceu e choveu apenas sobre sua roça, o sol queimou as roças deles. Eles [os outros homens de Kitava] foram ver suas roças. Chegaram lá, viram que tudo estava morto, o sol já havia queimado tudo. Eles foram para a roça dele, e estava toda molhada: o inhame, o *taitu*, o taro, tudo estava bem. Eles disseram: “Vamos matá-lo para que ele morra. Nós então vamos dizer a magia para as nuvens, e a chuva cairá sobre nossas plantações”.

A magia verdadeira, penetrante, o homem de Kudayuri [Mokatuboda] não lhes deu; não lhes deu a magia *ligogu* [enxó]; não lhes deu a magia de *kunisalili* [magia da chuva]; não lhes deu a magia *wayugo* [cipó de amarração], de óleo de coco e da vara. Toweyre'i, seu irmão mais novo, pensou que já havia recebido a magia, mas estava enganado. Seu irmão mais velho deu-lhe apenas uma parte da magia, a verdadeira ele conservou consigo.

Eles se aproximaram [de Mokatuboda, o líder de Kudayuri]; ele estava sentado na aldeia. Seus irmãos e sobrinhos maternos afiaram a lança, golpearam-no; ele morreu.

No ano seguinte, eles decidiram fazer uma grande expedição *kula* a Dobu. A velha *waga* que havia sido montada e amarrada por Mokatuboda já não servia para mais nada, suas amarras tinham apodrecido. Então Toweyre'i, o irmão mais novo, construiu uma nova, em substituição à velha. Os nativos de Kumwageya e Lalela [as outras aldeias de Kitava] ouviram dizer que Toweyre'i estava construindo sua *waga* e também construíram as suas. Eles montaram suas canoas e fizeram a amarração na praia. Toweyre'i o fez na aldeia.

Nesse ponto, a narrativa nativa enumera todos os detalhes da construção da canoa, contrastando as atividades executadas na praia pelos outros nativos de Kitava com as atividades de Toweyre'i, que constrói sua canoa na aldeia de Kudayuri. É a exata repetição do que ficou dito no começo, quando Mokatuboda estava construindo sua canoa, e não repetirei todos esses detalhes. A narrativa atinge seu clímax quando todos os membros da tripulação se acham sentados na canoa, prontos para voar.

Toweyre'i foi para dentro da cabana e pronunciou as fórmulas mágicas sobre a enxó e o óleo de coco. Saiu, esfregou o óleo numa vara, bateu com ela nos calços da canoa. Ele fez então o que seu irmão mais velho havia feito. Golpeou ambas as pontas da canoa com a enxó. Pulou para dentro da canoa e sentou-se, mas a *waga* não voou. Toweyre'i voltou para dentro da cabana e chorou pelo irmão mais velho, que ele havia assassinado; ele o havia matado sem conhecer sua magia. Os nativos de Kumwageya e Lalela foram a Dobu e fizeram seu *Kula*. Os nativos de Kudayuri permaneceram na aldeia.

As três irmãs ficaram muito zangadas com Toweyre'i, pois ele matou o irmão mais velho e não aprendeu sua magia. Elas mesmas haviam aprendido a magia *ligogu*, *wayugo*; elas já a tinham em seus *lopoula* [ventres]. Elas podiam voar pelo céu, eram *yoyova*. Em Kitava, moravam no topo da colina Botigale'a. Elas disseram: "Vamos sair de Kitava, vamos voar para longe". Elas voaram pelo céu. Uma delas,

Na'ukuwakula, voou para o oeste, atravessou a passagem de Dikuwa'i [em algum local das ilhas Trobriand ocidentais]; chegou a Simsim [uma das ilhas Lousançay]. Lá ela se transformou numa pedra; ela se ergue no mar.

As duas outras voaram primeiro [na direção oeste] para a praia de Yalumugwa [na costa ocidental de Boyowa]. Lá tentaram furar uma rocha de coral chamada Yakayba – era dura demais. Elas foram [mais ao sul, à praia ocidental] pela passagem de Vilasasa e tentaram furar o rochedo Kuyaluya – não conseguiram. Elas foram [ainda mais ao sul] e tentaram furar a rocha de Kawakari – era dura demais. Elas foram [mais ao sul] e tentaram furar os rochedos de Giribwa. Conseguiram. Eis por que em Giribwa existe agora uma passagem de mar [os estreitos que separam a ilha principal de Boyowa da ilha de Vakuta].

Elas voaram (mais ao sul) em direção a Dobu. Chegaram à ilha de Tewara. Foram à praia de Kadimwatu e a furaram. Isso se deu onde ficam agora os estreitos de Kadimwatu, entre as ilhas de Tewara e Uwama. Elas foram para Dobu; foram ainda mais para o sul, ao promontório de Saramwa próximo da ilha de Dobu]. Elas disseram: "Devemos contornar o promontório ou abrir caminho através dele?". Elas contornaram. Depararam com outro obstáculo e abriram caminho por ele, formando os estreitos de Loma [no extremo ocidental dos estreitos Dawson]. Elas voltaram e fixaram residência perto de Tewara. Elas se transformaram em pedras; elas se erguem no mar. Uma delas, Murumweyri'a, olhou para Dobu, é Murumweyri'a; ela come homens, e os nativos de Dobu são canibais. A outra, Kayguremwo, não come homens, seu rosto está voltado em direção a Boyowa. A gente de Boyowa não come gente.

Essa história é extremamente clara em seu esquema geral, muito empolgante, e todos os seus incidentes e desenvolvimento têm alto grau de coerência e motivação psicológica. É talvez, nessa parte do mundo, um dos mitos mais reveladores que pude observar. Constitui também um ótimo exemplo do que foi dito antes, na seção 2, ou seja, que nas narrativas míticas se refletem condições sociológicas e culturais idênticas às da atualidade. A única exceção, no caso, é o fato de a magia ser, no mundo dos mitos, muito mais poderosa. O conto de Kudayuri, por um lado, descreve minuciosamente as condições sociológicas dos heróis, suas ocupações e preocupações – que não diferem em nada das atuais. Por outro lado, mostra-

-nos o herói dotado de poderes verdadeiramente sobre-humanos, por meio de sua magia da construção da canoa e da magia da chuva. Nem seria possível afirmar, de maneira mais convincente do que o que se afirma nessa narrativa, que o conhecimento completo da magia apropriada era o único fator responsável por esses poderes sobrenaturais.

Na enumeração dos diversos detalhes da vida tribal, esse mito é uma verdadeira fonte de informação etnográfica. Aquilo que nele se afirma, quando complementado e explicitado pelos comentários nativos, contém uma boa parcela daquilo que se deve conhecer sobre a sociologia, a tecnologia e a organização da construção e o uso das canoas e do *Kula*. Se observados minuciosamente, os incidentes dessa narrativa nos familiarizam, por exemplo, com a divisão em clãs; com a origem e o caráter local desses últimos; com a propriedade da magia e sua relação com o grupo totêmico. Em quase todas as narrativas mitológicas trobriandesas, o clã, o subclã e a localidade dos heróis se acham mencionados. Nessa versão, vemos que os heróis emergiram em determinado local e que eles próprios vieram do subsolo; ou seja, são os primeiros representantes de seu subclã totêmico sobre a face da Terra. Nas outras duas versões, esse último ponto não é afirmado de forma explícita, embora, segundo penso, esteja implícito nos incidentes do mito, pois obviamente a canoa voadora é construída pela primeira e também pela última. Em outras versões, contaram-me que a cova de onde emergiu esse subclã é também denominada Kudayuri e que o nome de seu sistema de magia é Viluvayaba.

Passando à parte seguinte da história, encontramos uma descrição do processo de construção das canoas, que me foi apresentado de maneira também detalhada nas três versões. Nesse caso, mais uma vez, se substituíssemos as sentenças curtas por um relato ainda mais completo das ocorrências, tal qual poderíamos obter de qualquer informante nativo inteligente; se, para cada palavra que descreve os estágios da construção de canoas, inseríssemos uma descrição completa dos processos implícitos nessas palavras, teríamos, nesse mito, um relato etnográfico quase completo da construção de canoas. Veríamos a canoa sendo montada, amarrada, calafetada, pintada, aprestada, equipada com sua vela, até estar pronta para o lançamento. Além da enumeração sucessiva de estágios técnicos, temos nesse mito um retrato nítido do papel desempenhado pelo líder, que é proprietário nominal da canoa, que a ela se refere como "sua canoa" e, ao mesmo tempo, dirige sua construção, impõe sua vontade aos outros e é responsável pelas magias. O mito faz até mesmo menção à *tasasoria* e ao *kabigidoya*, bem como diversas alusões à expedição *Kula* da qual, nesse mito, o processo da construção da canoa representa um estágio preliminar. As repetições frequentes e tediosas, bem como a enumeração das sequências tradicionais dos acontecimentos, interessantes como dados folclóricos, não são menos valiosas como documentos etnográficos e como exemplos da atitude dos nativos em relação aos costumes. A propósito, essa característica da mitologia nativa nos mostra que a tarefa de servir como informante etnográfico não é tão estranha e difícil para o nativo, como de início poderia parecer. Acostumado a relatar, uns após os outros, os diversos estágios das atividades tradicionais em suas próprias narrativas, o que faz com exatidão e perfeição quase pedantes, é fácil para o nativo a tarefa de transferir essas mesmas qualidades para relatos que lhe são solicitados em nome da etnografia.

O efeito dramático do clímax da história, do voo inesperado da canoa, evidencia-se com nitidez na narrativa, e me foi fornecido nas três versões. Em todas elas, os membros da tripulação são obrigados a passar pelos numerosos estágios preparatórios da viagem. E as comparações feitas entre as atividades normais de seus companheiros na praia e a maneira absurda como são executadas no centro da aldeia, a algumas centenas de pés acima do nível do mar, deixa a tensão mais palpável e o súbito desenlace mais eficaz. Em todos os relatos desse mito, a magia é executada logo antes do voo, e sua execução é explicitamente mencionada e incluída como episódio importante na história.

O incidente de retirar água da canoa que nunca tocou o mar parece demonstrar certa incoerência. Se nos lembrarmos, entretanto, de que os nativos derramam água dentro da canoa durante a construção a fim de evitar que a madeira fique ressecada e, em consequência, venha a encolher, rachar e envergar, desaparecem a incoerência e a imperfeição da narrativa. Devo acrescentar que o fato de retirar a água da canoa e o incidente da chuva estão incluídos em apenas uma das minhas três versões.

O episódio do cachorro é mais significativo e mais importante para os nativos e está mencionado nas três versões. O cachorro é o animal associado ao clã Lukuba; ou seja, os nativos dizem que o cachorro é um lukuba, da mesma forma que o porco é um *malasi* e a iguana um lukulabuta. Nas diversas histórias acerca da origem e da posição relativa dos clãs, cada um deles se acha representado por seu animal totêmico. Assim, a iguana é a primeira a emergir do subsolo; daí o fato de o Lukulabuta ser o clã mais antigo. O cachorro e o porco disputam entre si a prioridade hierárquica: o cachorro baseia suas reivindicações por ter aparecido sobre a face da Terra antes do porco, pois surgiu imediatamente após a iguana; o porco se impõe pelo fato de não comer coisas sujas. O porco venceu a disputa e, portanto, o clã Malasi é considerado o clã de posição social mais alta, muito embora isso se verifique apenas num de seus subclãs, o Tabalu de Omurukana. O incidente do *lebu* (conseguir pela força) de alguns ornamentos dos nativos de Dobu refere-se ao costume de usar violência amistosa em certas transações do *Kula* (ver capítulo XIV, seção 2).

Na segunda parte da história, encontramos de novo o herói dotado de poderes mágicos muito superiores aos dos magos atuais. Eles podem fazer chuva ou parar as nuvens, é verdade, mas nosso herói consegue criar uma pequena nuvem que derrama uma chuva copiosa sobre suas próprias plantações, deixando que as outras fiquem completamente ressecadas pelo sol. Essa parte da narrativa não tem nada a ver com o problema da canoa, e nos interessa apenas porque mostra, mais uma vez, o que para os nativos constitui a verdadeira fonte dos poderes sobrenaturais do herói.

Os motivos que levam ao assassinato de Mokatuboda não estão bem explicitados na narrativa. Via de regra, nenhum mito se detém muito no aspecto subjetivo dos acontecimentos. No entanto, a partir da repetição demorada e realmente cansativa de como os outros homens de Kitava constantemente veem a canoa de Kuduyuri a ultrapassá-los, de como ficam espantados e enfurecidos, é evidente que o êxito de Mokatuboda lhe trouxe muitos inimigos. O que não se pode explicar tão facilmente é o fato de que ele é assassinado não pelos outros nativos de Kitava, mas por seus próprios parentes. Uma das versões aponta seus irmãos e os filhos de sua irmã como os assassinos. Uma delas afirma que os nativos de Kitava perguntam a Toweyre'i, o irmão mais novo, se ele já havia adquirido a magia voadora e a magia da chuva, e só depois de receberem uma resposta afirmativa é que o irmão mais novo mata Mokatuboda, em conluio com os outros nativos. Uma variante interessante, acrescentada a essa versão, é a de que Toweyre'i mata o irmão na roça. Ele volta, então, à aldeia, instruindo e admoestando os filhos de Mokatuboda para que busquem o cadáver, façam as cerimônias funerárias e preparem o enterro. Em seguida, ele próprio organiza o *sagali*, a grande distribuição mortuária de alimentos. Nesse fato, encontramos um interessante documento das ideias, o dos costumes nativos. Toweyre'i, apesar de ter matado o irmão, é ainda a pessoa encarregada de organizar os trâmites mortuários, desempenhar as funções de mestre de cerimônias e remunerar os outros pelas tarefas que executaram no decorrer dessas atividades. Pessoalmente, ele não pode sequer tocar o cadáver nem participar do luto e do enterro; não obstante, como parente mais próximo do morto, é ele o infortunado, a pessoa à qual, por assim dizer, foi amputado um membro. O homem cujo irmão morreu não pode lastimar a morte, como não poderia lastimar a sua própria.[3] Voltando aos motivos do assassinato, de acordo com todos os relatos, dos próprios parentes de Mokatuboda com a aprovação dos outros homens, verificamos que a inveja, a ambição e o desejo de suceder ao líder em sua posição devem ter se misturado ao despeito sentido em relação a ele. De fato, vemos que Toweyre'i se põe confiantemente a executar a magia e só irrompe em lamentações depois de perceber que foi ludibriado.

Chegamos agora a um dos incidentes mais notáveis do mito, ou seja, o que estabelece a conexão entre as *yoyova* (bruxas voadoras) a canoa voadora e a velocidade de que a canoa é dotada por meio da magia. Na magia da velocidade, há alusões frequentes às *yoyova* ou às *mulukwausi*. Isso se evidencia nitidamente no encantamento *wayugo*, já mencionado antes (capítulo V, seção 3) e que ainda será analisado linguisticamente (capítulo XVIII, seções 2 a 4). O *kariyala* (o presságio mágico, ver capítulo XVIII, seção 7) do encantamento *wayugo* consiste em estrelas cadentes – quando o ritual *wayugo* é executado à noite sobre os rolos de corda, haverá estrelas cadentes no céu. E, mais ainda, quando o mágico que conhece esse sistema de magia morre, as estrelas cadentes aparecem no céu. Ora, como já

3 Conforme C. G. Seligman, "Burial and Mourning Ceremonies" [entre os nativos das ilhas Trobriand, da ilha de Woodlark e das ilhas Marshall Bennett], in *The Melanesians*, capítulo LIV.

vimos (capítulo X, seção 1), as estrelas cadentes são as *mulukwausi* em pleno voo.

Nesse mito de Kudayuri, encontramos o fundamento mitológico para essa associação. A mesma magia que fez a canoa voar pelos céus dá às três irmãs de Kudayuri o poder de se transformarem em *mulukwausi* e voarem. Nesse mito, elas estão também dotadas do poder de fender rochedos, poder esse de que também a canoa está dotada, pois partiu um rochedo imediatamente após ter saído da aldeia. As três irmãs fendem rochedos e perfuram a terra em diversos lugares. Meus comentaristas nativos asseguraram-me que, quando a canoa visitou Giribwa e Kadimwatu pela primeira vez, na parte inicial do mito, a terra ainda estava fechada nesses locais e havia uma praia em cada um deles. As *mulukwausi* tentaram abrir caminho por Boyowa em vários locais da costa oriental, mas só tiveram êxito em Giribwa. O mito traz, assim, um cunho arcaico, por referir-se a mudanças profundas que se operam nos fenômenos naturais. As duas irmãs, voando para o sul, voltam do ponto mais distante e fixam residência num local próximo de Tewara; nesse ponto, verifica-se certa analogia com diversos outros mitos nos quais os heróis das ilhas Marshall Bennett estabelecem-se em algum local situado entre as ilhas Amphlett e de Dobu. Uma delas volta o olhar pura o norte, na direção dos nativos não canibais de Boyowa e diz-se que ela é avessa ao canibalismo. Isso constitui provavelmente uma espécie de explicação mitológica para o fato de que os nativos de Boyowa não comem carne humana e os nativos de Dobu são canibais; num outro mito a ser transcrito em breve, o de Atu'a'ine e Aturamo'a, há uma explicação análoga; e outra ainda melhor no mito sobre as origens do canibalismo, que não poderei apresentar aqui.

Em todas as tradições que apresentamos, os heróis pertenciam ao clã Lukuba. A ele pertencem Gere'u, Tokosikuna, a família Kudayuri e seu cachorro, e também o cachorro chamado Tokulubwaydoga, do mito que transcrevemos no capítulo X, seção 5. Posso acrescentar que, em algumas das lendas referentes às origens da humanidade, esse clã é o primeiro a emergir do solo; em outras, é o segundo, mas o de posição social mais alta, embora nesse aspecto tenha de ceder lugar ao clã Malasi mais tarde. O principal herói cultural de Kiriwina, Tudava, o matador de ogros, pertence também ao clã Lukuba. Há até mesmo um fato histórico que está em conformidade com essa primazia mitológica e o eclipse subsequente. Seis ou sete gerações antes, os Lukuba eram o clã dominante em Vakuta; depois, tiveram de ceder sua posição de líderes dessa região ao clã Malasi, quando o subclã Tabalu, os chefes malasi de mais alta posição social em Kiriwina, migraram para o sul e se estabeleceram em Vakuta. Nos mitos aqui citados, os Lukuba são os principais construtores de canoas, navegadores e aventureiros, com apenas uma exceção: Tokosikuna, que, apesar de sobressair em todos os outros aspectos, nada conhecia a respeito da construção de canoas.

5

Passemos agora ao centro mitológico mencionado por último e, dando um grande salto, das ilhas Marshall Bennett vamos voltar a Tewara e a seu mito referente às origens do *Kula*. O texto aqui apresentado é uma tradução muito fiel do relato original, obtido em língua kiriwina de um informante de Oburaku. Tive oportunidade de conferir e corrigir sua narrativa com base em informações obtidas de um nativo de Sanaroa em inglês *pidgin*.

> A HISTÓRIA DE KASABWAYBWAYRETA E GUMAKARAKEDAKEDA
> Kasabwaybwayreta morava em Tewara. Chegou a seus ouvidos a fama de um *soulava* [colar de *Spondylus*] que estava [guardado] em Wawela. Seu nome [do colar] era Gumakarakedakeda. Ele disse a seus filhos: "Vamos para Wawela fazer o *Kula* para conseguirmos esse *soulava*". Ele colocou na canoa coco verde, noz de bétel verde e bananas verdes.
>
> Eles foram para Wawela; ancoraram em Wawela. Seus filhos desembarcaram na praia, foram obter Gumakarakedakeda. Ele permaneceu na canoa. Seu filho ofereceu alimentos, eles [os nativos de Wawela] recusaram. Kasabwaybwayreta proferiu um encantamento sobre a noz de bétel; ela amarelou [amadureceu]; ele proferiu o encantamento sobre o coco, sua polpa macia intumesceu; ele encantou as bananas, elas amadureceram. Ele arrancou seu cabelo, seu cabelo grisalho; sua pele enrugada ficou na canoa. Ele se levantou, foi à aldeia, fez um presente *pokala* de comida, recebeu o valioso colar como presente *kula*, pois já se tornara um homem muito belo. Ele foi, ele o colocou, enfiou-

-o no cabelo. Ele veio para a canoa, apanhou sua capa [a pele enrugada]; vestiu as rugas, o cabelo grisalho, ele permaneceu.

Seus filhos chegaram, tomaram seus lugares na canoa, navegaram para Giribwa. Cozinharam seus alimentos. Ele chamou seu neto: "Ah, meu neto, vem cá, procura meus piolhos". O neto veio, aproximou-se dele. Kasabwaybwayreta falou, dizendo-lhe: "Meu neto, cata meus piolhos no meio [do meu cabelo]". Seu neto repartiu o cabelo; viu o valioso colar Gumakarakedakeda ali, no cabelo do Kasabwaybwayreta. "Ee...", falou ele para o pai, dizendo-lhe: "Meu pai, Kasabwaybwayreta já conseguiu Gumakarakedakeda". "Ah, não, ele não conseguiu! Eu sou um chefe, eu sou belo, eu não consegui aquele valioso colar. Como esse velho enrugado poderia ter realmente conseguido o colar? Não, não é possível!" "É verdade, meu pai, ele já conseguiu. Eu vi; já está no cabelo dele!"

Todas as vasilhas de água já estão vazias; o filho entrou na canoa, derramou a água de modo que ela escorreu para fora, e ficaram apenas as vasilhas vazias [feitas de casca de coco]. Algum tempo depois, eles navegaram, foram para uma ilha, Gabula [Gabuwana, na língua das ilhas Amphlett e de Dobu]. Esse homem, Kasabwaybwayreta, queria água e falou com o filho. Esse homem apanhou as vasilhas de água – não, elas estavam todas vazias. Eles foram à praia de Gabula, os *usagelu* [membros da tripulação] escavaram poços [na praia]. Esse homem permaneceu na canoa e gritou: "Ó meu neto, traz-me aqui minha água, vai lá, apanha minha água!". O neto disse: "Não, vem cá e a apanha [tu mesmo]!". Mais tarde, eles apanharam água, eles terminaram, e Kasabwaybwayreta veio. Eles enlamearam a água, a água estava lamacenta. Ele se sentou, ele esperou.

Eles foram, navegaram na canoa. Kasabwaybwayreta chamou: "Ó meu filho, por que me rejeitas?". Disse o filho: "Eu acho que tu conseguiste Gumakarakedakeda!". "Oh, logo, logo, quando chegarmos à aldeia, vou dá-lo a ti!" "Oh, não! Bem, tu ficas, eu me vou!" Ele apanha uma pedra, uma pedra *binabina*. Esse homem, Kasabwaybwayreta, ele a atira de tal modo que ela vem a fazer um furo na canoa e os homens afundam no mar. Não! Eles fugiram depressa, eles se foram, essa pedra se ergue, ela forma uma ilha no mar. Eles se foram, eles ancoraram em Tewara. Eles [os nativos da aldeia] perguntaram: "E onde está Kasabwaybwayreta?". "Oh, seu filho enfureceu-se com ele, ele já havia conseguido Gumakarakedakeda!"

Bem, então esse homem, Kasabwaybwayreta, permaneceu na ilha de Gabula. Ele viu Tokom'mwawa [a estrela Vésper] aproximar-se. Ele falou: "Meu amigo, vem cá, deixa-me entrar em tua canoa!". "Oh, não, eu vou para outro lugar." Apareceu então Kaylateku [a estrela Sirius]. Ele pediu: "Deixa eu ir contigo". Ele se recusou. Apareceu Kayyousi [o Cruzeiro do Sul]. Kasabwaybwayreta queria ir com ele. Ele recusou. Apareceu Umnakayva'u [Alfa e Beta, da constelação Centauro]. Ele queria um lugar na canoa dele. Ele recusou. Apareceu Kibi [três estrelas muito distantes que não fazem parte de nenhuma constelação em nosso mapa celeste]. Ele também se recusou a levar Kasabwaybwayreta. Apareceu Uluwa [as Plêiades]. Kasabwaybwayreta pediu-lhe que o levasse. Uluwa disse: "Espera, fica atento, Kaykiyadiga virá, ele te levará". Apareceu Kaykiyadiga [as três estrelas centrais da constelação de Órion]. Kasabwaybwayreta perguntou-lhe: "Meu amigo, em que direção vais?". "Eu vou descer sobre o cume da montanha Taryebutu. Eu vou descer, eu vou-me embora." "Oh, meu amigo, vem cá, deixa-me cá, deixa-me sentar [em ti]." "Oh, vem... vês? De um lado há um *va'i* [arraia espinhenta], do outro lado há o *lo'u* [peixe com espinhos venenosos]; tu te sentas no meio, tudo estará bem! Onde fica tua aldeia?" "Minha aldeia é Tewara." "Que existe no local de tua aldeia?" "No local de minha aldeia ergue-se uma árvore *busa*!"

Eles se foram para lá. A aldeia de Kasabwaybwayreta já se acha diretamente embaixo deles. Ele encantou essa árvore *busa*, ela se levantou, foi diretamente para os céus. Kasabwaybwayreta trocou de lugar [do cinturão e Órion para a árvore], ele se sentou na árvore *busa*. Ele falou: "Oh, meu amigo, quebra este colar. Parte dele eu te darei; parte dele levarei comigo a Tewara". Ele deu parte do colar a seu companheiro. Essa árvore *busa* desceu a terra. Ele estava enfurecido porque o filho o deixara para trás. Ele foi para dentro da terra. Ele lá permaneceu durante muito tempo. Os cachorros foram lá, escavaram e escavaram. Eles o desenterraram. Ele saiu, ficou sobre a terra, ele se transformou num *tauva'u* [espírito maligno, ver capítulo II, seção 7]. Ele atacou os seres humanos. Eis por que em Tewara a aldeia é de feiticeiros e bruxas, por causa de Kasabwaybwayreta.

A fim de que essa narrativa um pouco obscura se torne mais fácil de entender, é necessário um pequeno comentário. A primeira parte nos mostra uma expedição *kula* da qual tomam parte o herói, seu filho, seu neto e mais alguns membros da tripulação. O filho leva consigo alimentos bons e frescos para oferecer como presentes de solicitação e, dessa forma, tentar seus parceiros e conseguir que eles lhe deem de presente o famoso colar. O filho é jovem e também chefe de renome. A história se torna mais clara em seus estágios posteriores; por meio da magia, o herói se transforma num jovem atraente e transforma suas frutas verdes e ruins em esplêndidos presentes a serem oferecidos a seu parceiro. Ele obtém o colar sem dificuldades e o esconde no cabelo. Em seguida, num momento de fraqueza, e por motivos impossíveis de esclarecer com os comentaristas nativos, Kasabwaybwayreta deixa, de propósito, que o neto veja o colar. Muito provavelmente, o motivo era a vaidade. O filho e, provavelmente também, seus outros companheiros ficaram furiosos e prepararam-lhe uma armadilha. Eles organizam as coisas para forçá-lo a buscar sua água na praia de Gabula. Quando já haviam conseguido a deles, e enquanto ele retira a água do buraco, eles se põem a caminho, abandonando Kasabwaybwayreta no banco de areia. Como um Polifemo a perseguir os homens de Odisseu, ele atira uma pedra na canoa traiçoeira, mas a pedra não atinge o alvo, transformando-se num rochedo que se ergue no mar.

O episódio de sua libertação pelas estrelas é muito claro. Chegando à aldeia, Kasabwaybwayreta usa de magia para fazer que a árvore se levante no ar e, depois de ter dado a seu libertador a metade maior do colar, volta a terra com a metade menor. O fato de ir para baixo da terra e em seguida transformar-se num *tauva'u* demonstra seu amargor para com a humanidade. Como sempre acontece, a presença de uma personalidade tão má e poderosa na aldeia imprime sua marca a toda a comunidade, que passa a produzir feiticeiros e bruxas. Todos esses apêndices e comentários consegui obter por meio de perguntas que fiz a meu informante original.

O informante dobu de Sanaroa introduziu uma ou duas variantes na segunda parte da narrativa. Segundo ele, Kasabwaybwayreta se casa enquanto está no céu e lá permanece durante tempo suficiente para gerar três filhos e duas filhas. Depois de haver decidido voltar a terra, ele abre um buraco no céu, olha para baixo e vê uma árvore de bétel em sua aldeia. Ele diz a um de seus filhos: "Quando eu descer, tu deves puxar uma das pontas do colar". Ele desce pelo colar para a árvore de bétel e puxa uma das pontas de Gumakarakedakeda. O colar se quebra; uma boa porção dele permanece no céu, a parte menor fica com ele, embaixo. Chegando à aldeia, ele organiza uma festa para a qual convida todos os nativos da aldeia. Profere um encantamento sobre a comida e, depois de ingeri-la, os nativos se transformam em pássaros. Esse último episódio harmoniza-se bem com sua profissão de *tauva'u*, que Kasabwaybwayreta assumira na versão anterior do mito. Meu informante *dobu* também acrescentou, a título de comentário, que os companheiros de Kasabwaybwayreta estavam furiosos porque ele havia conseguido o colar em Boyowa, que não estava na direção correta para obtenção de colares no *Kula*. Isso, no entanto, é, sem dúvida, uma racionalização dos acontecimentos contidos no mito.

Ao compararmos a história de Tokosikuna com essa, de imediato percebemos uma nítida semelhança entre as duas em vários aspectos. Em ambas, os heróis começam como homens velhos, decrépitos e muito feios. Por meio de seus poderes mágicos, eles rejuvenescem no decorrer da história, um deles permanentemente, o outro descartando-se de sua pele para executar uma transação *kula*. Em ambos os casos, o herói demonstra sua superioridade no *Kula* e, com isso, provoca a inveja e o ódio de seus companheiros. Além disso, em ambas as histórias, os companheiros decidem punir o herói, e a ilha ou banco de areia de Gabuwana é o cenário do castigo. Em ambas, o herói acaba estabelecendo moradia no sul, só que num caso o sul é sua terra natal, ao passo que no outro ele tem de mudar-se para o sul, vindo de uma das ilhas Marshall Bennett. Há uma anomalia no mito de Kasabwaybwayreta: o herói recebe o colar do norte, ao passo que a direção normal da qual os colares são obtidos nessa região é a direção sul-norte. Isso nos faz suspeitar que a história talvez seja uma adaptação da lenda que se conta a respeito de um nativo que executou suas transações *kula* do norte para o sul. Maltratado pelos seus companheiros, ele fixou residência em Tewara e, tornando-se um herói cultural da região, foi mais tarde considerado nativo dela. Seja como for (essa interpretação hipotética é de minha própria autoria e não foi obtida dos nativos), as duas histórias são tão semelhantes que obviamente devemos considerá-las variantes do mesmo mito, e não como mitos independentes.

6

O que foi dito é suficiente como análise etnográfica desses mitos. Retornemos agora às considerações sociológicas gerais com que demos início a essa digressão ao mundo mitológico. Estamos agora mais bem equipados para compreender até que ponto e de que maneira os mitos do *Kula* exercem influência sobre a visão nativa.

A principal força social que governa toda a vida nativa pode ser descrita como a inércia do costume, o amor à uniformidade de comportamento. O grande filósofo moralista estava errado ao formular seu *imperativo categórico*, que devia servir aos seres humanos como princípio fundamental de orientação à conduta. Ao aconselhar-nos a agir de maneira que nossa conduta pudesse ser considerada norma de uma lei universal, ele reverteu o estado natural das coisas. A verdadeira regra que governa o comportamento humano é a seguinte: "O que todos os demais fazem, o que parece uma norma de conduta geral, é certo, moral e adequado. Deixe-me olhar por cima da cerca e ver o que meu vizinho está fazendo e tomar isso como regra para meu próprio comportamento". É dessa forma que age o homem comum de nossa própria sociedade, é dessa forma que vem agindo o membro típico de qualquer sociedade desde os tempos mais remotos e é dessa forma que se comporta o selvagem dos tempos atuais; e, quanto mais baixo seu nível de desenvolvimento cultural, tanto mais ele defenderá as boas maneiras, a propriedade e a forma, e tanto mais incompreensível e odioso será para ele o ponto de vista de não conformidade. Vários sistemas de filosofia social foram elaborados para explicar e interpretar ou mal interpretar esse princípio geral. A "Imitação", de Tarde, a "Consciência da Espécie", de Gidding, e as "Ideias Coletivas" de Durkheim, bem como tantas concepções similares, como a da "consciência social", "a alma de uma nação", "mentalidade de grupo" ou as ideias hoje em dia predominantes e altamente "na moda" sobre a "sugestionabilidade da multidão", "o instinto de rebanho" etc. tentam esconder essa simples verdade empírica. A maioria desses sistemas, sobretudo os que evocam o Fantasma da Alma Coletiva, é inútil, em minha opinião, pelo fato de tentarem explicar, nos termos de uma hipótese, aquilo que de mais básico existe na sociologia e que, portanto, não é passível de reduções, mas simplesmente deve ser reconhecido e aceito como base de nossa ciência. Cunhar definições verbais e jogar com palavras não nos leva muito adiante nos novos ramos da ciência, nos quais o conhecimento dos fatos constitui o requisito essencial.

Seja qual for o caso com qualquer interpretação teórica desse princípio, devemos aqui simplesmente enfatizar o fato de que a estrita adesão aos costumes, àquilo que todos fazem, é a regra principal de comportamento entre os nativos das ilhas Trobriand. Essa regra tem um corolário significativo: o passado é mais importante que o presente. O que foi feito pelo pai – ou, como diriam os trobriandeses, pelo tio materno – é ainda mais importante como norma de comportamento do que aquilo que é feito pelo irmão. É para a conduta das gerações passadas que o trobriandês instintivamente se volta para se orientar. Dessa maneira, os acontecimentos que relatam o que foi feito não pelos ancestrais imediatos, mas por antepassados míticos ilustres, exercem evidentemente enorme influência social. As histórias sobre os acontecimentos importantes do passado são consideradas sagradas porque pertencem às grandes gerações míticas e porque costumam ser tidas como verídicas, pois todos as conhecem e contam. Elas trazem em si a ratificação da virtude e a propriedade por força dessas duas qualidades de antiguidade e universalidade.

Assim, em virtude da ação daquilo a que poderíamos chamar de "lei elementar da sociologia", os mitos têm o poder normativo de fixar o costume, de sancionar os modos de comportamento, de dar dignidade e importância a uma instituição. O *Kula* recebe dessas histórias antigas seu caráter de extrema importância e valor. As regras da ética comercial, a generosidade e a meticulosidade em todas as suas operações adquirem, por meio disso, sua força de coesão. É a isso que poderíamos chamar de "influência normativa do mito sobre os costumes".

O mito *kula*, no entanto, exerce outro tipo de influência. No *Kula*, temos um tipo de atividade em que as grandes possibilidades de êxito são bastante influenciadas pelo acaso. O nativo, quer tenha muitos sócios, quer tenha poucos, pode, conforme a sorte, voltar de uma expedição com um carregamento relativamente grande ou pequeno. Assim, a imaginação dos aventureiros, como acontece em todos os jogos de azar, precisa estar voltada para as ocasiões em que a sorte apresenta oportunidades extraordinariamente boas.

Os mitos *kula* alimentam a imaginação com histórias em que a boa sorte é extrema e, ao mesmo tempo, mostram que está nas mãos do homem fazer que a sorte o proteja, desde que adquira os necessários conhecimentos de magia.

Como já dissemos, os fatos mitológicos são distintos dos fatos que ocorrem hoje em dia por serem extraordinários e supranormais. Isso contribui para sua autoridade e para seu poder de atração. Os mitos se colocam diante do nativo como padrões de comportamento especialmente valiosos, como ideias que canalizam seus desejos.

7

Também já dissemos que, apesar dessa distinção, o mundo dos mitos não está separado da atual ordem dos acontecimentos por um abismo intransponível. Embora um ideal esteja sempre além daquilo que de fato existe, tem, no entanto, de parecer suficientemente próximo da possibilidade de realização para que possa produzir efeitos. Agora que o leitor já está familiarizado com essas histórias, poderá ver com clareza o que pretendíamos dizer quando afirmamos que a magia serve de elo entre a realidade mitológica e a verdadeira realidade. No mito da canoa, por exemplo, o voo, conquista supranormal da canoa de Kudayuri, é concebido apenas como o mais alto grau do poder da velocidade que ainda hoje vem sendo infundido nas canoas pela magia. O legado mágico do clã Kudayuri existe até hoje, fazendo as canoas navegarem velozmente. Se tivesse sido transmitido em sua totalidade, qualquer canoa de hoje, como a canoa mítica, poderia voar. Também nos mitos *kula* a magia traz consigo os poderes supranormais da beleza, da força e da imunidade ao perigo. Os acontecimentos mitológicos demonstram a veracidade daquilo que a magia alega produzir. Sua validade se firma por uma espécie de empirismo mítico retrospectivo. A magia, tal qual é praticada nos dias de hoje, produz os mesmos efeitos que antes, embora em menor escala. Os nativos creem profundamente que as fórmulas e os ritos da magia *mwasila* tornam seus praticantes atraentes, irresistíveis e imunes aos perigos (ver o próximo capítulo).

Outro fator que faz uma conexão direta dos acontecimentos míticos com a ordem atual das coisas é a sociologia dos personagens míticos. São todos eles associados a determinadas localidades, como o são os atuais grupos locais. Pertencem todos ao mesmo sistema de divisão totêmica em clãs e subclãs atualmente existente. Assim, os membros de um subclã ou de uma unidade local podem reivindicar para si um herói mítico como seu ancestral direto, e os membros de um clã podem gabar-se de tê-lo como irmão clânico. Com efeito, os mitos, assim como as canções e os contos de fadas, são "propriedade" de determinados subclãs. Isso não significa que outras pessoas se abstenham de contá-los; mas espera-se que os membros do subclã tenham conhecimentos mais íntimos a respeito dos acontecimentos míticos e sejam autoridades em sua interpretação.

E, com efeito, a regra é que o mito seja mais bem conhecido em sua própria localidade, isto é, conhecido com todos os detalhes, livre de corrupções e de acréscimos e fusões não muito genuínos.

Esse melhor conhecimento pode ser facilmente entendido se nos lembrarmos de que, nas ilhas Trobriand, os mitos se acham muitas vezes associados à magia e que a magia é uma propriedade conservada por alguns membros do grupo local. Ora, para conhecer a magia e para entendê-la bem, é necessário estar bastante familiarizado com o mito. É por esse motivo que o mito precisa ser mais bem conhecido pelo grupo local ao qual se acha associado. Em alguns casos, o grupo local não só tem de praticar a magia associada ao mito, mas também precisa certificar-se de que sejam observados determinados ritos, cerimônias e tabus a ele relacionados. Nesse caso, a sociologia dos acontecimentos míticos está intimamente vinculada às divisões sociais tais como existem nos dias de hoje. No entanto, mesmo em mitos como os do *Kula*, que se tornaram propriedade de todos os clãs e grupos locais no âmbito do distrito, a menção explícita do clã, do subclã e da aldeia do herói empresta a todo o mito um cunho de veracidade e realidade. Paralelamente à magia, a continuidade sociológica serve de ponte entre a mitologia e a realidade. E, com efeito, as "pontes" mágicas e sociológicas atuam lado a lado.

Falamos antes (início da seção 2) sobre a influência do mito na paisagem. Devemos agora observar também que as características da paisagem, miticamente transformadas, testemunham para a mente do nativo a veracidade do mito. A palavra mítica adquire substância em rocha e montanha, nas mudanças operadas em terra e no mar. As passagens abertas no mar, os rochedos fendidos ao meio, os seres humanos transformados em pedra, tudo contribui para tornar o mundo mitológico mais próximo dos nativos, fazendo-o tangível e permanente. Ao mesmo tempo, a história assim tão poderosamente ilustrada reage sobre a paisagem, enchendo-a de acontecimentos empolgantes que, ali fixados permanentemente, emprestam-lhe um significado específico. Com isso, concluo essas observaçoes gerais sobre mitologia, embora tenhamos de voltar constantemente, no decorrer da investigação, aos mitos e aos acontecimentos míticos.

8

Ao retornarmos à nossa frota, que agora, ultrapassando o centro mítico de Tewara, navega rumo à ilha de Sanaroa, a primeira coisa a relatar nos leva diretamente a outro mito. Ao penetrar no distrito de Siayawawa, os nativos passam por uma rocha ou rochedo denominado Sinatemubadiye'i. Eu nunca o vi, mas os nativos contaram-me que está localizado em meio ao mangue que circunda um canal aberto pelas marés. Assim como a pedra Gurewaya, já mencionada, esse rochedo desfruta também de certos privilégios, recebendo oferendas.

Os nativos não se demoram muito nesse distrito pouco importante. Seu objetivo final já está à vista. Do outro lado do mar, que nesse local se acha fechado pela terra como se fosse um lago, as colinas de Dobu, encimadas por Koyava'u, avultam-se diante da expedição. Ao longe, à direita de quem, como eles, navega para o sul, o grande flanco ocidental de Koyatabu se ergue do nível das águas, formando um vale profundo; atrás estende-se a grande planície de Sanaroa, com alguns cones vulcânicos em seu extremo norte; ao longe, à esquerda, as montanhas de Normanby se estendem numa longa cadeia. Os nativos navegam diretamente para o sul, rumando para a praia de Sarubwoyna, onde terão de fazer uma parada ritual a fim de realizar os preparativos finais e a magia. Esterçam as canoas na direção de dois rochedos negros que marcam o extremo norte da praia de Sarubwoyna, um no começo e outro na extremidade de uma ponte de terra arenosa e estreita. São os rochedos Atu'a'ine e

Aturamo'a, os mais importantes dos lugares sagrados, nos quais os nativos colocam oferendas ao partirem numa expedição *kula* ou ao chegarem dela. O rochedo que está situado entre os mangues de Siyawawa acha-se associado a esses outros dois por uma história mítica. Os três – os dois homens que vemos agora transformados em pedra e uma mulher – vieram a esse distrito de algum local em "Omuyuwa", ou seja, nas ilhas de Woodlark ou Marshall Bennett. Eis a história.

MITO DE ATU'A'INE, ATURAMO'A E SINATEMUBADIYE'I

Eram dois irmãos e uma irmã. Eles primeiro vieram ao riacho denominado Kadawaga, em Siyawawa. A mulher perdeu seu pente. Ela disse aos irmãos: "Meus irmãos, meu pente caiu". Eles responderam: "Ótimo, volta, apanha teu pente". Ela o encontrou e apanhou e, no dia seguinte, disse: "Bem, eu já vou ficar aqui como Sinatemubadiye'i".

Os irmãos prosseguiram viagem. Ao chegarem à praia da ilha principal, Atu'a'ine disse: "Aturamo'a, onde poderemos ir? Devemos olhar em direção do mar?". Disse Aturamo'a: "Oh, não, vamos olhar na direção da selva". Aturamo'a foi à frente, ludibriando o irmão, pois era canibal. Ele queria olhar na direção da selva para que pudesse devorar os homens. Assim, Aturamo'a foi à frente e seus olhos se voltaram para a selva. Atu'a'ine voltou o olhar, olhou por sobre o mar e falou: "Por que me iludiste, Aturamo'a? Enquanto estou olhando para o mar, tu olhas para a selva". Mais tarde, Aturamo'a voltou e rumou em direção ao mar. Ele falou: "Ótimo. Tu, Atu'a'ine, olhas na direção do mar, eu olharei na direção da selva!". Esse homem que está sentado perto da selva é canibal; o outro, que se senta próximo do mar, é bom.

Foi em Sinaketa que consegui essa breve versão do mito. A história nos mostra três pessoas que, por motivos desconhecidos, migram do nordeste para esse distrito. A irmã, depois de ter perdido seu pente, resolve ficar em Siyawawa, transformando-se no rochedo Sinatemubadiye'i. Os irmãos continuam viagem por apenas mais alguns quilômetros, sofrendo igual transformação no extremo norte da praia de Sarubwoyna. Há a distinção característica entre o canibal e o não canibal. Da forma como a história me foi contada em Boyowa, ou seja, no distrito onde não havia canibais, a qualificação de "bom" foi feita com referência ao herói não canibal, que se transformou no rochedo mais próximo do mar. A mesma distinção se encontra no mito das irmãs de Kudayuri que voaram para Dobu; encontra-se também em outro mito que relata as origens do canibalismo, mito esse que não transcreverei aqui. A associação entre a selva e o canibalismo, por um lado, e entre o mar e a abstenção da carne humana, por outro, é a mesma que se verifica no mito de Kudayuri. Nesse mito, o rochedo voltado para o sul é canibal, ao passo que o outro, voltado para o norte, não é, e para os nativos esse é o motivo por que os habitantes de Dobu comem carne humana e os de Boyowa, não. A designação de um desses rochedos como *tokamlata'u* (comedor de homem) não tem outras implicações, não se acha associada à crença de que o rochedo esteja cercado de perigos extraordinários.

A importância desses dois rochedos, Atu'a'ine e Aturamo'a, reside, porém, não tanto no mito truncado, mas sim no ritual que os cerca. Dessa forma, os três rochedos recebem oferendas – *pokala* – que consistem em um pedaço de coco, um inhame passado, um pedaço de cana-de-açúcar e banana. À medida que as canoas vão passando por eles, as oferendas são colocadas sobre a rocha ou atiradas na direção dela, com as palavras:

> "Velho [ou, no caso de Sinatemubadiye'i, "velha"], eis teu coco, tua cana-de-açúcar, tuas bananas, traz-me boa sorte para que eu possa ir e fazer meu *Kula* rapidamente em Tu'utauna."

Essa oferenda é feita pelas canoas de Boyowa quando rumam para Dobu e pelos nativos de Dobu quando dão início ao *Kula*, rumando na direção norte, ou seja, para Boyowa. Além das oferendas, são observados certos tabus e regras nesses rochedos. Assim, qualquer pessoa que passe perto do rochedo tem de banhar-se no mar, fora da canoa, e as crianças que estão nas canoas são aspergidas com água do mar. Isso se faz para evitar doenças. O nativo que pela primeira vez vai fazer o *Kula* em Dobu está proibido de ingerir alimentos nas vizinhanças desses dois rochedos. Nas proximidades dos rochedos, não se podem colocar porcos ou cocos verdes diretamente no chão, mas só sobre esteiras. Os novatos do *Kula* precisam banhar-se ao pé de Atu'a'ine e Aturamo'a.

Os nativos de Dobu colocam *pokala* sobre outras rochas às quais os nativos de Boyowa não fazem oferendas. A rocha Gurewaya, já mencionada, recebe seu quinhão dos nativos de Dobu; estes acreditam que, se passassem perto sem lhe oferecer um *pokala*, ficariam cobertos de feridas e morreriam. Ao passar por Gurewaya eles não ficam de pé nas canoas nem ingerem qualquer alimento ao acampar numa praia de onde ainda possam avistar Gurewaya. Se o fizessem, teriam enjoos do mar, adormeceriam e sua canoa se afastaria sozinha para lugares desconhecidos. Não sei se há em Dobu algum mito referente à rocha de Gurewaya. Há a crença de que uma cobra grande está enrolada no cume dessa rocha, a verificar se os tabus estão sendo observados; no caso de quebra de qualquer um deles, a cobra faz os nativos adoecerem. Alguns dos tabus de Gurewaya – não sei exatamente quais – são observados também pelos nativos de Boyowa.

De um informante de Dobu consegui obter uma série de nomes de outras rochas semelhantes, situadas a leste de Dobu, na rota entre Dobu e Tubetube. Assim, em alguma localidade do distrito de Du'a'u, existe uma rocha chamada Kokoradakedakeda. Além dela, perto de uma localidade chamada Makaydokodoko, há outra denominada Tabudaya. Mais para leste, próximo de Bunama, existe uma rocha pequena chamada Sinada que desfruta de certo prestígio no *Kula*. Num local chamado Sina'ena, que não consigo localizar no mapa, há uma rocha denominada Taryadabwoyro, com olhos, nariz, pernas e parte posterior como um porco. Essa rocha é conhecida como "mãe de todos os porcos", e o distrito de Sina'ena é famoso pela grande quantidade desses animais.

O único fragmento mítico que pude obter a respeito dessas rochas é o que acabei de citar. Como ocorre nos dois mitos *kula* previamente citados, é a história de uma migração do norte para o sul. Não há quaisquer alusões ao *Kula* na narrativa, mas, visto que recebem *pokala* durante o *Kula*, há evidentemente certa relação entre o *Kula* e as rochas. Para melhor compreendermos essa relação, é preciso entendermos que oferendas semelhantes são feitas, em determinadas formas de magia, aos espíritos dos ancestrais e aos espíritos dos heróis culturais que fundaram a instituição na qual a magia é praticada. Isso sugere a conclusão de que Atu'a'ine e Aturamo'a são heróis do *Kula* como Tokosikuna e Kasabwaybwayreta e que sua história é outra variante do mito *kula* fundamental.

CAPÍTULO XIII

Na praia de Sarubwoyna

1

Quando a frota de Sinaketa ultrapassa os dois rochedos míticos de Atu'a'ine e Aturamo'a, já alcançou o objetivo final da expedição. Diante dela se estendem, por várias milhas, a costa noroeste dos estreitos Dawson, onde, na ampla praia, acham-se espalhadas as aldeias de Bwayowa, Tu'utauna e Deyde'i, ao pé de Koyava'u. Esse último é chamado, pelos habitantes de Boyowa, Koyaviguna, "a montanha final". Logo atrás das duas rochas, estende-se a praia de Sarubwoyna, cujas areias, brancas e limpas, guarnecem a curva rasa de uma pequena baía. É nesse local que a tripulação das canoas, já próximas de seu destino, precisa fazer uma parada a fim de preparar-se magicamente para aproximar-se de seus parceiros em Dobu. Da mesma forma que, ao iniciarem a expedição em Sinaketa, pararam em Muwa por algum tempo, lá executando o último ato de seus ritos e cerimônias inaugurais, também agora esta praia, Sarubwoyna, é o local onde mais uma vez eles reúnem suas forças depois de completada a jornada.

Já mencionamos esse local no capítulo II quando, ao descrever o distrito, imaginamos que, passando perto dessa praia, nela encontrávamos uma enorme frota de canoas cuja tripulação se empenhava na execução de atividades misteriosas. Disse, naquele capítulo, que poderia haver até cem canoas ancoradas na praia e, com efeito, nas grandes expedições *uvalaku* de outrora, esse número era facilmente alcançado. Num cálculo aproximado, Sinaketa poderia ter fornecido então umas vinte canoas; os nativos de Vakuta poderiam ter se juntado a elas com umas quarenta canoas; os das ilhas Amphlett, com outras tantas; e mais vinte as teriam seguido, vindas de Tewara, Siyawawa e Sanaroa. Algumas delas, na verdade, não estariam participando do *Kula*, mas acompanhando as demais por simples curiosidade, como aconteceu na grande expedição *uvalaku* que acompanhei de Dobu a Sinaketa em 1918 e na qual as sessenta canoas de Dobu foram seguidas de outras doze, vindas das ilhas Amphlett e outras tantas vindas de Vakuta.

Tendo agora chegado a essa praia, os nativos de Sinaketa param, amarram suas canoas perto da terra firme, adornam o corpo e executam uma série completa de rituais mágicos. Num curto período, sucede-se um grande número de pequenos rituais, acompanhados de fórmulas mágicas em geral não muito longas. Com efeito, desde o momento da chegada da Sarubwoyna até sua entrada na aldeia, eles estão constantemente realizando um ritual mágico ou outro e o *toliwaga* não para de murmurar encantamentos. Ao observador desenrola-se um espetáculo de febril atividade, espetáculo esse que pude testemunhar em 1918, ao assistir a uma cerimônia análoga a essa, executada pela frota *kula* de Dobu que se aproximava de Sinaketa.

A frota para; as velas são enroladas, os mastros, desmontados, as canoas, atracadas [**46**]. Em cada uma das canoas, os homens mais velhos começam a abrir suas cestas e a tirar delas seus objetos de uso pessoal. Os mais jovens correm para a praia, recolhendo grande quantidade de folhas de árvores e trazendo-as para as canoas. Os mais velhos então, mais uma vez, murmuram fórmulas mágicas sobre as folhas e sobre outras substâncias. Nisso, o *toliwaga* é auxiliado por outros nativos. Em seguida, todos se banham na água do mar, esfregando-se com as folhas encantadas. Quebram os cocos e raspam a polpa que, tratada magicamente, é esfregada na pele a fim de untá-la e torná-la brilhante. Murmuram um encantamento sobre o pente e com ele desfiam o cabelo [**47, p. 449**]. A seguir, usando uma mistura de noz de bétel esmagado e cal, traçam desenhos vermelhos no rosto, enquanto outros usam o *sayyaku*, substância resinosa e aromática, traçando linhas semelhantes em preto. Os pés de hortelã, de deliciosa fragrância, que foram encantados antes da viagem, são retirados de seu pequeno receptáculo, onde foram preservados em óleo de coco. Seus raminhos são enfiados nos braceletes, enquanto algumas gotas do óleo são esfregadas sobre o corpo e na superfície do *lilava*, o pacote mágico de *pari* (mercadorias destinadas à troca).

Todos os encantamentos proferidos sobre os cosméticos nativos pertencem à *mwasila* (magia *kula*) da beleza. O objetivo principal dessas fórmulas é o mesmo que encontramos claramente expresso

[46] Uma frota *kula* parando para executar os ritos finais do *mwasila*.
A foto, tirada nas ilhas Trobriand, mostra a frota de Dobu chegando a seu destino. A chegada à praia de Sarubwoyna teria cenário idêntico. Os dois nativos em primeiro plano estão rumando para a praia a fim de buscar as folhas para o encantamento *kaykakaya*.

no mito: tornar os nativos bonitos, atraentes e irresistíveis a seus parceiros no *Kula*. Vimos, nos mitos, como o herói, velho, feio e desajeitado, transformou-se, com magia, num jovem radiante e encantador. Esse episódio mítico nada mais é que uma versão exagerada do que sempre acontece quando os nativos proferem o *mwasila* da beleza na praia de Sarubwoyna ou em outros locais de chegada. Explicando o significado desses rituais, meus informantes repetiram-me inúmeras vezes:

> Aqui, nós somos feios; comemos peixe ruim, comida ruim; nossos rostos permanecem feios. Queremos navegar para Dobu; obedecemos os tabus, não ingerimos comida ruim. Vamos a Sarubwoyna; nos lava-

> mos; encantamos as folhas de *silasila*; encantamos o coco; *putuma* [untamos o corpo]; pintamos o rosto de vermelho e preto; colocamos nossa *vana* perfumada [enfeites de ervas nos braceletes]; chegamos a Dobu muito bonitos. Nosso parceiro olha para nós, vê que nossos rostos estão bonitos. Ele atira os *vaygu'a* para nós.

O peixe ruim e a comida ruim aqui mencionados são os produtos proibidos àqueles que conhecem o *mwasila*; o nativo muitas vezes pode desrespeitar o tabu sem querer.

Não há dúvida de que a crença profunda na eficácia dessa magia quase pode mesmo torná-la eficaz. Embora a verdadeira beleza não possa ser gerada por encantamentos, a sensação de ser belo por meio da magia pode dar grande segurança e influenciar os nativos em seu comportamento e desempenho; e, como na transação são as maneiras do solicitante que importam, essa magia sem dúvida atinge seu objetivo usando mecanismos psicológicos.

Esse setor de magia *kula* tem duas contrapartes no outro acervo mágico dos trobriandeses. Uma delas é a magia do amor, por meio da qual as pessoas se tornam atraentes e irresistíveis. Sua crença nesses encantamentos é tal que os homens sempre lhes atribuem seus sucessos amorosos. Outro tipo de magia, bastante análogo à magia da beleza do *Kula*, é a magia da beleza especificamente praticada antes das grandes danças e festividades.

Vamos agora fornecer um ou dois exemplos da magia executada na praia de Sarubwoyna. Seu ritual é sempre extremamente simples. Em cada caso, a fórmula é recitada sobre determinada substância que é, em seguida, aplicada sobre a pele. O primeiro ritual executado é o da ablução cerimonial. O *toliwaga* põe a boca bem próxima dos grandes maços de folhas trazidos da praia e recita sobre elas a fórmula denominada *kaykakaya* (fórmula de ablução). Depois da ablução, as folhas são esfregadas na pele de todos os tripulantes que praticam o *Kula*. A seguir, na mesma ordem em que os menciono, são encantados o coco, o pente, a tinta preta comum ou aromática ou a noz de bétel.[1] Via de regra, apenas uma das tintas é usada. Em alguns casos, o *toliwaga* recita a fórmula a todos. Em outros, uma pessoa que saiba, digamos, a fórmula da noz de bétel ou do pente a recita para si própria e até mesmo para os outros. Em certas ocasiões, de todos esses rituais são executados apenas o *kaykakaya* (ablução) e mais um dos outros.

1 Ver também n. VI (A), no quadro sinótico da magia *kula*, no capítulo XVII, p. 543.

ENCANTAMENTO *KAYKAKAYA*

Ó peixe katatuna, ó peixe marabwaga, peixe yabwau, peixe reregu!

Sua tinta vermelha, com que eles estão pintados; sua tinta vermelha, com que eles estão enfeitados.

Sozinhos eles visitam, juntos nós visitamos; sozinhos eles visitam, juntos nós visitamos um chefe.

Eles me apertam ao peito; eles me abraçam.

A grande mulher se torna minha amiga, onde os potes estão fervendo; a boa mulher se torna minha amiga, na plataforma de sentar.

Duas pombas se levantam e fazem a volta; dois papagaios voam em redor.

Não mais é minha mãe, minha mãe és tu, ó mulher de Dobu! Não mais é meu pai, meu pai és tu, ó homem de Dobu! Não mais é a pla-

[47] *Mwasila*, o encantamento da beleza. Os nativos se preparam para o desembarque. Em cada uma das canoas são lançados os encantamentos aos cosméticos e os nativos penteiam o cabelo, untam o corpo e pintam o rosto.

taforma alta, a plataforma alta são os braços dele; não mais é a plataforma de sentar, a plataforma de sentar são as pernas dele; não mais é minha colher para cal, minha colher para cal é a língua dele; não mais é meu pote para cal, meu pote para cal é a garganta dele.

Essa fórmula passa, então, à mesma parte final do encantamento do *sulumwoya* (já citado no capítulo VII), que diz: "Espírito de meu tio materno, recentemente falecido" etc.

No início dessa fórmula, são enumerados nomes de peixes. Todos esses peixes têm marcas vermelhas no corpo e são considerados tabu pelos nativos que recitam a magia *mwasila* e praticam o *Kula*. Se comidos, dão à pessoa uma aparência muito feia. As palavras de um de meus informantes, já mencionadas anteriormente, "nós comemos peixes ruins, nós ficamos feios", referem-se a esses peixes, entre outros. Nessa fórmula, a invocação é, em parte, um pedido de ajuda e, em parte, uma espécie de exorcismo que tem o objetivo de anular os eventuais efeitos malignos da quebra do tabu de ingerir esses peixes. Visto que essa fórmula se acha associada ao ritual de ablução, todo o processo tem certa coerência mágica, que se verifica no âmbito de uma concatenação de ideias extremamente obscuras e confusas: o vermelho do peixe, a pintura vermelha do corpo humano para embelezá-lo, a invocação da magia de pesca, o tabu referente ao peixe. Essas ideias se associam de alguma forma, mas seria insensato e incorreto tentar colocá-las numa ordem ou sequência lógica.[2] Nenhum de meus informantes nativos pôde esclarecer a sentença referente ao ato de "visitar", contido nessa fórmula. Arrisco-me a sugerir que os peixes são convidados a ajudar o aventureiro, com sua beleza, no decorrer da visita *kula*.

As sentenças que vêm a seguir referem-se à recepção que ele espera ter em Dobu, na linguagem forte e exagerada da magia. As palavras que foram traduzidas pelas expressões "apertam ao peito", "abraçam" e "torna-se minha amiga" são os termos usados para descrever os afagos, o embalo e os abraços propiciados às criancinhas. Segundo o costume nativo, não se considera efeminado ou ridículo o fato de os homens se abraçarem, estejam andando ou sentados. Devemos acrescentar que isso se faz sem nenhuma conotação homossexual, pelo menos as do tipo mais grosseiro. Não obstante, não ocorre de fato nenhum afago entre os nativos de Dobu e seus parceiros do *Kula*. A alusão à "grande mulher" e à "boa mulher"

2 Não pode haver expressão melhor para denotar a mútua relação de todas essas ideias do que a expressão usada por Frazer para descrever uma das formas típicas do pensamento mágico, "o contágio de ideias". O processo subjetivo, psicológico, leva os nativos a crer no contágio mágico das coisas.

refere-se à esposa e à irmã do parceiro, as quais, como já dissemos, são consideradas portadoras de grande influência nas transações.

As duas pombas e os dois papagaios expressam, metaforicamente, a amizade entre a pessoa que recita o encantamento e seu parceiro. A longa lista que se segue expressa a troca de seus parentes por seus amigos de Dobu. Segue-se uma descrição exagerada do grau de intimidade entre ele e o parceiro, em cujos braços e pernas ele vai sentar-se, e de cuja boca ele receberá os pedaços de bétel mascado.

Vou apresentar mais um exemplo dessas fórmulas, associado ao adorno e à beleza pessoal. Essa fórmula é pronunciada sobre a noz de bétel com a qual o *toliwaga* e os membros de sua tripulação desenham linha de carmim no rosto. Quando se esmaga a noz fresca com cal num pequeno pilão, obtêm-se uns pigmentos de grande brilho e intensidade. Os viajantes que percorrem os países do oceano Índico ou certas partes do Pacífico os conhecem bem, pois é a tinta que tinge os lábios e a língua dos nativos.

ENCANTAMENTO *TALO*

"Tinta vermelha, tinta vermelha do peixe *udawada*! Tinta vermelha, tinta vermelha do peixe *mwaylili*! Numa extremidade da pétala-flor do pandano aromático; na outra extremidade da flor Duwaku. Há duas tintas vermelhas minhas, elas brilham, elas cintilam.

Minha cabeça, ela brilha, ela cintila; minha pintura vermelha, ela brilha, ela cintila,

Minha pintura preta do rosto, ela brilha, ela cintila;
Minha pintura aromática, ela brilha, ela cintila;
Minha cesta pequena, ela brilha, ela cintila;
Minha colher para cal, ela brilha, ela cintila;
Meu pote para cal, ele brilha, ele cintila;
Meu pente, ele brilha, ele cintila."

E assim por diante, enumerando-se os diversos objetos de uso pessoal, como a esteira, o estoque de artigos a serem permutados, a cesta grande, o pacote encantado (*lilava*) e, novamente, as várias partes de sua cabeça, ou seja, o nariz, o occipício, a língua, a garganta, a laringe, os olhos e a boca. A série completa de palavras é mais uma vez repetida com outra palavra-chave no lugar de "brilha, cintila". A nova palavra, *mitapwaypwa'i*, é uma palavra completa que exprime um desejo, uma cobiça nascente nos olhos. Os olhos, segundo as teorias psicofísicas nativas, são o centro da admiração, do desejo e do apetite em assuntos sexuais, da gula e da cobiça dos bens materiais. Aqui essa expressão denota que o parceiro de Dobu, ao olhar para o visitante, desejará fazer o *Kula* com ele.

A fórmula termina assim:

"Minha cabeça se torna brilhante, meu rosto cintila. Meu corpo assumiu um belo porte, como o de um chefe; meu corpo assumiu um porte excelente. Eu sou o único; minha fama se ergue sozinha."

No início dessa fórmula, são de novo mencionados os dois peixes; evidentemente a cor vermelha do peixe é o tom exato de vermelho para o *Kula*! Não posso explicar o significado da segunda sentença, exceto que as pétalas da flor do pandano são ligeiramente coloridas numa de suas extremidades e que são consideradas um dos enfeites mais belos e atraentes. A parte intermediária e a parte final dessa fórmula dispensam comentários.

Essas duas fórmulas são suficientes para mostrar o caráter geral da magia da beleza do *Kula*. Mais uma fórmula precisa ser mencionada aqui: a do búzio é, em geral, encantado nesse estágio das atividades *kula*. Às vezes, porém, antes da partida da expedição, o *toliwaga* recita a fórmula na abertura do búzio, que depois é cuidadosamente vedada para que o encantamento não escape. O búzio é feito de um espécime grande da concha *Cassis cornuta*; os nativos quebram o ápice das dobras espiraladas na extremidade mais larga da concha, formando um bocal. A fórmula não é recitada no bocal, mas na ampla abertura existente entre os lábios e ambos os orifícios são depois vedados com fibra de palha de coco até o momento em que o búzio tiver realmente que ser soprado.

ENCANTAMENTO *TA'UYA* (*BÚZIO*)

"*Mwanita, Mwanita!* Rumai para lá juntos; eu farei com que rumeis para lá juntos! Rumai para cá juntos; eu farei com que rumeis para cá juntos! O arco-íris aparece lá; eu farei que o arco-íris apareça lá! O arco-íris aparece aqui; eu farei o arco-íris aqui.

Quem vem à frente com o *Kula*? Eu, [neste ponto, o recitador profere seu próprio nome], venho à frente com o *Kula*, eu serei o único chefe; eu serei o único velho; eu serei o único a encontrar-se com meu parceiro na estrada. Minha fama permanece sozinha; meu nome é único. Lindos objetos de valor são trocados aqui com meu parceiro; lindos objetos de valor são trocados lá com meu parceiro; os objetos que meu parceiro traz em sua cesta são inspecionados."

Depois desse exórdio vem a parte intermediária, baseada no princípio da repetição de uma palavra com uma série de outras. A palavra-chave, nessa parte, é uma expressão que denota o estado de contentamento em que se encontra o parceiro e que o faz dar generosos presentes *kula*. Essa palavra é repetida primeiro com uma série de palavras que descrevem os diversos objetos de uso pessoal do parceiro, seu cachorro, seu cinto; seu coco e noz de bétel tabu; e, a seguir, com uma nova série de termos que denotam as diversas categorias de objetos valiosos do *Kula* que se espera que serão dados. Essa parte poderia, então, ser traduzida da seguinte maneira: Um estado de excitação se apodera do seu cachorro, do seu cinto; do seu *gwara* [tabu dos cocos e nozes de bétel], de seu colar *bagido'u*, de seu colar *bagiriku* etc.

A fórmula termina de maneira típica:

"Vou realizar o *Kula*, vou roubar meu *Kula*, vou furtar meu *Kula*; vou surrupiar meu *Kula*. Vou realizar o *Kula* para que minha canoa afunde; vou realizar o *Kula* para que meu flutuador externo afunde. Minha fama é como o trovão, meus passos são como o terremoto!"

A primeira palavra desse encantamento, *mwanita*, é o nome nativo de um verme comprido, com uma carapaça de anéis pretos. Contaram-me que esse verme é citado em razão de sua semelhança com os colares feitos das conchas de *Spondylus*, que também consistem em muitos anéis. Obtive essa fórmula em Sinaketa, portanto essa interpretação chama a atenção apenas para os colares, embora o símile logicamente possa estender-se aos braceletes de conchas, pois diversos braceletes enfiados num cordel **[61, p.606]** também apresentam certa semelhança com o verme *mwanita*. Devemos acrescentar que Sinaketa é uma das comunidades *kula* em que as expedições marítimas são realizadas numa única direção – ou seja, para o sul, onde são obtidos os colares de *Spondylus*. Sua correspondente ao norte, Kiriwina, também executa o *Kula* marítimo numa só direção. As fórmulas que obtive em Kiriwina diferem das de Sinaketa na parte principal: quando, na *tapwana* (parte principal) da fórmula de Sinaketa, há uma lista de colares de *Spondylus*, na *tapwana* de Kiriwina existe uma lista das diversas variedades de braceletes. Em Kitava, onde, como em várias outras comunidades *kula*, as expedições marítimas são realizadas em ambas as direções, a mesma fórmula seria usada pela mesma pessoa com duas partes principais diferentes, conforme estivesse se dirigindo para o leste, a fim de obter *mwali*, ou para o oeste, a fim de obter *soulava*. Não haveria, no entanto, alterações na parte inicial da fórmula.

A sentença "rumai para cá juntos" refere-se aos objetos de valor coletados. O jogo de palavras com os termos "lá" e "aqui", representado na linguagem nativa pelo som do *m* e do *w*, que são usados como afixos alternantes, é muito frequente nas fórmulas mágicas (ver capítulo XVIII, seção 12). O arco-íris aqui invocado é um *kariyala* (presságio mágico) dessa fórmula. Quando se ouve o toque do búzio e a frota se aproxima da praia, um arco-íris deve aparecer no céu.

O resto do exórdio é reservado para as palavras usuais de autopromoção e exageros típicos das fórmulas mágicas. A parte intermediária dispensa comentários, é evidente que o som do búzio visa levar o parceiro a cumprir seu dever com entusiasmo. A magia pronunciada dentro do búzio realça e fortalece esse efeito.

2

Depois de concluída a magia da beleza e do búzio, o que, no total, não leva mais do que meia hora, todos os nativos, totalmente paramentados com seus enfeites de festa, tomam o devido lugar na canoa. As velas foram dobradas e os mastros, removidos, e o estágio final é feito a remo. As canoas navegam juntas, não em formação regular, mas próximas umas das outras; a canoa do *toli'uvalaku* em geral segue à frente. Em cada uma das canoas, o *toliwaga* senta-se no lugar a ele reservado, no meio da canoa, perto do *gebobo* (engradado especial para a carga). Um homem senta-se na parte da frente, bem junto à tábua de proa, outro na popa, sobre a plataforma. Os demais membros da tripulação ocupam-se dos remos, enquanto o garotinho ou o membro mais jovem da tripulação senta-se perto da proa, pronto a fazer soar o búzio. Os remadores movem seus remos em forma de folha em puxadas longas, vigorosas e rápidas, deixando que a água escorra dos remos, cujas pás cintilam à luz do sol – remada cerimonial a que chamam *kavikavila* (relâmpago).

Assim que as canoas começam a mover-se, os três nativos, até então sem funções, passam a entoar um cântico, cada um deles recitando uma fórmula mágica diferente e especial. O homem que está sentado na proa segura o *tabuyo* (tábua de proa oval) com uma das mãos e recita um encantamento denominado *kayikuna tabuyo* (o balanço da tábua de proa). O do meio da canoa, o *toliwaga*, recita uma poderosa fórmula chamada *kavalikuliku* (o encantamento de terremoto), fórmula essa que faz "a montanha tremer e afundar". O homem que está na popa recita a fórmula denominada *kaytavilena mwoynawaga*, expressão que não posso explicar muito bem e que literalmente se traduz por "a mudança da entrada da canoa". Dessa forma, carregada de força mágica que se derrama irresistivelmente em direção à montanha, as canoas rumam para o objetivo da viagem. Com as vozes dos recitadores misturam-se os sons penetrantes de búzio, cujos timbres se mesclam numa harmonia estranha e inquietante. Devemos agora apresentar alguns exemplos desses três encantamentos.

ENCANTAMENTO *KAYIKUNA TABUYO*

"Moruborogu. Mosilava'u!

Águia-pescadora, cai sobre tua presa, apanha-a.

Minha tábua de proa, ó águia-pescadora, cai sobre tua presa, apanha-a."

Essa expressão-chave, a invocação da águia-pescadora, é repetida com uma série de palavras que denotam, em primeiro lugar, as partes ornamentais da canoa; depois, certas partes de sua estrutura; e, finalmente, o pote para cal, a espátula para cal, o pente, os remos, as esteiras, o *lilava* (embrulho mágico) e os *usagelu* (membros de tripulação). A fórmula termina com as palavras:

"Vou fazer o *Kula*, vou roubar meu *Kula*" etc. como na fórmula do búzio, já apresentada.

As duas primeiras palavras dessa fórmula são os nomes pessoais de homens, como indica a sílaba inicial *Mo-;* não consegui, porém, nenhuma informação sobre eles. A alusão à águia-pescadora, na parte principal, sugere conexão entre a ação do rito, ou seja, o movimento do *tabuyo*, e essa parte do encantamento, pois as tábuas de proa ornamentais são sinonimamente chamadas *buribwari* (águia-pescadora). Por sua vez, a expressão "Águia--pescadora, cai sobre tua presa" é, sem dúvida, um símile mágico que expressa a ideia: "Assim como a águia-pescadora cai sobre sua presa e a carrega, da mesma forma possa esta canoa cair sobre os objetos de valor do *Kula* e carregá-los". A associação desse símile com o ato de balançar as tábuas de proa é muito sugestiva. Pode ser uma tentativa de identificar a canoa e todos os seus acessórios à águia-pescadora que cai sobre sua presa, por intermédio da tábua de proa ornamental. A fórmula proferida pelo *toliwaga* no meio da canoa é a seguinte:

> *KAVAUKULIKU*
>
> "Eu ancoro na praia do mar aberto, minha fama chega à laguna, eu ancoro na laguna, minha fama chega à praia do mar aberto.
>
> Eu golpeio a montanha; a montanha estremece; a montanha afunda; a montanha treme; a montanha cai; a montanha desmorona. Eu chuto o solo em que a montanha se ergue. Eu junto, eu reúno.
>
> A montanha é encontrada no *Kula*; nós encontramos a montanha no *Kula*."
>
> A expressão *kubara, takuba, kubara*, que aqui traduzimos por "a montanha é encontrada no *Kula* etc.", é repetida com uma longa série de palavras que denotam as várias categorias de artigos de valor a serem recebidos no *Kula*. Termina com a parte final já mencionada: "Minha fama é como o trovão, meus passos são como o terremoto".

As duas sentenças iniciais são claras; contêm o exagero típico da magia e a permuta de palavras que também os caracteriza. A seguir, vem o terrível ataque verbal à "montanha", e o pavoroso desastre se efetua por palavras. "A montanha" (*koya*) representa aqui a comunidade de parceiros, o parceiro, a mente do parceiro. Foi muito difícil traduzir a expressão "*kubara, takuba, kubara*". É evidentemente uma expressão arcaica e eu a encontrei em diversas fórmulas *mwasila*. Parece significar algo como um encontro entre a frota que se aproxima e o *koya*. A palavra que significa "batalha no mar" é, na língua trobriandesa, *kubilia*; na língua dos nativos das ilhas Amphlett e de Dobu, *kubara*, e, como as palavras da língua do parceiro são frequentemente usadas nessas fórmulas, essa etimologia e a tradução parecem estar corretas.

A terceira fórmula, que é a recitada pelo nativo que está na popa, é a seguinte:

KAYTAVILENA MWOYNAWAGA

"Crocodilo, cai, leva teu homem! Empurra-o para baixo do *gebobo*! [seção da canoa onde fica armazenada a carga].

Crocodilo, traz-me o colar, traz-me o *bagido'u* etc."

A fórmula termina com a sentença de sempre: "Eu vou fazer o *Kula*, eu vou roubar meu *Kula* etc.", como nas duas outras já mencionadas anteriormente (*ta'uyo* e *kayikuna tabuyo*).

Essa fórmula é obviamente um apêndice desses três encantamentos e nela se invoca o crocodilo em vez da águia-pescadora, mas com o mesmo significado. O resto da fórmula está em claro: o crocodilo é invocado para que traga os diferentes tipos de objetos valiosos feitos de *Spondylus*.

É interessante refletir sobre a importância psicológica dessa magia. A crença em sua eficácia é profunda, crença essa que é alimentada não só por aqueles que a entoam à medida que a frota avança, mas também pelos nativos que, na praia, estão à espera dos visitantes. Os nativos de Dobu creem que forças poderosas agem sobre eles. Eles parecem sentir a onda de influência mágica avançando lentamente, espalhando-se por suas aldeias. Eles ouvem o chamado do búzio, que traz magia em seu toque irresistível. Eles podem ter ideia do murmúrio de muitas vozes que o acompanham. Eles sabem o que os outros esperam deles e correspondem às expectativas. De parte da frota que se aproxima, essa magia, o conjunto de muitas vozes mescladas ao som do *ta'uyo* (búzio) exprime suas esperanças e desejos e sua excitação que aumenta progressivamente, sua vontade de "fazer a montanha estremecer", de fazê-la desmoronar até a base.

Ao mesmo tempo, uma nova emoção se forma na mente deles – a de temor e apreensão; outro tipo de magia lhes tem de servir de apoio nesse impasse, exprimindo esse medo e mitigando-o – a magia da segurança. Alguns encantamentos desse tipo já foram proferidos anteriormente, com os demais talvez na praia de Sarubwoyna, talvez ainda antes disso, num dos estágios intermediários da viagem. Mas o ritual será executado no momento em que os nativos firmam pé na praia. E devemos transcrevê-lo aqui, na medida em que esse é o momento psicológico ao qual a magia corresponde.

Parece absurdo, do ponto de vista racional, que os nativos, mesmo sabendo que estão sendo esperados e tendo sido na verdade convidados a vir, sintam-se inseguros quanto à boa vontade de seus parceiros, com os quais já negociaram tantas vezes, tendo sido visitados por eles e os tendo visitado repetidas vezes. Já que vêm numa expedição pacífica e costumeira, por que deveriam ter apreensões com perigo e por que precisam de um aparato mágico especial para encontrar-se com os nativos de Dobu? Essa é uma maneira lógica de raciocinar, mas os costumes não são lógicos e a atitude emocional do homem tem maior poder sobre os costumes que a razão. A atitude principal de um nativo em relação a grupos estranhos é de hostilidade e desconfiança. O fato de que, para o nativo, todo estranho é um inimigo, é um traço etnográfico registrado em todas as partes do mundo. O trobriandês não constitui uma exceção nesse particular, e do outro lado da estreiteza de seu próprio horizonte social ergue-se uma muralha de suspeita, incompreensão e inimizade latente que o separa até mesmo de seus vizinhos mais próximos. O *Kula* atravessa essa muralha em pontos geográficos específicos, por meio de transações costumeiras especiais. Mas, como todas as coisas extraordinárias e excepcionais, o abandono desse tabu geral referente a estranhos precisa ser justificado e superado pela magia.

Com efeito, a conduta usual dos nativos de Dobu e de seus visitantes expressa esse estado de coisas com singular precisão. A regra do costume é que os trobriandeses sejam recebidos primeiro com uma demonstração de hostilidade e violência, tratados quase como intrusos. Mas essa atitude arrefece depois que os visitantes tenham cuspido ritualmente sobre a aldeia à sua chegada. Os nativos expressam suas ideias sobre esse assunto de maneira bastante característica:

> O nativo de Dobu não é bom como nós. Ele é maldoso, ele come gente! Quando vamos a Dobu, nós o tememos, ele poderia matar-nos. Mas veja! Eu cuspo a raiz de gengibre encantada, e a mente deles se transforma. Eles abaixam suas lanças; eles nos recebem bem.

3

Essa demonstração de hostilidade se fixa numa atitude cerimonial específica quando a aldeia de Dobu, que é formada de um conjunto de aldeiazinhas, vê-se sob um tabu. Quando morre uma pessoa importante em qualquer uma dessas aldeiazinhas, a comunidade inteira fica sob o chamado tabu *gwara*. Os coqueiros e as palmeiras de bétel existentes dentro da aldeia e ao redor dela não podem ser escalados, e os frutos não podem ser tocados pelos próprios nativos de Dobu, muito menos por estranhos. Esse estado de coisas tem duração variável segundo as circunstâncias e o grau de importância do morto. Só depois de passado o período do *gwara* é que os nativos de Kiriwina ousam vir visitar Dobu, tendo sido notificados da situação antecipadamente. Mas então, quando chegam, os nativos de Dobu encenam uma demonstração de verdadeira hostilidade, pois os visitantes terão de quebrar o tabu, terão de subir nas palmeiras e apanhar os frutos proibidos. Isso se acha em perfeita consonância com um tipo de costume papua-melanésio bastante disseminado, relativo ao modo de encerrar períodos de tabu: em todos os casos, é sempre alguém de fora, alguém não atingido pelo tabu, que deve terminá-lo, ou então forçar a pessoa que impôs o tabu a quebrá-lo. Nessas ocasiões, há sempre certa demonstração de violência e luta por parte daquele que tem de permitir que o tabu seja quebrado. Nesse caso, como dizem os nativos de Kiriwina:

> Supondo que não executemos o *ka'ubana'i* [magia da segurança], ficamos atemorizados quando há um *gwara* em Dobu. Os homens de Dobu colocam pintura de guerra, empunham a lança e o *puluta* [clava]; eles se sentam e nos olham. Nós corremos para dentro da aldeia; subimos nas árvores. Ele corre até nós: "Não subam", grita. Então nós cuspimos *leyya* [raiz de gengibre] nele. Ele atira a lança ao chão, volta e sorri. As mulheres levam as lanças embora. Nós cuspimos na aldeia inteira. Então ele fica satisfeito. Ele fala: "Você sobe no seu coqueiro, seu bétel; corte suas bananas".

O tabu então se quebra, termina o *gwara*, e o momento tradicional e histriônico de tensão está superado, embora tenha provocado nervosismo em ambas as partes.

A seguir apresento a longa fórmula recitada pelo *toliwaga* para encantar vários pedaços de raiz de gengibre que depois são distribuídos aos membros da tripulação, cada um dos quais carrega um pedaço ao desembarcar na praia.

KA'UBANA'I

"Espírito flutuante de Nikiniki!

Duduba, Kirakira. [Essas duas palavras são intraduzíveis.]

Ele reflui, ele reflui!

Tua fúria reflui, reflui completamente, ó homem de Dobu!

Tua pintura de guerra reflui, reflui completamente, ó homem de Dobu!

O golpe de tua lança reflui, reflui completamente, ó homem de Dobu!

Tua ira reflui, reflui completamente, ó homem de Dobu!

Tua perseguição reflui, reflui completamente, ó homem de Dobu!"

A seguir vem uma longa série de expressões que denotam paixões hostis, falta de disposição para fazer o *Kula* e todos os instrumentos de guerra são enumerados. Assim, são proferidas umas após as outras palavras como "recusa ao *Kula*", "grunhido", "mau humor" e "desagrado"; e depois "arma", "faca de bambu", "clava", "lança de farpas grandes", "lança de farpas pequenas" e "porrete redondo", "pintura negra de guerra", "pintura vermelha de guerra". Além disso, assim que se esgota a lista na língua kiriwina, todas elas são repetidas nos termos equivalentes da língua de Dobu. Quando termina essa série com referência ao nativo de Dobu, parte dela é repetida com a adição de "Mulher de Dobu", omitindo-se, entretanto, a lista de armas. Mas isso ainda não finaliza essa fórmula extremamente longa. Acabada a extensa ladainha, o *toliwaga* recita:

"Quem surge no topo de Kinana? Eu, [ele cita seu próprio nome aqui], apareço no topo de Kinana".

Depois, a ladainha inteira é repassada novamente, desta feita com a expressão-chave "o cachorro fareja" em vez de "reflui, reflui completamente". Em conjunto com as outras palavras, teríamos, em tradução livre, mais ou menos o seguinte:

"Tua fúria, ó homem de Dobu, é como quando o cachorro fareja".

Ou, mais explicitamente:

Tua fúria, ó homem de Dobu, deve aplacar-se como a fúria do cachorro se aplaca quando ele vem farejar um recém-chegado.

O símile do cachorro deve estar fortemente enraizado na tradição mágica, pois em duas outras versões dessa fórmula, obtidas de diferentes informantes, foram usadas como expressões-chave: "o cachorro brinca", "o cachorro é dócil". A parte final dessa fórmula é idêntica à do encantamento *kaykakaya*, já apresentado neste mesmo capítulo:

"Não mais é minha mãe, minha mãe és tu, ó mulher de Dobu etc.", com as palavras finais: "Recentemente falecido etc.".

Em comentário a essa fórmula: há, em primeiro lugar, o nome citado na primeira linha, Nikiniki ou Monikiniki, como em geral é pronunciado, com o prefixo indicador do masculino, *mu*-. Nikiniki é descrito como "Um homem, um ancião; nenhum mito a respeito dele; ele falou a magia". Com efeito, o sistema principal de magia *mwasila* recebe o nome dele, mas nenhum de meus informantes conhecia alguma lenda a seu respeito.

A primeira palavra-chave da parte intermediária do encantamento é bastante clara; descreve o refluir das paixões dos nativos de Dobu e de suas expressões exteriores. É digno de nota que a palavra nativa correspondente a "refluir" seja, nessa fórmula, um vocábulo da língua de Dobu, e não da de Kiriwina. A alusão ao cachorro, já explicada, torna-se ainda mais clara nas palavras dos nativos. Uma explicação é simples:

> Eles invocam o cachorro no *mwasila* porque, quando o dono do cachorro chega, o cachorro se põe de pé e lambe; da mesma forma, as inclinações do povo de Dobu.

A outra explicação é um pouco mais sofisticada:

> A razão é que os cachorros brincam, focinho com focinho. Supondo que mencionássemos a palavra, como foi combinado há muito tempo, os objetos valiosos fariam o mesmo. Supondo que tivéssemos distribuído braceletes, os colares viriam, eles se encontrariam.

Isso significa que, ao invocar o cachorro nessa magia, de acordo com a tradição mágica, nós também influenciamos os presentes *kula*. Essa explicação é, sem dúvida, rebuscada e, provavelmente, não exprime o verdadeiro sentido do encantamento. Não teria sentido algum associada à lista de paixões e armas, mas eu a mencionei aqui como exemplo da escolástica nativa.

Nessa magia, há também um tabu referente ao cachorro. Quando alguém que pratica o *ka'ubana'i* está comendo e um cachorro uiva a uma distância que possa ser ouvido, o nativo tem de parar de comer imediatamente; caso contrário, sua magia fica "embotada".

Protegidos por essa magia, os navegadores trobriandeses desembarcam na praia de Tu'utauna, onde os acompanharemos no próximo capítulo.

CAPÍTULO XIV

O *Kula* em Dobu

Pormenores técnicos da troca

1

No capítulo anterior, falamos da instituição do *gwara* (tabu mortuário) e da recepção hostil dada à frota visitante, na época em que o *gwara* é imposto sobre a aldeia e quando tem que ser retirado. Quando não há *gwara* e os visitantes chegam numa expedição *uvalaku*, costuma haver uma grande cerimônia de boas-vindas. À medida que se aproximam, as canoas formam uma longa fileira de frente para a praia. O local escolhido é a praia correspondente à seção da aldeia em que reside o parceiro principal do *toli'uvalaku*. A canoa do *toli'uvalaku*, chefe da expedição *uvalaku*, fica na ponta da fileira. O *toli'uvalaku* fica de pé sobre a plataforma e faz uma alocução aos nativos que se acham reunidos na praia. Ele tenta apelar para uma ambição a fim de que se disponham a dar grande quantidade de objetos de valor aos visitantes, ultrapassando todas as ocasiões anteriores. Depois disso, seu parceiro que está na praia faz soar o búzio e, entrando na água, avança em direção à canoa, oferecendo o primeiro dos presentes em objetos de valor ao chefe da expedição. Esse presente pode ser seguido de outro, oferecido também ao *toli'uvalaku*. Novos toques de búzio se fazem então ouvir, e nativos se separam da multidão que está na praia, aproximam-se das canoas e trazem colares a seus parceiros, observando certa ordem de importância. Os colares são sempre carregados cerimonialmente; via de regra, estão atados numa vara pelas duas pontas e são carregados assim dependurados, com o pingente para baixo [62, p.609]. Às vezes, quando um *vaygu'a* (objeto de valor) é levado à canoa por uma mulher (a esposa ou irmã de um líder de aldeia), ela os coloca numa cesta que carrega sobre a cabeça.

2

Depois dessa cerimônia de recepção, as canoas se dispersam. Como já vimos no capítulo II, as aldeias de Dobu não se acham construídas em blocos compactos de casas, mas sim divididas em aldeiazinhas, cada uma delas formada de umas doze cabanas. A frota agora se move ao longo da praia, cada uma das canoas ancora em frente da seção de aldeia em que reside o parceiro principal de seu *toliwaga*.

Chegamos, enfim, ao ponto em que começa o verdadeiro *Kula*. Até aqui, houve apenas preparativos, a viagem com as aventuras concomitantes e uma pequena parcela de *Kula* preliminar nas ilhas Amphlett. Foi um período cheio de alegrias e emoções, voltado sempre para o objetivo final, o grande *Kula* em Dobu. Agora finalmente alcançamos o clímax. O resultado disso tudo vai ser a aquisição de alguns penduricalhos nativos, sujos, ensebados e de aparência insignificante, cada um deles uma fieira de contas achatadas, em parte descoloridas, em parte cor de framboesa ou vermelho-tijolo, formando um longo rolo cilíndrico. Aos olhos dos nativos, porém, esse resultado recebe seu significado das forças sociais da tradição e dos costumes, que imprimem valor nesses objetos e os cerca de uma atmosfera de romance. Parece adequado fazermos aqui algumas reflexões sobre a psicologia nativa e tentarmos entender sua verdadeira importância.

Para compreender essa questão, pode ser de grande valia lembrar que, não muito longe do cenário em que se desenvolve o *Kula*, muitos aventureiros brancos lutaram e sofreram e muitos perderam a própria vida no afã de obter aquilo que para os nativos parece tão insignificante e sujo quanto seus *bagi* parecem a nós – algumas pepitas de ouro. Num local mais próximo, na própria laguna de Trobriand, encontram-se pérolas valiosas. Antigamente, quando os nativos, ao abrirem uma ostra para comê-la, encontravam uma *waytuna* – uma "semente" da ostra, como a costumavam chamar –, eles a atiravam às crianças para brincar. Agora veem muitos homens brancos empenhando-se com todas as forças numa competição para obter o maior número possível dessas coisas sem valor. O paralelo é bastante próximo. Em ambos os casos, o valor convencional de um objeto traz, em si, poder, fama e o prazer de aumentá-los. No caso do homem branco, o processo é infinitamente mais complexo e indireto, mas não difere em essência do dos nativos. Se imaginássemos um grande número de joias famosas dispersas entre nós, passando de mão em mão, e se imaginássemos que o Koh-i-Noor, o Orloff e outros diamantes, esmeraldas e rubis famosos estivessem em movimento num círculo contínuo, podendo ser obtidos por meio de sorte, ousadia e iniciativa, teríamos uma analogia ainda mais perfeita. Muito embora a posse desses objetos fosse curta e temporária, a fama advinda dessa posse e da mania de "colecionar" constituiriam estímulos adicionais à cobiça da riqueza.

Devemos sempre ter em mente essa base geral, humana e psicológica do *Kula*. Se quisermos, no entanto, entender sua forma específica, temos que investigar os detalhes e os pormenores técnicos da transação. Já fizemos um pequeno esboço no capítulo III. Agora, tendo já adquirido mais conhecimento dos aspectos preliminares e compreendido melhor a psicologia e os costumes nativos, estamos mais bem equipados para uma descrição pormenorizada.

O princípio básico da transação *kula* já foi explicitado naquele capítulo; a transação *kula* consiste sempre em um *presente* seguido de um *contrapresente*; jamais pode ser escambo, uma permuta direta com avaliação de equivalentes e com pechincha. No *Kula*, deve haver sempre duas transações diferentes quanto ao nome, quanto à natureza e quanto ao tempo. A transação se abre com um presente inicial ou "de abertura" chamado *vaga* e se encerra com um presente final ou "de retribuição" chamado *yotile*. Ambos são presentes cerimoniais, têm de ser acompanhados do toque de búzio e são oferecidos ostensivamente e em público. O termo nativo "atirar" um objeto de valor descreve bem a natureza do ato, pois, embora o objeto tenha de ser entregue pelo doador, o receptor lhe dá pouquíssima atenção e raramente o recebe com as próprias mãos. A etiqueta da transação requer que o presente seja oferecido de maneira descortês, brusca e quase violenta e recebido com indiferença e desdém equivalentes. Uma pequena modificação é introduzida quando, como às vezes acontece nas ilhas Trobriand e somente lá, o *vaygu'a* é dado a um plebeu por um chefe; nesse caso, o plebeu o recebe com as mãos e demonstra certa satisfação. Em todos os demais casos, o objeto de valor é colocado ao alcance do receptor, e algum membro insignificante de seu séquito o apanha.

Não é muito fácil deslindar os diversos motivos que entram em combinação para gerar essa conduta tradicional no oferecimento e no recebimento de um presente.

O papel desempenhado pelo receptor talvez não seja tão difícil de interpretar. No decorrer de toda permuta cerimonial ou comercial, transparece um descontentamento humano fundamental, tosco e básico, com o valor recebido. Ao falar de uma transação, o nativo sempre enfatiza a grandeza e o valor do presente que ele ofereceu e desvaloriza o presente recebido em troca. Paralelamente a isso, há o fator básico da relutância nativa em parecer necessitado de alguma coisa, relutância essa muito pronunciada no caso de alimentos, como já dissemos antes (capítulo VI, seção 4). Esses dois motivos se combinam para produzir o que, afinal de contas, não passa de uma atitude tipicamente humana e compreensível de desdém no recebimento de um presente. No caso do doador, a violência histriônica com que ele oferece um objeto poderia ser, antes de mais nada, a expressão direta da aversão natural do ser humano ao fato de ter de dispor daquilo que tem. Soma-se a isso a tentativa de realçar o valor aparente do presente oferecido, mostrando como é penoso dispor dele. Essa é a interpretação da etiqueta do dar e receber a que cheguei depois de muito observar a atitude dos nativos e de ouvir várias de suas conversas e observações fortuitas.

Os dois presentes do *Kula* são também distintos quanto ao tempo, é evidente que isso se dê no caso de uma expedição marítima do tipo *uvalaku*, na qual os visitantes não trazem consigo nenhum objeto de valor e, desse modo, nenhum objeto recebido na ocasião, seja *vaga* ou *yotile*, pode, portanto, ser permutado ao mesmo tempo. Porém, mesmo quando a transação se realiza na mesma aldeia no decorrer de um *Kula* interno, tem de haver um intervalo entre os dois presentes, pelo menos de alguns minutos.

Há também profundas diferenças na natureza dos dois presentes. O *vaga*, como presente de abertura da transação, tem de ser dado espontaneamente, ou seja, não há a imposição de nenhum dever no ato da doação. Há modos de solicitar um presente (*wawoyla*), mas não pode haver nenhuma pressão. O *yotile*, no entanto, ou seja, o objeto de valor oferecido em troca do presente previamente recebido, é oferecido sob a pressão de uma obrigação definida. Se eu dei um *vaga* (presente de abertura) a um dos meus parceiros, digamos há um ano, e agora, em visita, descubro que ele tem um *vaygu'a* equivalente, considero sua obrigação dá-lo para mim. Se ele não o fizer, ficarei com raiva e minha fúria é justificada. Isso, porém, não é tudo; se, por acaso, eu puder pôr as mãos em seu *vaygu'a* e arrebatá-lo à força (*lebu*), terei, pelo costume, o direito de fazê-lo, embora meu parceiro, num caso assim, possa ficar bastante enraivecido. A briga subsequente seria meio histriônica, meio verdadeira.

Outra diferença entre o *vaga* e o *yotile* ocorre nas expedições marítimas que não são *uvalaku*. Objetos de valor são por vezes transportados nessas expedições, mas apenas aqueles que constituem débito de um *vaga* anterior é que serão dados como *yotile*. Os presentes de abertura (*vaga*) jamais são levados além-mar.

Como já ficou dito, o *vaga* provoca mais solicitações e pedidos que o *yotile*. Esse processo, a que os nativos chamam de *wawoyla*, consiste, entre outras coisas, em uma série de presentes de solicitação. Um dos presentes desse tipo, denominado *pokala*, consiste em alimento.[1] No mito de Kasabwaybwayreta, transcrito no capítulo XII, foi mencionado esse tipo de presente. Via de regra, os nativos levam grande quantidade de alimentos na expedição e, quando descobrem que um objeto de valor está em poder de alguém, oferecem-lhe parte desses alimentos dizendo: "Eu *pokala* o teu objeto de valor; deves dá-lo a mim". Se o dono do objeto não está disposto a oferecê-lo, não aceita o *pokala*. Se aceitar, isso significa que mais cedo ou mais tarde dará o *vaygu'a* a quem ofereceu o *pokala*. O dono, no entanto, pode não querer dispor do objeto de imediato e pode querer receber mais presentes de solicitação.

Outro tipo de presente assim é chamado *kaributu*: consiste em um objeto de valor que, em geral, não é um dos objetos regularmente negociados no *Kula*. Uma pequena lâmina de machado polida ou um cinto de valor é oferecido com as seguintes palavras: "Eu *kaributu* teu colar [ou braceletes]: eu o tomarei e levarei comigo". Também esse presente só poderá ser aceito se houver intenção de satisfazer o doador com o *vaygu'a* desejado. Um objeto muito famoso e de grande valor é, em geral, solicitado por meio de presentes *pokala* e *kaributu*, um em seguida ao outro. Se, depois de um ou dois desses presentes de solitação, o grande *vaygu'a* é, por fim, oferecido, o receptor frequentemente presenteia o parceiro com mais uma porção de alimentos, presente esse a que se dá o nome de *kwaypolu*.

1 O leitor deve notar que esse é o terceiro sentido em que o termo *pokala* é usado pelos nativos. Ver capítulo VI, seção 6.

Os presentes em alimentos costumam ser retribuídos em ocasiões semelhantes, quando a oportunidade aparece. Não há, porém, estrita equivalência no que se refere aos alimentos. O presente *kaributu*, no entanto, que envolve objetos preciosos, deve ser sempre retribuído mais tarde, com um equivalente. Podemos acrescentar que os presentes *pokala* em alimentos costumam ser dados pelos nativos de um distrito em que os alimentos são mais abundantes que no distrito para onde são transportados. Assim, os nativos de Sinaketa trazem *pokala* para as ilhas Amphlett, mas nunca – ou raras vezes – oferecem *pokala* aos nativos de Dobu, que dispõem de abundância de alimentos. No âmbito das ilhas Trobriand, costuma-se oferecer *pokala* do distrito agricultor do norte de Kiriwina para os habitantes de Sinaketa; o inverso, porém, não acontece.

Outro tipo peculiar de presente associado com o *Kula* é o chamado *korotomna*. Quando um homem de Sinaketa dá um colar para um de Kiriwina, e este recebe depois um pequeno objeto de valor de seu parceiro do leste, esse objeto é oferecido ao parceiro de Sinaketa como o *korotomna* de seu colar. Esse presente, em geral, consiste em uma espátula para cal feita de osso de baleia, ornamentado com discos de *Spondylus*, e tem de ser retribuído.

Devemos observar que todas essas expressões pertencem à língua falada nas ilhas Trobriand e se referem a presentes trocados, de um lado, entre trobriandeses do norte e do sul e, de outro, entre esses últimos e os habitantes das ilhas Amphlett. Numa expedição marítima de Sinaketa a Dobu, os presentes de solicitação costumam ser dados por atacado, como presentes *pari* dos visitantes, e as diferenças sutis no que diz respeito ao nome e aos pormenores técnicos não são observadas. Isso se torna compreensível quando lembramos que, enquanto a notícia a respeito de um objeto de valor excepcionalmente bom se espalha fácil e rapidamente nas ilhas Trobriand, entre o norte e o sul, o mesmo não acontece entre Dobu e Boyowa. Ao rumar para Dobu, portanto, o nativo tem de decidir se vai ou não oferecer algum presente de solicitação a seu parceiro, quais e quantos presentes vai oferecer, sem saber se o outro tem objetos de valor especialmente preciosos para lhe dar em troca. Se, no entanto, houver algum de excepcional valor entre os *pari* do visitante, esse presente terá de ser retribuído mais tarde pelos nativos de Dobu.

Outro tipo de presente importante, essencial ao *Kula*, é o intermediário, denominado *basi*. Vamos imaginar que um nativo de Sinaketa tenha dado um par muito bom de braceletes a seu parceiro de Dobu no último encontro em Sinaketa. Agora, ao chegar a Dobu, descobre que seu parceiro não tem nenhum colar de valor equivalente ao dos braceletes dados. Não obstante, ele espera que, nesse ínterim, seu parceiro lhe dê um colar – mesmo que seja de qualidade inferior. Esse é um *basi*, ou seja, um presente que não é dado em retribuição ao *vaga* altamente valioso, mas para preencher uma lacuna. Esse presente *basi*, por sua vez, tem de ser retribuído por meio de um par de braceletes de valor equivalente em data futura. Por sua vez, o nativo de Dobu tem ainda de retribuir os grandes braceletes que recebeu, para os quais ele ainda não dispõe de um presente equivalente. Assim que ele obtiver um, oferece-o como *kudu*, o presente "que agarra", com o qual se conclui a transação. Esses dois nomes denotam figuras de retórica. *Kudu* significa "dente" e é uma boa palavra para se dar a um presente que agarra ou "morde". *Basi* significa furar ou cutucar. O comentário feito por um nativo a respeito desses nomes é apresentado a seguir em tradução literal:

> Nós dizemos *basi*, pois realmente não morde como um *kudu*; ele apenas *basi* (fura) a superfície; torna-a mais leve.

A equivalência dos dois presentes, *vaga* e *yotile*, é expressa pelas palavras *kudu* e *bigeda* (vai morder). Outra figura de retórica que descreve essa equivalência está implícita na palavra *va'i*, que significa "casar". Quando dois dos objetos opostos se encontram no *Kula* e são permutados, diz-se que os dois "se casaram". Os nativos consideram os braceletes "fêmea" e os colares "machos". Um dos meus informantes fez um comentário a respeito desses conceitos. Como já dissemos, o presente em alimentos jamais é dado por um nativo de Sinaketa a um nativo de Kiriwina, obviamente porque isso se trataria de um caso de "ensinar o padre-nosso ao vigário". Quando perguntei o porquê disso, recebi a seguinte resposta:

> Nós agora não *kwaypolu* ou *pokala* os *mwali*, pois eles são mulheres e não há razão para *kwaypolu* ou *pokala* mulheres.

Não há muita lógica nesse comentário, mas certamente ele traz em si alguma noção sobre o menor valor do conceito de "fêmea" dado aos braceletes. Talvez ele se refira à ideia básica da condição matrimonial, isto é, que cabe à família da mulher fornecer alimentos ao marido.

A noção de equivalência na transação *kula* é muito forte e definida; quando o receptor não se sente satisfeito com o *yotile* (presente dado em retribuição), ele se queixa violentamente de que não é um "dente" (*kudu*) adequado para retribuir seu presente de abertura, que não há "verdadeiro casamento", que o presente não está "mordido" adequadamente.

Esses termos, usados na língua kiriwina, abrangem cerca de metade do circuito *kula* desde a ilha de Woodlark – e, ainda mais para o leste, desde o grupo Nada (ilhas Loughlan) até as ilhas Trobriand meridionais. Na língua de Dobu, usam-se as mesmas palavras *vaga* e *basi*, mas a palavra *yotile* é pronunciada *yotura* e *kudu* é pronunciada *udu*. Usam-se os mesmos termos nas ilhas Amphlett.

Já dissemos o suficiente sobre as verdadeiras regras das transações *kula*. Com respeito às demais regras gerais, no capítulo XI, a definição da parceria e a sociologia *kula* já foram discutidas detalhadamente. Quanto à regra de que os objetos de valor precisam estar em constante movimento e jamais devem parar, nada temos a acrescentar ao que foi dito no capítulo III, pois não há exceções a essa regra, mas devemos dizer mais algumas palavras sobre os objetos de valor usados no *Kula*. Afirmei no capítulo III, ao delinear a questão de forma sucinta, que os braceletes movem-se numa direção, enquanto na direção oposta, ou seja, no sentido horário, movem-se os colares. Devemos agora acrescentar que os *mwali* (braceletes) são acompanhados de outro artigo, os *doga* ou presas de javali, de formato circular. Antigamente, os *doga* foram quase tão importantes quanto os *mwali* no fluxo *kula*. Hoje em dia, porém, raras vezes são usados como artigo *kula*. Não é fácil explicar o motivo dessa mudança. Numa instituição que tem a importância e a tenacidade tradicional encontradas no *Kula*, não há interferência da moda no sentido de ocasionar mudanças. A única razão que posso apresentar é que, hoje em dia, tendo aumentado consideravelmente o contato intertribal, há grande evasão de todos os tipos de artigos *kula* para outros distritos que não pertencem ao circuito *kula*. Por um lado, os *doga* são muitíssimo apreciados na parte continental da Nova Guiné – muito mais apreciados, suponho, do que no âmbito do *Kula*. Essa evasão, portanto, afeta os *doga* muito mais do que aos outros artigos, um dos quais – os colares de *Spondylus* – é, na realidade, importado de fora pela região *kula*, e até mesmo manufaturado pelo homem branco, em quantidade considerável, para consumo dos nativos. Os braceletes são fabricados dentro do distrito em quantidade suficiente para cobrir qualquer escoamento do produto, mas os *doga* são extremamente difíceis de obter, pois estão associados a uma mutação natural bastante rara – um javali com presas circulares.

Outro artigo que viaja na mesma direção dos *mwali* são os *bosu*, grandes espátulas para cal feitas de osso de baleia e ornamentadas com conchas de *Spondylus*. Estritamente falando, essas espátulas não constituem artigos *kula*, mas desempenham a função de presentes *korotomna*, já mencionados, e hoje em dia dificilmente são encontradas. Com os colares viajam também, mas apenas como artigos de pouca importância, subsidiários aos artigos *kula*, os cintos feitos da concha vermelha de *Spondylus*. Esses cintos são oferecidos como presentes de retribuição aos braceletes pequenos, como *basi* etc.

Há uma exceção importante na direção respectiva do movimento de colares e braceletes. Em Sinaketa, é produzido determinado tipo de fieiras feitas com as conchas de *Spondylus*, muito maiores e mais rústicas que as usadas no *Kula*, como já vimos no capítulo anterior. Essas fieiras, denominadas *katudababile* na língua kiriwina e *sama'upa* na língua de Dobu, são às vezes exportadas de Sinaketa para Dobu como presentes *kula* e funcionam, portanto, como braceletes. Esses *katudababile*, porém, jamais chegam a completar o circuito *kula* na direção errada, pois nunca voltam às ilhas Trobriand vindos do leste. Parte deles é absorvida pelos distritos que estão fora do circuito *kula*; os restantes voltam a Sinaketa, juntando-se aos outros colares em seu movimento circular.

Outra categoria de artigos que desempenham papel subsidiário na transação *kula* consiste nas grandes lâminas de machado polidas, muito finas, chamadas *beku* na língua kiriwina. Essas lâminas nunca são usadas para fins práticos, desempenham apenas a função de símbolos de riqueza e objetos de parada. No *Kula*, são oferecidas como *kaributu* (presentes de solicitação) e se movem em ambas as direções. Visto, porém, serem extraídas na ilhas de Woodlark e polidas em Kiriwina, essas lâminas movem-se na direção Trobriand-Dobu com mais frequência do que na direção inversa.

Para resumir esse assunto, podemos dizer que os artigos *kula* são, de um lado, os braceletes (*mwali*) e as presas circulares de javali (*doga*); e, por outro lado, os colares finos e longos (*soulava* ou *bagi*), dos quais existem muitas subcategorias. Um índice da importância especial desses três artigos é o fato de serem os únicos artigos ou, pelo menos, os únicos de real importância – mencionados nas fórmulas mágicas. Enumerarei mais tarde todas as subcategorias e variedades desses artigos.

Embora, como já vimos, haja muito cerimonial vinculado à transação e muito decoro – poderíamos até mesmo dizer honra comercial – implícito nos pormenores técnicos da transação, há também muita oportunidade para brigas e atritos. Se uma pessoa consegue obter um objeto de grande valor, o qual não está sob a obrigação de oferecer como *yotile* (contrapresente), muitos de seus parceiros competirão entre si para recebê-lo. Visto que apenas um deles pode consegui-lo, todos os demais ficarão frustrados e mais ou menos ofendidos e cheios de más intenções. A questão da equivalência cria ainda mais oportunidades para desavenças. Como os objetos permutados não podem ser medidos nem mesmo comparados um ao outro, segundo padrões exatos, visto não haver correspondência perfeita nem índices de correlação entre os diversos tipos de objetos de valor, não é fácil contentar um nativo que tenha dado um *vaygu'a* de grande valor. Ao receber um *yotile* que não considere equivalente, a pessoa não faz uma cena nem mesmo demonstra abertamente seu desprazer durante o ato; entretanto, fica ressentida e expressa esse ressentimento em recriminações e insultos frequentes. Tais recriminações e insultos, embora não sejam proferidos na frente do parceiro, acabam chegando a seus ouvidos mais cedo ou mais tarde. Eventualmente entra em jogo o método universal do ajuste de contas – o da magia negra, e um feiticeiro é pago para lançar algum feitiço contra o ofensor.

Ao falar sobre algum *vaygu'a* célebre, o nativo costuma ressaltar seu valor nos seguintes termos: "Muitos homens morreram por causa dele" – o que não significa que tenham morrido em batalha ou luta, mas sim por ação da magia negra. A propósito, existe um sistema de sinais pelos quais, inspecionando o cadáver no dia posterior à morte, pode-se deduzir o motivo pelo qual foi enfeitiçado. Entre esses sinais, um ou dois indicam que a pessoa foi assassinada em virtude de seu êxito no *Kula* ou por ter ofendido alguém em alguma transação. A mistura de minuciosidade e decoro, de um lado, e de ressentimento feroz e avidez, de outro, está subjacente em todas as transações, como característica psicológica principal do interesse nativo. A obrigação de justiça e decência baseia-se na regra geral de que a mesquinhez é altamente imprópria e indecorosa. Dessa forma, embora as pessoas em geral se empenhem em depreciar o presente recebido, não devemos esquecer que quem o ofereceu estava genuinamente empenhado em fazer o melhor que podia. Afinal de contas, em alguns casos, quando um nativo recebe um objeto de fato bom, gaba-se do presente e se mostra francamente satisfeito, é claro que tal êxito não é atribuído à generosidade de seu parceiro, mas sim à sua própria magia.

Uma característica universalmente considerada censurável e desonrosa é a tendência de reter objetos de valor e mostrar-se vagaroso ao passá-los adiante. Sobre a pessoa que faz isso, diz-se que ela é "dura no *Kula*". Essa característica se acha descrita no texto a seguir, um comentário feito por um nativo a respeito dos habitantes das ilhas Amphlett:

> Os Gumasila, seu *Kula* é muito duro; eles são mesquinhos, eles são mão fechada. Eles gostariam de apossar-se de um *soulava*, de dois, de três grandes *soulava*, talvez de quatro. Se um homem os *pokala*, ele irá *pokapokala*; se ele é parente, ele receberá um *soulava*. Apenas os Kayleula e os Gumasila são mesquinhos. Os Dobu, os Du'a'u, os Kitava são bons. Vindo a Muyuwa – eles são como Gumasila.

Isso significa que o nativo de Gumasila costuma acumular consigo diversos colares; costuma exigir grande quantidade de alimentos como *pokala* – o morfema reduplicativo indica a insistência e a perseverança em *pokala* – e mesmo assim só dá um colar a um parente seu. Quando perguntei ao mesmo informante se uma pessoa tão mesquinha não estaria também correndo o risco de ser morta por feitiçaria, ele me respondeu:

O homem que tem êxito no *Kula* – ele morrerá –, o homem mesquinho, não; ele será deixado em paz.

3

Voltando agora às atividades concretas do *Kula*, vamos acompanhar os movimentos de um *toliwaga* de Sinaketa. À sua chegada, presume-se que tenha recebido um ou dois colares, mas ele tem mais parceiros e espera receber mais objetos de valor. Porém, até que receba o que lhe cabe, tem de observar um tabu. Ele não pode partilhar de qualquer alimento local, nem inhame nem cocos, nem pimenta ou noz de areca. Segundo a crença, se transgredisse esse tabu, não mais receberia objetos de valor. Procura também amolecer o coração de seu parceiro, fingindo-se doente. Permanece em sua canoa e manda dizer que está doente. O nativo de Dobu sabe o que essa doença convencional significa. Não obstante, pode ceder a esse tipo de persuasão. Se a artimanha não dá certo, o *toliwaga* pode recorrer à magia. Existe uma fórmula denominada *kwoygapani* ("magia emaranhadora"), a qual seduz a mente da pessoa sobre a qual é lançada, fazendo-a ficar abobalhada e, portanto, suscetível de persuasão. A fórmula é proferida sobre uma ou duas nozes de areca, que em seguida são oferecidas ao parceiro e à sua mulher ou irmã.

ENCANTAMENTO *KWOYGAPANI*

"Ó folha *kwega*: ó folha benévola do *kwega*; ó folha *kwega* daqui; ó folha *kwega* de lá!

Entrarei pela boca da mulher de Dobu; sairei pela boca do homem de Dobu. Entrarei pela boca do homem de Dobu; sairei pela boca da mulher de Dobu.

Ó folha sedutora do *kwega*; folha *kwega* que deixa confuso; a mente da mulher de Dobu é seduzida pela folha *kwega*, enreda-se por influência da folha *kwega*."

A expressão "é seduzida", "enreda-se" pela folha *kwega* é repetida com uma série de palavras como: "Tua mente, ó homem de Dobu", "tua recusa, ó mulher de Dobu", "tua falta de inclinação, ó mulher de Dobu", "tuas vísceras, tua língua, teu fígado", enumerando todos os órgãos dos sentidos e do entendimento e as palavras que descrevem essas faculdades. A última parte é idêntica à de uma ou duas fórmulas já citadas: "Não mais é minha mãe; minha mãe és tu, ó mulher de Dobu etc.". (Ver os encantamentos *kaykakaya* e *ka'ubana'i* do capítulo anterior.)

O *kwega* é uma planta que provavelmente pertencente à mesma espécie da pimenta de bétel; suas folhas são mascadas com noz de areca e cal, quando não se tem verdadeiro bétel (*mwayye*). *O kwega*, por mais notável que possa parecer, é invocado em mais de uma fórmula mágica, no lugar do verdadeiro bétel. A parte intermediária do encantamento é bastante clara. Nela, o poder de sedução e desnorteamento atribuído ao *kwega* influencia todas as faculdades mentais do nativo de Dobu e os órgãos que constituem sua sede. Com a aplicação dessa magia, esgotam-se todos os recursos do visitante, é melhor que perca suas esperanças e passe a comer os frutos de Dobu, abandonando o tabu.

Realiza-se, paralelamente ao *Kula*, a permuta subsidiária de mercadorias comuns. No capítulo VI, seção 6, enumeramos os vários tipos de *dar e receber*, como os encontramos nas ilhas Trobriand. As transações intertribais que agora se realizam em Dobu encaixam-se com perfeição nesse esquema. O próprio *Kula* pertence à categoria "Troca cerimonial com pagamento diferido". O oferecimento dos *pari*, dos presentes de desembarque, pelos visitantes, e os presentes *talo'i* ou presentes de despedida, oferecidos pelos hospedeiros, pertencem à categoria de presentes mais ou menos equivalentes. Por fim, entre os visitantes e os nativos locais realiza-se também o escambo puro e simples (*gimwali*). Entre dois parceiros, entretanto, jamais se verifica uma permuta direta do tipo *gimwali*. O nativo do local, via de regra, contribui com um presente maior, pois os *talo'i* sempre superam os *pari* em quantidade e valor, e pequenos presentes são também dados aos visitantes durante sua estada. É claro que, se entre os *pari* estivessem incluídos presentes de alto valor, como uma lâmina de pedra ou uma boa colher para cal, tais presentes de solicitação seriam sempre retribuídos de forma estritamente equivalente. O restante seria generosamente superado em valor.

O comércio realiza-se entre os visitantes e os nativos do local que não são seus parceiros mas pertencem à comunidade com a qual se pratica o *Kula*. Desse modo, Numanuma, Tu'utauna e Bwayowa são três comunidades que formam o que chamamos de "comunidade *kula*" ou "unidade *kula*", com as quais os nativos de Sinaketa se acham em relação de parceria. Um nativo de Sinaketa *gimwali* (comercia) apenas com pessoas de uma dessas aldeias, e apenas com pessoas que não sejam seus parceiros pessoais. Para usarmos as palavras de um nativo:

> Alguns de nossos artigos nós damos em *pari*; alguns nós retemos; mais tarde, nós os *gimwali*. Eles trazem sua noz de areca, seu sagu, colocam no chão. Eles querem algum artigo nosso, eles dizem: "Eu quero essa lâmina de pedra". Nós damos, colocamos a noz de areca, o sagu em nossa canoa. Se eles, porém, não nos dão quantidade suficiente, nós os repreendemos. Então eles trazem mais.

Essa é uma definição bem clara do *gimwali*, com pechincha e ajustes de equivalência durante a transação.

Quando a frota de Sinaketa chega, os nativos dos distritos vizinhos, ou seja, da pequena ilha de Dobu propriamente dita, do outro lado dos estreitos Dawson, de Deyde'i, a aldeia situada ao sul, reúnem-se nas três aldeias *kula*. Esses nativos de outros distritos trazem consigo certa quantidade de mercadorias, mas são proibidos de comerciá-las diretamente com os nativos de Boyowa. Eles têm de permutar suas mercadorias com os nativos locais, e são estes que vão comerciá-las com os nativos de Sinaketa. Assim, os anfitriões da comunidade *kula* agem como intermediários em quaisquer relações comerciais entre os habitantes de Sinaketa e os de distritos mais afastados.

Fazendo um resumo da sociologia dessas transações, podemos dizer que o visitante entra num tríplice relacionamento comercial com os nativos de Dobu. Em primeiro lugar, há o parceiro, com o qual permuta presentes gerais na base de um "dar e receber" gratuito, um tipo de transação feita em paralelo às atividades do *Kula* propriamente dito. Em segundo lugar, há o residente local, que não é seu parceiro no *Kula*, e com o qual ele realiza o *gimwali*. Há, enfim, o estranho com o qual ele faz uma permuta indireta, tendo como intermediários os habitantes locais. Não devemos julgar, entretanto, que o aspecto comercial da reunião seja proeminente. É grande a afluência de nativos, principalmente em virtude de sua curiosidade, para assistir à recepção cerimonial da frota *uvalaku*. Mas, se eu disser que cada visitante vindo de Boyowa traz e leva mais ou menos meia dúzia de artigos, não estarei atenuando a verdade. Alguns desses artigos o nativo de Sinaketa adquiriu nos distritos industriais de Boyowa durante sua expedição comercial preliminar (ver capítulo VI, seção 3). Nestes ele consegue lucro garantido. Alguns exemplos dos preços pagos em Boyowa e dos pagamentos recebidos em Dobu mostram a porcentagem desse lucro.

	DE KUBOMA PARA SINAKETA	DE SOBU PARA SINAKETA
1 cesta *tanepopo*	= 12 cocos	= 12 cocos + sagu + 1 cinto
1 pente	= 4 cocos	= 4 cocos + 1 cacho de noz de areca
1 bracelete	= 8 cocos	= 8 cocos + 2 pacotes de noz de areca
1 pote para cal	= 12 cocos	= 12 cocos + 2 porções de sagu

Na segunda coluna aparecem os preços pagos pelos nativos de Sinaketa às aldeias industriais de Kuboma, distrito situado na parte setentrional das ilhas Trobriand. Na terceira coluna aparece o que eles recebem em Dobu. Esse quadro me foi fornecido por um informante de Sinaketa e deve estar longe de ser exato, pois as transações certamente variam muito quanto ao lucro que possibilitam. Não há dúvida, porém, de que para cada artigo o nativo de Sinaketa pede o preço que pagou por ele, além de algum artigo extra.

Vemos, assim, que há nessa transação um lucro garantido por parte dos intermediários. Os nativos de Sinaketa desempenham o papel de intermediários entre os centros industriais das ilhas Trobriand e de Dobu, ao passo que seus anfitriões desempenham o mesmo papel entre os nativos de Sinaketa e os dos distritos circunvizinhos.

Além de comerciar e obter objetos de valor do *Kula*, os nativos de Sinaketa visitam amigos e parentes distantes, os quais, como já vimos, podem estar nesse distrito em virtude das migrações. Os visitantes atravessam a pé a terra plana e fértil, indo de uma aldeiazinha a outra, admirando algumas das paisagens maravilhosas e desconhecidas existentes nesse distrito. São-lhes mostrados os gêiseres de Numanuma e de Deyde'i, os quais se acham em constante erupção. No espaço de poucos minutos, a água fervente jorra sucessivamente de cada um dos gêiseres, alcançando vários metros de altura. A planície ao redor desses gêiseres é árida; nela não existe nada, a não ser alguns eucaliptos atrofiados aqui e ali. Essa é a única região da Nova Guiné oriental em que, pelo que sei, se encontram eucaliptos. Essa foi, pelo menos, a informação que recebi de alguns nativos inteligentes em companhia dos quais fui visitar os gêiseres e que haviam viajado por todas as ilhas orientais e pelo extremo oriental do continente.

As baías e lagunas cercadas de terra firme, o extremo norte do estreito de Dawson, rodeado, como se fosse um lago, por montanhas e cones vulcânicos – tudo isso deve parecer estranho e maravilhoso aos olhos dos trobriandeses. Nas aldeias, eles são recebidos por seus amigos e conversam na língua de Dobu, que é completamente diferente da de Kiriwina, mas que os nativos de Sinaketa aprendem a falar já desde pequenos. É notável o fato de que nenhum dos nativos de Dobu fala a língua kiriwina.

Como já dissemos, não se verifica nenhum tipo de relações sexuais entre os visitantes e as mulheres de Dobu. Segundo um de meus informantes me disse:

> Nós não dormimos com as mulheres de Dobu, pois Dobu é a montanha final (Koyaviguna Dobu); é um tabu da magia *mwasila*.

No entanto, quando perguntei se a quebra desse tabu trazia apenas consequências perniciosas quanto ao êxito no *Kula*, responderam-me que tinham medo de quebrá-lo e que tinha sido ordenado havia muito tempo (*tokunabogwo ayguri*) que nenhum homem devia importunar as mulheres de Dobu. Com efeito, os nativos de Sinaketa temem os nativos de Dobu e tomam grandes precauções no sentido de não os ofender, seja de que maneira for.

Após uma permanência de três ou quatro dias em Dobu, a frota de Sinaketa dá início à viagem de volta. Não há cerimônias especiais de despedida. Logo de manhã cedo, eles recebem seus *talo'i* (presentes de despedida) em alimentos, nozes de areca, objetos de uso e, por vezes, algum objeto valioso do *Kula* é incluído entre os *talo'i*. Carregados como estão, usam a magia denominada *kaylupa* para tornar mais leves suas canoas e, mais uma vez, navegam na direção norte.

[48] **Trabalhando a concha *kaloma*.** A concha de *Spondylus* é quebrada e os pedaços são aparados em forma de círculos grosseiros; essa tarefa é feita pelos homens. [Fotografia de B. Hancock]

CAPÍTULO XV

A viagem de volta

A pesca e o trabalho feito com a concha *kaloma*

1

A viagem de volta da frota de Sinaketa é feita seguindo exatamente a mesma rota pela qual eles vieram a Dobu. Em cada ilha habitada, em cada aldeia, onde antes haviam feito uma parada, eles param de novo, por um dia ou algumas horas. Nas aldeias de Sanaroa, em Tewara e nas ilhas Amphlett, os parceiros são visitados outra vez. Alguns objetos de valor *kula* são recebidos na volta, e todos os presentes *talo'i* dos parceiros intermediários são também recolhidos na viagem de retorno. Em cada uma dessas aldeias as pessoas estão curiosas para saber como a expedição *uvalaku* foi recebida em Dobu; discutem o resultado em termos do valor dos objetos conseguidos e fazem comparações entre a expedição atual e as anteriores.

Nessa ocasião, não se realiza nenhuma magia, nenhum cerimonial é executado e, na verdade, haveria pouquíssimo a dizer sobre a viagem de volta, a não ser dois acontecimentos importantes: a pesca da concha de *Spondylus* (*kaloma*) na laguna de Sanaroa e a exposição e a comparação dos objetos de valor obtidos no *Kula*, na praia de Muwa.

Como já vimos no capítulo anterior, os nativos de Sinaketa adquirem certa quantidade dos produtos da região de Koya por meio de troca. Contudo, há outros produtos úteis, mas difíceis de conseguir nas ilhas Trobriand, que estão disponíveis em Koya, e os trobriandeses servem-se livremente deles. As formações vítreas de lava vulcânica, conhecidas como obsidiana, podem ser encontradas em grandes quantidades nas encostas das colinas em Sanaroa e em

Dobu. Antigamente, esse produto era utilizado pelos trobriandeses como matéria-prima para a fabricação de navalhas e raspadores, assim como de outros instrumentos de corte, afiados e delicados. A pedra-pomes, abundante nesse distrito, é coletada e levada para as ilhas Trobriand, onde é usada para polimento. Os visitantes também obtêm o ocre vermelho, bem como as duras rochas basálticas (*binabina*) usadas para quebrar e triturar e também para finalidades mágicas. Por fim, em algumas praias, eles recolhem areia de sílica muito fina, chamada *maya*, e levam-na para as ilhas Trobriand, onde é usada para polir lâminas de pedra, que servem como símbolos de valor e que são fabricadas até os dias de hoje.

2

Entretanto, o produto que de longe é o mais importante entre todos esses que os trobriandeses coletam é a concha de *Spondylus*. Nas formações de coral da laguna de Sanaroa, o acesso a ela é livre, mas de modo algum fácil. É dessas conchas que são feitos os pequenos discos circulares perfurados (*kaloma*), que formam os colares do *Kula* e que também servem para ornamentar quase todos os artigos de valor ou de acabamento artístico que são usados no distrito do *Kula*. Esses discos, entretanto, são fabricados apenas em duas localidades do distrito, Sinaketa e Vakuta, ambas situadas na parte meridional de Boyowa. A concha também pode ser encontrada na laguna de Trobriand, que fica defronte a essas aldeias. Mas os espécimes encontrados em Sanaroa são muito melhores quanto à cor e, creio eu, são também mais fáceis de obter. Apesar disso, a pesca nesse local é feita só pelos nativos de Sinaketa.

Quer seja realizada em sua própria laguna, perto de uma ilha desabitada chamada Nanoula, quer em Sanaroa, a pesca de *Spondylus* é sempre um grande acontecimento cerimonial, do qual toda a comunidade participa. A magia, ou pelo menos parte dela, é feita para toda a comunidade pelo mago do *kaloma* (*towosina kaloma*), que também estabelece as datas e orienta a parte cerimonial das atividades. Já que a concha de *Spondylus* constitui um dos episódios essenciais de uma expedição *kula*, é necessário fazer aqui um relato detalhado tanto da pesca como da manufatura dos discos. A

[49] Trabalhando a concha *kaloma*. As mulheres transformam pedaços da concha em discos achatados. Cada pedaço é colocado em um orifício na extremidade de um cilindro de madeira e atritado contra uma pedra de arenito. [Fotografia de B. Hancock]

denominação nativa *kaloma* (nos distritos meridionais dos Massim, é usada a palavra *sapi-sapi*) refere-se tanto à concha como aos discos fabricados. A concha utilizada é a do grande *Spondylus*, que contém uma camada cristalina de cor avermelhada, variando de um vermelho-tijolo sujo até uma suave cor de framboesa, que é a cor mais apreciada. É encontrada nas cavidades dos afloramentos de coral espalhados nas lagunas rasas e lamacentas.

De acordo com a tradição, essa concha está associada à aldeia de Sinaketa. Diz uma lenda dos nativos desse local que, certa vez, três mulheres *guya'u* (chefes pertencentes ao subclã Tabalu, do clã Malasi) vagavam ao acaso procurando um lugar para morar. A mais velha escolheu a aldeia de Omarakana; a segunda foi para Gumilababa; a mais nova se estabeleceu em Sinaketa. Ela tinha em seu cesto discos *kaloma* enfiados em uma vareta longa e fina chamada *viduna*, como a que é usada na etapa final da manufatura. De início, ela permaneceu no lugar chamado Kaybwa'u, mas um cachorro rosnou e ela se mudou para mais longe. Tendo ouvido mais uma vez um cachorro rosnando, pegou um *kaboma* (vasilha de madeira sagrada) e foi até o recife para recolher conchas. Lá encontrou o *momoka* (*Spondylus* branco) e exclamou: "Oh, eis o *kaloma*!". Ela olhou mais de perto e disse: "Oh não, você não é vermelha. Seu nome é *momoka*". Então, pegou a vareta com os discos *kaloma* e fincou-a num buraco do recife. Mas, quando olhou para a vareta que ficara ali espetada, disse: "Oh, se as pessoas do interior vierem aqui, vão vê-la e arrancá-la". Ela foi e arrancou a vareta; subiu em uma canoa e remou. Remou em direção ao alto-mar. Lá ancorou, retirou os discos da vareta e jogou-os no mar para que eles pudessem ir para o afloramento de coral. Disse: "É proibido aos nativos do interior recolher esses objetos valiosos. Somente o povo de Sinaketa deve mergulhar". Assim, apenas o povo de Sinaketa conhece a magia e sabe mergulhar.

Esse mito apresenta certas características interessantes. Não vou tratar de seus aspectos sociológicos, embora nesse ponto ele se diferencie dos mitos de Kiriwina, nos quais não se reconhece a igualdade entre os chefes de Sinaketa, de Gumilababa e de Omarakana. É uma característica interessante desse mito a aversão demonstrada pela mulher malasi ao cachorro, animal totêmico do clã Lukuba – clã que, de acordo com dados míticos e históricos, teve que recuar perante o clã Malasi e ceder-lhe a primazia (ver capítulo XII, seção 4). Outro detalhe interessante é que a mulher carrega o *kaloma* em varetas, isto é, como elas aparecem na etapa final da manufatura. É dessa forma, em varetas, que a mulher tenta fixá-las no recife. Entretanto, os *kaloma* assim colocados, nas palavras de um de meus informantes, "olharam para ela, a água balançando para lá e para cá, cintilando seus olhos vermelhos". Vendo isso, ela arrancou os *kaloma* tão convidativos e facilmente acessíveis e espalhou-os em alto-mar.

Desse modo, ela os tornou inacessíveis aos habitantes não iniciados do interior e monopolizou-os para os nativos de Sinaketa. Com toda certeza as aldeias de Vakuta aprenderam com o povo de Sinaketa a fabricação do *kaloma*. Mal se conhece o mito em Vakuta e são poucos os especialistas na pesca e na manufatura; há uma tradição a respeito de uma transferência posterior dessa fabricação para lá; afinal de contas, os habitantes de Vakuta nunca pescaram *kaloma* na laguna de Sanaroa.

Vamos descrever agora os detalhes técnicos e o cerimonial relacionados com a pesca do *kaloma*. Será melhor fazer um relato de como isso é feito na laguna de Sinaketa, ao redor do banco de areia de Nanoula, já que essa é a forma normal e típica da pesca do *kaloma*. Além disso, quando os nativos de Sinaketa realizam a pesca em Sanaroa, os procedimentos são muito semelhantes, com a omissão de uma ou duas fases apenas.

O cargo de mago do *kaloma* (*towosina kaloma*) é hereditário em dois subclãs do clã Malasi; um deles é o subclã do chefe principal de Kasi'etana. Depois que a estação das monções termina, ao redor de março ou abril, em *ogibukuwi* (isto é, na época dos novos inhames), o mago dá as ordens para os preparativos. A comunidade lhe oferece um presente chamado *sousula*: uma ou duas pessoas trazem-lhe um *vaygu'a*, os restantes fornecem-lhe *gugu'a* (artigos comuns) e algum alimento. Preparam então as canoas e aprontam as pedras *binabina*, usadas para arrancar as conchas do recife.

No dia seguinte, pela manhã, o mago celebra uma cerimônia chamada *kaykwa'una la'i*, que significa "a atração do recife", pois, como ocorre com a maioria dos seres marinhos, o local principal de fixação do *kaloma* fica muito distante, no recife Ketabu, entre Sanaroa e Dobu. Para conseguir que o *kaloma* se mova e venha em direção a Nanoula, é necessário pronunciar o encantamento apresentado anteriormente. Quem faz isso é o mago, enquanto caminha de um lado para o outro na praia de Sinaketa e lança suas palavras para o mar aberto, em direção ao local distante onde reside o *kaloma*. Os *kaloma* então "se levantam" (*itolise*), isto é, iniciam a viagem de seu recife de origem (*vatu*) para a laguna de Sinaketa. Obtive esse encantamento *to'udawada*, atual chefe de Kasi'etana e descendente da doadora original da concha, a mulher do mito. O encantamento começa com uma longa lista de nomes de ancestrais; segue-se uma

[50] Trabalhando a concha *kaloma*. Por meio de um instrumento perfurante, faz-se um orifício em cada disco. [Fotografia de B. Hancock]

descrição grandiloquente de como todos os navegadores admiram o êxito do encantamento do mago. A palavra-chave, na parte principal, é *itolo*: "ele levanta", isto é, "ele inicia" e, com essa expressão, são enumerados todos os vários tipos de concha *kaloma*, diferenciados de acordo com o tamanho, a cor e a qualidade. Termina com outra frase envaidecida: "Minha canoa está tão abarrotada de conchas que afunda", repetida com fraseologia variada.

Às vezes o mago pronuncia o encantamento só uma vez, ocasionalmente repete-o várias vezes, em dias sucessivos. Estabelece então a data final para a expedição de pesca. Na véspera do dia marcado, os homens realizam sua magia própria, de caráter individual, cada um em sua casa. A pedra usada para extrair a concha, *sabila*, que é sempre uma *binabina* (pedra importada de Koya), é tratada magicamente. Em geral é colocada num pedaço de folha seca de bananeira, com flores vermelhas de hibisco e folhas ou flores de cor vermelha. Pronunciam-se algumas palavras sobre a pedra, embrulha-se tudo na folha de bananeira e guarda-se até o momento de usar. Esse procedimento faz com que a pedra tenha "sorte" para atingir muitas conchas e as torna muito vermelhas.

Outro rito mágico de caráter individual consiste em encantar uma concha grande de mexilhão, que servirá, na manhã seguinte, para raspar o casco da canoa. Dessa forma, o mar fica claro, permitindo que o mergulhador enxergue bem e encontre muitas conchas.

Na manhã seguinte, todas as embarcações partem para a expedição. Levam certa quantidade de alimentos, pois, como a pesca costuma demorar alguns dias, passam as noites na praia de Nanoula. Quando as canoas chegam a certo ponto, a meio caminho entre Sinaketa e Nanoula, formam uma única fileira. A canoa do mago fica do lado direito, e ele prepara magicamente um punhado de flores vermelhas de hibisco, algumas folhas vermelhas de cróton e folhas do mangue de flor vermelha. Todas essas substâncias vermelhas são usadas para tingir as conchas por intermédio da magia. A seguir, passando em frente de todas as canoas, ele esfrega a proa de cada uma delas com o feixe de folhas. Depois, as canoas de ambas as extremidades começam a se deslocar e a fila forma um círculo, que é cruzado pela canoa do mago, de modo diametral. Nessa parte da laguna existe um pequeno *vatu* (afloramento de coral) chamado Vitukwayla'i, conhecido como o *vatu* dos *baloma* (espíritos). É nesse *vatu* que a canoa do mago para, e ele ordena que alguns homens mergulhem e comecem a recolher as conchas.

Mais tarde, as canoas realizam, cada uma por sua conta, alguns outros atos mágicos particulares. A pedra da âncora é tratada magicamente com flores vermelhas de hibisco para tornar as conchas vermelhas. Há ainda outra magia, de caráter individual, chamada "varredura do mar", que, à semelhança da magia do mexilhão já mencionada, torna o mar claro e transparente. Por fim, há um feitiço maligno chamado "borrifamento com água salgada". Se alguém o realiza sobre os demais, anula os efeitos da magia feita antes por cada um e frustra seus esforços, ao mesmo tempo que provoca admiração e suspeita por causa da grande quantidade de conchas que consegue recolher. Para executá-la, a pessoa mergulha no mar, enche a boca com água salgada e, ao emergir, borrifa com ela as outras canoas, enquanto pronuncia o feitiço.

Já é suficiente o que dissemos sobre a magia e o cerimonial relacionados à pesca das conchas na laguna de Trobriand. Em Sanaroa, ocorrem exatamente os mesmos procedimentos, mas não há a "atração do recife", talvez porque lá eles já se encontrem no sítio original dos *kaloma*. Contaram-me que algumas das magias de caráter individual são realizadas em Sinaketa antes da partida dos barcos para a expedição *kula* e que os objetos preparados magicamente são guardados, bem embrulhados em folhas secas.

Pode-se acrescentar que em nenhuma das duas lagunas existem direitos de propriedade privada de afloramentos de coral. A comunidade inteira de Sinaketa tem seu território de pesca na laguna, onde cada homem pode procurar suas conchas de *Spondylus* e pescar seu peixe de vez em quando. Mas, se os nativos de Vakuta, a outra comunidade de pescadores de *Spondylus*, invadissem esse território, haveria problemas; no passado haveria luta. Existe, entretanto, propriedade privada de afloramentos de coral nas aldeias ao norte da laguna, como em Kavataria, e nas aldeias da ilha de Kayleula.

3

Vamos acompanhar agora as etapas finais da manufatura dos *kaloma*. A tecnologia usada está de tal maneira interligada a importantes relações econômicas e sociológicas que a princípio será melhor indicar apenas os aspectos mais gerais do processo técnico. O *Spondylus* consiste em uma concha semelhante (em tamanho e em forma) a uma meia pera oca, de uma tampa pequena e chata. Apenas a primeira parte é trabalhada. Ela tem que ser quebrada com uma *binabina* ou uma *utukema* (pedra verde importada da ilha de Woodlark)**[48, p.480]**. Pode-se ver então, em cada pedaço, a estratificação da concha: a camada externa é esbranquiçada e macia; sob ela há uma camada de material calcário duro e vermelho; e, por fim, a parte interna, branca e cristalina. Tanto a parte interna como a externa têm que ser raspadas, mas antes disso é necessário arredondar um pouco cada pedaço, obtendo assim uma peça circular e espessa. Essa peça (ver os primeiros planos nas imagens 48 [p.480] e 49 [p.483]) é então colocada no orifício de uma peça cilíndrica de madeira, que serve como suporte para friccionar os objetos em uma pedra plana de arenito [49, p.483]. A peça é friccionada até perder a camada interna e a externa, restando somente uma placa chata, vermelha, polida dos dois lados. No centro dela é feito um orifício, com o auxílio de um arco ignígeno (*gigi'u*) [50, p.486], e uma porção de discos assim perfurados é enfiada em uma vareta fina, mas resistente [51, p.490], que já conhecemos pelo mito. A seguir, esse rolo cilíndrico é atritado em toda a volta, muitas e muitas vezes, contra o arenito plano até que se torne completamente simétrico [52, p.491]. Assim são produzidos inúmeros discos circulares e chatos, polidos em toda a volta e perfurados no centro. As operações de quebrar e perfurar os discos, bem como o mergulho para obter as conchas, são realizadas apenas pelos homens. O polimento costuma ser um trabalho feminino.

Essa tecnologia está associada a uma relação sociológica interessante entre o produtor e o indivíduo a quem se destina o artigo. Conforme mostramos no capítulo II, um dos principais aspectos da organização trobriandesa diz respeito aos deveres mútuos entre um homem e os parentes maternos de sua mulher. Os parentes da mulher deverão fornecer regularmente um suprimento de inhame na época da colheita, enquanto o marido, de vez em quando, presenteia-os com um objeto de valor. A manufatura de objetos *kaloma*, em Sinaketa, está frequentemente associada a esse tipo de relação. O artesão de Sinaketa fabrica seu *katudababile* (colar de contas grandes) para um de seus parentes por afinidade, o qual lhe paga com alimentos. De acordo com esse costume, muitas vezes um homem de Sinaketa se casa com uma mulher das aldeias agrícolas do interior, ou mesmo com uma mulher de Kiriwina. Quem não tem nenhum parente da esposa em alguma dessas aldeias, com certeza tem amigos ou parentes distantes e fará o colar para um deles. Pode também produzir um para si mesmo e colocá-lo no *Kula*. Mas o caso mais típico e interessante ocorre quando o colar é produzido sob encomenda para um indivíduo que faz o pagamento de acordo com

um sistema econômico extraordinário, semelhante ao sistema de pagamento a prestação, que já foi mencionado em relação à construção das canoas. Seguindo de perto o texto nativo, vou apresentar a tradução de um relato sobre o pagamento para a manufatura do *kaloma*.

RELATO DA MANUFATURA DO *KALOMA*

Vamos supor que um indivíduo do interior more em Kiriwina ou em Luba ou em uma das aldeias próximas; ele deseja um *katudababile*. Ele procuraria um pescador exímio que soubesse mergulhar para encontrar *kaloma*. Esse homem concorda; ele mergulha, mergulha... até que seja suficiente; seu *vataga* [grande cesto dobrável] já está cheio, esse homem [o do interior] escuta o barulho; ele, o dono do *kaloma* [isto é, o homem para quem será feito o colar] diz: "'Bom! Eu vou dar

[51] e [52] Trabalhando a concha *kaloma*. Os discos de concha, aplainados e perfurados, mas ainda com contornos irregulares, são enfiados em varetas finas e fortes. Então são atritados sobre um arenito plano até que fiquem cilíndricos, isto é, até que cada disco se torne um círculo perfeito. [Fotografias de B. Hancock]

uma olhada!". Ele viria, olharia, não faria nenhum pagamento *vakapula*. Ele [trata-se agora do mergulhador de Sinaketa] diria: "Pode ir; amanhã eu vou quebrar as conchas; venha aqui, traga-me *vakapula*". No dia seguinte, ele [o homem do interior] cozinharia comida, traria, daria *vakapula*; ele [o mergulhador] quebraria as conchas.

No dia seguinte, a mesma coisa. Ele [o homem do interior] daria *vakapula*: ele [o mergulhador] quebraria as conchas. Vamos supor que a operação de quebrar já tenha terminado: ele [o mergulhador] diria:

"Bom! A quebra já está terminada, vou polir". No dia seguinte, ele [o homem do interior] cozinharia comida, traria bananas, coco, noz de areca, cana-de-açúcar, daria como *vakapula*; esse homem [o mergulhador] faz o polimento. Terminado o polimento, ele diria: "Bom! Amanhã vou perfurar". Esse homem [o do interior] traria alimento, bananas, cocos, cana-de-açúcar, daria como *vakapula*: seria abundante, pois logo o colar já ficará pronto. Do mesmo modo, ele daria um grande *vakapula* na etapa do arredondamento do cilindro porque logo tudo estará terminado. Quando terminado, enfiamos em uma vareta, lavamos. [Note-se a mudança da terceira pessoa do singular para a primeira pessoa do plural.] Damos para nossa mulher, tocamos o búzio; ela iria, levaria seu objeto valioso para esse homem, nosso parente por afinidade. No dia seguinte, ele iria *yomelu*; ele pegaria um porco, quebraria um cacho de noz de areca, cortaria cana-de-açúcar, bananas, encheria os cestos com comida e enfiaria o coco em um pedaço de madeira com muitas pontas. Logo ele traria tudo. Nossa casa ficaria cheia. Mais tarde, faríamos a distribuição das bananas, da cana-de-açúcar, das nozes de areca. Distribuímos isso para nossos ajudantes. Sentamos, sentamos [isto é, nós esperamos]; na época da colheita, ele traz inhames, ele *karibudaboda* [dá o pagamento assim chamado] o colar. Ele traria alimento e encheria nosso depósito de inhame.

Essa narrativa, como muitas informações nativas, necessita de algumas correções de perspectiva. Em primeiro lugar, os acontecimentos aqui se sucedem com uma rapidez bastante estranha ao modo extremamente vagaroso com que os nativos costumam realizar um processo demorado como esse da fabricação de um *katudababile*. A quantidade de alimento que é enumerada várias vezes nessa narrativa, conforme o modo costumeiro, provavelmente não deve estar exagerada, pois – assim é a economia nativa – um homem que faz um colar sob encomenda recebe por ele o dobro, ou até mais do que alcançaria em qualquer outra transação. Contudo, devemos lembrar que aquilo que é apresentado aqui como pagamento final, o *karibudaboda*, não é nada mais que o abastecimento normal do depósito de inhame, sempre efetuado para um indivíduo por seus parentes por afinidade. No entanto, no ano em que o *katudababile* é feito, o presente anual e comum da colheita seria considerado "pagamento *karibudaboda* pelo colar". O fato de o colar ser dado à esposa que depois o entrega a seu irmão ou parente é também uma característica da relação entre parentes por afinidade.

Em Sinaketa e Vakuta são feitos colares com conchas maiores e que se afinam nas extremidades. O verdadeiro artigo do *Kula*, em que as peças são muito mais delgadas, de diâmetro bem menor e sempre de mesma espessura, de uma ponta a outra, é introduzido no *Kula* em outros locais; falarei sobre esse assunto no capítulo XXI, no qual são descritos os outros ramos do *Kula*.

4

Agora que terminamos essa digressão sobre o *kaloma*, vamos retornar por mais algum tempo à nossa frota de Sinaketa, que deixamos na laguna de Sanaroa. Depois de obterem quantidade suficiente de conchas, os nativos se põem a navegar e, visitando de novo Tewara e Gumasila, parando talvez por uma noite em um dos bancos de areia de Pilolu, chegam, enfim, à sua própria laguna. Mas, antes de se reunirem em suas aldeias, fazem uma última parada em Muwa, onde realizam o que é chamado de *tanarere*, uma comparação à exposição dos artigos de valor obtidos nessa viagem. De cada canoa, uma ou duas esteiras são estendidas na areia e os homens põem seus colares sobre elas. Assim, uma longa fila de objetos valiosos fica na praia, e os membros da expedição andam de um lado para outro, admiram e contam os objetos. Naturalmente os chefes têm a quantidade maior, em especial aquele que foi o *toli'uvalaku* da expedição.

Terminado o *tanarere*, retornam, enfim, à aldeia. Cada canoa faz soar seu búzio, um toque para cada objeto de valor que carrega. Quando uma canoa não obtém nenhum *vaygu'a*, isso representa grande desonra e tristeza para sua tripulação, sobretudo para o *toliwaga*. Diz-se de uma canoa assim que ela *bisikureya*, o que literalmente significa "manter jejum".

Na praia todos os nativos estão agitados. As mulheres que puseram suas saias novas de palha (*sevata'i*), feitas especialmente para essa ocasião, entram na água e aproximam-se das canoas para descarregá-las. Não há nenhuma saudação especial entre elas e seus maridos. Estão interessadas nos alimentos que eles trouxeram de Dobu, principalmente no sagu.

Inúmeros nativos de outras aldeias também se reúnem para saudar os recém-chegados. Aqueles que forneceram provisões a seus amigos e parentes para a viagem recebem agora, em retribuição, sagu, nozes de areca e cocos. Alguns dos visitantes vieram com intenção de fazer o *Kula*. Até mesmo os nativos de distritos distantes, como Luba e Kiriwina, que têm uma ideia aproximada da data de chegada da expedição, viajam até Sinaketa. A expedição é comentada, o carregamento é examinado, a história recente dos objetos de valor mais importantes é relatada. Mas essa etapa já nos conduz ao *Kula* do interior, que será assunto de um dos capítulos a seguir.

CAPÍTULO XVI

A visita de retribuição dos nativos de Dobu a Sinaketa

1

Nos capítulos precedentes, acompanhamos uma expedição de Sinaketa a Dobu. Mas, a quase cada passo, nos desviamos do caminho direto para estudar as várias instituições associadas e as crenças subjacentes; citamos as fórmulas mágicas e contamos histórias míticas, rompendo o fio contínuo da narrativa. Neste capítulo, como já conhecemos os costumes, as crenças e as instituições implícitas no *Kula*, podemos apresentar uma narrativa direta e contínua de uma expedição na direção inversa, de Dobu a Sinaketa.

Como vi e acompanhei pessoalmente uma grande expedição *uvalaku* do sul para as ilhas Trobriand, poderei descrever as cenas com base na observação direta, e não por meio de reconstruções. Para alguém que já viu muito da vida tribal dos nativos e tem informantes inteligentes, não é difícil fazer uma reconstrução desse tipo, sem introdução de elementos fantasiosos. Depois de meu primeiro ano de permanência nas ilhas Trobriand, eu já havia escrito uma parte do material e assim, no período final da segunda visita, muitas vezes tive oportunidade de verificar essas reconstruções, presenciando o acontecimento real. Em geral, mesmo em pequenos detalhes, minhas reconstruções pouco diferiram da realidade, como os testes mostraram. No entanto, o etnógrafo pode entrar em detalhes mais concretos, com maior convicção, quando descreve coisas que de fato viu.

Em setembro de 1917, uma expedição *uvalaku* foi conduzida por Kouta'uya de Sinaketa a Dobu. Como os nativos de Vakuta juntaram-se a eles no caminho, assim como as canoas das ilhas Amphlett, eram cerca de quarenta canoas que, por fim, atingiram a costa ocidental dos estreitos de Dawson. Nessa mesma data e lugar ficou combinado que uma expedição de retribuição visitaria Sinaketa, partindo daquele distrito em cerca de seis meses. Kauyaporu, o *esa'esa* (chefe) do lugarejo de Kesora'i na aldeia Bwayowa, tinha um porco com presas circulares e decidiu combinar uma expedição *uvalaku*, no início da qual o porco seria morto e banqueteado e suas presas seriam transformadas em ornamentos.

Quando passei pela região, em novembro de 1917, a preparação das canoas já estava em andamento. Todas as que podiam ser reformadas tinham sido desmontadas e estavam sendo amarradas, calafetadas de novo e repintadas. Em alguns lugarejos estavam sendo escavadas novas canoas. Depois de permanecer alguns meses nas ilhas Trobriand, voltei para o sul outra vez, em março de 1918, com intenção de ficar algum tempo nas ilhas Amphlett. É sempre difícil desembarcar lá, já que não há ancoradouros perto da costa, e é impossível fazê-lo à noite, com mau tempo. Cheguei tarde, em um pequeno barco a vela, e tive que navegar entre Gumasila e Domdom pretendendo esperar até a aurora para realizar o desembarque. Contudo, no meio da noite começou a soprar um vento forte do noroeste, que, rompendo a vela principal, forçou-nos a navegar para o sul, em direção a Dobu. Foi nessa noite que os nativos empregados no barco viram as *mulukwausi* brilhando no topo do mastro. O vento cessou ao romper do dia e entramos na laguna de Sanaroa para consertar a vela. Nos três dias em que ficamos ali, andei pela região, escalando seus cones vulcânicos, subindo os riachos num pequeno barco a remo e visitando as aldeias espalhadas na planície de coral. Em toda parte vi sinais da partida para Boyowa, que se aproximava: nativos preparando suas canoas na praia para serem carregadas, colhendo alimentos nas hortas e preparando sagu na floresta. Na cabeceira de um dos riachos, no meio de um brejo de sagu, havia um abrigo comprido e baixo que servia de residência aos nativos da ilha principal quando eles vinham recolher o sagu. Disseram-me que esse brejo era reservado a uma certa comunidade de Tu'utauna.

Outro dia deparei com um grupo de nativos de Sanaroa, que estavam retirando a polpa de sagu de uma palmeira e lavando-a com água. Tinham derrubado uma árvore grande e retirado um grande quadrado da casca do meio do tronco, onde se via o interior macio e polpudo. Três homens em fila, de pé em frente do tronco, golpeavam a polpa. Alguns outros esperavam para substituir os que ficassem cansados. O instrumento usado para escavar a polpa, uma mistura de clava com enxó, tinha lâminas grossas mas não muito largas, feitas de pedra verde, do mesmo tipo que eu vira entre os nativos de Mailu, na costa sul.[1]

A polpa era então transportada em cestos para uma corrente de água nas proximidades. Nesse local havia um cocho natural, feito com uma das escamas grandes e convexas que formam a base da folha de sagu. No centro do cocho havia uma peneira feita de um pedaço da espata do coqueiro, fibra que recobre a base da folha e que, à primeira vista, parece um pedaço de tecido grosseiro. A água era dirigida de forma que entrasse no cocho pela parte mais larga e escoasse pela mais estreita. A polpa do sagu era colocada em cima, e a água carregava o amido de sagu triturado, enquanto as fibras ficavam retidas pela peneira. O amido era então levado pela água para uma vasilha grande de madeira, em forma de canoa; aí a goma mais pesada ficava depositada no fundo, enquanto a água transbordava pela borda. Quando já havia bastante sagu na vasilha, retirava-se a água cuidadosamente e o sagu era colocado em outros recipientes, feitos com as bases das folhas do sagueiro, onde ficava para secar. Nesses recipientes, ele é levado nas expedições comerciais e, dessa forma, é computado como uma unidade de sagu.

Observei todo o processo, durante longo tempo, com grande interesse. Há alguma coisa fascinante nessas palmeiras enormes, de aspecto antidiluviano, tão malignas e inacessíveis nesse brejo insalubre e espinhento, transformadas pelo homem em alimento, por meio de métodos tão simples e diretos. O sagu produzido e consumido pelos nativos é uma substância dura, farinhenta, de um branco sujo, sem muito sabor. Tem consistência de borracha e gosto de pão ruim, sem fermento. Não é claro como o artigo que é vendido sob esse nome em nossas mercearias, mas é grosseiro, rijo e quase elástico. Os nativos consideram-no uma guloseima especial e fazem com ele pequenos bolos assados ou bolinhos cozidos.

1 Ver a monografia do autor, "The Natives of Mailu". *Transactions of the Royal Society of South Australia*, 1915, p. 598.

A frota principal de Dobu partiu de suas aldeias na segunda quinzena de março e foi, a princípio, para a praia de Sarubwoyna, onde realizou uma distribuição cerimonial de alimentos, *eguya'i*, como é chamada em Dobu. Então, oferecendo o *pokala* para Aturamo'a e Atu'a'ine, navegou por Sanaroa e Tewara, passando pelo rochedo tabu de Gurewaya, em direção às ilhas Amphlett. O vento era fraco e variável, predominando brisas leves de sudoeste. O desenrolar dessa etapa da viagem deve ter sido muito lento. Os nativos devem ter passado algumas noites nas ilhas intermediárias e, nos bancos de areia, havia pequenos grupos de canoas acampando em lugares diferentes.

A essa altura eu já conseguira chegar às ilhas Amphlett e tinha estado ocupado por duas ou três semanas com o trabalho etnográfico, embora sem muito sucesso, pois, como já mencionei uma ou duas vezes, esses nativos são péssimos informantes. Eu sabia, naturalmente, que a frota de Dobu deveria chegar logo, mas, como a experiência tinha me ensinado a desconfiar das datas e dos horários nativos, não esperava que eles fossem pontuais. Quanto a isso, no entanto, estava enganado. Em uma expedição *kula*, depois que as datas são fixadas, os nativos fazem esforços incríveis para respeitá-las. Nas ilhas Amphlett, as pessoas estavam muito ocupadas preparando-se para a expedição, pois pretendiam juntar-se aos nativos de Dobu e prosseguir com eles até as ilhas Trobriand. Algumas canoas tinham ido à ilha principal buscar sagu, os potes estavam sendo reunidos e preparados para serem armazenados nos barcos, as canoas estavam sendo reformadas e eram vistoriadas. Quando a pequena expedição retornou com o sagu, depois de uma semana mais ou menos, realizou-se um *sagali* (que os nativos das ilhas Amphlett denominam *madare*), isto é, uma distribuição cerimonial de alimentos na ilha vizinha, Nabwageta.

Minha chegada foi um acontecimento muito desagradável para os nativos e complicou as coisas, causando profundo aborrecimento a Tovasana, o principal líder de aldeia. Eu havia desembarcado em seu próprio vilarejo, Nu'agasi, na ilha de Gumasila, pois era impossível ancorar próximo à aldeia principal, onde tampouco haveria lugar para armar uma barraca. Ora, nas ilhas Amphlett a presença de um homem branco é um acontecimento extremamente raro e, que eu saiba, acontecera uma única vez antes, quando um comerciante branco permanecera no local durante algumas semanas. De acordo com as ideias e os receios nativos, era impossível deixar-me só com as mulheres e um ou dois homens idosos, e nenhum dos homens mais jovens queria renunciar ao privilégio e ao prazer de tomar parte na expedição. Finalmente, prometi-lhes que iria para a ilha vizinha, Nabwageta, assim que os homens partissem, e ficaram satisfeitos com isso.

À medida que se aproximava a data estabelecida para a chegada dos nativos de Dobu, aumentava a excitação. Pouco a pouco chegavam as notícias que eram ansiosamente recebidas e transmitidas a mim: "Estão vindo cerca de sessenta canoas de Dobu", "a frota está ancorada em Tewara", "cada uma está carregada de alimentos e presentes", "Kauyaporu navega em sua canoa, ele é *toli'uvalaku*, e tem um grande galhardete de pandano fixado à proa!". Foram citados muitos outros nomes, que tinham pouco significado para mim, já que eu não conhecia pessoalmente os nativos de Dobu. De outra parte do mundo, das ilhas Trobriand, objetivo de toda a expedição, também chegavam notícias: "To'uluwa, chefe de Kiriwina, foi a Kitava – logo estará de volta, trazendo grande quantidade de *mwali*", "Os nativos de Sinaketa estão indo para lá para buscar alguns dos *mwali*", "O pessoal de Vakuta esteve em Kitava e trouxe inúmeros *mwali*". Era surpreendente ouvir todas essas notícias, chegando àquela pequena ilha que, à primeira vista, estava completamente isolada com sua minúscula população em meio a mares selvagens e pouco navegados – e notícias de poucos dias atrás, relatando acontecimentos que tinham se passado a uma distância aproximada de 150 quilômetros.

Foi interessante acompanhar o caminho que elas tinham percorrido. As notícias iniciais sobre os nativos de Dobu tinham sido transmitidas pelas canoas que haviam trazido o sagu da ilha principal para Gumasila. Alguns dias depois, chegou uma canoa de uma das aldeias da ilha principal que, no caminho, tinha passado pelos nativos de Dobu, em Tewara. As notícias das ilhas Trobriand, ao norte, tinham sido trazidas pela canoa Kuyawa, que chegara alguns dias antes em Nabwageta (descrevi a visita dessa canoa a Nu'agasi no capítulo XI). Todos esses movimentos não foram acidentais, mas estavam associados à expedição *uvalaku*. Para mostrar a complexidade, bem como a precisão na coordenação dos vários movimentos e eventos associados ao *uvalaku*, tão perfeitamente sincronizados em uma vasta área, organizei um calendário em que quase todas as datas são bastante exatas, na medida em que foram baseadas em minhas próprias observações. Essa tabela fornece também uma imagem clara e sintética de um *uvalaku* e constituirá referência útil para a leitura deste capítulo.

Antigamente, não menos do que agora, devia haver uma ebulição nas relações intertribais e grande movimentação de um lugar para outro, sempre que estivesse em andamento um *uvalaku kula*. Assim, as notícias eram levadas rapidamente por grandes distâncias, os movimentos de grande número de nativos eram coordenados e as datas, fixadas. Conforme já foi dito, o acontecimento culminante de uma expedição, nesse caso a chegada da frota dos nativos de Dobu em Sinaketa, seria marcado de modo que ocorresse por ocasião da lua cheia, ou pouco antes, e isso serviria como orientação geral para os movimentos preliminares, como as visitas de canoas isoladas, nesse caso.

CALENDÁRIO DA EXPEDIÇÃO *UVALAKU*, DE DOBU A SINAKETA, 1918

O *UVALAKU* ANTERIOR

SET. 1917 Expedição chefiada por Kouta'uya de Sinaketa a Dobu.

ESTÁGIO PREPARATÓRIO

OUT. 1917 – FEV. 1918 Construção de novas canoas e reforma das antigas no distrito noroeste de Dobu.

FEV. – MAR. 1918 Fabricação do sagu, preparação de objetos para comércio e alimentos.

MEADOS DE MAR. Lançamento, aparelhamento e carregamento das canoas; magia preliminar.

A VIAGEM

MAIS OU MENOS 28 MAR. As canoas de Dobu partem para sua viagem marítima.

NA MESMA ÉPOCA, MAIS OU MENOS Em Boyowa: os nativos de Vakuta voltam de Kitava com uma boa quantidade de *mwali*.

MAIS OU MENOS 25 MAR. Nas ilhas Amphlett: preparativos para a viagem; preparação de alimentos; conserto das canoas.

NA MESMA ÉPOCA Em Boyowa: To'uluwa volta de Kitava trazendo *mwali*.

NA MESMA ÉPOCA Nas ilhas Amphlett: chegam notícias da frota de Dobu que se aproxima e notícias de acontecimentos em Boyowa.
29 MAR. Nas ilhas Amphlett: uma parte das canoas viaja para Vakuta.
31 MAR. A frota de Dobu chega às ilhas Amphlett.
1º ABR. Prosseguem viagem até Boyowa
2 ABR. Das ilhas Amphlett as canoas restantes partem para Boyowa. Em Boyowa: os nativos de Sinaketa vão para Kiriwina.
3 ABR. Em Boyowa: voltam com os braceletes de conchas.

A CHEGADA DOS NATIVOS DE DOBU A BOYOWA
3 ABR. A frota de Dobu chega a Vakuta.
3–5 ABR. Recebem presentes *kula*, trocam presentes e comerciam em Vakuta.
6 ABR. Chegada da frota de Dobu a Sinaketa: magia na praia de Kaykuyawa; recepção cerimonial.
6–10 ABR. Os nativos de Dobu (bem como os de Amphlett) permanecem em Sinaketa recebendo presentes *kula*, dando presentes *pari* e comerciando.
10 ABR. Todos partem de Sinaketa recebendo presentes *talo'i* (de despedida). Os nativos de Dobu partem para o sul (e os de Amphlett vão para Kayleula e para as pequenas ilhas Trobriand do ocidente).
10–14 ABR. Os nativos de Dobu pescam na lagoa de Sanaroa.

A VIAGEM DE VOLTA
14 ABR. Reaparecem em Vakuta e recebem seus presentes *talu'i* (de despedida).
15 ABR. Partem de Vakuta.
MAIS OU MENOS 21 ABR. *Tanarere* (exibição e comparação competitiva) na praia de Sarubwoyna e retorno a Dobu.

Na verdade, a partir daquele momento, os acontecimentos nas ilhas Amphlett e em seus arredores sucederam-se com rapidez. No dia seguinte à visita das canoas de Kuyawana, as da aldeia principal de Gumasila partiram para as ilhas Trobriand, viajando, portanto, alguns dias à frente da frota *uvalaku* de Dobu. Fui de barco até a aldeia grande e observei o carregamento e a partida das canoas. A aldeia estava agitada, e podia-se ver até mesmo algumas mulheres idosas ajudando os homens em suas tarefas. As canoas grandes estavam sendo retiradas dos suportes onde estavam presas e eram empurradas para a água. Já tinham sido preparadas para a viagem: as plataformas estavam cobertas com esteiras de folhas de palmeira, as armações de madeira haviam sido colocadas no fundo do casco para suportar a carga, havia tábuas colocadas transversalmente nas canoas para servirem de assento à tripulação e o mastro, o cordame e a vela estavam preparados. O carregamento, entretanto, só começa depois que a canoa está na água. Os grandes fardos de sagu, em forma de cocho, foram colocados no fundo, enquanto homens e mulheres traziam cuidadosamente as grandes vasilhas de barro e as armazenavam com muita precaução, em lugares especiais no centro da canoa [45, p.396]. Em seguida, uma após a outra, as canoas partiram, contornando a extremidade meridional da ilha e navegando para oeste. Eram cerca de dez horas da manhã quando a última canoa desapareceu por trás do promontório e a aldeia ficou praticamente vazia. Não houve nenhuma palavra de despedida nem sinal de qualquer emoção por parte dos que ficavam ou dos que partiam. Mas é necessário lembrar que, devido à minha presença, não havia mulheres na praia, exceto uma ou duas muito velhas. Já que todos os meus melhores informantes haviam partido, eu pretendia deslocar-me para Nabwageta na manhã seguinte. À tardinha fiz um longo passeio em meu barco, beirando as praias ocidentais de Gumasila, e foi nessa ocasião que descobri todos aqueles que tinham partido para o *Kula* naquela manhã, sentados na praia de Giyasila, conforme o costume *kula* de fazer uma parada inicial, tal como aquela feita em Muwa, descrita no capítulo VII.

Na manhã seguinte, fui para a aldeia da ilha vizinha, Nabwageta, e só depois de terem se certificado de minha partida é que Tovasana e seu grupo embarcaram em sua canoa, seguindo os outros até Vakuta. Em Nabwageta, a comunidade inteira estava às voltas com os preparativos finais para a partida, pois pretendiam aguardar os nativos de Dobu e viajar com eles até Kiriwina. Todas as canoas estavam sendo pintadas e reformadas, e na praia estavam consertando uma vela [53, p.504]. Houve pequenas distribuições de alimento na aldeia; a comida foi dividida e redividida inúmeras vezes, e pedaços menores foram retirados dos grandes fardos e colocados em invólucros especiais. Essa constante manipulação de alimentos é um dos traços mais marcantes da vida tribal naquela parte do mundo. Quando cheguei, um grupo de homens estava terminando uma vela para uma das canoas. Outros consertavam um flutuador, amarrando um tronco pequeno de madeira seca e leve para que o flutuador antigo, encharcado e pesado, flutuasse com mais facilidade. Também pude observar detalhadamente o preparo final das canoas, a colocação das armações adicionais e das esteiras de fibra de coco, a construção da pequena gaiola na parte central para os potes e o *lilava* (pacote sagrado). Entretanto, não tinha intimidade suficiente com esses nativos de Nabwageta para presenciar qualquer magia. O sistema *mwasila* deles é idêntico ao de Boyowa; de fato, os nativos de Nabwageta copiaram o de lá. Como nessa aldeia também era difícil encontrar bons informantes – dificuldade agravada pelo fato de todos os homens estarem demasiadamente ocupados –, saí no dia seguinte para um longo passeio de barco com meus dois empregados nativos, na esperança de atingir a ilha Domdom. Uma corrente forte, que nessa região chega a formar enormes macaréus, impediu-nos de atingir nosso objetivo. Na volta estava escuro e, de repente, meus empregados ficaram atentos e excitados como cães de caça farejando o ar. Eu não conseguia ver nada na escuridão, mas eles tinham percebido duas canoas que rumavam para oeste. Depois de meia hora pudemos ver uma chama brilhando na praia de uma pequena ilha desabitada ao sul de Domdom; evidentemente alguns nativos de Dobu estavam acampando ali. Devido ao entusiasmo e ao profundo interesse demonstrados pelos dois rapazes, um dos quais era de Dobu e o outro de Sariba (Massim meridional), pude ter ideia da magnitude do acontecimento – a vanguarda de uma grande frota *kula* aproximando-se vagarosamente de um dos pontos de parada intermediários. O encontro me transmitiu uma percepção vívida do caráter intertribal dessa instituição, que une, em torno de um interesse comum e profundamente emocional, tantas comunidades esparsas. Soubemos depois que, naquela noite, inúmeras canoas tinham ancorado naquelas ilhas desertas do arquipélago de Amphlett, esperando a chegada das outras embarcações. Quando chegamos em Nabwageta, a notícia do importante acontecimento já nos tinha precedido e a aldeia inteira estava agitada.

O tempo estava especialmente agradável e claro no dia seguinte. As montanhas distantes estavam envoltas por nuvens leves e seus

[53] Na praia de Nabwageta. No centro, pode-se ver uma vela disposta sobre uma armação de canoa; os nativos fazem uma pausa no trabalho de vistoria e remendo.

contornos sedutores destacavam-se contra o azul transparente. No início da tarde, um toque de búzio anunciou a aproximação de uma *waga* de Dobu: a embarcação, toda pintada e decorada, com a rica esteira de pandano da vela brilhando como ouro contra o mar azul, vinha contornando o promontório. Uma a uma, a intervalos de poucos minutos, foram surgindo outras canoas, todas navegando a uma distância de cerca de cem jardas da praia, e então, após recolherem as velas, remaram até a praia [37, p. 314]. Não se tratava de uma chegada cerimonial, já que o objetivo da expedição dessa vez não incluía as ilhas Amphlett, mas somente as ilhas Trobriand, Vakuta e Sinaketa; as canoas estavam fazendo apenas uma parada intermediária. Mesmo assim, foi um grande acontecimento, sobretudo porque as canoas de Nabwageta se juntariam à expedição mais tarde. Do total aproximado de sessenta canoas de Dobu, apenas umas 25, com cerca de 250 homens, vieram a Nabwageta, enquanto as outras se dirigiam à grande aldeia de Gumasila. De qualquer modo, havia na aldeia uma quantidade de homens cinco vezes maior do que era habitual.

Não foi realizado nenhum *Kula*, não houve toques de búzio na praia e acredito também que nenhum grupo deu nem recebeu presentes. Os homens sentaram-se em pequenos grupos em volta das casas dos amigos, e os visitantes mais importantes se reuniram em torno da habitação de Tobwa'ina, o principal líder de Nabwageta.

Muitas canoas ficaram ancoradas ao longo da costa, além da praia da aldeia, algumas escondidas em pequenas enseadas, outras atracadas em lugares rasos e abrigados. Os homens se sentaram na praia, ao redor das fogueiras, preparando a comida que retiraram das provisões transportadas nas canoas. Somente a água foi obtida na ilha; os homens encheram os recipientes feitos de coco com água das nascentes. Cerca de doze canoas estavam ancoradas na própria praia da aldeia. À noite caminhei pela praia para observar como eles se arranjavam para dormir. Na noite clara e enluarada, as pequenas fogueiras queimavam com um brilho vermelho e suave; havia uma delas entre cada dois homens, feitas com três pedaços de pau, que eram gradualmente empurrados à medida que iam se consumindo. Os homens dormiam sob as grandes e duras esteiras de pandano: cada esteira é dobrada no meio e, quando colocada no chão, forma uma espécie de pequena tenda prismática. Ao longo de toda a praia havia uma fila quase contínua de homens alternando-se com as fogueiras, enquanto as esteiras de cor parda confundiam-se com a areia e eram quase invisíveis à luz da lua cheia. Eles deviam ter o sono muito leve, pois de vez em quando um homem se mexia, saía de seu abrigo, ajeitava o fogo e lançava um olhar vigilante nas redondezas. Seria difícil dizer o que mais lhes perturbava o sono – os mosquitos, o vento frio ou o medo de feitiçaria –, mas eu diria que era esse último.

Na manhã seguinte, bem cedo e sem nenhum aviso, todas as embarcações partiram. Eram cerca de oito horas quando a última canoa, impelida por varas, alcançou o alto-mar, onde então foi alçado o mastro e içada a vela. Não houve presente de despedida nem toques de búzio, e os nativos deixaram o local de repouso do mesmo modo como tinham chegado, sem cerimônia ou ostentação.

Na manhã seguinte, os nativos de Nabwageta partiram no encalço deles. Deixaram-me na aldeia com as mulheres, alguns aleijados e um ou dois homens que tinham permanecido, talvez para cuidar da aldeia, talvez especialmente para vigiar-me e evitar que eu causasse algum dano. Nenhum deles era bom informante. Devido a um erro meu, eu perdera o barco que tinha vindo dois dias antes à ilha de Gumasila e partira sem mim. Com falta de sorte e mau tempo, eu poderia esperar semanas ou mesmo meses em Nabwageta. Talvez eu pudesse ter partido em uma das canoas nativas, mas não poderia levar material de acampamento nem equipamento fotográfico ou material para escrever e, assim, minha viagem seria quase inútil.

Um ou dois dias depois, entretanto, por uma sorte muito grande, uma lancha a motor, cujo proprietário soubera de minha permanência nas ilhas Amphlett, ancorou em frente à aldeia de Nabwageta, e dentro de uma hora eu estava de novo a caminho das ilhas Trobriand, seguindo os rastros da expedição *kula*.

2

Na manhã seguinte, enquanto navegávamos pelos canais, na laguna esverdeada e opalescente, fiquei observando uma frota de pequenas canoas da região, que pescava nas águas barrentas, e consegui identificar, nas praias planas que nos rodeavam, umas doze aldeias que eu já conhecia bem; isso me fez ficar muito animado e me senti bem satisfeito por ter deixado as ilhas Amphlett, pitorescas mas improdutivas do ponto de vista etnográfico, e chegado às ilhas Trobriand, onde havia dúzias de excelentes informantes.

Além do mais, logo me reuniria aqui a uma parte das ilhas Amphlett, representada por seus habitantes masculinos. Desembarquei em Sinaketa, onde todos estavam empolgados pelo grande momento que se aproximava. Já se sabia que a frota de Dobu estava prestes a chegar, embora naquela manhã ainda não se tivessem recebido notícias do seu paradeiro. De fato, os nativos de Dobu que tinham partido de Nabwageta 48 horas antes de mim fizeram uma viagem lenta, com ventos fracos, e, seguindo uma rota a leste da minha, tinham chegado a Vakuta naquela manhã.

[54] Visitantes de Dobu em Sinaketa. Os visitantes do *Kula* e os anfitriões sentados lado a lado na plataforma de uma casa em Sinaketa.

Estavam corretas todas as informações que eu tinha recebido nas ilhas Amphlett a respeito dos movimentos anteriores dos trobriandeses. Portanto, os nativos de Vakuta tinham mesmo estado no leste, em Kitava, e haviam trazido uma grande quantidade de braceletes. To'uluwa, chefe de Kiriwina, visitara Kitava depois e, cinco ou seis dias antes, havia retornado de lá trazendo 213 pares de braceletes. Os nativos de Sinaketa tinham ido então para Kiriwina, e dos 213 pares conseguiram obter 154. Somados aos 150 pares já existentes em Sinaketa, passou a haver um total de 304 pares aguardando os nativos de Dobu. Na manhã em que cheguei, os habitantes de Sinaketa tinham acabado de voltar de Kiriwina, com pressa de voltar para casa para poderem aprontar tudo para a recepção aos nativos de Dobu. Naquela mesma tarde tivemos notícias deles – essas notícias vieram por terra, de aldeia em aldeia, e chegaram-nos de Vakuta com grande rapidez. Disseram-nos também que a frota *uvalaku* estaria em Sinaketa em dois ou três dias.

Aproveitei esse período para rever minhas informações a respeito dessa fase do *Kula* que eu ia presenciar, tentando obter um perfil claro de cada detalhe do que estava prestes a acontecer. Em um trabalho sociológico, é extremamente importante conhecer, com bastante antecedência, as normas e as ideias fundamentais subjacentes de um acontecimento, sobretudo se ele envolve um grande número de nativos. De outra forma, os eventos de real importância podem ser encobertos pela movimentação irrelevante e acidental da multidão, e assim o observador pode perder o significado do que vê. Não há dúvida de que, se as observações de um mesmo fenômeno pudessem ser repetidas várias vezes, os aspectos essenciais e relevantes acabariam se destacando, devido à regularidade e permanência. Se, entretanto, como acontece frequentemente no trabalho de campo do etnógrafo, só é possível assistir uma única vez a uma cerimônia pública, é necessário dissecar sua anatomia com antecedência e, então, concentrar-se na observação de como os traços gerais se concretizam, apreendendo o tom do comportamento geral, os traços de emoção ou paixão e outros tantos detalhes pequenos mas significativos que só a observação direta pode revelar e que esclarecem a relação interior e real entre o nativo e sua instituição. Assim, fiquei eu às voltas com minhas anotações antigas, colocando meu material em ordem, de uma forma concreta e detalhada.

Na tarde do terceiro dia, enquanto eu estava sentado tomando notas, espalhou-se pelas aldeias a notícia de que as canoas de Dobu tinham sido avistadas. Apressei-me a ir até a praia e, de fato, era possível ver, muito distantes ainda, como pétalas boiando no horizonte, as velas das embarcações que se aproximavam. Entrei na hora em uma canoa e fui conduzido até o promontório de Kaykuyawa, cerca de um quilômetro ao sul de Sinaketa. Lá, uma a uma, estavam chegando as canoas de Dobu, arriando as velas e abaixando o mastro

[55] Visitantes de Dobu em Sinaketa. À direita, Tovasana, com uma peruca de fibra de pandano, segurando sua vasilha de cal e espátula, e com os enfeites de concha *buna* na perna. À esquerda está Kauyaporu, o chefe dos nativos de Dobu, na plataforma de um dos chefes de Sinaketa. Notar as ervas aromáticas nos braceletes de Kauyaporu.

à medida que ancoravam, até que a frota inteira, agora com mais de oitenta canoas, ficou reunida à minha frente **[46, p.447]**. Alguns homens de cada canoa vieram pela água até a praia, voltando com grandes feixes de folhas. Observei-os enquanto se lavavam e untavam, realizando as etapas sucessivas do adorno festivo **[47, p.449]**. Cada objeto, antes de ser usado ou colocado, era tratado magicamente por um ou outros dos homens da canoa. Os objetos de ornamentação manipulados com maior cuidado eram as ervas secas, de aparência inexpressiva; elas foram retiradas dos pequenos recipientes onde tinham permanecido desde o momento em que haviam sido encantadas em Dobu e agora eram enfiadas nos braceletes. Tudo isso foi feito de modo rápido, quase febril, parecia mais uma operação técnica realizada com eficiência do que uma cerimônia solene e elaborada. Mas o elemento cerimonial logo ficaria evidente.

Depois de terminados os preparativos, as embarcações formaram um todo compacto, não muito regular, mas com certa ordem, com fileiras sucessivas de quatro ou cinco canoas. Nessa formação foram impulsionadas com varas pela laguna – que era muito rasa para permitir o uso de remos –, em direção à praia de Sinaketa. Quando estavam a dez minutos da praia, começaram a soar todos os búzios, e um murmúrio de palavras mágicas se elevou das canoas. Por razões de etiqueta, não pude me aproximar suficientemente das canoas para conseguir ver a exata disposição dos que recitavam a magia, mas fui informado de que era a mesma seguida pelos trobriandeses ao se aproximarem de Dobu, e que foi descrita no capítulo XIII. O efeito geral era magnífico, com toda a frota maravilhosamente pintada e toda decorada, deslizando com rapidez sobre as águas esverdeadas da laguna, na direção do bosque de palmeiras, além da praia, que nesse momento estava repleta de nativos ansiosos. Mas eu imagino que a chegada de uma frota trobriandesa em Dobu deva causar impacto muito maior do que esse. A paisagem muito mais pitoresca, o modo cerimonial de remar em águas profundas, com remos em forma de folha, a sensação de perigo e tensão, maior do que aquela sentida pelos nativos de Dobu quando vêm visitar os humildes trobriandeses, tudo contribui para tornar aquela cena mais dramática e impressionante do que a que acabei de descrever.

A uns vinte metros da praia, as canoas formaram fila dupla, ficando a canoa do *toli'uvalaku* na ponta esquerda da primeira fila. Assim que todas as embarcações tomaram seus lugares, Kauyaporu ergueu-se em sua canoa e, em voz alta e na língua de Dobu, dirigiu a palavra aos que estavam na praia. Suas palavras, preservadas na memória de seus ouvintes, me foram transmitidas naquela mesma noite, em sua tradução em língua kiriwina. Assim falou ele:

> "Quem será o primeiro no *Kula*? O povo de Vakuta ou vocês mesmos? Julgo que vocês terão a primazia! Tragam braceletes, um cesto cheio,

[56] As canoas de Dobu na praia de Sinaketa.

> dois cestos; tragam porcos; apanhem cocos; apanhem nozes de areca! Pois este é o meu *uvalaku*. Mais tarde, você, Kouta'uya, fará um *uvalaku*, e nós lhe daremos uma grande quantidade de *vaygu'a*!"

Assim falou Kauyaporu, dirigindo-se a seu parceiro principal, Kouta'uya, o segundo chefe de Sinaketa. Ele não se dirigiu a To'udawada, o chefe mais importante, porque ele não era seu parceiro principal.

Assim que o discurso terminou, Kouta'uya saiu da praia e entrou na água carregando um par de braceletes em cada mão. Atrás dele vinha um menino, seu filho mais novo, tocando um búzio. Mais atrás dois homens, que levavam uma vara entre eles, apoiada nos ombros, e na qual estavam expostos vários pares de *mwali* (braceletes). O cortejo atravessou a água em direção à canoa de Kauyaporu, a quem Kouta'uya endereçou as seguintes palavras, jogando os braceletes na plataforma da canoa:

> Este é um *vaga* [presente de abertura]! No devido tempo farei um *uvalaku* para Dobu; você deve me retribuir um grande *soulava* [colar] como *kudu* [presente equivalente] por isso. Você receberá agora muito mais braceletes. Há muitos braceletes em Sinaketa. Sabemos que havia muitos braceletes em Vakuta. Depois você e seus *usagelu* vêm para a praia, eu matarei um porco. Eu lhes darei muita comida, cocos, nozes de areca, cana-de-açúcar, bananas!

Assim que ele retornou à praia, sua mulher mais velha, com um cesto *peta* na cabeça contendo um par de braceletes, entrou na água e levou-o até a canoa de Kauyaporu, acompanhada também pelo menino com o búzio. Depois disso, em todos os cantos da praia, soaram os búzios, e os homens, isolados ou em grupos, entraram na água e se aproximaram das canoas. Os *mwali* eram carregados com muita cerimônia em varas ou no braço esticado. Mas o modo extremamente exagerado de colocar um par de braceletes em um cesto que podia conter uns oitenta pares foi realizado apenas pela mulher do chefe. Tudo isso durou cerca de meia hora, enquanto o sol derramava sua luz brilhante sobre as canoas pintadas, a praia amarela e as vigorosas formas bronzeadas que se moviam por ali. Depois, em poucos minutos, algumas canoas dos nativos de Dobu foram puxadas para a praia, outras foram ancoradas, enquanto seus ocupantes se espalhavam pelas sete aldeias de Sinaketa. Podiam-se ver grupos grandes sentados nas plataformas, mascando noz de areca e conversando na língua de Dobu com seus anfitriões **[54, p. 507]**.

Os nativos de Dobu permaneceram em Sinaketa durante três dias. De vez em quando, toques de búzio anunciavam que havia ocorrido uma transação *kula*, isto é, um par de braceletes tinha sido entregue a algum dos visitantes. Uma quantidade enorme de habitantes de outros distritos tinha se reunido em Sinaketa; todos os dias, nativos do interior do distrito de Sinaketa convergiam para sua capital, enquanto a gente de Kuboma, Luba e Kiriwina, isto é, dos distritos do centro e do norte, acampava nas casas dos parentes, em celeiros de inhame e em abrigos provisórios. Dado que o número de visitantes – isto é, dos que vieram de Dobu e das ilhas Amphlett, além dos de Vakuta que se juntaram a eles no caminho – chegava a cerca de 800, que a população de Sinaketa compreendia umas 500 pessoas e que outras 1200 tinham vindo de outras aldeias, verifica-se que a multidão reunida em Sinaketa e ao seu redor era considerável, totalizando mais de 2 mil pessoas.

Naturalmente, os trobriandeses tinham suas próprias provisões. A população de Dobu também trouxera quantidade significativa de alimentos e receberia uma quantidade adicional de legumes e de carne de porco de seus anfitriões, além de conseguir peixe em algumas das outras aldeias de Boyowa. De fato, tubarão, raia-lixa e outros peixes são os únicos artigos que os nativos de Dobu permutam por conta própria. Todas as outras trocas, da mesma forma como ocorreu em Dobu pelos nativos de Sinaketa, devem ser feitas com a comunidade que recebe os visitantes, isto é, com Sinaketa. Os habitantes de Sinaketa compram dos distritos manufatureiros de Boyowa os mesmos produtos industriais que eles levam quando vão a Dobu, como cestos, potes e espátulas para cal, por exemplo. Depois, eles vendem aos nativos de Dobu

[57] Algumas canoas ancoradas na laguna rasa próxima à praia.

exatamente do mesmo modo e com os mesmos lucros que descrevemos no capítulo XV. Como também já foi dito naquele capítulo, um homem de Sinaketa nunca comercia com um parceiro seu, mas sim com outro nativo de Dobu. Entre parceiros só se trocam presentes. O presente oferecido pelos nativos de Dobu aos de Sinaketa é chamado de *vata'i* e diferem apenas no nome – e não em natureza econômica e sociológica – do presente *pari* oferecido pelos nativos de Boyowa aos seus parceiros de além-mar. O *talo'i*, ou presente de despedida, oferecido aos nativos de Dobu costuma ser mais substancial do que o *vata'i*.

Durante sua permanência em Sinaketa, a população de Dobu dormia na praia ou em suas canoas **[56, p. 511] [15, p. 162]**. Habilmente equipadas com abrigos de esteiras douradas que cobrem parte da embarcação, os cascos pintados brilhando ao sol sobre a água esverdeada, algumas canoas davam a impressão de um esplêndido e fantástico barco de recreio **[57, p. 513]**. Os nativos entravam na água e passavam de uma canoa para outra, animando a laguna com risos, conversas e movimentos. Havia grupos acampados à beira-mar, cozinhando alimentos nos grandes potes de barro, fumando e mascando noz de areca. Grandes grupos de trobriandeses passeavam entre eles, observando-os discretamente mas com curiosidade. Não se observavam muitas mulheres em todos esses acontecimentos, e também não soube de nenhum escândalo a propósito de intrigas amorosas, embora possam ter ocorrido.

3

No quarto dia, os búzios soaram de novo pela manhã, embora no terceiro dia os toques já fossem raros. Eram os sinais da partida. Alimentos e pequenos presentes foram levados até as canoas, como *talo'i* e alguns *mwali* foram dados no final, e por causa deles soaram os búzios. Sem nenhuma cerimônia ou discurso de despedida, as canoas de Dobu partiram, uma de cada vez.

A viagem de volta também foi interrompida por uma parada tradicional para pescar, mas agora peixes, e não conchas. Alguns pararam na praia de Muwa, mas a maior parte ficou numa praia chamada Susuwa, a meio caminho entre Sinaketa e Vakuta, onde pescaram utilizando uma raiz venenosa que haviam trazido de casa. Dessa vez, ficaram três dias em Susuwa e Muwa e, depois, partiram para Vakuta, onde receberiam *talo'i*. Não pude acompanhar todas as etapas seguintes da viagem de volta, mas soube depois que eles chegaram às suas aldeias rapidamente e sem incidente algum.

O *tanarere* deles na praia de Sarubwoyna – isto é, a exposição competitiva dos produtos – teve os seguintes resultados aproximados:

De Sinaketa receberam 304 braceletes.

De Vakuta receberam 344 braceletes.

O total, portanto, foi de 648. Considerando que havia cerca de 60 canoas de Dobu realizando verdadeiramente o *uvalaku*, isto é, sem contar as canoas de Amphlett e de Vakuta que se agregaram pelo caminho e foram até Sinaketa, podemos dizer que havia cerca de 500 nativos naquela expedição. Entretanto, não mais do que a metade deles era de homens adultos que realizam o *Kula*. Assim, havia em média cerca de 13 braceletes para cada grupo de 5 homens. Alguns receberiam um par, outros talvez não recebessem nada, enquanto os chefes ficariam com quantidades grandes.

Vamos acompanhar, em um capítulo posterior, os movimentos de pelo menos alguns dos que vieram de outros distritos e se reuniram em Sinaketa para o *Kula*. Depois de alguns dias, eles também haviam se dispersado completamente e a aldeia retomou seu aspecto comum e rotineiro.

CAPÍTULO XVII

A magia e o *Kula*

1

Ao tratar dos vários costumes e práticas do *Kula*, tive, a cada passo, que fazer a descrição de ritos mágicos e a análise de encantamentos. Foi necessário fazer isso em primeiro lugar, porque a magia assume uma importância primordial na maneira de o nativo encarar o *Kula*. Além disso, todas as fórmulas mágicas deixam transparecer traços essenciais de crenças e ilustram as ideias típicas de um modo tão completo e significativo que nenhum caminho nos levaria mais diretamente ao conhecimento da mentalidade do nativo. Por fim, há um interesse etnográfico direto em conhecer os detalhes da execução da magia, que tem influência tão dominante sobre a vida tribal e entra de modo tão profundo na estrutura da mentalidade nativa.

Agora é necessário completar nosso conhecimento sobre magia e concentrar os dados dispersos numa visão coerente. Até esse momento, as muitas referências esparsas e os numerosos detalhes concretos não deram uma ideia geral a respeito do que a magia significa para os nativos, de como eles imaginam a atuação das forças mágicas, quais as suas opiniões, implícitas e explícitas, sobre a natureza do poder mágico. Reunindo todo o material já apresentado nos capítulos anteriores e suplementando-o com comentários etnográficos nativos, poderemos atingir certa síntese a respeito da teoria dos nativos de Kiriwina sobre a magia.

Todos os dados reunidos até agora demonstram a extrema importância da magia no *Kula*. Mas, se fôssemos tratar de qualquer outro aspecto da vida tribal desses nativos, ficaria evidente que eles sempre recorrem à magia ao lidarem com qualquer assunto de importância vital. Pode-se afirmar sem exagero que a magia, de acordo com suas ideias, governa os destinos humanos, dá o poder de dominar as forças da natureza e é uma arma e uma couraça contra os múltiplos perigos que ameaçam o homem de todos os lados. Assim, naquilo que é mais essencial a um indivíduo, isto é, saúde e bem-estar físico, o ser humano é apenas um joguete das forças da feitiçaria, de espíritos malignos e de outros seres controlados pela magia negra. A morte, em quase todas as suas formas, é o resultado de um desses agentes. Com exceção de indisposições facilmente explicáveis, como cansaço físico e resfriados leves, pode-se dizer que todas as doenças crônicas e agudas e a morte, em quase todas as suas formas, são sempre atribuídas à magia. Já me referi (no capítulo II) às várias maneiras pelas quais as forças malignas causam doença e morte. Os *tauva'u*, que trazem epidemias, e os *tokway*, que provocam dores agudas e indisposições menores, são os únicos exemplos de seres não humanos que exercem alguma influência direta nos destinos humanos, e mesmo os membros desse restrito panteão de demonologia só ocasionalmente descem entre os mortais e põem em ação suas forças potenciais. Sem dúvida alguma, o medo mais profundo e a preocupação mais constante dos nativos referem-se aos *bwaga'u*, feiticeiros inteiramente humanos, que executam suas obras apenas pela magia. Em segundo lugar, na quantidade de magia realizada e na frequência de suas proezas, estão as *mulukwausi*, as bruxas voadoras já descritas com pormenores no capítulo X. Elas constituem um bom exemplo de como toda crença num poder superior é, no fundo, uma crença na magia. A magia dá a esses seres a capacidade de aniquilar a vida humana e de comandar outros agentes destrutivos. A magia também dá ao homem o poder e os meios de se defender e, se for usada corretamente, de frustrar as tentativas nefastas das *mulukwausi*. Comparando-se os dois agentes, pode-se dizer que na vida diária teme-se muito mais o feiticeiro e considera-se que ele está em ação muito mais frequentemente, enquanto as *mulukwausi* atuam em certos momentos dramáticos, como a presença da morte, uma catástrofe em terra e principalmente no mar; aí, então, elas utilizam armas até mais terríveis do que os *bwaga'u*. Se um indivíduo perde a saúde, estado normal dos seres humanos, pode reconquistá-la com a magia, e apenas por meio dela. Não existe o restabelecimento natural; a recuperação da saúde é sempre atribuída à ação de uma contramagia que remove o feitiço maligno.

Todas as crises da vida associadas ao medo do perigo, ao despertar das paixões ou de emoções fortes, também têm seu acompanhamento mágico. O nascimento de uma criança é sempre acompanhado pela magia, a fim de garantir prosperidade a ela e neutralizar os perigos e as influências maléficas. Não há rito ou magia por ocasião da puberdade; no caso desse povo, a puberdade não ocasiona nenhuma crise definida na vida do indivíduo, já que sua vida sexual tem início muito antes da adolescência e lentamente toma forma e se desenvolve à medida que o organismo amadurece. Contudo, a paixão do amor tem uma magia correlata muito elaborada, composta de muitos ritos e fórmulas, à qual se atribui grande importância e pela qual se explica todo êxito na vida sexual. Os resultados funestos do amor ilícito – isto é, o amor dentro do clã, que, aliás, é considerado por esses nativos o tipo principal de imoralidade sexual – podem ser também anulados por um tipo especial de magia.

Os principais interesses sociais – como a ambição de sucesso na agricultura, a ambição de êxito no *Kula*, a vaidade pessoal e a demonstração de encantos individuais na dança –, todos encontram sua expressão na magia. Há um tipo de magia da beleza, executada cerimonialmente sobre os dançarinos, e há também um tipo de magia de segurança nas danças, cuja finalidade é evitar a magia maligna de feiticeiros invejosos. A magia agrícola privada, realizada por um indivíduo sobre suas plantações e sementes, assim como a magia maligna que lança sobre as plantações de seus rivais, expressam a ambição pessoal quanto à agricultura, em contraste com os interesses da aldeia como um todo, os quais são atendidos pela magia agrícola comunitária.

Também são governados pela magia forças da natureza que são de grande importância para o homem, como a chuva e o sol, que operando correta e alternadamente fazem a colheita prosperar, ou o vento, que precisa ser controlado para a navegação e a pesca. A magia da chuva e do sol pode ser usada com propósitos bons ou maus e, nesse aspecto, tem um interesse especial nas ilhas Trobriand, porque o sistema mais poderoso dessa magia está em mãos dos chefes supremos de Kiriwina. Podendo provocar uma seca prolongada, os chefes de Omarakana sempre têm conseguido, por esse meio, expressar seu descontentamento geral com seus súditos e, assim, aumentar seu poder total independentemente de qualquer outro mecanismo que possa usar para impor sua vontade aos indivíduos isoladamente ou à comunidade como um todo.

As atividades econômicas básicas de produção de alimentos, que nas ilhas Trobriand são em especial a agricultura e a pesca, são também inteiramente controladas pela magia. Naturalmente, o êxito nessas atividades deve-se, em grande parte, à sorte, ao acaso ou ao acidente e, para os nativos, exige ajuda sobrenatural. Tivemos exemplos de magia econômica ao descrever a construção da canoa e a pesca da concha *kaloma*. A magia comunitária da agricultura e da pesca, realizada em certas aldeias, evidencia – com mais clareza do que os casos descritos – o aspecto que nos pareceu tão importante na magia da canoa, a saber: que os ritos e fórmulas não são simples apêndices que ocorrem em paralelo aos esforços econômicos, sem os influenciar. Ao contrário, pode-se dizer que a crença na magia é uma das principais forças psicológicas que possibilitam a organização e a sistematização dos esforços econômicos nas ilhas Trobriand.[1] A capacidade para a arte, bem como sua inspiração, também é atribuída à magia.

1 Essas considerações foram elaboradas no artigo anteriormente citado "Primitive Economics", *The Economic Journal*, mar. 1921.

Os sentimentos de ódio, de inveja e de ciúme, além de encontrarem sua expressão na feitiçaria onipotente dos *bwaga'u* e das *mulukwausi*, são também responsáveis por muitos tipos de bruxarias, conhecidas pelo nome genérico de *bulubwalata*. O objetivo das formas clássicas dessa magia é desviar o afeto da esposa ou da namorada ou destruir o apego doméstico de um porco. O porco é enviado para o mato, depois de ter sido levado a se desgostar do dono e dos hábitos domésticos; embora os feitiços usados para afastar a esposa sejam ligeiramente diferentes, pode-se levá-la também a desgostar-se da vida doméstica, a abandonar o marido e a voltar para seus pais. Há um *bulubwalata* das plantações, das canoas, do *Kula*, do *kaloma*, de tudo enfim, e grande parte da magia benéfica ocupa-se em exorcizar os resultados do *bulubwalata*.

A lista dos tipos de magia ainda não está completa. Existe a magia das maldições condicionais, executada para preservar uma propriedade de danos possíveis, ocasionados por outros; existe a magia da guerra; há outra associada a tabus colocados sobre cocos e nozes de areca para fazê-los crescer e se multiplicar; há magia para desviar trovões e ressuscitar pessoas fulminadas por raios; há magia para dor de dente e magia para que os alimentos durem bastante tempo.

Tudo isso mostra a enorme difusão da magia, sua extrema importância e também evidencia o fato de que ela é sempre mais forte quando estão em jogo interesses vitais, quando paixões ou emoções violentas são despertadas, quando forças misteriosas se opõem aos esforços dos homens e quando eles têm que reconhecer que existe alguma coisa que frustra seus cálculos mais cuidadosos, seus esforços e preparativos mais conscienciosos.

2

Vamos agora passar a formulação de um breve relato da ideia essencial de magia, conforme é concebida pelos nativos. Toda apresentação de crenças encontradas entre seres humanos tão diferentes de nós é cheia de dificuldades e armadilhas, dificuldades essas que talvez se tornem ainda maiores quando tentamos atingir o verdadeiro fundamento da crença – isto é, as ideias mais gerais que formam a base de uma série de práticas e de um corpo de tradições. Ao lidar com uma comunidade nativa no estágio de desenvolvimento que encontramos nas ilhas Trobriand, não podemos esperar obter uma afirmação definida, precisa e abstrata, formulada por um filósofo da própria comunidade. O nativo aceita implicitamente seus pressupostos fundamentais e, se acaso especula a respeito de alguma crença ou a questiona, só o faz com relação a detalhes e a aplicações concretas. Qualquer tentativa da parte do etnógrafo para induzir seu informante a formular proposições genéricas teria que ser feita por meio de perguntas dirigidas, do pior tipo, pois nessas questões ele teria que utilizar palavras e conceitos completamente estranhos ao nativo. Assim que o informante aprendesse o significado dessas palavras e conceitos, sua perspectiva ficaria deformada por ideias nossas que lhe teriam sido incutidas. Assim, o etnógrafo deve alcançar a generalização por si mesmo e formular o princípio abstrato sem a ajuda direta de um informante nativo.

Digo *ajuda direta* porque a generalização deve ser inteiramente baseada em dados indiretos fornecidos pelos nativos. No decorrer da coleta de informações, da discussão de fórmulas e da tradução dos textos, os nativos emitem um número considerável de opiniões a respeito de pormenores. Tais opiniões espontâneas, se colocadas em um mosaico corretamente construído, podem, quase que por si mesmas, oferecer-nos uma visão correta e quase dão conta da totalidade das crenças nativas. E então nossa tarefa seria apenas sintetizar essa visão em uma fórmula abstrata.

O etnógrafo, entretanto, tem uma fonte de dados ainda melhor de onde retirar suas conclusões. As fontes mais importantes de conhecimento são os itens objetivos da cultura, nos quais a crença se cristalizou sob a forma de tradição, mito, encantamento e rito. Neles podemos defrontar com as mesmas realidades da crença que o nativo enfrenta em sua relação íntima com a magia – realidade que, além de professar verbalmente, ele vive integralmente, em parte pela imaginação, em parte pela experiência real. Uma análise dos conteúdos dos encantamentos; o estudo da maneira como são pronunciados e como são realizados os ritos correspondentes; o estudo do comportamento dos nativos, tanto dos atores como dos espectadores; o conhecimento da posição social e das funções sociais do especialista em magia – tudo isso nos revela não só a estrutura básica de suas ideias sobre a magia, mas também os sentimentos e as emoções correspondentes e a natureza da magia como força social.

Um etnógrafo que tenha sido capaz de compreender a atitude dos nativos e de formular uma teoria geral da magia a partir do estudo desses dados objetivos, pode, *então*, testar suas conclusões por meio de perguntas diretas. Pois estará em condições de usar a terminologia nativa e será capaz de acompanhar suas linhas de pensamento e, em suas perguntas, poderá respeitar a orientação de seu informante em vez de desencaminhá-lo e enganar a si mesmo por meio de perguntas dirigidas. Considerando-se em especial o caso em que o etnógrafo quer obter dos nativos suas opiniões sobre ocorrências reais, não terá que lidar com generalidades abstratas, mas será capaz de traduzi-las em aplicações concretas e em modos nativos de pensar.

Ao atingir tais conclusões gerais sobre aspectos amplos dos costumes e do pensamento humano primitivos, o trabalho do etnógrafo é criativo, na medida em que traz à luz fenômenos da natureza humana que, em sua totalidade, permaneceram encobertos até mesmo àqueles com os quais os fenômenos ocorreram. É criativo no mesmo sentido em que o é a construção de princípios gerais da ciência natural, na qual as leis objetivas de aplicação muito ampla ficam ocultas até que sejam descobertas pela mente humana no processo de investigação. Entretanto, do mesmo modo que os princípios da ciência natural, as generalizações finais da sociologia etnográfica também são empíricas porque, embora só afirmadas expressamente pelo investigador, são, todavia, realidades objetivas do comportamento, do sentimento e do pensamento humano.

3

Podemos começar perguntando como os nativos imaginam que se originou sua magia. Mesmo os informantes mais inteligentes permaneceriam necessariamente calados se lhe fizéssemos perguntas do seguinte tipo: "onde foi criada sua magia?", "como você imagina que ela foi inventada?". Com tais perguntas não conseguiríamos nem sugerir uma resposta nem obter uma resposta deformada. Entretanto, existe uma resposta para essa pergunta, ou melhor, para sua correspondente mais geral. Ao examinar a mitologia de várias formas de magia, verificamos que em todas elas existem ideias, claramente expressas ou apenas implícitas, acerca do modo como a magia se tornou conhecida para o homem. À medida que registramos e comparamos essas ideias e atingimos uma generalização, é fácil perceber por que nossa questão imaginária, apresentada aos nativos, teria que permanecer sem resposta. Pois, de acordo com a crença nativa, enraizada em todas as tradições e instituições, nunca se concebe a magia como tendo sido criada ou inventada. A magia foi transmitida como algo que sempre existiu. É concebida como um ingrediente intrínseco de tudo que afeta vitalmente o homem. As palavras com que o mago exerce seu poder sobre uma coisa ou um processo são tidos como coexistentes a essa coisa ou a esse processo. A fórmula mágica e seu objeto nasceram juntos.

Em alguns casos, a tradição representa a ambos, literalmente, como tendo nascido da mesma mulher. Assim, a chuva foi criada por uma mulher de Kasana'i e a magia veio com ela, e a partir daí vem sendo transmitida no subclã dessa mulher. Assim também a mãe mítica do herói cultural Tudava gerou, entre outras plantas e animais, também o peixe *kalala*. A magia desse peixe é também atribuída a ela. No curto mito a respeito da origem da magia *kayga'u* – destinada a proteger os náufragos contra bruxas e outros perigos –, vimos que a mãe que gerou o cão Tokulubwaydoga também lhe transmitiu a magia. Em todos esses casos, entretanto, o mito não diz que essas mulheres inventaram ou criaram a magia; de fato, alguns nativos afirmam explicitamente que as mulheres tinham aprendido a magia com seus ancestrais matrilineares. No último caso, o mito afirma que a mulher conhecia a magia por tradição.

Outros mitos são mais rudimentares e, embora menos detalhados acerca da origem da magia, mostram claramente que a magia é uma coisa primeva, ou melhor, autóctone, no sentido literal da palavra. Assim, a magia do *Kula* em Gumasila saiu da rocha de Selawaya; a magia da canoa saiu de um buraco no solo, trazido pelos homens que dele originariamente emergiram; a magia do cultivo é sempre concebida como tendo sido trazida do subsolo pelos primeiros antepassados, que emergiram do buraco original daquela localidade. Várias outras formas de magia menos importantes, de caráter local – como a magia da pesca, praticada em apenas uma aldeia, e a magia do vento –, também foram, segundo a concepção nativa, trazidas do solo. Todas as formas de feitiçaria foram transmitidas aos homens por seres não humanos que as ensinaram, mas não as criaram. A feitiçaria *bwaga'u* é atribuída a um caranguejo, que a transmitiu a um personagem mítico, em cujo *dala* (subclã) a magia foi transmitida e a partir do qual foi distribuída para todas as ilhas. Os *tokway* (espírito das árvores) ensinaram aos homens certas formas de magia maligna. Em Kiriwina, não há mitos a respeito da origem da magia das bruxas voadoras. Entretanto, consegui obter em outros distritos algumas informações rudimentares que indicam que elas foram instruídas nessa magia por um ser mítico e maligno chamado Taukuripokapoka, com o qual ainda mantêm algum tipo de relação, culminando com reuniões noturnas e orgias sexuais que lembram muito a *Walpurgisnacht*.

A magia do amor, a magia do trovão e a magia do raio são explicadas por acontecimentos definidos. Mas em nenhuma delas somos levados a imaginar que a fórmula é inventada; de fato, há uma espécie de *petitio principii* em todos esses mitos, pois, por um lado, procuram explicar como a magia apareceu e, por outro, quase todos apresentam a magia como estando lá, pronta e acabada. Mas o *petitio principii* é ocasionado apenas pela atitude mental errônea com que nos aproximamos dessas histórias. Porque, para os nativos, os mitos não procuram explicar como a magia foi criada, mas sim como a magia foi colocada ao alcance de um ou outro dos grupos locais ou subclãs de Boyowa.

Assim, ao formular uma generalização com base em todos esses dados, pode-se dizer que a magia nunca é inventada. Antigamente, quando as coisas míticas aconteceram, a magia ou surgiu do subsolo, ou foi dada a um homem por um ser não humano, ou foi transmitida aos descendentes pela ancestral original, que também produziu o fenômeno governado pela magia.

Nos casos reais dos tempos presentes ou das gerações de um passado próximo, cujos membros os nativos de hoje conheceram pessoalmente, a magia é dada por um homem a outro, em geral por um pai a seu filho, ou por um parente materno. Mas na própria essência da magia está a impossibilidade de ter sido fabricada ou inventada pelo homem, sua completa resistência a qualquer mudança ou modificações feitas por ele. A magia existiu desde o princípio das coisas: ela cria, mas nunca é criada; ela modifica, mas nunca deve ser modificada.

É fácil perceber agora a impossibilidade de fazer a um informante nativo perguntas sobre a origem da magia, como a que formulamos no início, sem distorcer a evidência no próprio ato da pergunta. Ele não compreende questões mais gerais, abstratas e neutras. Cresceu num mundo onde certos processos e certas atividades têm sua magia, que é um atributo deles como qualquer outro. Algumas pessoas aprenderam tradicionalmente como essa magia funciona e a conhecem; muitas narrativas míticas contam como os homens tiveram conhecimento da magia. Essa é a maneira correta de colocar o ponto de vista nativo. Após ter chegado a essa conclusão por meio da indução, podemos, naturalmente, testar nossas conclusões por meio de questões diretas ou de uma pergunta sugestiva. Quando formulei a questão "onde os seres humanos encontraram a magia?", obtive a seguinte resposta:

> Eles encontraram toda magia há muito tempo, no mundo subterrâneo.
>
> Nós nunca encontramos nenhum encantamento em um sonho; se disséssemos isso, seria uma mentira. Os espíritos nunca nos dão um encantamento.
>
> Eles nos dão canções e danças, é verdade, mas nunca magia.

Essa declaração, que expressa a crença de modo muito claro e direto, foi confirmada a mim com variações e ampliações por inúmeros informantes. Todos eles insistiram no fato de que a magia tem suas raízes na tradição, que é o item mais valioso e imutável da tradição e que não pode penetrar no conhecimento humano por meio de nenhuma interação atual de um ser humano com espíritos, tampouco por algum ser não humano, como o *tokway* ou *tauva'u*. A magia foi recebida de gerações anteriores – essa característica é tão enfatizada que não se pode imaginar nenhuma ruptura em sua continuidade, e qualquer adição feita por um ser humano a tornaria espúria.

Ao mesmo tempo, a magia é concebida como algo essencialmente humano. Não é uma força da natureza, capturada pelo homem, de algum modo, e colocada a seu serviço; é, essencialmente, a afirmação do poder intrínseco do homem sobre a natureza. Ao dizer isso estou, naturalmente, traduzindo a crença nativa em termos abstratos, que eles mesmos não usariam para expressá-la. Todavia, ela se acha corporificada em todos os itens do folclore, nos modos de usar a magia e de pensá-la. Em todas as tradições verificamos que a magia está sempre na posse do homem, ou pelo menos de seres antropomórficos. É trazida do subsolo pelo homem. Não é pensada como tendo estado em algum lugar exterior ao seu conhecimento e, então, capturada. Ao contrário, como já vimos, frequentemente as próprias coisas governadas pela magia foram produzidas pelo homem, como a chuva, o peixe *kalala* ou a doença criada pelo caranguejo antropomórfico.

A íntima associação sociológica da magia com um certo subclã enfatiza essa concepção antropocêntrica da magia. De fato, na maioria dos casos, a magia se refere a atividades humanas ou à resposta da natureza às atividades humanas, mais do que às forças da natureza em si. Assim, na agricultura e na pesca, é o comportamento de plantas e animais cuidados ou perseguidos pelo homem; na magia da canoa e na magia do entalhador, o objeto da magia é algo feito pelo homem; no *Kula*, na magia do amor e em muitas formas de magia dos alimentos, a força é dirigida para a natureza humana. A doença não é considerada uma força estranha, que vem de fora e se instala dentro das pessoas, mas sim algo diretamente produzido pelo homem, produzido por um feiticeiro. Podemos, portanto, ampliar a definição apresentada antes e dizer que a magia é um poder do homem sobre suas próprias criações, sobre coisas que foram uma vez produzidas por ele ou mesmo respostas da natureza a suas atividades – poder esse transmitido pela tradição.

Existe ainda um aspecto importante da questão que já foi mencionado anteriormente: a relação entre magia e mito. No capítulo XII, dissemos que o mito pertence ao nível do sobrenatural, ou melhor, do supranormal, e que a magia estabelece uma ponte entre esse nível e a realidade atual. Agora essa afirmação adquire uma importância nova: a magia aparece-nos como a essência da continuidade tradicional com as épocas ancestrais. Conforme já mostrei neste capítulo, a magia nunca é considerada uma invenção nova, mas é idêntica em natureza ao poder sobrenatural, que constitui a atmosfera dos eventos míticos. Parte desse poder provavelmente se perdeu antes de chegar aos dias atuais e histórias míticas relatam de que forma ele se perdeu; mas nunca se acrescentou nada a ele. Não há nada na magia de hoje que não tenha estado nela desde os tempos remotos e veneráveis do mito. Nesse ponto, os nativos têm uma opinião decisivamente regressiva a respeito da relação entre o presente e o passado, que constitui sua contrapartida de uma Idade do Ouro e de um jardim do Éden. De qualquer ângulo que consideremos o assunto, seja procurando as origens da magia, seja estudando as relações entre a realidade presente e a realidade mítica, acabamos chegando à mesma verdade. A magia é algo que nunca foi inventado ou modificado nem pelo homem nem por qualquer outro agente.

É claro que isso se refere à maneira de ver dos nativos. É quase desnecessário dizer de forma explícita que, na realidade, a magia deve mudar constantemente. A memória dos homens não é capaz de transmitir, de forma verbal, exatamente aquilo que recebeu, e, como qualquer outro componente do saber tradicional, uma fórmula mágica vai sendo, de fato, constantemente modificada, conforme passa de uma geração à outra ou mesmo na mente de um indivíduo. Na realidade, mesmo entre o material coletado por mim nas ilhas Trobriand, pode-se indiscutivelmente reconhecer que certas fórmulas são mais antigas do que outras e que até mesmo parte de certos encantamentos ou mesmo encantamentos inteiros foram inventados recentemente. Não posso fazer aqui mais que uma simples referência a esse assunto interessante, que requer, para seu desenvolvimento completo, muita análise linguística, bem como outras formas de "crítica superior".

Todas essas considerações nos aproximaram muito do problema essencial: o que a magia realmente significa para os nativos? Até aqui verificamos que consiste num poder inerente ao homem sobre as coisas que o afetam vitalmente, poder esse transmitido pela tradição.[2] Os nativos pouco conhecem e pouco se preocupam com as origens da magia, e o mesmo ocorre com relação às origens do mundo. Seus mitos descrevem a origem das instituições sociais e o povoamento do mundo pelos homens. Mas o mundo é considerado algo dado, assim como ocorre com a magia. Eles não fazem perguntas sobre *magiogonia*, assim como não fazem sobre *cosmogonia*.

4

Até aqui não ultrapassamos o exame dos mitos e do que podemos aprender sobre a natureza da magia com base nos mitos. Para obter um conhecimento mais profundo desse assunto, é necessário estudar mais de perto os dados concretos sobre a execução da magia. Já foi reunido, nos capítulos precedentes, material suficiente para permitir inferências corretas, e apenas de vez em quando terei que me referir a outras formas de magia além daquelas da canoa, do *Kula* e da navegação.

Tenho falado até aqui sobre a "magia" de uma forma global, como se ela fosse um todo. Na verdade, rudimentar ou desenvolvida, a magia apresenta, em qualquer parte do mundo, três aspectos essenciais. Em sua execução, sempre há palavras que são faladas ou cantadas, algumas ações são realizadas, e também o mestre ou mestre de cerimônia. Portanto, ao analisar os detalhes concretos dos desempenhos mágicos, temos que distinguir a *fórmula*, o *rito* e a *condição do executor*.

Ao examinar os próprios fatos ou o modo como são encarados pelos nativos, verifica-se que esses três fatores se destacam de forma bastante clara e precisa na magia dos trobriandeses. Pode-se afirmar desde já que nessa sociedade a importância relativa dos três fatores não é exatamente a mesma. A fórmula é, sem dúvida, o componente mais importante da magia. Embora esses nativos

2 A associação da magia com qualquer interesse vital é demonstrada pela pesca de pérola. Nesse caso, devido à chegada dos homens brancos, abriu-se uma nova perspectiva muito interessante e lucrativa. Existe agora uma forma de magia associada a essa pesca. Aparentemente, isso contradiz o dogma nativo de que a magia não pode ser inventada. Expostos a essa contradição, os nativos explicam que essa magia é, na verdade, uma antiga magia da pesca de conchas que se aplica a todas as conchas encontradas na laguna e que até então havia sido usada apenas com relação à pesca da (concha) *Conus*. De fato, essa magia é apenas a adaptação da magia do *mwali* (braceletes) às pérolas. No entanto, duvido que tal adaptação ou transferência ocorresse sem que antes os funda-

tenham uma palavra especial, *yopa*, para designar o encantamento em seu uso linguístico, muitas vezes eles usam a palavra *megwa* (magia) para descrever a fórmula. A fórmula é a parte da magia que é mantida em segredo e é conhecida só pelo grupo esotérico de praticantes. Quando uma magia é transmitida, seja por compra, presente ou herança, apenas a fórmula tem que ser ensinada e, como já foi dito antes, ela é ensinada por etapas e o pagamento é também feito em prestações. Quando se fala sobre conhecimento mágico ou se pergunta se um indivíduo conhece alguma magia, isso diz respeito invariavelmente à fórmula, pois a natureza do rito é sempre de domínio público. Mesmo com base nos exemplos citados neste livro, pode-se perceber como os ritos são simples e como as fórmulas costumam ser elaboradas. Ao serem diretamente questionados sobre esse assunto, os nativos sempre respondem que o encantamento é a parte mais importante. A questão "onde está a verdadeira força da magia?" teria a seguinte resposta: "na fórmula". A condição do mago, assim como o rito, é essencial à realização da magia, mas também é considerada pelos nativos subordinada à fórmula mágica.

mentos da crença e do costume nativos tivessem sido abalados pelas regras e pelos ensinamentos bem intencionados, mas nem sempre sábios e benéficos do homem branco e pela introdução do comércio.

Tudo isso deve ser mais bem esclarecido examinando-se fatos reais. Em primeiro lugar, vamos analisar a relação entre fórmula e rito; com esse propósito, será preferível agrupar os vários atos mágicos em diversas categorias, de acordo com a complexidade do rito correspondente. Vamos começar pelos ritos mais simples.

ENCANTAMENTOS PRONUNCIADOS DIRETAMENTE SEM RITOS CORRESPONDENTES

Vimos um ou dois exemplos desse tipo de magia, no qual o executor apenas pronuncia a fórmula diretamente no espaço. No caso da pesca da concha *kaloma* (*Spondylus*), por exemplo, o mago da comunidade realiza o primeiro ato andando na praia e recitando o encantamento em direção ao mar. Por ocasião de um naufrágio verdadeiro, antes de abandonar a canoa, o *toliwaga* dirige seu último *kayga'u* diretamente aos elementos. Do mesmo modo, ele deixa sua voz flutuar sobre as águas, ao invocar o maravilhoso peixe que levará para alguma praia conhecida às pessoas que estão se afogando. O encantamento final do *Kula*, por meio do qual a canoa que chega "sacode a montanha", entoado por três recitadores mágicos, é lançado diretamente em direção a Koya. A magia para tornar o mar claro, na pesca do *kaloma*, também é feita dessa forma, e poderiam ser acrescentados muitos outros exemplos de magia do cultivo, de magia do vento e de outros tipos que não são descritos neste livro.

Os nativos têm uma expressão especial para tais atos: dizem que a fórmula é recitada "apenas pela boca" (*o wadola wala*). Essa forma de magia com rito tão rudimentar é, entretanto, relativamente pouco comum. Embora se pudesse dizer que não há nenhum rito em tais casos, pois o mago não manipula coisa alguma e nada faz a não ser falar, percebe-se que toda a execução é ritual, na medida em que ele sempre tem que lançar sua voz em direção ao elemento natural ou ao ser ao qual se dirige. De fato, também aqui, como em todos os outros casos, a voz daquele que fala tem que ser transmitida de uma forma ou de outra para o objeto que ele deseja encantar. Além disso, vemos que em todos esses exemplos o objeto é de tal natureza que pode ser diretamente alcançado pela voz e que, por outro lado, seria difícil aplicar qualquer substância ou realizar qualquer ação, por exemplo, sobre o vento, sobre uma concha que está em um recife distante ou sobre o *koya* (montanha).

ENCANTAMENTOS ACOMPANHADOS POR RITOS SIMPLES DE IMPREGNAÇÃO

Grande parte dos casos descritos neste livro se enquadra nessa categoria. Vimos quase no início (capítulo V, seções 2 e 3) como o feiticeiro faz o encantamento da lâmina de sua enxó, das cordas que servem para puxar a canoa, do cipó de amarração, da substância de calafetagem e da tinta utilizada para pintar a canoa. Entre os ritos *kula*, pertencem a esse tipo a magia inicial sobre a hortelã aromática, sobre o *lilava* (embrulho sagrado), sobre o *gebobo* (parte central da canoa); toda a magia da beleza na praia Sarubwoyna, a magia sobre os cocos, sobre as tintas da pintura facial, bem como a magia do búzio. Em todos esses atos mágicos, o objeto é colocado bem ao alcance da voz em posição adequada. Muitas vezes, o objeto é posto dentro de um recipiente ou envoltório para que a voz penetre num espaço fechado e se concentre sobre a substância que vai ser encantada. Assim, quando se faz o encantamento *lilava*, a voz é emitida para dentro das esteiras, que em seguida são cuidado-

[58] Encantamento associado à gravidez. As mulheres estão curvadas sobre um traje especial que será usado pela mulher grávida. Elas quase tocam o traje com a boca, para que ele fique impregnado com respiração, que transmite a virtude da fórmula mágica.

samente enroladas. Antes de ser encantada, a hortelã aromática é disposta no fundo de um saco feito de folha de bananeira endurecida ao fogo, que depois é cuidadosamente fechado e amarrado com uma cordinha. Também a lâmina da enxó é primeiro semienrolada em uma folha de bananeira, e a voz chega até a lâmina no interior da folha, que imediatamente é dobrada e amarrada em volta da lâmina. Na magia do búzio, chamei a atenção para o fato de que os dois orifícios do instrumento são cuidadosamente tampados assim que o encantamento é pronunciado. Sempre que o objeto vai ser usado de imediato, não são tomadas tantas precauções, mas invariavelmente, sem exceção, a boca é colocada bem próxima ao objeto a ser tratado magicamente [58] e, sempre que possível, esse último é posto em algum tipo de cavidade, como um pedaço de folha dobrada ou mesmo as duas palmas da mão dispostas em concha. Tudo isso mostra que, para a execução correta da magia, é essencial que a voz seja dirigida diretamente à substância e que, se possível, envolva e se condense ao redor dela, sendo depois aprisionada ali, de modo permanente, por meio de algum tipo de invólucro. Assim, nessa modalidade de rito, a ação serve sobretudo para transmitir e reter o encantamento em volta do objeto.

Pode-se perceber em quase todos os casos descritos que a substância afetada pelo rito não é o objetivo final do encantamento, mas trata-se apenas de um componente do objeto visado, ou é um acessório dele, ou um instrumento usado em sua fabricação. Assim, o cipó *wayugo*, o *kaybasi* (material para calafetação), a pintura e as tábuas de proa são todos componentes da canoa, e a magia realizada sobre eles não busca transmitir-lhes um atributo especial, mas procura imprimir agilidade e leveza à canoa, da qual eles são apenas partes. Também as ervas e as cores do unguento de coco, encantadas durante o *Kula*, são acessórios do objetivo final dessa magia, isto é, a beleza e o poder de atração do executor. A enxó e a pedra de quebrar na magia *kaloma* são instrumentos usados para conseguir o objeto ao qual é dirigida a magia. Existem só alguns poucos exemplos em que o simples rito de impregnação é diretamente executado sobre o objeto visado. Se comparamos esse tipo de rito com o da categoria anterior, vemos que a diferença está no tamanho do objeto, em especial. Quando se quer encantar uma montanha, um recife ou o vento, é impossível colocar o objeto dentro de um pequeno saco de folha de bananeira, como também não se pode fazê-lo com a mente humana. E, em geral, os objetivos finais dos ritos mágicos não são coisas pequenas, que podem ser facilmente manuseadas. Na magia descrita neste livro não há, creio eu, um único caso em que o objetivo final do feitiço seja a substância tratada no mito e impregnada pelo encantamento artificialmente condensado sobre ela. Isso ocorre, entretanto, na magia da guerra, na qual a ponta das lanças torna-se eficaz e os escudos tornam-se à prova de lança **[59]** por meio da magia executada sobre eles. Na magia agrícola privada, os inhames plantados tornam-se férteis por meio de um encantamento. Alguns outros exemplos desses tipos poderiam ser acrescentados.

[59] Um rito de magia de guerra. Kanukubusi, ao centro, o último mago de guerra de Kiriwina, faz uma demonstração de como costumava encantar os escudos antigamente.

ENCANTAMENTOS ACOMPANHADOS POR UM RITO DE TRANSFERÊNCIA

Quando comparamos o rito de encantamento da lâmina da enxó com o rito do encantamento do cupim seco, com o qual depois se bate na canoa, vemos que no segundo caso a magia é pronunciada sobre alguma coisa que não tem relação intrínseca com o objetivo final da magia, isto é, com a canoa. Essa coisa não vai ser parte da canoa, tampouco vai ser usada como instrumento na fabricação dela. Introduz-se aqui, para as finalidades do rito, um meio especial, usado para absorver a força mágica e transferi-la ao objeto final. Os ritos nos quais são usados tais intermediários podem então ser chamados de *ritos de transferência*. Quando se encanta um pedaço de pau para depois com ele golpear magicamente a canoa; ou um pedaço de casca de coco, que será lançado na água para tornar a canoa leve; ou uma concha de mexilhão para com ela raspar a canoa; ou um galhardete de pandano que lhe dará rapidez, está se introduzindo em cada um desses ritos uma substância que apenas desempenha um papel mágico. Portanto, o rito não é o simples encantamento de uma parte que entrará na composição de um objeto ou de um instrumento que será usado para fabricá-lo. O rito, nesse caso, é mais autônomo, tem mais significado próprio. O fato de se bater na canoa com dois feixes de capim, um após o outro, primeiro para retirar o peso e depois para imprimir leveza à canoa, tem um significado paralelo ao encantamento, mas independente dele. O mesmo ocorre com o lançamento da casca de coco. O tremular do galhardete de pandano está diretamente associado à velocidade, conforme os nativos afirmam explicitamente. Assim como as faixas de *bisila* tremulam ao vento, também deveriam tremer a canoa e a vela com a velocidade atingida. No caso do gengibre cuspido sobre os habitantes de Dobu que fingem hostilidade, a qualidade inerente à substância, que nossas farmacopeias descrevem como *estimulante*, deixa claro o significado do rito. É fácil perceber que alguns ritos são mais criativos que outros, pois o próprio ato realizado produz, de acordo com as ideias nativas, um efeito mais definido. Assim ocorre quando se cospe o gengibre, e ainda mais diretamente quando se derrama com a cal para produzir uma névoa e fechar os olhos das *mulukwausi*. Esses dois ritos, por exemplo, são mais criativos que a colocação do galhardete de pandano.

ENCANTAMENTOS ACOMPANHADOS POR OFERENDAS E INVOCAÇÕES

No primeiro rito descrito neste livro, vimos que a princípio se fez uma oferenda e dirigiu-se uma invocação ao espírito das árvores (*tokway*). Há inúmeros ritos acompanhados por oferendas feitas aos espíritos dos ancestrais, aos quais se solicita que as aceitem. Tais ritos são executados na magia agrícola **[60, p. 536]**, na da pesca e na do tempo. Entretanto, é preciso dizer logo que não há nenhuma adoração ou sacrifício relacionados com esses ritos, isto é, pelo menos não como costumam ser entendidos. Não se imagina que os espíritos sirvam como agentes do mago, executando as ordens de sua magia. Voltaremos a esse assunto mais adiante. É suficiente notar aqui que, no único exemplo que encontramos de um encantamento desse tipo – isto é, na invocação do *tokway* –, a oferenda concomitante é feita apenas como uma espécie de compensação por tê-lo mandado embora ou como meio de convencê-lo a sair. A primeira explicação é mais provável que a segunda, porque o *tokway* não tem mais escolha depois que foi exorcizado e tem que obedecer às ordens do mago.

Esse resumo mostra com clareza que a virtude, a força e o princípio efetivo da magia estão na fórmula. Vimos que em muitos casos a fórmula será suficiente se for pronunciada diretamente sobre o objeto. Vimos também que no tipo mais comum de ritual, se assim podemos dizer, a ação que acompanha o enunciado da fórmula serve apenas para dirigir e concentrar o encantamento sobre o objeto. Em todos esses casos, o rito não tem nenhum significado independente, nenhuma função autônoma. Em outros casos, o rito introduz uma substância que é usada apenas com propósitos mágicos. Normalmente a substância então intensifica, por meio de uma ação paralela, o significado do encantamento. De modo geral, pode-se dizer que o principal poder criativo da magia reside na fórmula; que o rito serve para conduzi-lo ou transferi-lo para o objeto ou, em certos casos, para reforçar o significado do encantamento pela natureza do meio de transferência ou pelo modo como é finalmente aplicado. É desnecessário dizer que, na magia dos trobriandeses, não existem ritos que sejam realizados sem fórmula mágica.

5

Ao estudar a maneira pela qual a força do encantamento é conduzida para o objeto, fica evidente que é a voz do recitador que transfere a virtude. De fato, como já apontamos várias vezes ao citar as fórmulas, e como voltaremos a mostrar mais adiante, as palavras mágicas, por assim dizer, penetram na substância pela repetição contínua. Para melhor entender esse ponto, precisamos conhecer as concepções dos nativos a respeito de psicofisiologia. A mente, *nanola* – termo que compreende a inteligência, o poder de discriminação, a capacidade para aprender fórmulas mágicas e todas as formas de habilidade não manuais, bem como as qualidades morais – situa-se em algum ponto da laringe. Os nativos sempre apontam para os órgãos da fala para

[60] Um rito de magia agrícola. Oferendas de alimento cozido para os espíritos ficam expostas, durante algum tempo, no local da plantação. Do lado direito está o mago, agachado, com o machado cerimonial apoiado no ombro. No primeiro plano, vê-se um grande monte de folhas sobre o qual o mago vai fazer o encantamento.

mostrar onde fica o *nanola*. Uma pessoa que não possa falar devido a uma deficiência orgânica é identificada – pela designação (*tonagowa*) e pelo tratamento – com os deficientes mentais. A memória, entretanto, onde são armazenadas as fórmulas e as tradições aprendidas de cor, situa-se mais para o fundo, no abdômen. Diz-se que um homem tem bom *nanola* quando consegue aprender muitas fórmulas e, embora elas penetrem pela laringe, naturalmente, à medida que ele as aprende, repetindo palavra por palavra, é necessário que as armazene em um recipiente maior e mais cômodo; elas se depositam bem no fundo da barriga. Fiz a descoberta dessa verdade anatômica enquanto coletava dados sobre a magia de guerra, por intermédio de Kanukubusi, o último ocupante do cargo na longa sucessão de feiticeiros de guerra para os chefes de Omarakana. Kanukubusi é um homem velho, de cabeça grande, com testa larga e alta, de nariz rechonchudo e sem queixo, o mais humilde e dócil de meus informantes, com uma expressão sempre perplexa e atemorizada no rosto honesto [59, p. 533]. Descobri que esse velho gentil era muito exato e digno de confiança, na verdade um excelente informante, dentro da estreita esfera de sua especialidade, a qual ele e seus antecessores tinham usado para fazer "chamejar a raiva no *nanola*" dos homens de Omarakana e fazer o inimigo correr de pavor, perseguido e massacrado pelos guerreiros. Paguei-lhe bem pelas poucas fórmulas que ele me deu e, ao fim de nossa primeira sessão, perguntei-lhe se tinha outra magia para apresentar. Com orgulho ele bateu várias vezes na barriga e respondeu: "Muitas outras estão aqui!". Na hora tratei de verificar a veracidade da declaração com outro informante e fiquei sabendo que todos carregam sua magia no abdômen.

Existem também algumas ideias sobre a estratificação da magia, a saber, que certas formas de magia têm que ser aprendidas primeiro, de modo que afundem, enquanto outras vêm por cima. Mas essas ideias são vagas e contraditórias, enquanto a ideia principal, a de que a magia fica na barriga, é clara e precisa. Esse fato nos permite uma nova compreensão das ideias nativas sobre a magia. A força da magia, cristalizada nas fórmulas mágicas, é carregada pelos homens da geração presente em seu próprio corpo. O corpo é o receptáculo do legado mais valioso do passado. A força da magia não reside nas coisas; ela está dentro do homem e só pode escapar através da voz.

6

Até aqui tratamos só da relação entre a fórmula e o rito. O último ponto, entretanto, leva-nos ao problema da condição do executante. Seu ventre é um tabernáculo de força mágica. Tal privilégio acarreta perigos e obrigações. É claro que não se pode, de forma indiscriminada, colocar substâncias estranhas em um lugar onde se guardam bens extremamente valiosos. Assim, tornam-se imperativas as restrições alimentares. Muitas delas são determinadas diretamente pelo conteúdo dos encantamentos. Vimos alguns exemplos disso, como no caso do peixe vermelho, que é invocado na magia e se torna tabu para o executante, ou no caso do cachorro, de que falamos no encantamento *ka'ubanai*, cujo ganido não pode ser ouvido enquanto a pessoa está comendo. Em outros casos, o feiticeiro não pode comer o objeto visado pela magia. Essa é a regra no caso da pesca do tubarão, do *kalala* e de outras formas da magia da pesca. O mago agrícola também está proibido de comer os primeiros frutos da colheita, até certa época. Praticamente não existe nenhuma doutrina precisa que explique por que não se podem ingerir as coisas mencionadas nas fórmulas mágicas, quer se trate dos objetivos da magia, quer de fatores auxiliares. Existe apenas um receio genérico de que a fórmula seria danificada por causa disso. Há outros tabus que limitam o mago, alguns permanentes e outros temporários, durante a época da execução da magia. Vimos alguns permanentes, como no caso do homem que sabe a magia *kaiga'u* e que não pode comer enquanto as crianças fazem barulho. Os tabus temporários, tal como a abstinência sexual por ocasião dos primeiros ritos do *Kula*, podem ser acrescidos de numerosos exemplos retirados de outras formas de magia. Assim, para provocar chuva, o mago se pinta de preto e não pode se lavar nem se arrumar durante algum tempo. O mago do tubarão tem que deixar a casa aberta, remover a folha púbica e sentar-se com as pernas abertas enquanto durar a magia e a pesca, "para que a boca do tubarão possa permanecer aberta". Não podemos nos deter muito na enumeração desses tabus e prescrições, queremos apenas deixar claro que o comportamento adequado do mago é um dos elementos essenciais da magia, e em muitos casos esse comportamento é ditado pelo conteúdo do encantamento.

Os tabus e as prescrições não são as únicas condições que um homem deve preencher a fim de executar certas formas de magia. Em muitos casos, a condição mais importante é sua qualidade de membro de um grupo social, pois muitas formas de magia são estritamente locais e devem ser executadas por uma pessoa que seja descendente do possuidor mítico e original da magia. Assim, em todos os casos da magia agrícola – que os nativos consideram a principal entre todos os outros tipos de magia benéfica –, o executante deve ser genealogicamente aparentado com o antepassado original, que emergiu localmente do buraco. Encontram-se algumas exceções a essa regra, mas apenas nos casos em que uma família de alta posição social chegou e usurpou a chefia do grupo –

porém são raras essas exceções. No caso dos vários sistemas locais de magia da pesca, o cargo de mago é hereditário e associado à localidade. A importante magia da chuva e do sol, que "nasceu" em Kusana'i, só pode ser executada pelos chefes daquele local, que usurparam esse privilégio importante do líder de aldeia original. Naturalmente, a sucessão sempre é matrilinear. Um homem pode dar de presente essa magia a seu filho, mas o filho pode ser obrigado a renunciar ao privilégio por ocasião da morte do pai e nunca poderá transmiti-la a seu próprio filho, a não ser que este pertença de novo ao grupo local, por meio do casamento entre primos-irmãos. Mesmo nas transações em que a magia é vendida ou cedida por um clã a outro, ainda permanece o prestígio de certos grupos locais como especialistas e conhecedores principais de um ramo de magia. Considera-se, por exemplo, que a magia negra, embora praticada em toda a região e não mais localizada, é mais bem conhecida nas aldeias de Ba'u e Bwoytalu, onde o caranguejo original caiu do céu trazendo a magia com ele. A magia do *Kula* também está difundida por todo o distrito, porém ainda é associada a localidades definidas.

Para sintetizar essas observações sociológicas, podemos dizer que, onde ainda se mantém o caráter local da magia, o mago deve pertencer ao *dala* (subclã ou grupo local) do antepassado mítico. Em todos os outros casos, o caráter local da magia é ainda reconhecido, embora não influencie a sociologia do mago.

O caráter tradicional da magia e a filiação mágica do executante encontram sua expressão em outro aspecto importante dos encantamentos. Em alguns deles, como já vimos, fazem-se referências a acontecimentos míticos ou pronunciam-se nomes de antepassados míticos. Com mais frequência ainda, encontramos uma lista completa de nomes, começando com o fundador mítico da magia e terminando com o nome do antecessor imediato, isto é, o homem que transmitiu a magia ao executante atual. Tal lista constitui uma espécie de linguagem mágica, que estabelece a ligação entre o mago atual e todos aqueles que usaram a fórmula antes. Em outras fórmulas, o mago se identifica com algum indivíduo mítico e pronuncia seu nome na primeira pessoa. Assim, no encantamento pronunciado ao arrancar a hortelã, encontramos a frase: "Eu, Kwoyregu, com meu pai, cortamos o *sulumwoya* de Laba'i". Tanto a ascendência genealógica do mago de antepassados míticos como a filiação mágica expressa nas fórmulas mostram mais uma vez a suprema importância da tradição, que nesse caso atua sobre a determinação sociológica do executante. Ele é incluído em um grupo social definido, composto daqueles que, por nascimento ou pelo que podemos chamar de "adoção mágica", adquiriram o direito de realizar a magia. No próprio ato de pronunciar o encantamento, o mago testemunha seu débito para com o passado, ao enumerar nomes mágicos e ao se referir ao mito e a acontecimentos míticos. Tanto as restrições sociológicas, quando ainda existem, como a filiação mágica confirmam mais uma vez a dependência da magia em relação à tradição. Além disso, ambas evidenciam, assim como os tabus, que as obrigações impostas ao mago e as condições que ele tem que preencher derivam em grande parte do encantamento.

7

A questão dos *sistemas de magia* e a distinção entre ritos e fórmulas mágicos "sistemáticos" e "independentes" estão intimamente relacionadas às questões discutidas na seção anterior. Como vimos no início deste capítulo, o repertório mágico completo apresenta, de fato, várias grandes divisões, correspondendo cada uma delas a um aspecto da natureza, como o vento ou o tempo atmosférico; a alguma atividade humana, como a agricultura, a pesca, a caça ou a guerra; ou a alguma força real ou imaginária, como inspiração artística, feitiçaria, encanto pessoal ou coragem.

Entretanto, em cada divisão da magia é necessário fazer uma distinção importante; alguns ritos e encantamentos são isolados e independentes, podendo-se usá-los separadamente sempre que necessário. Isso ocorre com quase todos os encantamentos da magia do vento, com alguns da magia agrícola individual, com as fórmulas contra dor de dente e indisposições passageiras, com alguns dos encantamentos da caça e coleta de alimento e com alguns ritos da magia do amor e da magia do entalhe. Quando, por exemplo, um homem está remando sua canoa pela laguna e se inicia um vento desfavorável, ele pronuncia um encantamento para fazer o vento diminuir e mudar. O mesmo encantamento é pronunciado na aldeia quando surge o vento tão forte que pode ser perigoso. O encantamento é um ato livre, individual, que pode e é realizado em qualquer ocasião em que seja necessário.

As coisas se passam de outra forma quando se trata dos encantamentos que pertencem ao que chamei aqui de *magia sistemática*. Essa magia consiste em um conjunto consecutivo e interligado de encantamentos e ritos correspondentes, nenhum dos quais pode ser retirado de sua sequência e realizado de forma isolada. Eles têm que ser executados, um após o outro, em uma ordem determinada, e uma vez iniciada a série, pelo menos os mais importantes nunca podem ser omitidos. Essa série está sempre intimamente relacionada a alguma atividade, como a construção de uma canoa ou uma expedição marítima do *Kula*, uma pescaria ou a preparação e a colheita de uma roça. Não será difícil compreender a natureza da magia sistemática, pois neste livro quase todos os ritos e encantamentos descritos pertencem a essa categoria. De modo geral, nas ilhas Trobriand, os ritos e as fórmulas independentes constituem uma minoria bem insignificante, tanto em número como em importância.

Consideremos uma das formas de magia sistemática descritas antes, seja a magia da canoa ou do *Kula*, as fórmulas do *kayga'u* ou o ritual mágico da pesca do *kaloma*. O primeiro fato geral a ser notado aqui é que estamos na presença de um tipo de empreendimento ou atividade que jamais é iniciado sem magia. Não se constrói uma canoa, não se inicia um *uvalaku*, não se pesca o *kaloma* sem o respectivo cerimonial mágico. Esse cerimonial será rigorosamente observado em seus principais aspectos, isto é, as fórmulas mais importantes nunca serão omitidas, embora isso possa ocorrer com as menos importantes, conforme já dissemos. A associação entre a atividade prática e sua magia correspondente é muito íntima. As etapas e os atos da primeira, assim como os ritos e encantamentos da segunda, são reciprocamente relacionados, item por item. Certos ritos têm que ser realizados para que se iniciem certas atividades; outros devem ser realizados ao fim do trabalho prático; outros ainda são parte integrante da atividade. Mas, segundo o modo de pensar nativo, cada um dos ritos e encantamentos é tão indispensável ao sucesso do empreendimento quanto a atividade prática. Assim, o *tokway* tem que ser expulso, ou a árvore será completamente imprestável para fazer uma canoa; a enxó, o cipó de amarração, a substância para calafetação e a pintura precisam ser encantadas, senão a canoa ficará pesada e difícil de manejar, e a omissão pode até mesmo pôr em perigo a vida das pessoas. Revendo mentalmente os vários casos citados nos capítulos anteriores, percebe-se facilmente como essa íntima relação entre magia e empreendimento confere à magia sistemática seu caráter específico. O progresso contínuo do trabalho e o da magia são inseparáveis simplesmente porque, conforme as ideias dos nativos, o trabalho necessita da magia, e a magia só tem sentido como ingrediente indispensável do trabalho.

Tanto o trabalho como a magia estão orientados para o mesmo fim: construir uma canoa rápida e estável, obter um bom resultado no *Kula*, proteger contra naufrágios e assim por diante. Vemos, portanto, que a magia sistemática consiste num conjunto de ritos e encantamentos associados a um empreendimento, visando a certo objetivo e progredindo numa série contínua de ações que devem ser realizadas no lugar adequado. Esse ponto – o entendimento correto do que se quer dizer com a expressão "magia sistemática" – tem a maior importância teórica porque revela a natureza da relação entre as atividades mágicas e as atividades práticas e mostra quão profundamente as duas estão interligadas. Trata-se de um desses pontos que não podem ser bem explicados e compreendidos sem o auxílio de uma tabela. O quadro "Magia do *Kula* e atividades correspondentes", que eu preparei, contém o sumário dos pontos substanciais dos vários capítulos precedentes. Esse quadro permite um exame rápido das atividades consecutivas do *Kula* e sua relação com a magia; começa com o primeiro ato da construção da canoa e termina com a viagem de volta. Mostra os aspectos principais da magia sistemática em geral e, também, da magia *mwasila* e da magia das canoas em particular. Mostra a relação entre as atividades mágicas, rituais e práticas, em sequência correlata, e seu desenvolvimento paralelo, etapa por etapa, em direção ao objetivo central – um *Kula* bem-sucedido. O quadro serve, portanto, para ilustrar o significado da expressão "magia sistemática" e fornece um esboço claro dos aspectos mágicos, cerimoniais e práticos essenciais ao *Kula*.

MAGIA DO *KULA* E ATIVIDADES CORRESPONDENTES

I. ESTÁGIO INICIAL DA CONSTRUÇÃO DE CANOAS
(CAPÍTULO V, SEÇÃO 2)

ÉPOCA E DURAÇÃO APROXIMADA	LOCAL	ATIVIDADE		MAGIA
Início: junho e agosto	*rɔybwag*	derrubada da árvore (feita pelo construtor e pelo ajudante)	iniciada por	*vabusi tokway* (oferenda e exorcismo) visando expulsar do tronco o espírito da árvore. (Realizada pelo proprietário ou pelo construtor.)
Logo em seguida	no mesmo lugar	desbaste do tronco para fazer a canoa (feito pelo construtor e por ajudantes)		nenhuma magia.
Alguns dias depois	na estrada	transporte do tronco (realizado por todos os trabalhadores da aldeia)	acompanhado por	rito duplo para torná-lo leve (*kaymomwa* e *kaygagabile*).
Pela manhã, após a chegada na aldeia	na praça principal da aldeia	deixa-se o tronco como está	até que se realize	ato mágico (*kapitunena duku*) que inaugura de modo cerimonial o trabalho na canoa.
Na tarde do mesmo dia	na praça principal	a parte interna da canoa é escavada	iniciada por	encantamento *ligogu* sobre a *kavilati*, enxó com alça móvel.
No final do período anterior	em frente à casa do construtor	outras partes da canoa são terminadas pelo construtor e pelos ajudantes		nenhuma magia.
Depois que o trabalho está concluído				rito de encerramento: *kapitunena nanola waga*.

Toda a magia desse estágio faz parte da magia da canoa. É realizada somente por ocasião da construção de uma canoa nova, e não quando se restaura uma canoa antiga. Os encantamentos são pronunciados pelo construtor, e não pelo proprietário, com exceção do primeiro encantamento. O trabalho nessa etapa é realizado principalmente por um único homem, o construtor e entalhador, com ajuda de alguns outros, exceto no transporte do tronco, que conta com a colaboração de muitos homens.

II. O SEGUNDO ESTÁGIO DA CONSTRUÇÃO DE CANOAS (CAPÍTULO V, SEÇÃO 3)

ÉPOCA	**LOCAL**	**ATIVIDADE**		**MAGIA**
No primeiro dia de trabalho.	às margens da laguna ou numa praia de alguma das aldeias orientais.	Fixar as tábuas da proa	iniciada pelo	rito *Katuliliva tabuyo*, executado sobre as tábuas de proa ornamentais pelo *toligawa*. Faz parte da *mwasila* (magia do *Kula*). rito *Vakakaya*. Limpeza mágica e cerimonial da canoa, feita pelo proprietário ou pelo construtor para retirar toda a influência maligna da canoa e assim torná-la veloz.
		As atividades seguintes são	procedidas pelo	rito do encantamento *wayugo* (cipó de amarração); é o ato mágico mais importante do segundo estágio, realizado pelo construtor ou pelo proprietário para tornar a canoa mais rápida e mais resistente.
Às vezes a amarração não pode ser feita num único dia e tem que ser retomada em outras sessões.		Amarração da canoa	associada à	magia *kaybasi* (calafetagem); o construtor ou o proprietário pronuncia o encantamento para tornar a canoa mais segura.
Segunda fase: é feita a calafetagem e em seguida são realizados os três exorcismos.	às margens da laguna ou numa praia de alguma das aldeias orientais.	Calafetagem da canoa	associada ao	*Vakasulu*, um exorcismo; *Vaguri*, um exorcismo; *Kayatapena waga*, um exorcismo.
		Pintura de canoa	associada à	magia de *kaykoulo* (tinta preta); *malakava* (tinta vermelha); *pwaka* (tinta branca).

III. O LANÇAMENTO CERIMONIAL DE UMA CANOA (CAPÍTULO VII, SEÇÃO 1)

ATIVIDADE		**MAGIA**
O lançamento e a viagem inaugural	iniciada pelo	rito *Kaytalula wadola waga*, que faz parte do ciclo de magia *mwasila*.

Depois disso há um intervalo preenchido pelo *kabigidoya* (visitas cerimoniais), pelo comércio preliminar e por outros preparativos para a expedição marítima.

IV. A MAGIA DA PARTIDA E OS PREPARATIVOS REALIZADOS ANTES DA PARTIDA (CAPÍTULO VII)

Época: de 3 a 7 dias antes da partida.

ATIVIDADE		**MAGIA**
Preparação da canoa para a viagem (colocação das esteiras nas plataformas e das armações no corpo da canoa)	iniciada pelo	rito *Yawarapu* sobre as folhas de coqueiro, realizado pelo *toliwaga*.
		rito *Kayikuna sulumwoya* sobre a hortelã aromática.
		rito *Kaymwaloyo* sobre a hortelã fervida no óleo de coco, realizado pelo *toliwaga*.
Empacotamento dos artigos de troca	associado ao	rito do *Gebobo* (também chamado *Kipwo'i sikwabu*), realizado sobre quatro cocos por um amigo ou parente por afinidade do *toliwaga* para fazer com que os alimentos durem (o encantamento expressa apenas o desejo de um bom *Kula*).

Toda essa magia pertence ao tipo *mwasila* e tem que ser executada pelo *toliwaga*, exceto a última.

V. MAGIA DA CANOA REALIZADA NO ÚLTIMO PONTO DE PARTIDA PARA A VIAGEM MARÍTIMA (CAPÍTULO VIII, SEÇÃO 3)

A série de ritos começa no momento em que as canoas estão prontas para partir na longa viagem pelo Pilolu. Os ritos não estão associados a uma sequência progressiva de atos; todos se referem a um mesmo objetivo: segurança e rapidez da canoa. São todos realizados pelo *toliwaga*.

ATIVIDADE Viagem marítima, precedida por uma série de ritos mágicos **ÉPOCA** Na manhã do segundo dia da expedição. **LOCAL** Praia de Muwa. **OBJETIVO DA MAGIA** Conferir velocidade à canoa. **EXECUTANTE DOS RITOS** O *toliwaga*.	**MAGIA** *Kadumiyala*: esfrega-se ou limpa-se ritualmente a canoa com folhas tratadas magicamente. Magia do *bisila*: galhardetes de pandano previamente encantados são atados ao mastro e ao cordame. *Kayikuna veva*: pronuncia-se um encantamento enquanto se agita a corda-mestra, que controla as velas. *Vabusi momwa'u*: "retira-se" o peso da canoa utilizando-se uma batata podre. *Bisiboda patile*: um rito de magia maligna para tornar vagarosas as outras canoas e conseguir, assim, velocidades relativas.

VI. A *MWSILA*, REALIZADA AO CHEGAR AO DESTINO

A. Magia da beleza (capítulo XIII, seção 1)

ATIVIDADE Lavar, untar e pintar. **LOCAL** Na praia ou perto dela, onde a comitiva descansa antes de partir para a etapa final (a caminho de Dobu: praia de Sarubwoyna; a caminho de Sinaketa: Kaykuyawa). **EXECUTANTES** Geralmente os encantamentos são pronunciados pelo *toliwaga* e, algumas vezes, por um membro mais velho da tripulação.	**MAGIA** *Kaykakaya*: rito de lavar e esfregar com folhas tratadas magicamente. Encantamento *luya* (coco): feito sobre o coco raspado, usado para untar. Encantamento *sinata* (pente): feito sobre o pente. *Sayyaku*: tinta preta aromática. *Bowa*: pintura preta com carvão vegetal comum. *Talo*: tinta vermelha obtida das nozes de areca esmagadas.

B. Magia da aproximação final (capítulo XIII, seção 2)

ATIVIDADE	MAGIA
A frota está remando (na chegada a Dobu) ou impelindo os barcos com varas (na chegada a Sinaketa), formando um todo compacto.	*Ta'uya*: toque ritual do búzio que foi previamente encantado.
	Kaykura tabuyo: ato de balançar a tábua de proa da frente enquanto a fórmula mágica é pronunciada.
EXECUTANTES O *toliwaga* e dois membros da tripulação, simultaneamente, em cada uma das canoas.	*Kavalikuliku*: fórmula mágica é pronunciada.
	Kaytavilena mwoynawaga: encantamento pronunciado na popa, em direção a Koya.
OBJETIVO "Sacudir a montanha" para impressionar os parceiros que esperam na praia.	

C. Magia da segurança

ATIVIDADE	MAGIA
Ao entrar na aldeia de Dobu (essa magia é executada somente quando os nativos de Boyowa vêm a Koya).	*Ka'ubana'i*: encantamento pronunciado sobre o gengibre, que depois é cuspido ritualmente sobre a aldeia de Dobu e sobre os parceiros e que os torna amáveis.

D. Magia da persuasão (capítulo XIV, seção 3)

ATIVIDADE	MAGIA
A persuasão no *Kula* (*wawoyla*) do parceiro de além-mar pelo visitante.	*Kwoygapani*: encantamento pronunciado sobre um pedaço de noz de areca, que depois é dado ao parceiro.

VII. ENCANTAMENTO DA CANOA, PRONUNCIADO POR OCASIÃO DA DESPEDIDA (CAPÍTULO XIV, SEÇÃO 3)

ATIVIDADE	MAGIA
As canoas são carregadas com os presentes recebidos dos parceiros, com o produto do comércio e com as provisões para a viagem de volta.	*Kaylupa*: fórmula mágica para tornar a canoa mais leve, para "levantá-la da água".

Dentro de cada departamento da magia sistemática, há ainda vários *sistemas de magia*. Vimos que, embora o tipo de rito e de fórmula seja o mesmo em todas as aldeias, os detalhes da magia *wayugo*, por exemplo, não são idênticos, mas variam conforme o sistema com o qual o executante está familiarizado.

As diferenças costumam ser menos acentuadas nos ritos, que em geral são muito simples na magia trobriandesa e são idênticos em todos os sistemas, mas as fórmulas diferem completamente quanto ao vocabulário. Assim, na magia *wayugo* (ver capítulo V, seção 3) encontramos apenas uma ligeira diferença no rito, mas um ou dois encantamentos *wayugo*, que também relatei, diferem essencialmente daquele que foi dado no texto.

Cada sistema de magia tem uma genealogia mitológica mais ou menos desenvolvida e há, relacionado a ela, um caráter local, ponto que já foi tratado na seção anterior. O encantamento *wayugo* citado no capítulo V e todos os encantamentos da construção de canoas citados neste livro pertencem ao sistema Kaykudayuri de magia das canoas. Acredita-se que esse sistema foi conhecido e aplicado pelo construtor mítico da canoa voadora e que teria sido transmitido aos seus descendentes, segundo sabemos, de forma incompleta. Como já foi dito na seção anterior, o conhecimento e a utilização dessa magia e de outros sistemas não permanecem restritos ao clã original, mas se estendem para fora dele – a magia passa a ser conhecida por muitas pessoas que estão ligadas ao possuidor original por uma espécie de filiação mágica.

De acordo com a crença nativa, todas essas pessoas conhecem fórmulas idênticas. De fato, com o passar dos anos e com as transmissões repetidas, diferenças consideráveis foram introduzidas e hoje a maioria dos "verdadeiros encantamentos kudayuri" diferem completamente um do outro.

Um sistema de magia é, portanto, um conjunto de fórmulas mágicas que formam uma série consecutiva. O principal sistema de magia das canoas é o de *Kaykudayuri*, associado ao local de mesmo nome, em Kitava. Esse sistema compreende a série completa de encantamentos da construção de canoas, desde a expulsão do *tokway* até os exorcismos finais. Outro sistema abrangente é denominado Kaykapayouko e está localizado na ilha de Kayleula. Um sistema importante denominado Ilumte'ulo é reivindicado hoje em dia por Sinaketa, mas deve vir de Dobu. Os dados mitológicos de alguns desses sistemas me são desconhecidos, e alguns deles me parecem extremamente rudimentares, não indo além da afirmação de que tal sistema teve origem em tal lugar e foi, de início, propriedade de tal clã. Entre os sistemas de *mwasila*, o mais conhecido ao sul de Boyowa é aquele chamado Monikiniki, ao qual pertence a maioria das fórmulas citadas aqui. Algumas vezes esse sistema é frouxamente associado ao mito de Tokosikuna, que é considerado por alguns o possuidor original do sistema. De acordo com outra versão, Monikiniki é o nome do possuidor original. A *mwasila* de Dobu é chamada Kasabwaybwayreta e é atribuída àquele herói. De Muyuwa vem o sistema Momroveta de magia *kula*, enquanto em Kiriwina em geral se utiliza o sistema Monikiniki, introduzindo-se nele apenas algumas fórmulas, pertencentes a uma magia local, chamada *kwoygapani* (nome que não deve ser confundido com aquele encontrado em uma fórmula citada no capítulo XIV). Essas observações esclarecem as inúmeras referências aos "sistemas de magia" feitas no texto e não é necessário acrescentar mais nada aqui.

8

Vimos antes, no capítulo sobre mitologia, que a magia estabelece uma ponte entre o mundo supranormal do mito e os acontecimentos normais e rotineiros do presente. Mas, então, a própria ponte deve necessariamente alcançar o supranormal, deve conduzir para esse domínio. Assim, não deverá a magia compartilhar necessariamente do caráter sobrenatural? Não há dúvida alguma a esse respeito. Os efeitos da magia, embora constantemente presenciados e encarados como fato fundamental, são considerados algo muito diferente dos efeitos de outras atividades humanas. Os nativos compreendem muito bem que a velocidade e a capacidade de flutuação de uma canoa devem-se ao conhecimento e ao trabalho do construtor: reconhecem as propriedades de um bom material e da habilidade profissional. No entanto, a magia da rapidez acrescenta algo mais, mesmo à canoa mais bem construída. Essa qualidade adicional é encarada de uma forma muito semelhante às propriedades da canoa mítica que a faziam voar no espaço, embora nas canoas atuais essas propriedades tenham diminuído e possibilitem apenas excelente velocidade.

A linguagem dos encantamentos expressa essa crença por meio de constantes alusões ao mito, em que a canoa do presente é convidada a imitar a canoa mítica. Em comentários explícitos ao mito kudayuri, os nativos também afirmam de forma categórica que a velocidade prodigiosa que as canoas bem encantadas desenvolvem é o legado e a contraparte da antiga velocidade de voo. Assim, os efeitos da magia são algo acrescentado a todos os outros efeitos produzidos pelo esforço humano e pelas qualidades naturais. O mesmo acontece na magia do amor. É reconhecida a importância de um rosto bonito e de um corpo bem-feito, dos ornamentos, enfeites e perfumes para tornar uma pessoa atraente, porém quase todos os homens atribuem seu sucesso à perfeição de sua magia amorosa. A força da magia é considerada algo independente e mesmo mais poderoso do que todos os outros encantos pessoais. Uma declaração bastante comum expressa isso muito bem:

> Olhe, eu não sou bonito e, no entanto, muitas moças me querem. A razão disso é que eu tenho uma boa magia.

Na magia agrícola dá-se a devida importância ao sol, à chuva e ao trabalho adequado. Entretanto, ninguém pensaria em fazer uma plantação sem que todos os rituais mágicos fossem executados. Quando um homem vê outros à sua volta trabalhando tanto quanto ele, em condições exatamente semelhantes às suas, considera que a magia agrícola é exatamente o que vai fazer diferença, naquilo que se pode esperar do "acaso" ou da "boa sorte". Vemos portanto que, em todos esses casos, a influência da magia se exerce paralela e independentemente dos efeitos do trabalho humano e das condições naturais. Ela produz as diferenças e os resultados inesperados que não podem ser explicados por nenhum outro fator.

Até aqui percebemos que a magia representa, por assim dizer, um tipo diferente de realidade. Quando me refiro a esse tipo de realidade como "sobrenatural" ou "supranormal", um dos critérios que adoto consiste na reação emocional dos nativos. Naturalmente, isso fica mais evidente quando se trata da magia maligna. O feiticeiro não é temido apenas por causa de suas más intenções. Ele é temido também, da mesma forma que os fantasmas são temidos por nós, como uma manifestação misteriosa. Teme-se encontrá-lo no escuro não tanto pelo mal que possa causar, mas por causa da aparência terrível e porque ele tem sob seu comando todas as espécies de poderes e capacidades que são negados aos não iniciados em magia negra. Seu suor brilha, pássaros noturnos o acompanham para lhe dar avisos; ele pode se tornar invisível quando quiser e pode produzir um medo aterrador naqueles que o encontram. Em resumo, na mente dos nativos, o mesmo pavor histérico que entre nós está associado a lugares assombrados é provocado pelos feiticeiros. Deve-se acrescentar que os nativos não sentem pavor algum em relação aos espíritos dos mortos. O horror que eles têm ao *bwaga'u* é até mais forte no caso das *mulukwausi*, às quais atribuem todas as espécies de qualidades apavorantes. Seu costume de se banquetearem com cadáveres, sua capacidade de voar, de se tornar invisíveis ou de se transformar em pássaros noturnos, tudo isso provoca extremo terror entre os nativos.

Os outros praticantes de magia e sua arte não inspiram emoções tão fortes, e, de qualquer forma, a emoção naturalmente não é de pavor. Atribui-se grande valor e estimam-se muito os sistemas de magia local e seus efeitos são claramente considerados um patrimônio da comunidade.

Cada forma de magia tem também seu presságio mágico correspondente, o *kariyala*. Quando uma fórmula mágica é pronunciada, ocorre uma violenta perturbação natural. Por exemplo, quando a magia agrícola é executada, há trovão e raios; em certas formas de magia *kula* aparece um arco-íris no céu. Outras produzem nuvens de chuva. Já assinalamos que a abertura do embrulho mágico (*tilava*) é acompanhada pelo presságio de uma tempestade não muito forte. O *kayga'u* pode produzir um macaréu, enquanto um terremoto pode ser resultado de outras formas de magia. A magia da guerra, de modo surpreendentemente bucólico, afeta apenas algumas plantas e pássaros. Em alguns tipos de magia, o presságio ocorre sempre que a fórmula é pronunciada; em outros, não é constante; mas necessariamente ocorre um *kariyala* sempre que um mago morre. Quando perguntamos aos nativos qual é a causa real de qualquer desses fenômenos naturais enumerados, eles dizem:

> A magia é a causa verdadeira (*u'ula*): eles são um *kariyala* da magia.

Outro ponto em que a magia se aproxima do supranormal ou sobrenatural encontra-se na associação de espíritos com certos desempenhos mágicos. Um tipo especial de pagamento pela magia, o *ula'ula*, é, ao mesmo, tempo uma oferenda aos *baloma* (espíritos). O mago separa uma pequena porção da grande quantidade de alimentos que lhe trouxeram, coloca-a em um recipiente especial e diz:

> "Partilhai, ó espíritos, do vosso *ula'ula* e fazei que a minha magia seja eficaz."

Supõe-se que os espíritos estejam presentes em algumas cerimônias [**60, p.536**]. Quando alguma coisa sai errada com a magia ou ela é mal executada, "os espíritos ficarão zangados", dizem com frequência os nativos. Em alguns casos, o *baloma* aparece em sonhos e aconselha o mago sobre o que fazer. Já que essa é a interferência mais ativa dos espíritos nos assuntos humanos, pelo menos no campo da magia, vou transcrever aqui, em tradução livre, algumas declarações sobre esse assunto.

> Os possuidores da magia da pesca sonham frequentemente que há peixe em abundância. A causa disso é o espírito do antepassado do mago. Ele então dirá: "O espírito do ancestral disse-me durante a noite que nós devemos ir pescar!". E, de fato, quando chegamos lá encontramos muitos peixes e lançamos as redes.
>
> Mokudeya, tio materno de Narugo, que é o principal mago da pesca em Oburaku, vem ao seu sobrinho em sonho e lhe dá instruções: "Amanhã, lancem as redes de pesca em Kwabwawa!". Narugo, então, diz: "Vamos, o velho instruiu-me na noite passada".
>
> O mago do *kaloma* [concha de *Spondylus*] de Sinaketa sonha com uma grande quantidade de concha *kaloma*. Na manhã seguinte, ele vai mergulhar e as retira do recife. Ou ele sonha com uma canoa; então ele vai remando e lança a âncora naquele lugar. To'udawada, Luvayam e Sinakadi sonham que retiram muitas. Quando vamos lá na manhã seguinte, está cheio.

Em todos esses exemplos (exceto o último), vemos que os espíritos atuam como conselheiros e assistentes. Eles desempenham o papel de guardiões das tradições quando ficam zangados por causa de uma magia mal executada ou agem como associados e simpatizantes quando compartilham do *ula'ula* do mago. Mas não são agentes que interferem diretamente no trabalho. Na demonologia trobriandesa, o mago não ordena aos espíritos que realizem tal ou qual trabalho. Ele ocorre por meio do encantamento, auxiliado pelo ritual correspondente e executado pelo próprio mago. Os espíritos mantêm com a força mágica a mesma relação que o feiticeiro, e apenas esta é ativa. Eles podem ajudá-lo a lidar de maneira adequada com a força mágica, mas não podem jamais se tornar instrumentos dele.

A fim de sintetizar as conclusões a que chegamos acerca da natureza supranormal da magia, pode-se dizer que ela tem um caráter próprio que a distingue das ações não mágicas do homem. A maneira como se concebe a atuação da força mágica, paralela aos esforços costumeiros mas independentes deles; a reação emocional a certos tipos de magia e de magos; o *kariyala*: a interação com os espíritos durante a execução da magia, todas essas propriedades distinguem a magia das outras atividades humanas ordinárias.

Na terminologia nativa, o domínio da magia é denominado *megwa*, que compreende o "desempenho mágico", o "encantamento", a "força" ou "virtude" da magia. A palavra também pode ser usada como adjetivo para indicar, de modo geral, tudo o que apresente caráter mágico. Usadas como verbo, as palavras *megwa*, *miga-megwa* e *miga*, que são todas variações do mesmo radical, significam: "realizar magia", "pronunciar um encantamento", "executar um rito". Quando os nativos querem indicar que certas ações são realizadas em conexão com a magia, e não com o trabalho, e que certos efeitos são atribuídos às forças mágicas, e não a outros esforços, eles usam a palavra *megwa* como substantivo ou adjetivo. A palavra nunca é usada para indicar qualquer qualidade própria de um homem ou de uma coisa, tampouco para descrever uma ação que independe de um encantamento.

O conceito correlato de tabu é indicado, na língua kiriwina, pela palavra *bomala* (com sufixos de pronomes possessivos). *Bomala* significa uma "proibição", algo que um homem não tem permissão para fazer em qualquer circunstância. É usada para tabus mágicos, para proibições associadas à posição social, para restrições relacionadas a alimentos geralmente considerados impuros – por exemplo, carne de lagarto, de cobra, de cachorro e carne humana.

Dificilmente existe qualquer traço de "sagrado" associado à palavra *bomala*. Se acaso existe, pode ser encontrado no emprego da palavra *borna*, que se refere a um bosque tabu onde as pessoas normalmente não podem entrar e onde são encontrados locais tradicionais, em geral os buracos originais de onde vieram os homens e a magia. A expressão *toboma* (*to*-, prefixo que indica nome de pessoa) significa um homem de posição elevada, mas dificilmente poderia ser traduzida como "homem sagrado".

9

Por fim, devemos dizer alguma coisa a respeito dos aspectos sociológico ou cerimonial da magia. Já nos referimos algumas vezes à simplicidade dos ritos e a seu aspecto prosaico. Isso foi mencionado com relação à construção de canoas, e na magia agrícola encontramos desempenhos igualmente simples e de aparência puramente prática. Ao nos referirmos a uma ação mágica como "cerimonial", queremos dizer que ela é realizada com assistência do grande público, com a observância de regras definidas de comportamento, tanto por parte dos espectadores como por parte do executante, como silêncio geral, com atenção respeitosa para aquilo que está sendo realizado e com demonstração de pelo menos algum interesse. No entanto, se no decorrer de um trabalho uma pessoa realiza uma ação de maneira rápida enquanto outros conversam e riem, ignorando-o por completo, isso garante um caráter sociológico específico à ação mágica e, nesse caso, não podemos empregar o termo "cerimonial" como atributo que distingue os atos mágicos. É verdade que algumas delas têm mesmo esse caráter. O rito inicial da pesca do *kaloma*, por exemplo, requer a assistência da frota inteira e um tipo definido de comportamento por parte dos tripulantes, enquanto o mago realiza a magia para todos eles, com a assistência deles, em meio às complexas evoluções da frota. Ritos semelhantes podem ser encontrados em dois ou três sistemas de magia da pesca e em vários ritos da magia agrícola de certas aldeias. De fato, o rito inicial da magia agrícola está relacionado, em todos os lugares, a um desempenho cerimonial. O rito do cultivo, associado à oferenda cerimonial de alimento aos espíritos e assistido por um conjunto de membros da aldeia, já foi descrito em outra ocasião[3] e pode ser visto na figura 60 [p. 536]. Um ou dois ritos da magia de guerra exigem a participação ativa de inúmeros homens e assumem a forma de grandes cerimônias. Vemos, portanto, que os ritos mágicos podem ou não ser cerimoniais, mas o aspecto cerimonial não é, de modo algum, um atributo marcante ou universal da magia trobriandesa.

3 Ver artigo B. Malinowski, "Baloma: Spirits of the Dead in the Trobriand Islands", 1917.

10

Mencionamos a existência de tabus associados à magia, nos casos em que o mago deve observá-los. Contudo, existem certos tipos um tanto diferentes de restrições ou proibições estabelecidas com finalidades especiais e associadas à magia. Assim, em uma instituição chamada Kaytubutabu há uma proibição quanto ao consumo de cocos e nozes de areca, associada a uma magia específica para fazê-los brotar e crescer. Existe também um tabu de proteção, usado para evitar o roubo de nozes e de frutos maduros que não podem ser vigiados porque ficam muito distantes da aldeia. Nesses casos, coloca-se uma pequena porção de uma substância tratada magicamente na árvore ou perto dela, num pedaço de madeira. A magia que se pronuncia sobre essa substância é uma "maldição condicional", excelente denominação introduzida pelo professor Westermarck. A maldição condicional cairia sobre qualquer pessoa que tocasse nos frutos daquela árvore e provocaria algum tipo de doença. Esse é o único tipo de magia em que se invoca uma atuação pessoal, pois em alguns desses encantamentos convida-se o *tokway* (espírito da madeira) para ocupar seu domicílio no *kaytapaku* – isto é, no pedaço de madeira que recebeu a substância – e guardar os frutos. Sempre é possível encontrar algumas discrepâncias como essa, na linha geral da crença nativa. Algumas vezes essas divergências fornecem pistas importantes e permitem uma compreensão mais profunda dos fatos; outras vezes não têm significado algum e apenas confirmam o fato de que não é possível encontrar consistência absoluta nas crenças humanas. Apenas uma análise mais profunda e um estudo comparado de fenômenos similares poderão decidir de que caso se trata.

11

A fim de completar o levantamento de todas as características da magia, vou mencionar de forma breve o aspecto econômico da posição de mago, embora já tenham sido fornecidos os dados a esse respeito, diluídos nos capítulos anteriores. Já falei sobre a herança matrilinear da magia e sobre os desvios a essa regra, ou seja, a passagem de pai para filho e a transmissão da magia por meio de compra (ver capítulo II, seção 6 e capítulo VI, seção 6). Essa última transação pode receber dois nomes, que se referem a duas operações essencialmente diferentes: o *pokala*, ou pagamento a um parente materno de quem se vai obter a magia, e o *laga*, que é a compra da magia de um estrangeiro. Apenas certas formas de magia podem passar livremente de um clã ou subclã a outro e ser adquiridas pelo sistema *laga*. A maior parte dos sistemas de magia é local e pode ser transmitida unicamente no mesmo subclã, com exceção ocasional para o filho de um membro, do qual, entretanto, a magia deve retornar outra vez ao subclã. Outro aspecto econômico da magia é o pagamento que o mago recebe por seus serviços. Existem muitos tipos de pagamento: alguns são dados ocasionalmente por um indivíduo em retribuição a um ato específico de magia, como no caso de feitiçaria ou magia de cura; outros são dados regularmente por toda a comunidade, como nos casos da magia da pesca e da agricultura. Em certos casos, os pagamentos são consideráveis, como na feitiçaria maligna, na magia da chuva e do bom tempo e na magia agrícola. Outras vezes o pagamento significa pouco mais do que uma simples oferenda formal.

12

Até aqui tratamos das características gerais da magia de Boyowa (Trobriand) e utilizamos principalmente o material já apresentado neste livro, com apenas alguns exemplos de outros ramos da magia. O resultado alcançado pode ser formulado assim: a magia representa para os nativos um departamento especial; é um poder específico, essencialmente humano, autônomo e independente em sua ação. Esse poder é uma propriedade inerente a certas palavras pronunciadas com a realização de certas ações por uma pessoa que está qualificada a fazê-lo devido a suas tradições sociais e à observância de certas prescrições. As palavras e os atos têm esse poder em si mesmos, e sua ação é direta, não havendo agentes intermediários. Seu poder não deriva da autoridade de espíritos ou demônios ou de quaisquer outros seres sobrenaturais. Não é considerado tendo sido arrancado da natureza. A crença no poder das palavras e dos ritos como uma força fundamental e irredutível é o dogma básico do credo mágico desses nativos. Assim, encontramos estabelecidas as ideias de que não se podem adulterar, modificar ou melhorar os encantamentos; de que a tradição é a única fonte da qual podem ser obtidos; que eles surgiram em uma época muito longínqua, além da especulação dos homens; e que não há geração espontânea da magia.

É natural que sejamos agora levados a questionar a maneira pela qual agem as palavras e os ritos mágicos. Obviamente, o único modo de obter informações corretas sobre esse ponto é analisar e comparar um grande número de fórmulas bem autenticadas e registros minuciosos dos ritos. Mesmo o conjunto da magia do *Kula*, que transcrevemos de forma parcial aqui em tradução livre, poderia permitir que chegássemos a certas conclusões interessantes. Mas podemos nos aprofundar ainda mais com o auxílio da análise linguística, o que procuraremos fazer no próximo capítulo.

CAPÍTULO XVIII

O poder das palavras na magia

Alguns dados linguísticos

1

O objetivo deste capítulo é mostrar, com uma análise linguística de dois textos mágicos e de um levantamento geral de vários outros, que espécie de palavras os nativos consideram palavras que exercem poder mágico. Isso não significa, naturalmente, que estamos supondo que os compositores ou inventores da magia tivessem uma teoria a respeito da eficiência das palavras e que tivessem posto em prática essa teoria ao inventarem a fórmula. Mas já que as ideias e as regras morais predominantes na sociedade, embora não codificadas, podem ser verificadas pela análise do comportamento humano, já que podemos chegar aos princípios jurídicos e sociais subjacentes ao examinar os costumes e as maneiras de viver, já que no estudo dos ritos percebemos alguns princípios definidos de crença e dogmas – assim também, ao analisar nas fórmulas mágicas as expressões verbais diretas de certos modos de pensar presentes, podemos pressupor justificadamente que esses modos de pensar devem ter orientado de alguma forma as pessoas que moldaram aquelas expressões. A maneira exata de conceber a relação entre um modo típico de pensar numa sociedade e seus resultados fixos e cristalizados é um problema de psicologia social. Como etnógrafos, temos obrigação de reunir material para esse ramo da ciência, mas não devemos invadir seu campo de estudo.

Entretanto, pode-se afirmar que, independentemente do modo pelo qual imaginamos que um encantamento tenha-se originado, nunca podemos concebê-lo como criação de um único homem;

pois, como já dissemos, se examinarmos qualquer um deles não do ponto de vista dos nativos, mas como críticos externos, cada encantamento mostra sinais evidentes de que consiste numa reunião de acréscimos linguísticos de épocas diferentes. Existe em quase todos eles grande quantidade de material arcaico, mas nenhum deles mostra sinais de ter chegado até nós da mesma forma que deve ter se apresentado há algumas gerações. Assim, podemos dizer que um encantamento é constantemente remodelado à medida que passa de um mago a outro, e cada um deixa sua marca, ainda que pequena, sobre ele. É a atitude geral acerca de questões de crença mágica, comum a todos os portadores sucessivos, que estará na base de todas as regularidades, de todos os aspectos típicos encontrados nas fórmulas mágicas.

Vou transcrever aqui uma fórmula da magia da canoa e um dos encantamentos pertencentes à *mwasila*, tendo escolhido dois textos para os quais consegui uma tradução e um comentário razoável e que mostram claramente os vários traços característicos da magia verbal. Aqueles que não se interessam por detalhes técnicos de linguística e pormenores de método podem deixar de ler as seções seguintes e retomar o fio da narrativa na seção 12.

2

O texto que se segue é o encantamento *wayugo*, obtido de Layseta, líder da aldeia de Kopila, uma das subaldeias de Sinaketa. O comentário também foi feito por ele e por outro informante, Motago'i, homem de inteligência excepcional e informante muito franco e digno de confiança. Esse encantamento já foi apresentado, em tradução livre, no capítulo V, e conforme foi dito lá o rito consiste simplesmente em cantar as palavras sobre cinco rolos de cipó *wayugo* colocados numa travessa de madeira entre duas esteiras.

ENCANTAMENTO *WAYUGO*

A. *U'ULA* (PARTE INICIAL)

1.	*Kala*	*bosisi'ula,*	*kala*	*bomwalela.*
	Dele	refeição ritual de peixe,	dele	proibido dentro

2. *Papapa, siliubida, monagakalava.*
Tremula bétel, deixando para trás.

3. *Tubugu Kalabotawosi, Tubugu Kwaysa'i, Tubugu Pulupolu,*
Avô Kalabotawosi, avô Kwaysa'i, avô Pulupolu,
Tubugu Semkuku, Tubugu Kabatuwayaga, Tubugu Ugwaboda,
avô Semkuku, avô Kabatuwayaga, avô Ugwaboda,
Tubugu Kitava, Bulumava'u Nawabudoga, kaykapwapu
avô Kitava, novo espírito Nawabudoga, antecessor imediato
Mogilawota.
Mogilawota.

4. *Kusilase onikola, bukwa'u'i kambu'a.*
Você senta na canoa, você masca sua noz de areca.

5. *Kwawoyse bisalena Kaykudayuri.*
Você pega seu galhardete de pandano [de] Kaykudayuri.
Kusaylase odabana Teula.
Você coloca [isso] no topo [de] Teula.

6. *Basivila, basivitake'i Kitava miTo'uru,*
Eu posso me virar, posso me virar em Kitava seu To'uru,
mimilaveta Pilolu.
seu braço de mar Pilolu.

7. *Nagayne isipukayse girina Kaykudayuri.*
Hoje eles acendem fogo festivo [de] Kaykudayuri.

8. *Kumwam dabem Siyaygana, bukuyova.*
Vós atais vossa saia Siyaygana, vós voais.

9. *Bakabima kaykabila, bakipatuma*
Eu posso agarrar a alça da enxó, eu posso segurar as varetas.

10. *Baterera odabana Kuyawa.*
Eu posso voar no topo [de] Kuyawa.

B. *TAPWANA* (PARTE PRINCIPAL)

11. *Odabana Kuyawa, odabana Kuyawa*... [repetido várias vezes]
No topo (de) Kuyawa, no topo (de) Kuyawa...
bayokokoba odabana Kuyawa;
eu posso me tornar como a fumaça no topo [de] Kuyawa;
bayowaysulu odabana Kuyawa;
eu posso me tornar invisível no topo [de] Kuyawa;
bayovivilu'a etc.;
eu posso me tornar um redemoinho de vento etc.;
bayomwaleta etc.; bayokarige etc.;
eu posso ficar só etc.; eu posso ficar como morto etc.;
bayotamwa'u etc.; bayogugwa'u etc.
eu posso desaparecer etc.; eu posso me tornar como a névoa etc.;

12. Os versos 9, 10 e 11 são repetidos, substituindo-se Kuyawa por Dikutuwa.

13. Os versos 9, 10 e 11 são repetidos, substituindo-se Kuyawa por La'u. Depois disso, repete-se o *u'ula* e então segue-se um *tapwana* secundário.

14. *Bakalatatava, bakalatatava*... [repetido várias vezes]
Eu posso inclinar [o barco], eu posso inclinar...
ula silu bakalatatava ulo koumwali
minha quilha eu posso inclinar; a amurada de minha canoa
bakalatatava uli sirota etc.
eu posso inclinar o fundo de minha canoa etc.
ulo katukulu etc.; ulo gelu etc.
minha proa etc.; meu cavername etc.;
ulo kaysuya etc.; uli tabuyo etc.;
minha vareta de enfiar etc.; minha tábua de proa etc.;
uli lagim etc.; ulo kawaydala etc.
minha tábua transversal etc.; o lado de minha canoa etc.

O *u'ula* é repetido outra vez e o encantamento se encerra com o *dogina* (parte final).

C. *DOGINA* (CONCLUSÃO)

15. *Kalubaisi kalubayo'u kuvaulise mayena*
[intraduzível] voando [?]; você atinge a língua dele,

Kuvaylise bubuwala *kulaykwoyse* *kala* *sibu*
você atinge o peito dele, você desamarra sua quilha
waga.
canoa.

16. *Wagam,* *kousi,* *wagam,*
Canoa [vós sois], espírito, canoa [vós sois],
vivilu'a, *kuyokarige* *Siyaygana,* *bukuyova.*
redemoinho de vento, vós desapareceis Siyaygana, vós voais.

17. *Kwarisasa* *kamkarikeda* *Kadimwatu;*
Vós furais vosso estreito marítimo Kadimwatu;
Kwaripwo *kabaluna* *Saramwa;*
vós rompeis através nariz dele Saramwa;
kwabadibadi *Loma.*
vós encontrais Loma.

18. *Kuyokarige,* *kuyotamwa'u,*
Vós ficais como morto, vós desapareceis,
kuyovivilu'a
vós tornais como um redemoinho de vento,
kuyogugwa'u.
vós tornais como a névoa.

19. *Kusola* *kammayamaya,* *kwotutine* *kamgulupeya;*
Vós modelais a areia fina, vós cortais vossa alga;
kuna, *kugoguna* *kambwoymatala.*
vós ides, vós colocais vossa coroa *butia.*

Temos aqui um texto nativo, traduzido palavra por palavra, sendo cada expressão e afixo formativo substituídos pelo equivalente em [inglês, no original] português. Ao obter tal tradução literal para depois passá-la de modo livre para o [inglês, no original] português inteligível, há duas dificuldades principais a superar. Uma porção considerável das palavras empregadas em magia não pertence à fala corrente; trata-se de arcaísmos, nomes míticos e compostos estranhos, formados de acordo com regras linguísticas incomuns. Assim, a primeira tarefa é elucidar as expressões obsoletas e as referências míticas e encontrar os equivalentes atuais de todas as palavras arcaicas. Mesmo quando conseguimos encontrar uma série de significados correspondentes a cada termo do texto original, há frequentemente uma dificuldade considerável para ligar esses significados entre si. A magia não é construída no estilo narrativo; ela não serve para comunicar ideias de uma pessoa para outra; ela não pretende conter um sentido lógico e consistente. É um instrumento que serve a propósitos especiais, destinado ao exercício do poder específico do homem sobre as coisas e *seu sentido*, dando a esse termo um sentido amplo, que só pode ser compreendido em relação a tal objetivo. Não será, portanto, um sentido de ideias lógicas ou concatenadas em tópicos, mas de expressões que se ajustam umas às outras e num todo, de acordo com o que poderíamos chamar de ordem mágica de pensar ou, talvez mais corretamente, ordem mágica de expressar, de lançar palavras em direção ao objetivo. Está claro que essa ordem mágica de concatenações verbais – estou propositadamente evitando a expressão "lógica da magia", por não haver lógica nesse caso – deve ser familiar e conhecida por todos que desejam entender os encantamentos. Existe, portanto, grande dificuldade inicial para "ler" tais documentos, e apenas o contato com muitos deles pode tornar alguém mais confiante e competente na análise.

3

Seguindo a rotina usual para interpretar esses textos, tentei obter do mago os equivalentes, palavra por palavra, das expressões mais obscuras. Em geral, o próprio mago conhece muito mais do que qualquer outra pessoa as referências míticas e certas expressões esotéricas contidas no encantamento. Existem, infelizmente, alguns velhos pouco inteligentes que repetem de forma mecânica uma fórmula e que evidentemente nunca se interessaram por seu significado ou então o esqueceram por completo, e que não são bons comentaristas. Muitas vezes um informante razoável, capaz de recitar um encantamento devagar e de modo inteligível, sem perder o fio, não é útil como informante linguístico, isto é, não consegue colaborar na busca da definição de uma palavra nem auxiliar na análise de seus elementos formadores; não é capaz de explicar quais palavras pertencem à linguagem corrente, quais são dialetais, quais são arcaicas e quais são puros componentes mágicos. Encontrei poucos informantes que puderam me ajudar nesse sentido, e entre eles inclui-se Motago'i, que já mencionei e que foi um dos melhores.

A análise que farei agora pode ser apresentada apenas de forma aproximada, pois uma análise completa exigiria uma apresentação prévia da gramática. Contudo, será suficiente para mostrar, em linhas gerais, os principais aspectos linguísticos de um encantamento, bem como os métodos utilizados para elaborar a tradução livre apresentada nos capítulos anteriores.

A formula citada aqui mostra a típica divisão em três partes dos encantamentos mais longos. A primeira parte é chamada *u'ula*. Essa palavra quer dizer a "parte de baixo" de uma árvore ou pilar, a "fundação" de qualquer estrutura e, em sentido mais figurado, significa "razão", "causa" ou também "início". É com esse último sentido que os nativos a empregam para designar a primeira estrofe de uma canção e o preâmbulo de uma fórmula mágica. A segunda parte é chamada *tapwana*, que significa, literalmente, "superfície", "pele", "corpo", "tronco", "parte central" de uma árvore, "parte principal" de uma estrada e, portanto, a "parte principal" de um encantamento ou canção. A palavra *dogma*, literalmente o "topo" ou a "extremidade", usada para o "topo" de uma árvore ou a "extremidade" de um rabo, é empregada para indicar a "parte final" ou a "conclusão" de um encantamento. Algumas vezes a palavra *dogina* é substituída por *dabwana*, "cume' ou "cabeça" (não se trata de cabeça humana). Assim, deve-se imaginar o encantamento virado de cabeça para baixo, seu início colocado na base, o *u'ula*, a parte principal no lugar do tronco e, na extremidade, o *dogina*.

Nesse encantamento, as palavras de abertura do *u'ula* formam expressões curtas, fortes e incisivas, e cada uma delas representa um ciclo próprio de ideias, uma sentença ou mesmo uma história completa. Nesse ponto, elas são típicas dos inícios dos encantamentos de Kiriwina. São também típicas pela grande dificuldade que apresentam ao intérprete. Entre as sete palavras que formam as frases 1 e 2 quatro não pertencem à linguagem corrente e são compostos obscuros. Assim, as palavras *bosisi'ula* e *bomwalela* são compostas inicialmente do prefixo *bo-*, que contém o significado de "proibido", "pertencente à magia", e de dois radicais *sisiula* e *mwalela*, nenhum dos quais é uma palavra completa. O primeiro desses radicais é componente da palavra *visisi'ula*, que designa um costume associado a essa magia. Às vezes, em conexão com o desempenho do rito *wayugo*, o mago tem acessos de tremores e deve então ser alimentado com peixe assado; depois de comer os tremores passam. Os nativos dizem que ele treme como um *bisila* (galhardete de pandano) e que isso mostra que a magia dele é boa, já que o tremular do pandano é um símbolo de velocidade. *Mwalela* é derivado de *olumwalela*, que significa "dentro". Com o prefixo *bo*–, a palavra pode ser traduzida como "interior proibido".

É ainda mais difícil interpretar o sentido geral dessas duas expressões do que encontrar seus equivalentes literais. Há uma alusão à ingestão ritual de peixe, associada ao tremor que simboliza velocidade, e há também a expressão "interior proibido". O costume de comer peixe em seguida ao tremor tem uma importância mágica. Contribui para a eficiência da magia, como acontece com todas as prescrições desse tipo. A força ou mérito desse costume, que dissociada do encantamento e do rito não tem qualquer efeito direto, pode ser avaliada pelo fato de ser mencionada na fórmula; é, por assim dizer, deduzida magicamente. Essa é a melhor maneira pela qual posso interpretar as duas palavras de ingestão ritual e de interior proibido do mago.

Cada uma das três palavras da sentença 2 tem sua própria história. A palavra *papapa*, "tremula", representa uma frase: "que a canoa seja tão veloz que as folhas do pandano tremulem". É claro que a palavra expressa muito mais do que essa sentença porque ela é compreensível apenas para aqueles que conhecem o papel desempenhado pelas folhas de pandano na decoração das canoas e que estão familiarizados com as ideias nativas acerca da associação mágica entre o tremular e a velocidade e com a utilização ritual dos galhardetes de pandano. A palavra só tem sentido, portanto, se tomada no contexto dessa fórmula, relacionada ao seu objetivo e aos costumes e ideias correspondentes. Para o nativo que conhece tudo isso e em cuja mente surge todo o contexto quando ouve ou repete *papapa*, a palavra vibra com força mágica. A palavra *silubida*, uma transformação mágica especial de *lilobida*, representa certa variedade da pimenteira de bétel. O bétel é um ingrediente mágico comum e, nesse encantamento, os espíritos dos antepassados são convidados a mascar seu fruto. A palavra *monagakalava* é também um composto elaborado que significa "deixar para trás". "Deixando para trás" refere-se com certeza às outras canoas que serão ultrapassadas pela canoa daquele que recita o encantamento. Ambas as palavras, portanto, podem ser colocadas sem muita dificuldade no contexto dessa fórmula. Como já dissemos, é bastante evidente que cada uma dessas expressões se sustenta sozinha e representa um ciclo próprio de ideias. É provável que as duas expressões da sentença 1 pertençam uma à outra, mas mesmo assim cada uma representa uma metade de uma história complexa.

Depois, na sentença 3, aparece uma longa lista de nomes de ancestrais e me foi dito que todos eles se referiam a homens reais que tinham vivido em Kitava, lugar de origem dessa magia. As palavras *kwaysa'i*, "mar tempestuoso", e *pulupolu*, "fervendo", "espumando", sugerem que os nomes são significativos e, portanto, míticos. Nawabudoga, um homem de Kitava, pai do já mencionado Mogilawota, é um parente materno do possuidor atual. Vemos aqui, portanto, um bom exemplo de "filiação mágica", mediante a qual o possuidor atual, um homem de Sinaketa, está ligado ao distrito mítico de Kitava.

As duas sentenças seguintes, 4 e 5, são mais claras e mais simples do ponto de vista linguístico e apresentam sequências interligadas de palavras. Trata-se de uma inovação aos espíritos dos ancestrais, pedindo-lhes que se juntem ao mago na canoa, que aqui é chamada de *Kaykudayuri*, "a embarcação de Kudayuri", e que coloquem galhardetes de pandano no topo de Teulo. Isso significa, em linguagem figurada e exagerada, um convite aos espíritos para que acompanhem o indivíduo em sua viagem. Deve-se notar que, pelo menos de acordo com a crença atual, os espíritos não são pensados como agentes ou forças que levam a canoa sob o comando do mago, mas sim apenas acompanhantes passivos. A sentença 6 contém uma alocução desdenhosa a seus companheiros: o mago, por antecipação, imagina-se navegando em direção às montanhas: quando se volta, os homens de Kitava, isto é, seus companheiros, estão muito atrás, na praia de To'uru, e ainda têm que atravessar todo o braço de mar de Pilolu.

Na sentença 7 prossegue o mesmo tipo de ideias; faz-se alusão ao costume de a primeira canoa acender o fogo, e o mago se imagina desempenhando esse privilégio. Deve-se notar que ele sempre fala de sua canoa sob o nome de Kudayuri, isto é, a canoa mítica voadora dos tempos passados. Na sentença 8, fala-se com a canoa como se fosse uma bruxa voadora, a quem se pede para atar a saia e voar. Na sentença 9, o mago evoca verbalmente um incidente do mito original de Kudayuri, quando ele pega a alça da enxó, segura a canoa, golpeia-a e a canoa voa.

O *u'ula* principia, portanto, com compostos arcaicos, condensados, cada um deles compreendendo um ciclo próprio de significados mágicos. Segue-se, então, uma lista de antepassados; depois vêm as sentenças mais explícitas e, ao mesmo tempo, mais dramáticas; uma invocação aos espíritos dos ancestrais, a vitória antecipada em velocidade, o incidente mítico reconstruído.

4

Vejamos agora o *tapwana*. Essa é sempre a parte mais longa de um encantamento, já que existe uma lista completa de palavras que tem que ser repetida com várias expressões-chave, que, em nosso texto, são três. Além disso, conforme a vontade do mago, ele pode repetir inúmeras vezes as mesmas palavras com uma palavra-chave. Ele não segue necessariamente uma ordem fixa para recitar todas as palavras da lista; nessa parte da fórmula, é permitido que ele volte e repita os vários itens com uma palavra-chave.

Vale a pena dizer aqui algo sobre a maneira como realmente são recitadas as fórmulas mágicas. As palavras iniciais são sempre faladas com uma cadência forte e melodiosa, que não é fixada de forma permanente, mas que varia de acordo com o mago. As primeiras palavras são repetidas várias vezes. Nesse texto, *kala bosisi'ula* seria repetida três ou quatro vezes, e o mesmo se daria com as duas palavras seguintes (*kala bomwalela*). As palavras da linha 2 são recitadas devagar e de modo ponderado, mas não são repetidas. Passa-se de forma rápida e superficial pela lista de ancestrais. O restante do *u'ula*, sua parte dramática, é pronunciado com menos melodia e mais rapidamente, com a voz da fala habitual.

Segue-se, então, a última sentença do *u'ula*, que em quase todos os encantamentos estabelece a ligação com a parte principal. Essa sentença é sempre recitada devagar, distintamente e de forma solene; no final, a voz decresce cerca de um tom. No *tapwana*, a palavra ou expressão-chave, que está sempre presente na parte final do *u'ula*, é retomada, é repetida inúmeras vezes, como para fixá-la ou fazê-la penetrar. Então, em voz mais baixa, o mago pronuncia de modo rápido e contínuo cada uma das palavras da lista. A palavra-chave é introduzida após cada palavra e é pronunciada uma, duas ou três vezes. É como se a palavra-chave estivesse sendo esfregada em cada uma das outras expressões. Estas costumam ser pronunciadas mais lentamente e marcam o ritmo dessa parte. A entoação da última parte do encantamento, o *dogina* ou *dabwana*, é mais superficial e, em geral, é mais falado do que cantado.

Após essa digressão vamos retomar a análise de nossa fórmula. É certo que o *tapwana*, a parte principal de uma fórmula, é mais fácil de traduzir que o *u'ula* porque se expressa em termos menos arcaicos e condensados. O *tapwana* desse encantamento tem palavras-chave bastante fáceis, tanto na primeira como na segunda parte. Na primeira (frase 11), as palavras-chave são de natureza mítica, referindo-se a localidades associadas com o voo de uma das irmãs da Kadayuri. No segundo *tapwana*, a palavra-chave quer dizer: "eu posso inclinar" ou "eu inclinarei", isto é, por causa da velocidade. Essa expressão aqui significa: "eu ultrapassarei", e a lista de palavras pronunciadas com esse verbo indica as várias partes da canoa. A segunda parte do *tapwana* (frase 14) é muito mais típica do que a primeira porque a palavra-chave é um verbo, enquanto a lista de palavras refere-se a substantivos. É típica também porque o verbo expressa, de forma simples e direita, o efeito mágico do encantamento (a ultrapassagem das outras canoas), enquanto as palavras da lista indicam o objetivo da magia, isto é, a canoa. Esse tipo de *tapwana* em que a ação mágica é expressa como verbo, enquanto a lista de palavras indica as várias partes de uma plantação ou das redes de pesca, ou armas, ou partes do corpo humano, pode ser encontrado em todas as categorias de magia.

A primeira parte do *tapwana* (frases 11, 12 e 13) é menos típica porque os verbos que descrevem as várias ações mágicas são relegados à lista, enquanto as palavras-chave são expressões adverbiais de lugar. Todas as ligações verbais da longa relação expressam de forma metafórica a velocidade da canoa. "Eu voarei, eu serei como a fumaça, eu me tornarei invisível, eu me tornarei um redemoinho de vento etc.", são todas descrições concretas, bastante pitorescas, de velocidade superior. Elas também apresentam simetria e singularidade linguística. O prefixo *ba-* é a forma do tempo futuro ou possível, que traduzi literalmente por "posso", mas que aqui indica o futuro. O prefixo *yo-* é causativo e significa "tornar-se" ou "ficar como". Segue-se então o radical: *kokoba-*, "nuvens de fumaça que sobem como nuvens de uma roça ao ser queimada". Assim, a expressão *bayokokoba*, em seu significado completo, poderia ser traduzida por: "Eu me tornarei como as nuvens de fumaça". Por sua vez, *boyowaysula*, em seu significado completo, poderia ser traduzida por: "Eu me tornarei invisível como o borrifo distante". A única palavra abstrata nessa lista é *tamwa'u*, que literalmente quer dizer "desaparecer". Assim, nesse *tapwana* a lista se compõe de várias palavras formalmente semelhantes, cada uma expressando o mesmo significado geral de forma metafórica concreta. Para ter uma ideia da extensão de todo o *tapwana* (corpo principal), lembramos que no meio de suas duas seções o *u'ula* é recitado mais uma vez.

A última parte dessa fórmula, o *dogina*, contém uma alusão explícita ao mito kudayuri e às várias localidades geográficas mencionadas naquele mito. Mostra também o *crescendo* usual, que é característico das conclusões de um encantamento. Os resultados finais são antecipados em uma linguagem exagerada e vigorosa.

5

É suficiente o que já dissemos sobre o encantamento *wayugo*. Vou apresentar agora outro encantamento, de um tipo um pouco diferente, pertencente à *mwasila* (magia do *Kula*). Trata-se de uma fórmula claramente mais moderna; não tem quase nenhuma expressão arcaica; as palavras não são usadas como se fossem sentenças independentes; no conjunto, é facilmente compreensível e tem um sentido lógico.

KAYIKUNA SULUMWOYA (TAMBÉM CHAMADO *SUMGEYYATA*)

A – *U'ULA* (PARTE INICIAL)

1. *Avayta'u netata'i sulumwoyala Laba'i?*
Quem corta a hortelã de Laba'i?
Yaygu, Kwoyregu,
Eu, Kwoyregu,
Sogu tamagu, katata'i sulumwoyala
junto com meu pai, nós cortamos a hortelã
Laba'i.
de Laba'i.

2. *Silimwaynunuva, inunuva; silimwayniku,*
Sulumwoya trovejante, troveja; *sulumwoya*
iniku;
que treme;
silimwayyega, iyega; silimwaypolu,
sulumwoya murmurante, murmura; *sulumwoya*
ipolu.
que ferve.

B – *TAPWANA* (PARTE PRINCIPAL)

3. *Ipolu, ipolu, ipolu... agu sulumwoya ipolu;*
Ferve, ferve, ferve... meu ramo de hortelã ferve;
agu vana, ipolu; agu kena
meus ornamentos de erva, ferve; minha espátula para cal
ipolu; agu yaguma ipolu; agu sinata ipolu;
ferve; meu pote para cal ferve; meu pente ferve;
agu mo'i ipolu; agu pari
minha esteira ferve; meus presentes de apresentação
ipolu; agu vataga ipolu; agu kauyo
ferve; meu cesto grande ferve; meu próprio cesto
ipolu; agu lilava ipolu.
ferve; meu embrulho mágico ferve.
Dabagu ipolu; kabulugu ipolu; kaygadugu
Minha cabeça ferve; meu nariz ferve; meu occipital
ipolu; mayyegu ipolu; tabagu ipolu;
ferve; minha língua ferve; minha laringe ferve;

kawagu ipolu; wadogu ipolu; ula
meu órgão da fala ferve; minha boca ferve; meu
woyla ipolu.
galantear *kula* ferve.

C – *DOGINA* (CONCLUSÃO)

4. *Bulumava'ukadagu Mwoyalova kuwapwo*
Novo espírito meu tio materno Mwoyalova vós murmurais
dabana Monikiniki kuwapokayma
[o encantamento sobre] a cabeça [de] Monikiniki vós murmurais
dabana agu touto'u.
[o encantamento sobre] a cabeça [de] minha madeira leve.

5. *Avaliwo koya – isikila koya;*
Eu chuto a montanha – ela se inclina, a montanha;
Imwaliku koya; ikaywa'u koya;
ela alui a montanha; ela se abre a montanha;
isabwani koya; itakubile koya;
ela se alegra a montanha; ela cai a montanha;
itakubilatala koya.
ela tomba a montanha.

6. *Avapwoyma dabana Koyava'u;*
Eu murmuro [um encantamento sobre] a cabeça [de] Koyava'u;
avapokayma lopoum Siyaygana;
eu encanto vosso interior [de] *Siyaygana* [canoa];
akulubeku wagana akulisonu lumanena.
eu afundo a *waga* eu cubro de água a lâmina.

7. *Gala butugu, butugu pilapala; gala*
Não minha fama, minha fama trovão; não
valigu, valigu lumwadudu
meus passos, meus passos, ruído feito por bruxas voadoras (?)
tudududu.
tudududu.

As sentenças iniciais da formula são tão claras que a tradução palavra por palavra é suficiente e dispensa outros comentários, exceto, naturalmente, aqueles que se referem a nomes próprios. Laba'i é uma aldeia ao norte de Kiriwina e desempenha papel considerável na mitologia da origem do homem, pois vários dos principais subclãs emergiram do subsolo nesse lugar. Laba'i é também o local de origem do herói cultural mítico Tudava. A mitologia do *Kula*, entretanto, não inclui Laba'i entre os locais de seu âmbito. Talvez esse aspecto um tanto anômalo da fórmula esteja vinculado à sua evidente modernidade linguística. O outro nome próprio mencionado nesse encantamento é Kwoyregu, a respeito de quem foi feito o seguinte comentário por Layseta, o homem que me deu essa fórmula:

> Um homem, vivia em Laba'i, o dono da magia. Não foi esse homem que conheceu primeiro a magia de Monikiniki. Aquela magia em parte foi encontrada por Tokosikuna, em parte, nos tempos passados, em Sinaketa.

Ao explicar esse comentário, é preciso lembrar que o informante era um homem de Sinaketa, daí seu "patriotismo" local, pois não há nenhuma versão mitológica e definida ligando a prática inicial do *mwasila* com a aldeia de Sinaketa. Como vimos, Tokosikuna é, de fato, um dos heróis míticos cuja história está associada à magia *mwasila*. Monikiniki é o nome de um dos sistemas da magia *mwasila*, e normalmente se diz que se originou com um homem que tinha esse nome.

A frase 2 desse encantamento contém quatro pares, cada um formado por um substantivo composto e um verbo. Todos os substantivos compostos, de acordo com a simetria aliterativa muito prezada pela magia de Kiriwina, têm o prefixo *silimway*– derivado de *sulumwoya*, a hortelã. Esse tipo de jogo de palavras, em especial com relação à palavra principal de um encantamento, como é o caso de *sulumwoya* neste aqui, mostra que a utilização puramente fonética das palavras deve estar associada à ideia ou ao sentimento do poder inerente a elas. A palavra-chave do *tapwana* (frase 3) foi traduzida literalmente por "ferve". Talvez pudesse ser traduzida por outro significado ligeiramente diferente, "espuma". Talvez na mente do nativo que recita ela signifique ambas as coisas. Penso que o uso de uma palavra carregada simultaneamente de dois significados é uma das características da língua nativa. Nesse encantamento, por exemplo, a palavra *polu* aparece entre uma série de outros verbos, como "trovejar", "tremer" e "murmurar", todos com o significado de "ruído", "comoção" e "agitação", o que está de acordo com os efeitos mágicos que devem ser produzidos pela magia *mwasila*. Nesse contexto, a tradução óbvia da palavra seria "espumar". Ao mesmo tempo, esse encantamento é pronunciado sobre um ramo de hortelã, que depois é preservado em óleo de coco fervido, e o duplo sentido que está contido na palavra pode ser parafraseado da seguinte maneira: "assim como o óleo da *sulumwoya* ferve, assim também possa minha reputação [ou a ansiedade de meu parceiro?] aumentar". Desse modo, a palavra *polu* estabeleceria a ligação entre o significado do rito de ferver e o contexto do encantamento. Tal explicação, contudo, não foi obtida de um informante nativo, embora mantenha, sem dúvida, a forma geral das explicações correntes. Aquilo que eu denominei antes de concatenação mágica das ideias mágicas consiste exatamente em tais conexões de palavras e seus significados.

O *dogina* (parte final) contém um ou dois aspectos típicos. Na frase 4, por exemplo, solicita-se ao tio materno do recitador atual que pronuncie a fórmula sobre a cabeça de Monikiniki. Ao fazer isso, o possuidor atual do encantamento está identificando sua própria canoa com aquela do herói mítico. Nas frases 5, 6 e 7, há diversas expressões grandiloquentes, como a que se refere à comoção da montanha, a que compara sua fama ao trovão e o ruído de seus passos ao barulho feito pelas *mulukwausi* e a expressão que diz como a canoa vai afundar por estar tão sobrecarregada de artigos valiosos. Como sempre, a última parte é recitada de maneira rápida e superficial, dando a impressão de um acúmulo de palavras, sucedendo-se frases vigorosas. Encerra-se com o som onomatopaico *tudududu*, que representa o ruído do trovão.

6

Os dois exemplares de magia aqui apresentados no original com uma tradução literal mostram como a análise linguística permite uma visão muito mais aprofundada do valor mágico das palavras, tal como é sentido pelos nativos. Por um lado, as várias características fonéticas mostram a manipulação das palavras quando elas têm que transmitir força mágica. Por outro, apenas uma análise de palavra por palavra dos encantamentos pode nos fornecer uma compreensão adequada da concatenação mágica de ideias e expressões verbais que mencionamos com frequência. É impossível, contudo, citar aqui todos os encantamentos em sua versão completa e original com comentários linguísticos, pois isso nos conduziria a um tratado sobre a linguagem da magia. Podemos, porém, examinar de forma breve alguns dos outros encantamentos, destacando os aspectos marcantes da expressão mágica, e assim ampliar os resultados até aqui obtidos pela análise detalhada dessas duas fórmulas.

Esses dois exemplos pertencem ao tipo mais longo, formado de três partes. Muitos dos encantamentos citados antes em tradução livre não contêm a parte principal, embora seja possível distinguir seu *u'ula* (preâmbulo) de seu *dogina* (final). O primeiro encantamento citado no capítulo V, a fórmula do *vabusi tokway* (a expulsão do espírito da árvore), é anômalo. Consiste em uma invocação, que nem mesmo é cantada, mas deve ser enunciada em voz baixa e persuasiva. É constituído de duas partes: na primeira, a palavra *kubusi* ("vós desceis"), usada como imperativo, "desça!", é repetida com todos os tipos de descrições e circunscrições dos espíritos das árvores. Na segunda parte, são repetidas diversas sentenças para fazer o espírito da árvore sentir que foi mandado embora. Tanto a palavra-chave da primeira parte, *kubusi*, como as sentenças da segunda, têm uma força direta própria. É necessário compreender que, para os nativos, é um grande insulto ser mandado embora. *Yoba*, a "expulsão", a "ordem para ir embora", tem uma categoria própria. As pessoas são *yoba*, expulsas das comunidades em certas circunstâncias, e ninguém ousaria permanecer depois que isso acontecesse. Portanto, as palavras desse encantamento têm uma força que deriva das sanções sociais do costume nativo. O encantamento seguinte apresentado no capítulo V, o *Kaymomwa'u*, é também anômalo, pois tem uma única parte. A palavra *kubusi*, "desça", também é repetida aqui com várias palavras que indicam profanações e tabus desrespeitados. Contudo, essas qualidades não são pensadas como seres personificados. A força da palavra provavelmente também se deve às ideias acerca do *yoba*.

O segundo encantamento, que é complementar ao *Kaymomwa'u*, o *Kaygagabile*, ou fórmula da "leveza", começa com um *u'ula* típico:

Susuwayliguwa [repetido];	Titavaguwa [repetido];
Ele não consegue me ultrapassar;	a canoa treme com a velocidade;

mabuguwa [repetido]	*mabugu,*	*mabugamugwa;*	*mabugu,*	*mabuguva'u.*
palavra mágica	*mabugu,*	*mabugu* antigo;	*mabugu,*	*mabugu* novo.

As duas primeiras palavras são compostas de prefixos e sufixos acrescentados com propósitos mágicos, como uma espécie de enfeite mágico. A palavra intraduzível, que os nativos dizem ser *megwa wala* ("apenas magia") é repetida diversas vezes em simetria com as duas palavras anteriores e então com os dois sufixos: antigo e novo. Tais repetições com prefixos ou sufixos de significado antitético aparecem muitas vezes na manipulação mágica das palavras. Esse preâmbulo fornece um exemplo claro do jogo de palavras na magia, de transformações que são feitas para efeito de ritmo e de repetições das mesmas palavras com afixos antitéticos. Na parte seguinte do encantamento, a palavra *ka'i* (árvore) é repetida com verbos: "a árvore voa" etc., e funciona como palavra-chave. É difícil dizer se essa parte é um *tapwana* verdadeiro ou apenas um dos exemplos, não raros, de um *u'ula* com uma palavra-chave.

Vamos examinar mais alguns *u'ula* (partes iniciais) dos encantamentos das canoas e, depois, passaremos a examinar as partes centrais e finais. No encantamento seguinte, do capítulo V, o *Kapitunena duku*, a palavra *bavisivisi*, "Eu lhes acenarei na volta" (refere-se às outras canoas), é repetida ponderadamente diversas vezes. Encontra-se com frequência na magia de Kiriwina o costume de iniciar um encantamento com uma só palavra, que sintetiza de maneira metafórica o objetivo da magia. Nesse encantamento, seguem-se as palavras:

Sîyá	*dábanâ*	*Tókunâ*	ínenâ.
Colina Siyá [no]	topo de	Tokuna	as mulheres.

Sinegu	*bwaga'u,*	*tatogu*	*bwaga'u.*
Minha mãe	feiticeira,	eu mesmo	feiticeiro.

Essas palavras são pronunciadas num ritmo pesado e marcante, conforme indicam os acentos agudos e circunflexos. A segunda linha mostra uma disposição rítmica e simétrica das palavras. A parte restante do *u'ula* desse encantamento é semelhante à parte correspondente no encantamento *wayngo*, que foi transcrito aqui conforme o texto completo nativo (comparar as traduções livres de ambos os encantamentos nos capítulos anteriores).

No encantamento *ligogu* do mesmo capítulo, o *u'ula* se inicia com outro jogo de palavras:

virayra'i [repetido]; *morayra'i* [repetido]; *basilabusi*
rayra'i fêmea; *rayra'i* macho; eu penetrarei [em]
Wayayla, basilalaguwa Oyanaki; basilalaguwa
Wayayla, eu emergirei [em] Oyanaki; eu emergirei [em]
Wayayla basilabusi Oyanaki.
Wayayla eu penetrarei [em] Oyanaki.

Essa parte do *u'ula* não foi traduzida no texto, já que seu significado é mágico e pode ser mais bem entendido em conexão com o texto nativo. A palavra *rayra'i* é apenas uma palavra mágica. Ela é dada inicialmente com a oposição antitética dos prefixos que indicam masculino e feminino, *mo-* e *vi-*. A frase seguinte é um exemplo típico da antítese geográfica. Os dois nomes se referem aos promontórios que ficam um defronte ao outro no estreito de Kaulokoki, entre Boyowa e Kayleula. Não consegui descobrir por que esses dois pontos são mencionados.

No encantamento *kadumiyala*, apresentado no capítulo IX, existe a seguinte abertura:

Vinapega, pega; vinamwana, mwana;
nam mayouyai, makariyouya'i odabwana;
nam mayouya'i, makariyouya'i, o'u'ula.

Na primeira linha, temos os nomes simetricamente pronunciados e prefixados nos dois peixes voadores ou puladores, *pega* e *mwana*. O prefixo *vina-* é provavelmente o prefixo feminino e talvez tenha o significado de voar associado às mulheres, isto é, às bruxas voadoras. O segundo e terceiro versos contêm um jogo com o radical *yova* ou *yo'u* ("voar"), reduplicado e com vários afixos acrescentados. Esses dois versos resultam numa espécie de antítese devido às duas últimas palavras, *odabwana* e *o'u'ula*, ou em cima e embaixo, que aqui talvez signifique em uma e em outra extremidade da canoa.

O encantamento *bisila*, apresentado no mesmo capítulo, começa assim:

Bora'i, Bora'i, borayyova, biyova;
Bora'i, bora'i, borayteta, biteta.

A palavra *bora'i* também parece ser uma palavra puramente mágica. O prefixo *bo-* tem o sentido de algo proibido ou ritual; o radical *ra'i* sugere semelhança com a palavra mágica citada acima, *rayra'i*, que obviamente é uma simples reduplicação de *ra'i*. Esse é, portanto, um efeito ritmicamente construído com o radical mágico *ra'i* e as palavras *yova*, "voar," e *teta*, "ser equilibrado", "voar muito alto".

O encantamento *kayikuna* apresenta o seguinte preâmbulo simétrico e rítmico:

Bosuyasuya [repetido]; *boraguragu* [repetido].
Bosuya olumwalela; *boyragu akatalena*.

O sentido exato das duas palavras não é bastante claro, mas é certo que representam influências mágicas. A disposição delas e a antítese de *olumwalela* ("parte do meio", "interior") e *katalena* ("corpo" ou "exterior") conservam os aspectos observados em outros preâmbulos já citados.

7

Os *tapwana* (partes principais) dos encantamentos, embora sendo mais longos para recitar, têm construções mais simples. Além disso, muitas fórmulas não têm a parte do meio. O primeiro *tapwana* regular que encontramos em nossa apresentação dos encantamentos é no de *Kapitunena duku*. Temos aí uma série de palavras-chave recitadas com uma lista de expressões complementares. As palavras-chave são verbos, falados na seguinte forma:

mata'i, matake'i, meyova etc.
corta, corta em, voa etc.

Esses verbos são usados com o prefixo *ma-* ou *me-*, que representa o tempo verbal de duração indefinida. Ao que me consta, embora esse prefixo seja comum em várias línguas da Melanésia, tem, em Kiriwina, um sabor distintamente arcaico e é empregado só em certas locuções e na magia. Alguns verbos usados nesse encantamento têm significado metafórico, descrevendo a velocidade da canoa de maneira figurada. A lista das palavras complementares, que são repetidas com as palavras-chave, contém a enumeração das diferentes partes da canoa. É típico que as palavras-chave estejam em sua forma arcaica e em sentido figurado, enquanto os termos complementares são apenas palavras comuns da linguagem diária.

Outro *tapwana* normal foi apresentado no encantamento *kadumiyala* no capítulo VIII, no qual a palavra-chave, *napuwoye*, foi traduzida por "dotar de velocidade magicamente". O prefixo *na-* indica tempo verbal definido. Fui incapaz de traduzir a partícula *pu-*, enquanto o radical *woye* significa literalmente "bater", com um sentido um tanto remoto de "imprimir magia". No encantamento *kayikuna veva*, as duas palavras *bwoytalo'i* e *bosuyara*, que significam, respectivamente, "pintar de vermelho de forma ritual" e "engrinaldar de forma ritual", têm uma semelhança formal por causa do prefixo aliterativo *bo-*, que comporta o significado de "ritual".

Vemos que o número de *tapwana* é menor, já que somente três dos sete encantamentos o contêm. Na forma eles são mais simples do que o *u'ula*, e o exame de um número maior de palavras-chave mostraria que elas também expressam, de forma direta ou figurada, a ação mágica ou seu efeito. Encontramos, nesse último exemplo, um verbo que indica "imprimir magia", que é uma descrição direta da ação; depois, duas palavras que expressam isso de maneira figurada e a série de palavras-chave, que enumeram os efeitos da magia, como velocidade, capacidade de voar etc. Em outros encantamentos da magia da canoa, que não foram apresentados neste livro, podem-se encontrar tipos semelhantes de palavras-chave, como: "a canoa voa"; "o peixe *buriwala* se equilibra numa onda"; "a garça do recife anda pela água"; "a garça do recife anda pela beira da praia"... Todas elas expressam o objetivo do encantamento, de acordo com a linha mágica de pensamento.

8

Do ponto de vista linguístico, a parte final do encantamento, o *dogina*, em geral apresenta menos aspectos dignos de nota. Do ponto de vista fonético, a característica mais marcante são os complexos de som puramente onomatopaicos, como *sididi* ou *saydididi*, ou as três palavras *sididi*, *tatata* e *numsa*, encontradas no encantamento *kadumiyala*. Do ponto de vista do significado, há em alguns *dogina* certos usos interessantes e metafóricos da língua, como as descrições do tempo no encantamento *kaygagabile*, no qual a diferença de velocidade entre o mago e seus companheiros é indicada por meio de alusões ao sol nascente e ao sol poente, expressas em linguagem figurada. Algumas alusões míticas também aparecem no *dogina*. Essa parte do encantamento é indubitavelmente a menos importante aos olhos dos nativos; muitas vezes, o mesmo *dogina* é usado em várias fórmulas pertencentes a um ciclo, como já vimos. Outros encantamentos não têm nenhum *dogina*, como é o caso do *Kapitunena duku*, no qual o som onomatopaico *sidididi* representa todo o *dogina*. Como foi dito antes, a maneira de recitar essa parte é mais superficial, com menos modulações melódicas e peculiaridades fonéticas.

9

Apresentei até aqui uma breve análise linguística dos encantamentos da magia das canoas, tratando primeiro da parte inicial, *u'ula*, depois da parte principal, *tapwana*, e por fim disse algumas palavras sobre o *dogina*. De maneira ainda mais sumária vou analisar os encantamentos do *mwasila* (a magia do *Kula*), citados ou mencionados neste livro, começando pelo *u'ula*.

No encantamento *yawarapu* (capítulo VII), temos:

Bu'a, bu'a, bovinaygau, vinaygu;
bu'a, bu'a, bomwanaygu, mwanaygu

Aqui, a palavra *bu'a* (noz de areca) é repetida e usada como o prefixo *bo-*, com os radicais antitéticos *vinay* (fêmea) e *mwanay* (macho) e com o sufixo *gu* (pronome possessivo, primeira pessoa).

O *Kaymwaloyo* (capítulo VII) começa assim:

Gala bu'a, gala doga, gala mwayye...

Tudo isso é pronunciado de forma solene e então segue-se o jogo com o radical *mwase* descrito acima na tradução livre desse encantamento.

Outro começo rítmico, falado com tonicidade regular, fortemente marcada, pode ser encontrado no encantamento *Kaykakaya* (capítulo XIII).

Kaýtutúna íyanâ, márabwága iyaná...

Em vários outros encantamentos podem ser encontradas as colocações simétricas de palavras, com a aliteração da partícula inicial e com empregos antitéticos de pares de palavras.

FÓRMULA DO *TALO* (CAPÍTULO XIII):
Talo, talo'udawada, udawada
Talo, talomwaylili, mwaylili...

ENCANTAMENTO *TA'UYA* (CAPÍTULO XIII):
Mwanita, monimwanita;
Deriwa, baderideriwa;
Derima, baderiderima...

O ENCANTAMENTO *KA'UBANA'I* (CAPÍTULO XIII):
Mose'una Nikiniki,
Moga'ina Nikiniki...

O ENCANTAMENTO *KWOYGAPANI* (CAPÍTULO XIV):
Kwega, kweganubwa'i, nubwa'i;
Kwega, kweganuwa'i, nuwa'i;
Kwega, kweganuma'i, numa'i

Eu os transcrevi aqui sem comentário completo para mostrar suas características fonéticas formais, que são de fato muito semelhantes, no essencial, aos exemplos já citados e analisados.

10

As partes principais dos encantamentos na magia do *Kula* não diferem fundamentalmente em suas características dos *tapwana* na magia da canoa. Do ponto de vista formal, algumas palavras-chave são apenas verbos, usados sem nenhuma transformação em seu tempo narrativo. Assim, na fórmula do *talo* (tinta vermelha), os dois verbos *ikata* ("brilha") e *inamila* ("cintila") são usados com vários substantivos que indicam as partes da cabeça humana. As palavras-chave do *Kayikuna tabuyo* (capítulo XIII) também são gramaticalmente simples: *buribwari, kuvakaku kuvakipusa* ("águia-pescadora, caia sobre sua presa, apanhe-a") – os verbos estão na segunda pessoa do tempo narrativo.

Em outros casos, encontramos a palavra-chave transformada por reduplicação, composição ou afixos. No encantamento *yawarapu* (capítulo VII), as palavras *boraytupa* e *badederuma*, repetidas como expressões-chave, são um substantivo composto que não consegui analisar completamente, embora o consenso de meus informantes me leve a ficar satisfeito com a seguinte tradução aproximada: "navegação rápida, carga abundante". No encantamento *gebobo* (capítulo VII) a expressão *tutube tubeyama* é uma transformação do radical *tubwo*, que em geral é usado na forma verbal, significando "ter o rosto", "ter boa aparência". No encantamento *ta'uya* (capítulo XIII), ocorre a reduplicação *munumweynise* do radical *mwana* ou *mwayna*, que expressa a "coceira" ou "estado de excitação". No *Kau'banai*, a primeira expressão-chave, *ida dabara*, é um par arcaico ou dialetal (a raiz é *dabara*, e *ida* é apenas uma adição fonética) que significa "refluir". As outras expressões-chave, *ka'ukwa yaruyaru, ka'ukwa mwasara, ka'ukwa mwasara baremwasemwasara*, têm todas a parte verbal reduplicada de maneira irregular e na última expressão ela é repetida e transformada. A última fórmula do *mwasila* (magia do *Kula*) dada no capítulo XIV tem duas expressões usadas como frases-chave: *kwoygapani, pani; kwoyga'ulu, ulu*. A palavra *kwega* (uma variedade de bétel) é usada de forma modificada, como um prefixo, e é composta dos radicais verbais *pani* (seduzir) e *ulu* (enredar).

Em relação às partes finais dessa categoria de encantamento, já disse antes que é muito menos variável que a parte inicial e a parte principal de uma fórmula. Dentro do mesmo ciclo ou sistema, o *dogina* normalmente varia pouco e muitas vezes uma pessoa usa o mesmo em todas as suas fórmulas. O exemplo oferecido pelo texto *sulumwoya* é, portanto, suficiente para mostrar as várias características dessa parte dos encantamentos do *mwasila*, e não é necessário dizer mais nada sobre essa questão.

11

Um rápido exame das características fonéticas dos encantamentos *kayga'u* (capítulo XI) deverá ser suficiente e vamos nos restringir ao *tapwana*. A palavra *gwa'u* ou *ga'u* significa "névoa" ou "neblina"; usada como verbo, com o significado de "provocar névoa", "enevoar", tem sempre a forma *ga'u*. Nas partes principais de algumas fórmulas dessa categoria, essa palavra, foneticamente muito expressiva, é usada com grande efeito sonoro. Por exemplo, no encantamento *giyorokaywa* nº 1, as palavras-chave são *aga'u* ("eu provoco neblina"), *aga'usulu* ("eu provoco neblina, eu extravio"); *aga'uboda* ("eu provoco neblina, eu fecho"). Pronunciadas lenta e sonoramente no início do *tapwana*, e depois rápida e insistentemente, essas palavras produzem um efeito realmente "mágico" – isto é, considerando-se as impressões subjetivas dos ouvintes. Ainda mais impressionante e onomatopaica é a frase usada como expressão-chave no *giyotanawa* nº 2 (p. 354).

Ga'u, yaga'u yagaga'u, yaga'u, bode, bodegu!

Dando-se às vogais um valor totalmente italiano, tal como elas recebem na pronúncia da Melanésia, essa sentença tem um som impressionante que é bastante adequado à situação, já que esse é o encantamento dramático, pronunciado para o vento na *waga* que afunda, o esforço final da magia para cegar e confundir as *mulukwausi*. O prefixo causal *ya-* é usado aqui com uma expressão nominal *yaga'u*, que foi traduzida por "névoa que se junta"; a outra expressão reduplicada *yagaga'u* eu traduzi por "névoa que envolve". Com base nesse exemplo, é possível perceber como são fracos os equivalentes que podemos dar às frases mágicas, em que tanta coisa é manifestada por meios fonéticos e onomatopaicos.

Os outros encantamentos têm palavras-chave muito menos inspiradas. O *giyotanawa* nº 1 usa a palavra *atumboda*, traduzida por "eu empurro para baixo", "eu fecho", que literalmente compreendem os significados dos verbos *tum*, "comprimir", e *boda*, "fechar". O *giyorakaywa* nº 2 tem as palavras-chave um tanto arcaicas, faladas como um par: *apeyra yauredi*, "eu me levanto", "eu escapo", e a expressão gramaticalmente irregular *sutuya*, "faço desviar do mundo".

A parte principal do encantamento *kaytaria*, pelo qual se pede ao peixe bondoso que ajude a salvar o grupo de náufragos, tem a seguinte sentença-chave: *bigabaygu suyusayu*, "o peixe *suyusayu* me erguerá". Essa expressão é digna de nota: mesmo nesse encantamento, que pode ser encarado como uma invocação ao prestimoso animal, não é usada a segunda pessoa. O resultado é antecipado na forma verbal, provando que o encantamento deve atuar pela força direta das palavras, e não como um apelo ao animal.

12

Encerramos aqui a análise de exemplos linguísticos retirados dos vários encantamentos e podemos sintetizar nossos resultados de forma breve. A crença na eficácia de uma fórmula resulta em várias peculiaridades da linguagem na qual ela se expressa, tanto com relação ao significado como ao som. O nativo está profundamente convencido desse poder misterioso e intrínseco de certas palavras; acredita-se que as palavras têm essa virtude por sua própria natureza, por assim dizer; que elas tiveram origem nos tempos primeiros e que exercem sua influência de maneira direta.

Começando pelo significado das expressões mágicas, vimos que nesse aspecto elas são bastante simples e diretas. A maior parte das palavras-chave simplesmente descreve a ação mágica; por exemplo, no encantamento em que a palavra-chave *napuwoye* significa "eu imprimo virtude mágica (de velocidade)", ou naquele outro que utiliza como palavras-chave "pintar de vermelho de maneira ritual, enfeitar de maneira ritual": nesses casos, as palavras simplesmente descrevem o que o mago está fazendo. Muito mais frequentemente, as expressões principais de um encantamento, isto é, as palavras iniciais e as palavras-chave, referem-se ao seu objetivo, como no caso em que encontramos palavras ou frases que indicam "velocidade" na magia da canoa; ou as indicações de "êxito", "carga abundante", "excitação" e "beleza" na magia do *Kula*. Mais frequentemente ainda, o objetivo da magia é declarado de forma metafórica, por meio de comparações e significados duplos. Em outras partes da fórmula, em que o significado mágico não está contido tanto em palavras e expressões singulares, mas numa fraseologia explícita, em longos períodos, verificamos que os aspectos predominantes são lista de nomes de ancestrais, invocações de espíritos de ancestrais, referências mitológicas, comparações e hipérboles, contrastes depreciativos entre os companheiros e o recitador, e que a maioria deles expressa uma antecipação dos resultados favoráveis, que são o objetivo do encantamento. Além disso, certas partes do encantamento contêm enumerações sistemáticas e meticulosas, em que o recitador cita, uma a uma, as partes de uma canoa, os estágios sucessivos de uma expedição, os vários artigos e objetos valiosos do *Kula*, as partes da cabeça humana ou os vários lugares de onde se acredita que vêm as bruxas voadoras. Em geral, tais enumerações procuram conseguir uma perfeição quase pedante.

Passando às características fonéticas, vimos que uma palavra muitas vezes é usada de maneira bastante diferente daquelas empregadas na linguagem diária; apresenta mudanças sensíveis na forma e no som. Tais peculiaridades fonéticas são mais notáveis nas palavras principais, isto é, nas palavras-chave e nas palavras iniciais. Algumas vezes elas são truncadas e mais frequentemente sofrem adições, como os afixos simétricos ou antitéticos, e partículas são acrescentadas visando obter um efeito mais sonoro. Com esses meios são produzidos efeitos de ritmo, aliterações e rima, que em geral são aumentados e acentuados pela tonicidade verbal. Há jogo de palavras por meio de pares simétricos de sons com significado antitético, como *mo*- e *vi*-, ou *mwana*- e *vina*-, significando respectivamente "macho" e 'fêmea"; ou -*mugwa* (antigo) e -*va'u* (novo); ou *ma*- (aqui) e *wa*- (lá) etc. Encontramos especialmente o prefixo *bo*- com significado de algo ritual ou tabu, derivando de *bomala*; ou com o significado de "vermelho", "festivo", em sua derivação de *bu'a* (noz de areca); sons onomatopaicos como *sididi* ou *saydidi*, *tatata* e *mumsa*, que imitam o som provocado pela velocidade, o gemido do vento, o sussurro da vela e do farfalhar das folhas de pandano; *tududu*, imitação do ruído do trovão; e a sentença rítmica, expressiva, embora talvez não diretamente onomatopaica:

Ga'u, yaga'u, yagaga'u, yaga'u, bode, bodegu.

13

Se nos voltarmos agora para as substâncias usadas nos ritos mágicos como instrumentos de transferência ritual do encantamento, encontramos na magia da canoa: capim *lalang* seco, folha seca de bananeira, folha seca de pandano, todas empregadas na magia da leveza. Uma batata podre é empregada para retirar o peso da canoa, embora em outra ocasião o peso seja retirado com um feixe de capim *lalang*. As folhas de dois ou três arbustos ou gramíneas, que os nativos costumam usar para secar a pele depois do banho, são usadas para limpar magicamente a canoa; uma vara e um archote são utilizados em outros ritos de exorcismo. No rito relacionado com o escurecimento da canoa são empregados pedaços carbonizados de várias substâncias leves, como o capim *lalang*, o ninho de um pássaro pequeno e ágil, as asas de um morcego, a casca do coco e os gravetos extremamente leves da árvore da mimosa.

É fácil perceber que, como ocorre com as palavras, as substâncias também estão associadas com o objetivo da magia, isto é, com leveza, com rapidez e com a capacidade de voar.

Nu magia do *Kula* encontramos noz de areca esmagada com cal em um pilão, usada para tornar vermelha a ponta da canoa. A noz de areca também é dada a um parceiro, depois de ter sido encantada com uma fórmula de sedução. Também são usadas no *mwasila* a hortelã aromática, fervida em óleo de coco, e a raiz de gengibre. O búzio e os cosméticos encantados na praia de Sarubwoyna realmente fazem parte do equipamento, bem como o embrulho *lilava*. Todas as substâncias usadas nessa magia estão associadas ou com a beleza e a capacidade de sedução (noz de areca, cosméticos, hortelã), ou com animação (búzio, noz de areca mastigada). Aqui, portanto, a magia não tem relação com o objetivo final – conseguir objetos valiosos –, mas sim com o objetivo intermediário: agradar o companheiro e deixá-lo animado para o *Kula*.

Desejo encerrar este capítulo acrescentando alguns textos de informações nativas. Nos capítulos anteriores, várias declarações e narrativas foram colocadas na boca dos nativos e foram citadas entre aspas. Desejo apresentar agora alguns dados linguísticos reais, de onde foram extraídas aquelas citações. Anotei muitos pronunciamentos dos nativos à medida que eram falados. Sempre que ocorria uma expressão nativa que tratasse de um ponto crucial ou de um pensamento característico ou uma expressão que fosse especialmente clara ou, ao contrário, particularmente obscura e confusa quanto ao significado, eu logo a anotava enquanto eles falavam. Além da importância linguística, muitos desses textos servem também como documentos que incorporam as ideias nativas sem nenhum elemento estranho e mostram a longa distância que existe entre a crua declaração nativa e sua apresentação etnográfica explícita. O que mais nos surpreende, à primeira vista, nesses textos é sua extrema pobreza, a escassez de informações que parecem conter. Expressos num estilo condensado, desconexo, poderia até se dizer telegráfico, eles parecem não conter nada que ajudasse a esclarecer nosso estudo. Não apresentam ideias de forma concatenada e apresentam poucos detalhes concretos e poucas generalizações apropriadas. Contudo, devemos lembrar que, seja qual for a importância de tais textos, eles não são a única nem a mais importante fonte de informações etnográficas. O observador deve lê-los considerando o contexto da vida tribal. A maior parte das normas de comportamento e dos dados sociológicos, que são apenas mencionados, tornou-se familiar ao etnógrafo por meio da observação pessoal, do estudo direto de suas manifestações objetivas e dos dados referentes à constituição social (comparar com as observações sobre método feitas na Introdução). Por sua vez, um conhecimento melhor e maior familiaridade com os meios de expressão linguística tornam a língua em si mesma mais significativa para alguém que não só a conhece mas a utiliza. Afinal, se os nativos pudessem fornecer relatos corretos, explícitos e consistentes sobre sua organização tribal, seus costumes e suas ideias, não haveria dificuldade alguma no trabalho etnográfico. Infelizmente, o nativo não consegue se distanciar de sua atmosfera tribal e vê-la de forma objetiva e, mesmo que o conseguisse, não teria instrumentos intelectuais e linguísticos suficientes para expressá-la. Assim, o etnógrafo tem que coletar dados objetivos, como mapas, planos, genealogias, listas de bens, registros de heranças e censos de comunidades. Deve estudar o comportamento do nativo, conversar com ele sob todo tipo de condição e anotar suas palavras. E então, com base em todos esses dados, construir sua síntese, um retrato da comunidade e dos indivíduos que aí vivem. Mas eu já me detive nesses aspectos metodológicos na Introdução e desejo aqui apenas exemplificá-los em relação ao material linguístico que diretamente representa alguns dos pensamentos dos nativos em questões etnográficas.

15

Apresentarei aqui, a princípio, um texto sobre a questão da prioridade na navegação, que é privilégio de um certo subclã em Sinaketa, conforme foi descrito no capítulo IX. Eu estava conversando com um informante muito bom, Toybayoba, de Sinaketa, sobre os costumes referentes ao lançamento das canoas e tentei, como sempre, levar meu interlocutor a se ater o máximo possível aos detalhes concretos e à descrição da sequência completa dos eventos. Nesse relato ele pronunciou esta sentença:

> Os Tolabwaga lançam sua canoa primeiro; por isso, o mar fica limpo.

Percebi de imediato que um assunto novo estava sendo abordado e encorajei meu informante nessa direção, obtendo, sentença após sentença, o seguinte texto:

O SUBCLÃ TOLABWAGA E SEUS PRIVILÉGIOS NAS VIAGENS MARÍTIMAS

1.	*Bikugwo,*	*ikapusi*	*siwaga*	*Tolabwaga*
	Ele pode ser primeiro	ele cair (ela é lançada)	sua canoa	Tolabwaga.

Boge	*bimilakatile*	*bwarita.*
Já	ele pode estar claro	mar.

2. *Igau kumaydona gweguya, tokay siwaga*
Mais tarde todos chefes, homem do povo canoa deles
ikapusisi oluvyeki.
caem atrás.
(são lançadas)

3. *Kidama takapusi takugwo*
Supondo nós caímos, nós somos primeiro
bitavilidasi baloma; bitana
eles podem jogar (contra) nós espíritos; nós podemos ir
Dobu, gala tabani bunukwa soulava.
(a) Dobu, não encontramos porco colar.

4. *Makawala yuwayoulo: bikugwo*
Do mesmo modo (cipó de amarração): ele (isso) pode ser primeiro
isipusi siwayugo, iga'u yakidasi.
eles atam cipó *wayugo* deles, mais tarde nós mesmos.

5. *Takeulo Dobu, gula bikugwasi*
Nós navegamos Dobu, não eles podem ser os primeiros
Tolabwaga; okovalawa boge aywokwo.
Tolabwaga; no mar em frente já ele estava terminado.

6. *Obwarita tananamse kayneisakauli taytala*
No mar nós consideramos se ele corre um (masculino)
lawaga, ikugwo.
canoa dele, ele é primeiro.

7. *Gala bikaraywagasi patile.*
Não eles podem comandar frota de canoas.

8. *Dobu, gweguya bikugwasi, biwayse*
Dobu, chefes eles podem ser primeiro, eles podem ir lá
kaypatile gweguya.
frota de canoas chefes.

9.	*M'tage*	*Tolabwaga*	*boge*	*aywokwo*
	De fato	Tolabwaga	já	ele (isso) estava terminado
	sikaraywaga	*ovalu.*		
	comando deles	na aldeia.		

O subclã Tolabwaga pertence ao clã Lukwasisiga e vive atualmente em Kasi'etana. Sobrevivem apenas um homem e duas mulheres.

10.	*Simwasila*	*siwaga*	*migavala,*	*vivila*	*boge*
	A magia *kula* deles	canoa deles	magia dele,	mulher	já
	iyousayse.				
	eles apreendem.				

11.	*"Datukwasi*	*boge*	*kasakaymi*	*megwa*
	"Nossa propriedade mágica	já	damos a você	magia
	Kwaraywagasi	*lagayle!"*		
	você comanda	hoje!"		

Assim eles falariam ao transmitir sua magia a seus descendentes masculinos.

COMENTÁRIOS DO INFORMANTE

Comentando no verso 3 a expressão *bitalividasi baloma*, meu informante disse:

12.	*"Bitavilida:*			*bilivalasi*	*baloma*
	Eles podem se voltar (contra) nós:			eles podem dizer	espírito
	Avaka	*pela*	*gala*	*ikugwo*	*Tolabwaga,*
	Que	por	não	ele é o primeiro	Tolabwaga,
	kukugwasi	*gumgweguya;*	*kayuviyuvisa*	*Tolabwaga!"*	
	vocês são primeiro	subchefes;	varredores do mar	Tolabwaga!"	

13.	*Tavagi*	*gaga*	*igiburuwasi,*	*ninasi*	*igaga,*
	Nós fazemos	mau	eles raiva,	mente deles	ele mau,
	pela	*magisi*	*balayamata*	*tokunabogwo*	
	pois desejo	deles	nós podemos observar	há muito tempo	
	aygura.				
	ele decretou.				

A tradução literal representa, palavra por palavra, o significado de cada partícula e radical, de acordo com um esquema gramatical e lexicográfico definido, que foi adotado para esse texto com algumas centenas de outros. Neste livro, não posso comentar e justificar os detalhes linguísticos, que serão bastante óbvios a um especialista em questões sobre a Melanésia e que poderá, entretanto, encontrar em minha tradução alguns aspectos novos e mesmo controversos. Para outros leitores, esses detalhes têm pouco interesse. Nessa tradução, não fiz distinção alguma entre a primeira pessoa inclusiva e exclusiva, dual e plural. Dos dois tempos verbais que podem ser encontrados nesse texto, o tempo narrativo foi traduzido em inglês pelo verbo no infinitivo, e o tempo condicional (ou potencial) foi indicado em inglês pela palavra *might*.[1] Abaixo da palavra, entre parênteses, indiquei o significado especial de uma palavra no contexto ou fiz algum comentário.

A tradução livre dos textos precisa ser dada agora:

TRADUÇÃO LIVRE

1. A canoa dos Tolabwaga seria lançada primeiro; por meio disso o mar fica limpo.
2. Em seguida, são lançadas as canoas de todos os chefes e dos homens comuns.
3. Se nós lançássemos nossas canoas na frente, os espíritos (dos antepassados) ficariam zangados conosco; nós iríamos a Dobu e não receberíamos porcos nem colares.
4. O mesmo acontece com a amarração da canoa: primeiro os Tolabwaga colocariam o cipó de amarração e, em seguida, nós o faríamos.
5. Em nossa viagem a Dobu, os Tolabwaga não navegariam na frente, pois a prioridade deles termina na praia de Sinaketa.
6. No mar tudo se passa conforme nosso desejo e, se a canoa de um homem navega mais depressa, ele será o primeiro.
7. Eles (os Tolabwaga) não detêm o comando da frota de canoas.
8. Em Dobu os chefes seriam os primeiros; os chefes chegariam lá à frente da frota.
9. Mas a supremacia dos Tolabwaga já termina aqui, na aldeia.
10. A magia *kula*, a magia da canoa, pertencente ao clã Tolabwaga já passou para as mulheres do seu grupo.
11. (Estas falariam assim a seus filhos do sexo masculino):

"Nós lhe daremos a magia, a herança mágica, vocês assumem o controle daqui por diante".

1 A palavra *might* indica, nesse contexto, possibilidade. Na tradução em português, usou-se o verbo "poder", no mesmo sentido de possibilidade. [N. T.]

12. Quando os espíritos se zangam, eles nos dizem: "Por que os Tolabwaga não foram os primeiros e vocês, chefes menores, estão na frente? Não são os Tolabwaga os limpadores do mar?".
13. Quando fazemos algo errado, eles [os espíritos] ficam zangados, suas mentes ficam maldosas, pois eles desejam que nós respeitemos os costumes amigos.

16

Comparando-se a tradução livre com a tradução literal, é fácil perceber que foram feitas certas adições, as sentenças foram subordinadas e coordenadas por várias conjunções, que estão completamente ausentes do texto nativo ou então são representadas por partículas muito vagas, como *boge* (já) e *m'tage* (de fato). Não posso me estender aqui nessas questões linguísticas, mas será bom rever cada sentença sucessivamente e mostrar quanto foi necessário acrescentar, recorrendo-se ao conhecimento sociológico e etnográfico armazenado, a fim de tornar o texto compreensível.

1. O significado da palavra "cair" é especificado aqui pelo contexto e eu traduzi por "lançar". A partícula *boge* teve que ser traduzida aqui como "por meio disso". As palavras referentes à "limpeza do mar" me sugeriram de imediato que se tratava de um costume antigo especial. Aparece depois o nome da subclã Tolabwaga. Para poder compreender o significado completo dessa frase, é necessário saber que esse nome se refere a um subclã: ainda é preciso estar bastante familiarizado com a sociologia nativa, a fim de entender o que pode significar esse privilegio atribuído a um subclã. Assim, uma palavra como essa só pode ser entendida, em primeiro lugar, no contexto da frase e com base em certo conhecimento linguístico. Mas seu significado mais completo só se torna inteligível no contexto da vida nativa e da sociologia nativa. A expressão que se refere à limpeza do mar exigia uma explicação melhor e para obtê-la perguntei a meu informante, que me respondeu conforme está na frase 3.

2. Nessa frase, as expressões "chefes", "homens comuns" etc. são totalmente inteligíveis apenas para quem tem uma definição dessas palavras em termos da sociologia nativa. Na verdade, só o conhecimento da supremacia costumeira dos chefes permite que uma pessoa

perceba a importância deles e o caráter arcaico desse costume, que diminui momentaneamente a importância dos chefes.

3. Temos aqui a explicação da expressão obscura da frase 1, "um mar limpo" significa o bom humor dos espíritos, que, por sua vez, representa boa sorte. Permanece em aberto a questão de saber se consideram que os espíritos estão interferindo ou ajudando de forma ativa. Pedi novos esclarecimentos, que me foram dados no texto das frases 12 e 13.

4. Essa frase contém uma referência sintética aos estágios da construção das canoas, anteriores ao lançamento. O entendimento disso pressupõe, naturalmente, o conhecimento dessas várias atividades.

5 a 9. As limitações dos poderes do subclã Tolabwaga são descritas em linhas gerais, mostrando aspectos interessantes do papel desempenhado pelas mulheres como guardiãs das tradições familiares (do subclã). É desnecessário dizer que essa afirmação seria inteiramente desprovida de significado sem o conhecimento das instituições matrilineares dos nativos, de seus costumes referentes à herança e à propriedade da magia. O conhecimento correto desses fatos só pode ser obtido por meio de um conjunto de documentos etnográficos objetivos, como dados concretos sobre casos reais de herança, por exemplo.

12 e 13. Aqui se explica o quanto os *baloma* se zangariam e como agiriam no caso de um costume ser desrespeitado. Pode-se ver claramente que a ira dos espíritos é apenas uma frase, abarcando todas as forças que contribuem para que os nativos respeitem os antigos costumes. Os *baloma* não fariam mais do que reprová-los pelo desrespeito às normas antigas, e não há entre esses nativos ideias definidas a respeito de uma punição real que pudesse ser imposta pelos espíritos ofendidos.

Essas considerações evidenciam que nenhuma análise linguística pode esclarecer o significado completo de um texto sem o auxílio de um conhecimento adequado de sociologia, dos costumes e das crenças correntes em uma dada sociedade

17

Outra amostra de texto nativo pode ser dada aqui, já que é de especial interesse porque esclarece a fórmula mágica do *wayugo*, apresentada antes. Trata-se do texto que obtive ao tentar encontrar o significado da palavra *bosisi'ula*, que aparece no início do encantamento mencionado. De acordo com dois informantes de Sinaketa, a palavra *visisi'una* refere-se à crença já descrita de que o possuidor de um encantamento *wayugo* está sujeito a acessos de tremores, durante os quais ele treme como um ramo de *bisila* (pandano) treme ao vento. Ele deve então comer ritualmente um pouco de peixe assado, e isso é chamado de *visisi'una*. A pessoa, no caso, pediria a alguém da sua família:

"*Kugabu, kumaye, avisisi'una.*"
"Vós assais, vós trazeis, eu como ritualmente."

Ou alguém insistiria com sua mulher ou sua filha:

"*Kugabu, kumaye, ivisisi'una.*"
"Vós assais, vós trazeis, ele come ritualmente."

Quando mais uma vez pedi a meu informante uma equação direta, ele disse:

"*Ivisisi'una – bigobu, tomwaya ikam.*"
"*Ivisisi'una* – ele assa, velho ele come."

O texto que se segue contém uma definição mais explícita do termo que eu estava naquela época tentando tornar claro e traduzir por uma expressão apropriada em inglês.

EXPLICAÇÃO DA PALAVRA *VISISI'UNA*

A – PRIMEIRO INFORMANTE

1.	*Pela*	*isewo*	*wayugo,*	*itatatuva*	
	Pois	ele aprende [magia do cipó]	*wayugo,*	ele (isso) treme	
	wowola	*matauna,*	*isa'u* [ou *isewo*]	*wayugo.*	
	corpo dele	este [homem],	[que] aprende	*wayugo.*	
2.	"*Nanakwa,*	*kugabu*	*kusayki,*	*tomwaya*"	
	"Rápido,	vós assais	vós dais,	velho [mago]"	

ivisisi'una *boge* *itatatuva* *kana* *bisila*
ele come ritualmente já ele treme dele ramo de pandano
Kana *wayugo*."
dele cipó *wayugo*."

B – SEGUNDO INFORMANTE

3. "*Tayta* *isewo* *bisila*, *gala* *bikam*
"[Se] um [homem] ele aprende *bisila*, não ele pode comer
yena, *boge* *itatuva* *wowola*".
peixe, já ele treme corpo dele".

TRADUÇÃO LIVRE

1. O corpo de um homem que aprendeu o encantamento *wayugo* treme porque ele aprendeu o encantamento. (Uma pessoa que o visse tremer diria para alguém da família dele:)
2. "Rápido, assem peixe e deem-no para o velho comer ritualmente, seu galhardete de pandano treme, seu *wayugo*".
3. Um homem que aprende a magia *bisila* e não come peixe treme.

Esse texto, juntamente com os curtos comentários que o precederam e suas duas versões, permite perceber de que modo fui capaz de obter de meus informantes nativos a definição de expressões desconhecidas e muitas vezes complexas e como, ao fazer isso, consegui obter esclarecimentos adicionais sobre detalhes obscuros de crenças e costumes.

Será interessante também mostrar outro texto relacionado ao costume *gwara*. Apresentei no capítulo XIII uma definição nativa desse costume e da recepção oferecida aos trobriandeses em Dobu, quando há um tabu sobre as palmeiras. A afirmação foi baseada em algumas outras notas e no seguinte texto:

GWARA EM DOBU E A MAGIA *KA'UBANA'I*

1. *Tama* *Dobu* *ikarigava'u* – *gwara*:
Nós viemos [a] Dobu, ele morreu de novo – *gwara*:

bu'a *bilalava* *usi* *bimwanogu*,
areca ele pode amadurecer banana ele pode amadurecer.

nuya bibabayse ka'i kayketoki.
coco eles podem espetar vara vareta.

2. *Gala ka'ubana'i, takokola: ikawoyse*
Não *ka'ubana'i* nós temos medo: eles pegam [põem]
bowa kayyala, kema; isisuse
pinturas de guerra lança, machado; eles sentam
biginayda.
eles podem olhar para nós.

3. *Batana ovalu tasakaulo, gala tanouno*
Nós vamos à aldeia nós corremos, não nós andamos
batawa tamwoyne bu'a.
nós podemos chegar nós podemos subir areca.

4. *Idou: "E! Gala bukumwoyne bu'a."*
Ele grita: "Ei! Não vós podeis subir areca."

5. *Bogwe ika'u kayyala, mwada biwoyda.*
Já ele pega lança, talvez ele possa nos atingir.

6. *Tapula nayya ka'ubana'i:*
Nós cuspimos ritualmente raiz de gengibre selvagem *ka'ubana'i*:
ika'ita ima, igigila iluwaymo kayyala, kema.
ele volta ele vem ele ri, ele atira lança, machado.

7. *Tapula Valu kumaydona, boge*
Nós cuspimos ritualmente aldeia todos, já
itamwa'u ninasi ilukwaydasi:
ele desaparece mente deles, eles nos dizem:

8. "*Bweyna, kumwoynasi kami bu'a, nuya,*
"Bom, vocês sobem sua areca, coco [coqueiros]
kami usi kuta'isi."
sua banana vocês cortam.

COMENTÁRIO ACRESCENTADO

9. *Gala ikarige*	*veyola*	*ninasi*	*bweyna.*
Não ele morre	parente dele	mente deles	bem.

10. *Vivil*	*kayyala*	*ikawo,*	*pela*	*tokamsita'u.*
Mulher	lança dela	ela pega	pois	canibais.

TRADUÇÃO LIVRE

1. Nós viemos a Dobu, [onde] alguém morreu recentemente – há um *gwala*: a noz de areca vai amadurecer, as bananas vão amadurecer, eles pendurarão cocos em pequenos espetos.
2. Se não foi feito nenhum encantamento *ku'ubana'i*, nós ficamos com medo: eles [os nativos de Dobu] colocam pintura de guerra, pegam lança e machado, eles sentam [esperando] e olham para nós.
3. Nós entramos na aldeia correndo, não andando; nós chegamos e subimos na arequeira.
4. Ele [o nativo de Dobu] grita: "Não subam na arequeira!".
5. Ele já pega a lança, como se fosse nos atingir.
6. Nós cuspimos ritualmente raiz de gengibre selvagem encantada com o encantamento *ka'ubana'i* – ele volta, vem até nós, ri, deixa de lado a lança e o machado.
7. Nós cuspimos ritualmente em toda a aldeia; já a intenção deles desaparece, ele nos diz:
8. "Bem, subam na sua arequeira e no seu coqueiro, cortem suas bananas."
9. Se nenhum parente tivesse morrido, suas intenções seriam boas.
10. Uma mulher também teria apanhado uma lança, pois eles [os nativos de Dobu] são canibais.

Creio que esses três textos são suficientes para dar uma ideia do método usado para lidar com as evidências linguísticas e também para mostrar o valor documentário das opiniões nativas registradas imediatamente. Eles também evidenciam algo que eu mencionei antes, isto é, que um conhecimento adequado e prático da língua nativa, por um lado, e a familiaridade com sua organização social e vida tribal, por outro, tornam possível a leitura desses textos em seu significado total.

CAPÍTULO XIX

O *Kula* interior

1

Depois da digressão um tanto longa sobre magia, podemos retomar mais uma vez a descrição do *Kula*. Até aqui estivemos tratando de um único acontecimento no *Kula*, a expedição marítima entre Sinaketa e Dobu e a visita de retribuição. Mas, ao lidar com essa etapa típica, conseguimos ter uma visão de todo o *Kula* e aprendemos incidentalmente todos os fundamentos da troca, da magia, da mitologia e de outros aspectos correlatos. Resta agora dar os toques finais ao quadro geral, isto é, dizer algumas palavras sobre a maneira como o *Kula* é realizado no interior de um distrito e depois acompanhar a troca na parte restante do circuito. A troca no interior de cada comunidade *kula* foi denominada de "*Kula* terrestre". Minha própria experiência sobre essa parte do assunto restringe-se às ilhas Trobriand. Portanto, tudo o que for dito neste capítulo aplica-se em especial àquela seção do circuito. Porém, como Boyowa é a maior ilha e a mais densamente povoada da região do *Kula*, fica claro que, ao tratar da troca terrestre naquela ilha, estamos apreendendo-a em sua forma mais típica e desenvolvida.

Foi mencionado antes, no capítulo XVI, que em abril de 1918 To'uluwa tinha vindo a Sinaketa a propósito da visita *uvalaku* dos nativos de Dobu. To'uluwa é o atual chefe de Omarakana e, de fato, o último chefe de Kiriwina, porque após sua morte ninguém vai sucedê-lo. Seu poder foi enfraquecido pela interferência dos funcionários do governo e pela influência do trabalho da missão. O poder de um chefe trobriandês repousa sobretudo em sua riqueza, e ele sempre foi capaz de mantê-la num nível alto por meio da instituição da poligamia. Agora que não lhe permitem tomar novas esposas, embora possa manter as antigas, e como seu sucessor não poderá seguir o costume imemorial da poligamia praticada por sua dinastia, o poder do chefe não tem mais sustentação e praticamente entrou em crise.

Devo acrescentar que essa interferência, imposta por razões incompreensíveis, a não ser que se trate de uma aplicação extremamente paroquial e estreita de nossa ideia de moralidade e correção, não tem nenhuma base legal nas regulamentações daquela colônia e não poderia ser justificada nem formalmente nem em razão dos resultados que possa produzir. Na verdade, o solapamento da autoridade há muito estabelecida, da moral e dos costumes tribais, tende, por um lado, a desmoralizar os nativos por completo e a torná-los insubmissos a qualquer lei ou norma; por outro, a destruição de toda a estrutura da vida tribal priva-os da maioria dos divertimentos de que mais gostam, dos modos de gozar a vida e dos prazeres sociais. Ora, quando se torna a vida sem graça para um homem, seja selvagem ou civilizado, corta-se a raiz crucial de sua vitalidade. Estou convencido de que o rápido desaparecimento das raças nativas deve-se mais à interferência arbitrária em seus prazeres e ocupações normais, ao aniquilamento da alegria de viver como eles a concebem, do que a qualquer outra causa. Nas ilhas Trobriand, por exemplo, o chefe sempre foi o organizador de todas as grandes festividades tribais. Ele recebia grandes contribuições da população sob várias obrigações legais (ver capítulo VI, seção 6), mas devolvia toda essa riqueza na forma de grandes distribuições cerimoniais, de presentes nas festividades, de doações de alimento aos participantes das danças, dos esportes e das diversões tribais. Esses eram os prazeres que ofereciam verdadeiro deleite aos nativos e que em grande parte davam sentido à vida deles. Hoje em dia, todas essas atividades estão bastante abandonadas por causa da ausência de concentração da riqueza e poder nas mãos do chefe. Ele não tem condições para financiar os grandes passatempos de outrora, tampouco tem influência suficiente para prover a mesma iniciativa vigorosa e conseguir que sejam realizados. Depois de sua morte, as coisas vão piorar ainda mais. Há razões para temer, e mesmo os nativos manifestam apreensão, que em uma ou duas gerações o *Kula* estará inteiramente desorganizado.

É fato bem conhecido que a resistência e a saúde de um nativo dependem da autossugestão, até mais do que no caso de nós mesmos, embora os novos desenvolvimentos na psicoterapia pareçam indicar que a medicina até agora tenha subestimado muito esse fator. Mesmo os etnógrafos antigos, talvez mais na Polinésia do que em qualquer outro lugar, registraram casos evidentes e inquestionáveis em que a perda de interesse pela vida e a determinação de morrer provocaram a morte, sem nenhum outro motivo. Minha própria experiência, embora eu não tenha um caso dramático para citar, mostra isso claramente, com base em inúmeras evidências comprobatórias. Não é, portanto, ir além do que é totalmente corroborado pelos fatos sustentar que uma perda geral de interesse pela vida, de *joie de vivre*, o rompimento de todos os laços de intenso interesse, que prendem à vida os membros de uma comunidade humana, resulta na perda do próprio desejo de viver, e as pessoas nessas condições serão presa fácil para qualquer doença, bem como serão incapazes de se reproduzir.

Uma administração sensata dos nativos tentaria, por um lado, governar *por meio* do chefe, usando sua autoridade conforme as normas dos antigos usos e costumes; por outro, tentaria manter tudo o que realmente torna a vida digna de ser vivida para os nativos, pois é a herança mais preciosa que eles têm dos tempos passados, e é inútil tentar colocar outros interesses no lugar dos que se perderam. E fácil transmitir nossos próprios vícios a outro ser humano racial e culturalmente diferente, mas nada é tão difícil de transmitir como um interesse ardente pelos esportes e divertimentos de outro povo. Mesmo entre as nações europeias, pode-se encontrar a derradeira fortaleza da peculiaridade nacional nas diversões tradicionais, e sem diversão e entretenimento uma raça e uma cultura não podem sobreviver. A aplicação da maquinaria pesada, de fato esmagadora, das regulamentações morais e legais europeias, com suas várias sanções, simplesmente destrói toda a frágil estrutura da autoridade tribal, erradicando o bem e o mal ao mesmo tempo, e não deixa nada além da anarquia, da confusão e da má vontade.[1]

Foi assim que o pobre velho To'uluwa, com apenas uma amostra de sua antiga autoridade, chegou a Sinaketa acompanhado de alguns seguidores. Ele ainda cumpre todas as severas prescrições e deveres onerosos que pesavam sobre sua alta posição no passado. Assim, não pode se servir de inúmeros tipos de alimentos, considerados impuros para os membros do subclã Tabalu. Ele nem mesmo pode tocar qualquer objeto contaminado, que tenha estado em con-

1 Um exemplo dessa atitude insensata de interferência pode ser encontrado até mesmo em um livro escrito por um missionário excepcionalmente bem informado e esclarecido, *In Far New Guinea*, de Henry Newton. Ao descrever as festas e as danças dos nativos, ele admite que são uma necessidade da vida tribal: "No geral, as festas e as danças são boas; oferecem satisfação e relaxamento aos homens jovens e matizam as cores monótonas da vida". Ele mesmo nos diz: "Chega uma época em que os homens idosos param de dançar. Eles começam a resmungar que as plantações são negligenciadas e perguntam se a dança vai fornecer alimento para as pessoas, e então é dada a ordem para que os tambores sejam deixados de lado e as pessoas se põem a trabalhar". Mas, apesar de o sr. Newton reconhecer essa

autoridade natural tribal e apesar do fato de realmente admitir os pontos de vista apresentados em nosso texto, ele não pode deixar de dizer: "Entretanto, pensando seriamente, em benefício dos próprios nativos, seria bom que houvesse alguns regulamentos – que não se permitissem as danças após a meia-noite, pois enquanto elas duram não se faz mais nada. As plantações sofrem e, se as danças pudessem ser regulamentadas, as pessoas aprenderiam o autocontrole e assim fortaleceriam o caráter". Ele chega a admitir muito candidamente que seria difícil pôr em prática tal regulamento, porque "ao nativo pareceria que a razão para o regulamento é o conforto do homem branco, e não o bem-estar dos nativos". Para mim parece o mesmo!

As citações seguintes, de um trabalho cientí-

tato com alimentos impuros; não pode comer em pratos ou beber em vasilhas que tenham sido usadas por outras pessoas. Quando vai a Sinaketa, por exemplo, onde nem mesmo os chefes mais altos observam os tabus, ele chega a passar fome, pois pode comer apenas o alimento que foi trazido de sua própria aldeia ou beber a água e comer a polpa do coco verde. Entre as honras atribuídas à sua posição, poucas são observadas. Antigamente, quando ele se aproximava de uma aldeia, um corredor entraria na frente e gritaria *"Ó Guya'u"*, depois disso todos ficariam de prontidão, e quando o chefe se aproximasse os homens comuns se lançariam no chão, o líder local se agacharia e os homens de posição social elevada inclinariam a cabeça. Mesmo hoje, nenhum homem comum nas ilhas Trobriand ficaria ereto na presença de To'uluwa. Mas ele não mais anuncia sua chegada dessa forma orgulhosa e ruidosa e recebe o que lhe é devido quando é oferecido espontaneamente, sem poder fazer exigências com autoridade.

2

Naquela ocasião em Sinaketa, eu o encontrei depois de um intervalo de uns dois anos, desde a época em que tinha vivido como seu vizinho em Omarakana, com minha barraca armada ao lado de sua *lisiga* (residência masculina do chefe), durante cerca de oito meses. Eu o achei mudado e envelhecido, sua figura alta mais curvada e o rosto largo, com sua expressão meio benevolente e meio astuta, enrugado e preocupado. Ele tinha algumas queixas a fazer sobre o modo casual com que tinha sido recebido em Sinaketa, onde não lhe tinham dado nenhum colar, embora alguns dias antes os habitantes de Sinaketa tivessem levado 150 pares de braceletes de Kiriwina. De fato, a mudança de posição relativa entre os chefes de Sinaketa e o próprio To'uluwa é um permanente ponto de mágoa para o velho chefe. Todos os nativos do litoral, em especial o chefe de Sinaketa, enriqueceram-se muito devido à introdução da indústria da pérola, onde seus serviços são pagos pelos brancos em forma de tabaco, noz de areca e *vaygu'a*. Mas To'uluwa, arrumado pela influência dos brancos, nada recebe da indústria da pérola e, comparado a seus inferiores de Sinaketa, é um indigente. Assim, depois de um ou dois dias em Sinaketa, muito insatisfeito e jurando nunca mais voltar lá, To'uluwa retornou a Omarakana, sua residência. Vamos acompanhá-lo até lá.

Omarakana é ainda o centro do *Kula* terrestre das ilhas Trobriand e, sob alguns aspectos, é também um dos lugares mais importantes do circuito. Provavelmente é a única localidade em que o *Kula* está ou esteve, em grande parte, concentrado nas mãos de um só homem e é também a capital do importante distrito de Kiriwina, que domina todo o *Kula* terrestre da parte setentrional das ilhas Trobriand, estabelecendo a ligação entre a ilha de Kitava e as ilhas orientais de Kayleula e de Kuyawa. É também um elo importante entre Kitava e Sinaketa, embora existam entre esses dois últimos locais alguns outros canais menos importantes de comunicação, conforme veremos.

Anteriormente, no capítulo III, ao definir os aspectos fundamentais do *Kula*, vimos que a população do circuito pode ser dividida no que chamamos de "comunidades do *Kula*". Vamos recordar que essas divisões se caracterizavam pelo fato de cada comunidade realizar uma expedição marítima por conta própria. Vimos, por exemplo, que os nativos de Sinaketa fazem em conjunto suas viagens para Dobu e que, embora os nativos de Vakuta possam acompanhá-los, as duas frotas navegam e agem como unidades independentes. Ao mesmo tempo, o distrito inteiro de Kiriwina viaja para leste, até Kitava, como uma única frota, da qual nenhuma canoa de Sinaketa poderia jamais participar. Outra característica distintiva de uma comunidade *kula* é que os limites extremos de parceria são os mesmos para todos os membros. Assim, por exemplo, um homem de qualquer aldeia de Kiriwina, desde que esteja no *Kula*, pode ter parceiros ao sul, em qualquer lugar dentro dos limites do distrito de Sinaketa, e a leste, em qualquer aldeia da ilha de Kitava. Mas, fora desses limites, nenhum homem de Kiriwina, nem mesmo To'uluwa, pode estabelecer uma parceria no *Kula*. Existem também certas diferenças entre a maneira de efetuar as transações no interior de uma comunidade *kula*, por um lado, e entre os membros de duas comunidades, por outro.

Kiriwina é uma dessas comunidades *kula*, e Sinaketa é outra. Entretanto, as duas não estão separadas pelo mar, e o estilo de troca, quando ela é efetuada entre duas comunidades *kula* que ficam no

fico (D. Jenness e A. Ballantyne, *The Northern d'Entrecasteaux*. New York: Oxford Press, 1920), são também exemplos da interferência perigosa e descuidada que se faz na única autoridade que hoje em dia dirige os nativos, na única disciplina a que obedecem sem hesitar – a de sua própria tradição tribal. Os parentes de um membro da Igreja que morrera foram "aconselhados a abandonar os elementos severos do luto" e, em vez de as pessoas serem levadas "a observar cada detalhe e pormenor de seus ritos antigos e sacramentados pela tradição", foram orientados a deixar de lado, a partir daquela data, "aqueles que não tinham significado". É estranho que um etnógrafo experimentado confesse que não há significado nos ritos antigos tradicionalmente honrados! Fica-se tentado a perguntar: para quem esses costumes não têm significado: para os nativos ou para os autores da passagem citada?

O incidente seguinte é ainda mais sugestivo. Supunha-se que o líder de uma aldeia do interior mantivesse escondido em sua casa um pote mágico, "o maior controlador dos ventos, da chuva e do sol", um pote que tinha "vindo de tempos imemoriais" e que, de acordo com alguns nativos, "no princípio simplesmente existia". Segundo os autores, o possuidor do pote costumava visitar os habitantes do litoral e "arrecadar tributo", ameaçando-os com os poderes mágicos do pote se eles se recusassem a contribuir. Alguns nativos do litoral procuraram o missionário e pediram-lhe que interferisse ou procurasse o magistrado para que o fizesse. Ficou combinado que todos deveriam ir com

mesmo distrito, é diferente do estilo do *Kula* marítimo. Nossa primeira tarefa aqui, será, portanto, distinguir claramente entre:

1. as transações do *Kula* de além-mar, entre dois distritos;
2. o *Kula* entre duas comunidades *kula* distintas, mas contíguas;
3. as transações no interior de uma comunidade *kula*.

Os fatos que se referem ao primeiro tipo foram descritos demoradamente e será suficiente salientar em que pontos o segundo tipo se distingue do primeiro. Claro que, quando dois distritos da mesma ilha, como Kiriwina e Sinaketa, realizam a troca, não há viagem marítima nem preparação e lançamento das canoas nem *kabigidoya*. Algumas vezes, são feitas grandes expedições conjuntas de uma comunidade a outra e uma grande quantidade de *vaygu'a* é trazida de volta. Como exemplo podemos mencionar a visita feita pelos habitantes de Sinaketa a Kiriwina, em fins de março de 1918, quando trouxeram grande quantidade de *mwali*, preparando-se para a visita *uvalaku* dos nativos de Dobu. Quando ocorre uma visita de tal importância entre dois distritos das ilhas Trobriand, realizam-se alguns rituais da magia do *Kula*, mas não toda ela, naturalmente, pois não há embrulho *lilava* para ser encantado, já que não se efetua nenhum comércio paralelo; não há canibais perigosos a serem amansados pelo rito do *ka'ubana'i*, pois os anfitriões são e sempre foram vizinhos amáveis. Mas uma parte da magia da beleza e a fórmula de sedução dita sobre a noz de areca são recitadas a fim de obter o maior número possível de objetos valiosos. Não há nada correspondente ao *uvalaku* nessas grandes visitas entre dois distritos vizinhos, embora eu acredite que elas sejam realizadas apenas em conexão com alguma *uvalaku* de outra parte do circuito para um dos dois distritos em questão, como foi o caso no exemplo citado, isto é, a visita dos nativos de Sinaketa e Kiriwina (capítulo XVI). É claro que nessas expedições não há comércio paralelo, pois há muito pouco a trocar entre Sinaketa e Kiriwina, e o que existe é feito independentemente, de maneira regular, durante o ano todo. A parceria entre pessoas dessas duas comunidades é muito semelhante à que existe no interior de uma delas. Realiza-se entre pessoas que falam a mesma língua, têm os mesmos costumes e instituições, e a maior parte delas está relacionada por parentesco consanguíneo ou por afinidade. Pois, como já foi dito anteriormente, ocorrem com frequência casamentos entre habitantes de Sinaketa e Kiriwina, em especial entre os nativos de posição social elevada. A regra nesses casos é que um homem de Sinaketa se case com uma mulher de Kiriwina.

3

Vamos passar agora à relação entre as categorias 2 e 3, isto é, o *Kula* realizado entre duas comunidades *kula* contíguas e o *Kula* realizado no interior de uma delas. Em primeiro lugar, no *Kula* terrestre realizado no interior de uma mesma comunidade, nunca ocorrem transações em grande escala. A circulação de *vaygu'a* consiste em certas trocas individuais, mais frequentes em certas épocas, isto é, sempre que uma expedição marítima volte carregada com muitos objetos valiosos, e mais raras em outras épocas. Nenhuma magia é realizada nesse tipo de *Kula* e, embora exista certo cerimonial acompanhando cada presente, não há grandes reuniões públicas. Uma descrição concreta de um caso real pode servir para ilustrar melhor essas afirmações gerais.

Durante os oito meses que passei em Omarakana em 1915–1916, tive a oportunidade de observar muitos casos do *Kula* terrestre, pois havia um vaivém constante entre Kiriwina e Kitava, e a cada influxo de braceletes trazidos da região oriental seguia-se uma série de trocas internas. No mês de novembro, To'uluwa atravessou o mar com sua canoa, numa pequena expedição até Kitava, trazendo de volta certa quantidade de *mwali* (braceletes). Ele chegou à noite na praia de Kaulukuba, e mandaram avisar na aldeia que no dia seguinte ele chegaria lá com seus troféus. Pela manhã, toques de búzio ouvidos a distância anunciavam a aproximação da comitiva que retornava, e logo depois, precedido por um de seus filhos menores que carregava o búzio, apareceu To'uluwa seguido por seus acompanhantes. Cada homem carregava alguns pares que havia obtido, enquanto a parte do chefe era transportada em uma vara amarrada como se fosse um colar **[61, p.606]**.

As pessoas da aldeia estavam sentadas em frente a suas cabanas e, conforme o costume nativo, não mostraram nenhuma preocupação em encontrar o chefe nem quaisquer sinais visíveis de satisfação. O chefe foi direto para uma de suas *bulabiyaka*, isto é, a casa de uma de suas esposas, e sentou-se na plataforma defronte a ela,

o missionário para apreender o pote. Mas no dia marcado "apenas um homem apareceu". Entretanto, quando o missionário estava a caminho, os nativos bloquearam sua passagem e, apenas com ameaças de punição pelo magistrado, concordaram em deixar temporariamente a aldeia, permitindo assim que ele apreendesse o pote. Alguns dias depois, o missionário realmente se apoderou do pote e o quebrou. Os autores prosseguem dizendo que depois desse incidente "todos ficaram contentes e felizes"; pode-se acrescentar, exceto os nativos e todos que percebem nesses acontecimentos a rápida destruição da cultura nativa, assim como a desintegração final da raça.

[61] Braceletes trazidos de Kitava. A parte que coube a To'uluwa da carga de braceletes trazida a Omarakana em outubro de 1915.

esperando que lhe trouxessem algum alimento. Esse é o lugar onde ele se sentaria se quisesse ter apenas uma conversa doméstica com alguma de suas esposas e filhos. Se houvesse pessoas estranhas, ele as teria recebido no local oficial de recepção, em frente à sua *lisiga*, casa do chefe, enorme e alta, que fica na fileira interna de celeiros, voltada para a praça central da aldeia, o *baku* [12, p. 129]. Naquela ocasião, ele se dirigiu para a cabana de Kadamwasila, sua esposa favorita, mãe de quatro filhos e uma filha. Ela já é bem velha agora, mas foi a primeira mulher desposada pelo próprio To'uluwa, isto é, não herdada, e entre eles existem, mesmo hoje, um afeto e uma união indiscutíveis. Embora o chefe tenha várias outras esposas muito mais jovens, e uma ou duas realmente bonitas, muitas vezes pode ser visto conversando e comendo com Kadamwasila. Ele também tem algumas esposas mais idosas, as quais, conforme o costume, herdou de seu antecessor, nesse caso, seu irmão mais velho.

A mais idosa delas, Bokuyoba, decana do conjunto das mulheres do chefe, foi herdada duas vezes; é agora objeto de veneração e fonte de renda, pois seus parentes consanguíneos masculinos devem fornecer inhames ao chefe, e está desobrigada até mesmo do dever de preparar a comida do chefe.

To'uluwa sentou-se, comeu, conversou comigo sobre a viagem e alguns dos nativos mais idosos se reuniram a ele. Falou sobre a quantidade de *mwali* existente no momento em Kitava, contou-nos de quem e como ele obtivera aqueles que estávamos vendo, citando os mais importantes e contando um pouco de sua história. Comentou a situação das plantações em Kitava, que desperta admiração de todos os distritos vizinhos na produção dos grandes inhames *kuvi*. Falou também sobre os arranjos futuros para o *Kula*, sobre as expedições que viriam da região oriental para Kiriwina e sobre seus próprios planos de viagem.

Na tarde do mesmo dia, pessoas de outras aldeias começaram a se reunir, em parte para ouvir as notícias da expedição do chefe, em parte para verificar o que podiam obter dele. Os líderes de todas as aldeias dependentes sentaram-se em grupo ao redor do chefe, que tinha se deslocado para o local oficial de recepção, defronte a sua *lisiga*. Os acompanhantes dos líderes e os seguidores de To'uluwa, assim como outros habitantes de Omarakana, espalhados por todo o *baku* (praça central), puseram-se a conversar. A conversa em cada grupo versava sobre os mesmos assuntos e não diferia muito da que eu tinha ouvido do chefe na ocasião de sua chegada. Os braceletes recentemente adquiridos eram passados de mão em mão e admirados, e comentava-se o nome de cada um, sua procedência e como fora adquirido.

No dia seguinte, vários *soulava* (colares feitos de concha de *Spondylus*) foram trazidos para Omarakana por várias pessoas das aldeias ocidentais vizinhas e foram cerimonialmente oferecidos a To'uluwa [62, p.609] [63, p.610]. Tratava-se, em cada caso, de uma *vaga* (presente inicial) pelo qual o doador esperava receber seu *votile* (presente de retribuição) imediatamente, do estoque de *mwali*. Percebemos, nesse caso, a influência da chefia na relação entre os parceiros do *Kula*. No *Kula* terrestre de Kiriwina, todos os presentes são levados para To'uluwa, e ele nunca tem que buscar nem carregar seus presentes. Além disso, ele sempre recebe e nunca dá o presente inicial (*vaga*); os que ele oferece são invariavelmente *votile*. Ocorre, portanto, que o chefe algumas vezes deve um presente *kula* a um homem comum, mas este nunca fica devendo um presente ao chefe. A diferença entre as regras de procedimento nesse caso e numa expedição marítima *uvalaku* é clara; numa expedição marítima competitiva, os objetos valiosos para troca jamais são levados pela comitiva visitante, que apenas recebe os presentes e os traz de volta para casa; no *Kula* terrestre, o fator determinante é a posição social relativa dos dois parceiros. Os presentes são trazidos para a pessoa de posição social mais elevada pela de posição inferior, que dá início à troca.

O texto que se segue foi retirado literalmente de minhas anotações feitas em Omarakana no dia 13 de novembro de 1915.

> Esta manhã, o líder da aldeia de Wagaluma trouxe um *bagido'u* (colar de qualidade superior). Na entrada da aldeia (quer dizer, Omarakana), eles (a comitiva) pararam, sopraram o búzio e se colocaram em ordem. Então, o tocador de búzio seguiu adiante, os homens de posição social mais elevada pegaram a vara com o *bagido'u* enquanto um menino ia levando o pesado pendente, o sino de madeira, em uma *kaboma* (vasilha de madeira sagrada).

O texto exige um comentário. A maneira cerimonial de carregar os colares de concha de *Spondylus* é atar cada extremidade numa vara, de modo que o colar fique pendurado com o pendente no ponto mais baixo **[62] [63, p.610]**. No caso dos colares muito longos e bonitos, em que o pendente é grande e pesado, enquanto o próprio colar é fino e frágil, o pendente tem que ser retirado e levado separadamente. Retornando à narrativa:

> O líder da aldeia aproximou-se de To'uluwa e disse: "*Agukuleya, iknawo; lagayala lamaye; yoku kayne gala mwali*". Disse isso enfiando a vara na cobertura de palha da casa do chefe.

As palavras significam literalmente: "Meu *kuleya* [resto de comida], pegue-o; eu o trouxe hoje; você por acaso não tem braceletes?". A expressão "resto de comida" aplicada ao presente é um termo depreciativo, significando algo que é sobra ou resto indesejado.

[62] Transportando um *soulava*. A comitiva, com o líder carregando o colar em uma vara e o segundo homem soprando um búzio, aproxima-se da casa do chefe.

Assim, o indivíduo estava ironicamente depreciando seu presente, querendo, ao mesmo tempo, dar a entender que ainda possui muitas outras riquezas. Portanto, de maneira indireta, vangloriou-se de suas próprias riquezas e, com a última frase, duvidando que To'uluwa possuísse braceletes, insultou o chefe. Dessa vez o presente foi retribuído imediatamente com um belo par de braceletes.

Foi por ocasião dessa mesma expedição que ocorreu a pequena troca entre duas das esposas do chefe, já mencionada antes (capítulo XI, seção 2), e foram realizadas também uma ou duas outras transações domésticas: um filho de To'uluwa ofereceu-lhe um colar **[62]** **[63, p. 610]** e recebeu em seguida um par de braceletes. Muitas outras trocas foram efetuadas naqueles dois ou três dias; os toques de búzio eram ouvidos de todo lado, pois eram soprados inicialmente na aldeia de onde partiam os homens, depois, no caminho, em seguida, na entrada de Omarakana, e, por fim, no momento de oferecer o presente. Depois de algum tempo, outro toque anunciava o presente de retribuição dado por To'uluwa e, enfim, os toques cada vez mais longínquos do búzio anunciavam as etapas da viagem de volta da comitiva. To'uluwa jamais recebe um presente com suas próprias mãos; o presente é sempre pendurado em sua casa ou na plataforma e, então, alguém de sua família se encarrega dele; o homem comum, entretanto, recebe o bracelete diretamente das mãos do chefe. Havia muita animação e movimento na aldeia durante esse período de intensa troca; as comitivas chegavam e partiam com *vaygu'a*, outros vinham como simples espectadores e o local estava sempre repleto pela multidão de assistentes. Os toques suaves do búzio, tão típicos de todas as experiências nos

[63] Oferecendo o *soulava*. O colar na vara é introduzido na casa do chefe. Tanto essa foto como a anterior representam cenas do *Kula* essencialmente doméstico: um dos filhos de To'uluwa está oferecendo um colar a seu pai. É por esse motivo que não há muito público.

mares do sul, davam um sabor especial à atmosfera festiva e cerimonial daqueles dias.

Nem todos os braceletes trazidos de Kitava foram passados adiante de imediato. Alguns foram reservados para um *Kula* posterior ou para serem dados em alguma ocasião especial no futuro, quando fosse necessário oferecer um presente durante alguma cerimônia. No *Kula* terrestre, existe invariavelmente uma eclosão de transações sempre que grande quantidade de objetos valiosos é trazida para o distrito. Nos períodos subsequentes, transações esporádicas ocorrem de vez em quando. Muitos dos parceiros menos importantes que receberam braceletes do To'uluwa não iriam guardá-los por muito tempo e parte deles seria, mais cedo ou mais tarde, passada adiante em outras transações internas. Mas, embora esses objetos de valor possam se espalhar por todo o distrito, sempre estarão disponíveis quando uma expedição de outra comunidade *kula* chegar para reclamá-los. Quando a comitiva de Sinaketa veio a Omarakana em março de 1918, todos aqueles que possuíam braceletes vieram até a capital ou foram visitados em suas aldeias pelos parceiros de Sinaketa. Dos 154 braceletes obtidos em Kiriwina, naquela ocasião, apenas 30 vieram do próprio To'uluwa, e 50 da aldeia de Omarakana, enquanto os restantes foram dados pelas outras aldeias nas seguintes proporções:

Liluta	14
Osapola	14
Mtawa	6
Kurokaywa	15
Omarakana (To'uluwa)	30
Omarakana (outros homens)	20
Yalumugwa	14
Kusana'i	16
Outras aldeias	25
Total	154

O *Kula* interior, portanto, não afeta o fluxo da corrente principal e, embora os objetos valiosos mudem de dono no interior de uma comunidade *kula*, isso pouco altera o fluxo exterior.

4

Será necessário fornecer um relato mais detalhado das condições reais em Boyowa, com relação aos limites das várias comunidades *kula* naquele distrito. Olhando o mapa 4 [p. 102], vemos as fronteiras de Kiriwina, que é a comunidade *kula* mais oriental na região norte das ilhas. A oeste dela, as províncias de Tilataula, Kuboma e Kulumata constituem outra comunidade *kula*, ou, mais corretamente, alguns homens nesses distritos realizam o *Kula* terrestre com elementos das comunidades vizinhas. Mas essas três províncias não agem em conjunto como uma comunidade *kula*. Em primeiro lugar, muitas aldeias estão bastante fora do *Kula*, isto é, nem mesmo os líderes de aldeia participam de troca intertribal. É muito surpreendente que todos os grandes centros industriais, como Bwoytalu, Luya, Yalaka, Kadukwaykela e Buduwaylaka, não participem do *Kula*. Um mito interessante, localizado em Yalaka, conta-nos como os habitantes daquela aldeia, impedidos pelo costume de ver o mundo nas expedições *kula*, tentaram construir um pilar muito alto que atingisse o céu, para assim encontrar um campo para suas aventuras. Infelizmente, o pilar caiu e apenas um homem permaneceu lá em cima, o qual é agora responsável pelos trovões e relâmpagos.

Uma outra ausência importante no *Kula* refere-se às aldeias setentrionais como Laba'i, Kaybola, Lu'ebila, Idaleaka, Kapwani e Yuwada. Se recordarmos que Laba'i é o próprio centro da mitologia de Kiriwina, que lá fica o buraco de onde os antepassados originais dos quatro clãs emergiram do subsolo, que os chefes mais importantes de Kiriwina estabelecem sua linhagem a partir de Laba'i, essa omissão torna-se ainda mais surpreendente e misteriosa.

Assim, toda a metade ocidental do norte das ilhas Trobriand forma uma espécie de unidade na cadeia das comunidades *kula*, mas não pode ser considerada uma comunidade *kula* completa, pois apenas alguns indivíduos isolados pertencem ao *Kula*. Além disso, nem o distrito como um todo nem mesmo canoas individuais jamais tomam parte em qualquer expedição marítima do *Kula*. A aldeia de Kavataria realiza grandes viagens marítimas até as ilhas d'Entrecasteaux ocidentais. Embora essas expedições nada tenham a ver com o *Kula*, falaremos um pouco sobre elas num próximo capítulo.

Passando agora para a região ocidental, encontramos a ilha de Kayleula, que com duas ou três ilhas menores ao sul, Kuyawa, Manuwata e Nubiyam, formam uma comunidade *kula* própria. Essa comunidade também é ligeiramente anômala, pois eles realizam o *Kula* só em pequena escala, por um lado com os chefes e subchefes de Boyowa e, por outro, com as ilhas Amphlett, mas nunca com Dobu. Costumavam também fazer viagens longas e perigosas às ilhas d'Entrecasteaux ocidentais, indo mais para o ocidente e percorrendo distâncias maiores que os nativos de Kavataria.

As principais comunidades *kula* ao sul de Boyowa, Sinaketa e Vakuta já foram suficientemente descritas e definidas nos capítulos anteriores. Sinaketa é o centro do *Kula* terrestre na região sul, que, embora em menor escala que o *Kula* terrestre na região norte, chega a unir meia dúzia de aldeias ao redor de Sinaketa. Essa aldeia também realiza o *Kula* com três aldeias costeiras do leste, Okayaulo, Bwaga e Kumilabwaga, que estabelecem a ligação com Kitava, para onde eles viajam de tempos em tempos. Essas aldeias formam ainda certo tipo imperfeito de comunidade *kula*, ou talvez uma pequena escala, pois nunca realizam um *uvalaku* por conta própria, e a quantidade de transações que efetuam nelas é muito pequena. Outra pequena comunidade desse tipo, independente em relação ao *Kula*, é a aldeia de Wawela. O distrito de Luba, que algumas vezes se agrega a Kiriwina para empreender uma grande expedição, às vezes se junta a Wawela em pequenas expedições. Tais fenômenos intermediários de difícil classificação sempre podem ser encontrados ao estudar a vida dos povos nativos, em que a maioria das regras sociais não tem a mesma precisão que na nossa sociedade. Não há entre eles nenhuma tendência psicológica forte para o pensamento consistente, tampouco as peculiaridades e exceções locais são eliminadas pela influência do exemplo ou da competição.

Não posso dizer muita coisa sobre o *Kula* terrestre em outras regiões além das ilhas Trobriand. Bem no início de meu trabalho entre os Massim setentrionais, vi o *Kula* ser realizado na ilha de Woodlark, e essa foi a primeira vez que tomei conhecimento de uma manifestação dessa instituição. No início de 1915, na aldeia de Dikoyas, ouvi toques de búzios, notei que havia uma agitação geral na aldeia e vi a apresentação de um grande *bagido'u*. Naturalmente, perguntei o significado do costume, e me disseram que se tratava de uma das trocas de presentes feitas quando se visitam os amigos. Naquela época eu não tinha a menor ideia de que fora testemunha de uma manifestação detalhada daquilo que mais tarde descobri ser o *Kula*. Trabalhando posteriormente nas ilhas Trobriand, fui informado pelos nativos de Kitava e de Gawa que, em geral, os costumes da troca *kula* nesses lugares são idênticos aos de Kiriwina. A mesma coisa me foi dita sobre Dobu. Deve-se compreender, entretanto, que o *Kula* terrestre deve ser um pouco diferente numa comunidade em que, como Kitava, por exemplo, todas as linhas do *Kula* se juntam num espaço pequeno e onde o fluxo de objetos de valor, que vem fluindo de toda a ampla área das ilhas Trobriand, concentra-se em três pequenas aldeias. Se estimarmos em cerca de 10 mil o número de habitantes das ilhas Trobriand com os de Vakuta, enquanto os de Kitava em não mais de quinhentos, haverá cerca de vinte vezes mais objetos valiosos *per capita* em Kitava do que nas ilhas Trobriand.

Outro local onde ocorre tal concentração é a ilha de Tubetube, e acredito que também em um ou dois lugares da ilha de Woodlark, onde a aldeia de Yanabwa é considerada um elo independente na cadeia, por onde passam necessariamente todos os artigos. Mas isso já nos remete para o *Kula* oriental, que será tratado no próximo capítulo.

CAPÍTULO XX

Expedições entre Kiriwina e Kitava

1

O assunto deste livro e o material a nossa disposição estão quase esgotados. Ao descrever o ramo sul do *Kula* (entre Sinaketa e Dobu), entrei nos pormenores de suas regras e seus aspectos associados, e quase tudo o que foi dito então refere-se ao *Kula* como um todo. Portanto, ao falar sobre o ramo nordeste do *Kula*, que vou descrever agora, não há muitas coisas novas a dizer. Todas as regras gerais da troca e os tipos de comportamento são iguais aos definidos antes. Aqui também encontramos as grandes expedições *uvalaku* e pequenas viagens não cerimoniais. O tipo de parceria entre os habitantes de Kiriwina e os de Kitava é igual ao que existe entre os trobriandeses descrito no capítulo anterior. Os nativos das ilhas orientais, de Kitava a Woodlark, têm a mesma organização social e a mesma cultura dos trobriandeses e falam a mesma língua, apenas com diferenças dialetais. Nunca houve entre eles senão relações amigáveis e muitas pessoas estão unidas através dos mares por laços reais de parentesco, pois houve migrações entre os distritos e os casamentos não são raros. Assim, as relações gerais entre parceiros de além-mar são aqui diferentes daquelas entre Sinaketa e Dobu. As visitas não estão associadas a apreensões profundas, não há *ka'ubana'i* (magia dos perigos) e as relações entre visitantes e anfitriões são muito mais livres, fáceis e íntimas. O resto da magia *kula* (exceto o *ka'ubana'i*) é idêntico à do Sul e, na verdade, a maior parte dos encantamentos usados em toda a Boyowa foi recebida dos habitantes de Kitava. Muitos dos costumes preliminares e arranjos do *Kula*, a preparação das canoas, o lançamento cerimonial e o *kabigidoya* são os mesmos. De fato, o lançamento descrito no capítulo VI foi o que eu vi na praia de Omarakana.

Nas expedições em si, grande parte do cerimonial e todas as regras referentes aos presentes *kula*, assim como os *pari* e os *talo'i*, os presentes iniciais e de despedida, são iguais aos do ramo sudoeste do *Kula*. O melhor método será contar a história de uma típica expedição *uvalaku* de Kiriwina a Kitava notando as semelhanças e enfatizando as diferenças, pois há um ou dois pontos de divergência que exigem atenção especial. Há um pequeno, mas interessante incidente chamado *youlawada*, costume que permite a um grupo visitante atacar e danificar os ornamentos domésticos de uma pessoa à qual trazem um presente. Outra particularidade importante desse *Kula* oriental é sua associação com uma festa mortuária chamada *so'i*, na qual ocorre uma distribuição particularmente abundante de *vaygu'a*.

Tive oportunidade de coletar informações e de fazer observações sobre o *Kula* do nordeste durante minha permanência em Omarakana, em 1915–1916. Vi diversas expedições de Kitava chegarem à praia e acamparem por alguns dias. To'uluwa foi duas vezes a Kitava e sua volta de uma dessas visitas foi descrita no capítulo anterior. Também iniciou uma expedição para lá, da qual participei. Tinha havido, em setembro, uma mudança de vento e, como o vento norte que esperávamos fosse durar algumas horas, teria sido possível navegar até Kitava e voltar quando quiséssemos com o vento sudeste, que é predominante nessa época. A meio do caminho de nosso objetivo, o vento mudou e, para meu grande desapontamento, tivemos de voltar, embora isso me tenha dado um bom exemplo da total dependência dos nativos em relação ao tempo. Infelizmente, To'uluwa cismou que eu lhe tinha dado azar e, quando planejou sua próxima viagem, não me comunicou suas intenções nem me permitiu participar de um dos grupos. Dois anos depois, quando eu estava residindo em Oburaka, a meio caminho entre a extremidade norte e sul de Boyowa, diversas expedições de Kitava visitaram Wawela, uma aldeia no outro lado da ilha que não tem mais do que dois quilômetros de largura; além disso, uma ou duas expedições partiram de Wawela para Kitava. A única grande expedição de que me chegou notícia foi o *uvalaku*, que devia partir em abril ou maio de 1916, de

Kiriwina para o leste. Eu presenciei apenas os estágios preparatórios, e o lançamento foi descrito no capítulo VII.

Vamos imaginar que estamos seguindo o curso desse *uvalaku*. O primeiro indício de que o *uvalaku* estava para ser organizado ocorreu logo depois de uma das visitas que To'uluwa fez a Kitava. Durante a visita, ele ouvira que uma quantidade considerável de braceletes estava para chegar à ilha, pois, como veremos no fim deste capítulo, essa movimentação conjunta de grande número de objetos valiosos ocorre de vez em quando ao longo do circuito. Imediatamente, To'uluwa fez arranjos com seu parceiro principal, Kwaywaya, para realizar um *uvalaku*, que seria o modo de dar prosseguimento à grande movimentação do *mwali*. Quando voltou a Omarakana e os líderes das outras aldeias de Kiriwina se reuniram, discutiram-se os planos para o *uvalaku* e arranjaram-se os detalhes. Mesmo antigamente, antes de o poder do chefe ter sido solapado, embora ele costumasse tomar a iniciativa e formular as decisões sobre os assuntos importantes, tinha de apresentar o caso aos líderes da aldeia e ouvir o que tinham a dizer. Na ocasião da qual estamos falando, as opiniões dos líderes dificilmente estariam em contradição com os desejos do chefe e decidiu-se sem muita discussão fazer o *uvalaku* em cerca de seis meses. Logo depois, começou a reconstrução ou a reforma das canoas da maneira já descrita. A única diferença entre Kiriwina e Sinaketa no que diz respeito a esses preparativos reside na troca preliminar. Os habitantes de Kiriwina devem ir para o interior, para os distritos industriais de Kuboma e fazer a viagem individualmente, cada homem por sua conta, para adquirir os artigos necessários.

Será melhor dizer logo tudo o que é necessário sobre a troca entre Kiriwina e Kitava. Como esses dois distritos são geologicamente, e em outros aspectos, muito mais semelhantes entre si do que Sinaketa e Dobu, o comércio, com uma única exceção muito importante, não é tão vital. Os artigos do comércio subsidiário que uma expedição de Kiriwina leva consigo a Kitava são os seguintes: pentes de madeira; diversos tipos de potes para cal; braceletes trançados com fibra de samambaia; brincos de casco de tartaruga; conchas de mexilhão; rolos de cipó de amarração (*wayugo*); cintos de samambaia trançada feitos originariamente em d'Entrecasteaux. Desses artigos, os mais importantes são provavelmente as conchas de mexilhão usadas para raspagem e como facas; os diversos tipos de potes para cal, que são uma especialidade de Kuboma; e, por fim, mas não menos importante, o *wayugo*. Não tenho certeza se esse cipó cresce em Kitava, mas, como só é encontrado em solo pantanoso, é pouco provável que viceje numa ilha de coral elevada. Nesse caso, o cipó é certamente o mais indispensável de todos os artigos importados por Kitava das ilhas Trobriand.

Os trobriandeses importam das ilhas menores uma espécie de saia de fibra de folhas de coqueiros; cestas em forma de urna, excepcionalmente bem acabadas; pequenos cestos de mão; esteiras de pandano especialmente alvejadas; ornamentos feitos com fragmentos da concha do *Conus millepunctatus*; certos tipos de concha cauri, usados para enfeitar cintos; espátulas para cal feitas de ébano; bengalas de ébano; cabos de espada entalhados em ébano; e uma tinta preta aromática, feita de sândalo queimado. Nenhum desses artigos é de vital importância, na medida em que todos eles, embora de qualidade talvez um pouco diferente ou até inferior, são manufaturados ou encontrados nas ilhas Trobriand.

No entanto, havia um artigo que, antigamente, era de enorme utilidade para os nativos das ilhas Trobriand e que só podia ser obtido em Kitava, apesar de vir originariamente ainda mais do leste, de Murua (ilha de Woodlark). Eram os *kukumali* ou pedaços de diorito grosseiramente modelados, que eram depois polidos nas ilhas Trobriand e usados como instrumentos de pedra, enquanto os maiores, muito grandes e finos e extremamente bem polidos em toda a superfície transformavam-se numa classe especialmente importante de *vaygu'a* (artigos de alto valor). Apesar de o uso prático de utensílios de pedra ter sido naturalmente posto de lado com a introdução do aço e do ferro, o valor do *beku* (lâminas de machado valiosas) não só não diminuiu, mas na verdade até aumentou desde que os mercadores brancos têm de usá-los para adquirirem as pérolas dos nativos. É importante observar que, embora toda a matéria-prima para esses utensílios e objetos preciosos de pedra precisasse ser importada de Kitava, os artigos acabados eram e são exportados novamente, pois Kiriwina ainda é o principal distrito onde se faz o polimento.

Quanto à maneira pela qual a troca era feita entre os habitantes de Kiriwina e os de Kitava, tudo o que foi dito antes sobre a troca intertribal continua válido; parte dos produtos levados era dada como presente, parte era trocada com não parceiros e alguns eram presentes recebidos dos parceiros na partida.

2

Voltando a To'uluwa e a seus companheiros, à medida que o tempo passava aumentava a agitação nas aldeias. Como é habitual, todos os tipos de planos ambiciosos foram feitos, e os membros jovens do grupo esperavam alcançar Muyuwa (ou Murua, ilha de Woodlark), onde não faziam o *Kula*, mas onde as expedições de Kiriwina às vezes iam para presenciar certas festividades. A respeito de Muyuwa, Bagido'u, o mais velho dos herdeiros de Omarukana, que no entanto, como foi dito no capítulo anterior, nunca sucederá a seu tio, tinha suas próprias experiências para contar. Quando menino, navegou para lá com um dos grandes chefes de Omarakana, seu avô materno. Foram a Suloga, lugar onde se extraía o diorito. Disse Bagido'u:

> Lá havia um grande *dubwadebula* (gruta ou abrigo de rocha). Os membros do clã Lukulabuta (esse clã é chamado Kutulalu em Muyuwa) de Suloga eram os *toli* (donos, proprietários) desse *dubwadebula* e podiam extrair a pedra. Eles conheciam algum *megwa* (magia); encantavam as lâminas de seus machados e golpeavam as paredes de *dubwadebula*. Os *kukumali* (pedaços de pedra) caíam. Quando os homens de Boyoma chegaram a Suloga, deram *pari* (presentes) para os homens de Lukulabuta de Suloga. Deram-lhes *paya* (casco de tartaruga), *kwaxi* (braceletes) e *sinuta* (pentes). Então os homens de Suloga nos mostraram os *kukumali* e nos disseram: "Levem com vocês, levem bastante". Bons *kukumali* que poderiam dar um *beku* (grandes lâminas de machado valiosas) pelo qual pagaríamos; nós lhe daríamos nossos *vaygu'a* (objetos preciosos) em troca. Ao partirmos nos dariam mais *kukumali* como *talo'i* (presente de despedida).

Ao comentar essa narrativa, deve-se lembrar que quando Bagido'u foi a Suloga, trinta ou quarenta anos antes, o ferro e o aço já tornara, havia bastante tempo, os pequenos *kukumali* inúteis e sem valor para os nativos, enquanto os grandes *kukumali* tinham ainda seu pleno valor como material para as grandes lâminas, que servem como símbolos de riqueza. Por isso, pelos grandes ainda precisavam pagar; daí a generosidade do convite para pegarem quantos quisessem dos pequenos, convite que os visitantes se recusaram a aproveitar, com delicadeza correspondente.[1]

Outro herói da época era o velho Ibena, um dos tabalu (membros de posição social mais elevada) de Kasana'i, aldeia irmã de Omarakana. Ele passou bastante tempo na ilha de Iwa e conhecia muito bem os mitos e a magia do arquipélago oriental. Ele se sentava e contava durante horas diversas histórias sobre expedições *kula* famosas, incidentes mitológicos e os costumes peculiares das ilhas orientais. Foi dele que obtive a primeira informação sobre as *mulukwausi* e seus costumes, sobre os naufrágios e o meio de salvar a tripulação, sobre a magia do amor de Iwa e muitos outros fatos que só um homem de experiência e cultura cosmopolitas como Ibena poderia conhecer e entender plenamente. Era um bom informante, ansioso por instruir e mostrar sua sabedoria e conhecimento e não destituído de imaginação; sobre as mulheres libertinas e libidinosas de Kaytalugi (ver capítulo IX) e o que um homem tinha de sofrer entre elas, falava como se ele próprio tivesse estado lá. Nessa época, mostrava-se especialmente loquaz sobre o *Kula* e costumes associados, inspirado como estava pela esperança de revisitar suas velhas paragens e pela admiração e reverência que lhe era mostrada por seus ouvintes, inclusive eu.

Os outros ouvintes estavam especialmente interessados em seus relatos sobre como se faziam as roças em Kitava, Iwa e Gawa, sobre as danças especiais que se realizavam lá, sobre os detalhes técnicos do *Kula* e sobre a grande eficácia da magia do amor de Iwa.

Naquela época, consegui, com mais facilidade e em menos tempo, obter mais informações sobre o *Kula* do que conseguira durante todos os meses anteriores com extenuantes esforços. É aproveitando esses períodos em que o interesse dos nativos está centralizado num certo assunto que a evidência etnográfica pode ser colhida de modo mais fácil e seguro. Os nativos exporão de boa vontade costumes e regras e também seguirão com cuidado e interesse casos concretos. Nessa ocasião, por exemplo, eles reconstruiriam o modo pelo qual determinado par de braceletes, que se supunha estar agora de novo em Kitava, passara pelas mãos de diversos

1 Eu não visitei Suloga. Encontram-se detalhes interessantes em *The Melanesians*, de Seligman, que visitou o lugar e lá colheu diversos espécimes, assim como muitos dados sobre a produção das lâminas (op. cit., pp. 530–33).

indivíduos – e, desse modo, se recebem dos nativos documentos etnográficos definidos, manifestações do pensamento e detalhes de crença, em lugar de um palavreado artificial e forçado.

Segui os procedimentos até o lançamento cerimonial das canoas dos chefes em Kasana'i e Omarakana (ver capítulo VI), quando os nativos se reuniram em grande número e foram realizadas diversas festividades. Mais tarde, quando estava tudo pronto para a partida, uma multidão semelhante, embora menos numerosa, reuniu-se na praia, pois só as aldeias vizinhas estavam presentes, em vez de todo o distrito. O chefe dirigiu-se à multidão, impondo rígidos tabus contra a entrada de estranhos na aldeia enquanto os homens estivessem fora. Tais tabus, superficialmente pelo menos, são mantidos com cuidado, como tive oportunidade de observar durante as duas ausências anteriores do To'uluwa. À noitinha, cada um se retirava para sua casa, as fogueiras externas eram apagadas e, quando eu andava pela aldeia, encontrava-a completamente deserta. Exceto por alguns velhos que montavam guarda, não se via ninguém. Os estranhos tomavam cuidado de não passar sequer pelos arredores da aldeia após o pôr do sol e tomavam outra estrada para evitar o bosque de Omarakana.

Mesmo os homens da aldeia irmã de Kasana'i estavam proibidos de entrar na capital e numa ocasião, quando dois ou três deles queriam visitar seus amigos, foram impedidos de fazê-lo por alguns dos velhos, com uma considerável demonstração de indignação e autoridade. Dois ou três dias depois que isso aconteceu, mas ainda enquanto a comitiva *kula* estava fora, um dos filhos favoritos do To'uluwa, chamado Nabwasu'a, que não participara da expedição, foi pego *in flagrante delicto* de adultério com a mulher mais jovem do velho chefe de Kasana'i. O povo dessa aldeia ficou bastante inflamado, não sem uma mistura de malicioso deleite. Um dos que haviam sido expulsos de Omarakana duas noites antes pegou um búzio cujo som anunciou ao mundo a vergonha e o escândalo de Omarakana. Como um búzio só é tocado em ocasiões muito importantes e cerimoniais, isso foi uma bofetada no rosto da comunidade supostamente virtuosa e uma censura à sua hipocrisia. Um homem de Kasana'i, falando em voz alta, dirigiu-se ao povo de Omarakana:

2 Op. cit., pp. 670–72.

> Vocês não nos permitem entrar em sua aldeia: chamam-nos de adúlteros [*tokaylasi*]; mas nós só queríamos ir visitar nossos amigos. E olhem aqui, Nabwasu'a cometeu adultério em nossa aldeia!

A comitiva *uvalaku*, à qual voltamos agora, atravessaria o mar em poucas horas e chegaria a Kitava. Seu modo de navegar, a disposição dos homens na cânon e os tabus de navegação são os mesmos de Sinaketa. Meu conhecimento de sua magia da canoa é muito menor do que o correspondente da parte sul de Boyowa, mas acredito que eles têm muito menos ritos. A navegação nesses mares costuma ser mais fácil, pois há menos rochedos, e os dois ventos dominantes ou os levam às ilhas orientais, ou os empurram de volta em direção à costa de Boyowa. Os nativos de Kiriwina são, contudo, marinheiros muito menos hábeis do que os de Sinaketa.

Eles têm as mesmas crenças sobre os perigos do mar, em especial sobre a participação das bruxas voadoras em naufrágios. A história de um desastre desse tipo e os meios de escapar dele, descrito num dos capítulos anteriores (capítulo X), refere-se a esses mares tanto como ao braço de mar de Pilolu.

Esses nativos, assim como os da parte sul de Boyowa, sentem e apreciam a aventura de navegar; ficam visivelmente excitados com a ideia de uma expedição, apreciam até mesmo a simples visão do mar aberto na costa oriental, além do *raybwag* (recife de coral), e muitas vezes vão até lá em grupos para simples divertimento. A costa oriental é muito mais bonita do que a praia da laguna; rochas abruptas e escuras se alternam com belas praias arenosas, onde alta vegetação se estende sobre as extremidades da praia. A viagem até Kitava não apresenta, no entanto, os mesmos contrastes que se oferecem a uma expedição da parte sul de Boyowa ao arquipélago d'Entrecasteaux. Os nativos permanecem ainda no mundo das ilhas de coral que é o mesmo de sua própria terra. Mesmo a ilha de Muyuwa (ou Murua, ilha de Woodlark), onde passei algum tempo, não apresenta uma paisagem tão contrastante quanto entre as Trobriand e Koya. Não conheço pessoalmente as ilhas Marshall Bennett, mas, por meio de uma excelente descrição dada por Seligman, elas parecem ser bons exemplos de pequenos atóis elevados.[2]

Em relação à magia, os ritos iniciais mais importantes sobre o *lilava* e o *sulumwoya* são feitos na aldeia pelo *toliwaga* (comparar com capítulo VII). A magia sobre os quatro cocos na canoa não é feita em Kiriwina. Chegando-se à praia em Kitava, todos os ritos da magia da beleza, assim como os da magia do búzio, são recitados de modo idêntico ao de Sarubwoyna (capítulo XIII). Nesse caso, entretanto, os nativos têm de fazer o último estágio da viagem a pé.

A comitiva, chefiada por um menino, provavelmente um filho mais jovem do *toliwaga*, atrás do qual seguem o chefe e os outros, marcha em direção à aldeia que fica além do cume elevado. Quando a comitiva traz *soulava* (colares) – o que, deve ser lembrado, nunca ocorre num *uvalaku* –, carregam-nos cerimoniosamente em varas, transportadas por alguns homens que seguem o chefe. Nesse caso, isto é, quando a comitiva está trazendo presentes *kula*, realiza-se a cerimônia *yolawada*. Ao entrar na aldeia, a comitiva marcha rapidamente sem olhar para a direita ou para a esquerda e, enquanto o menino toca o búzio de modo frenético e todos os homens da comitiva emitem o grito cerimonial intermitente chamado *tilaykiki*, alguns atiram pedras e lanças contra o *kavalapu*, as pranchas ornamentais esculpidas e pintadas que formam um arco gótico nas extremidades do telhado da casa de um chefe ou de um celeiro de inhame. Quase todos os *kavalapu* nas aldeias estão levemente danificados, o de To'uluwa está sem uma de suas extremidades. O dano não é reparado, pois é uma marca de distinção.

Esse costume não é conhecido no *Kula* entre Sinaketa e Dobu ou entre Sinaketa e Kiriwina. Começa na praia oriental das ilhas Trobriand e vai até Tubetube, onde para de novo, pois não é praticado em Wari (ilha de Teste) ou na porção do *Kula* entre Tubetube e Dobu. Eu próprio nunca o vi praticado nas ilhas Trobriand, mas presenciei um costume semelhante entre os Massim da costa sul da Nova Guiné. Numa festa *so'i* que presenciei em três aldeias diferentes, pois ela passava de uma para a outra, a comitiva que trouxe porcos de presentes tentou danificar as árvores ou a casa da pessoa à qual se destinava a oferenda. Um porco sempre é amarrado pelas pernas numa estaca longa e forte, onde fica balançando de cabeça para baixo: com essa estaca os nativos golpeiam um coqueiro novo, uma palmeira de areca ou uma árvore frutífera, enquanto o porco grunhe e as mulheres do grupo atingido gritam em uníssono – e se não fossem impedidos pelos donos quebrariam ou arrancariam a árvore. Por sua vez, uma comitiva que entra numa aldeia com presentes para um de

3
Op. cit., descrição da festa *walaga*, pp. 594–603.

seus habitantes pode jogar lanças em miniatura em sua casa. Uma demonstração de ferocidade e hostilidade é exibida por ambos os lados em tais ocasiões. Apesar de o ataque um tanto histriônico e o dano à propriedade pequeno, embora real, serem sancionados pelo costume tribal, não eram raras as discussões e escaramuças sérias entre os Massim do sul por causa disso. Esse costume foi observado por Seligman entre os nativos da baía Bartle:

> Quando passavam por uma casa, furavam a parede com os galhos que estavam agitando e os deixavam fincados nelas.

E outra vez:

> [...] as pessoas que estavam trazendo os porcos carregavam galhos de árvores ou pedaços de pau com um punhado de grama amarrado na ponta e, com isso, espetavam a casa do homem a quem os porcos iam ser dados.[3]

Quando lembramos o que foi dito sobre o estilo em que são dados todos os presentes, isto é, jogados de forma violenta e quase desdenhosa pelo doador; quando lembramos os insultos que costumam acompanhar os presentes, assim como o modo pelo qual são recebidos, o costume *youlawada* parece apenas uma forma exagerada da maneira de dar, fixada em um cerimonial definido. Sob esse ponto de vista, é interessante observar que o *youlawada* só é feito em associação com os *vaga* (presentes iniciais), e não com os *yotile* (presentes de retribuição).

A comitiva de Kiriwina, após ter feito sua visita preliminar cerimonial à aldeia, dado seus presentes, tanto do tipo *kula* como do tipo *pari*, e após ter conversado bastante com seus companheiros e amigos, volta para a praia à noite, onde acampa perto de suas canoas. Às vezes são erigidas cabanas temporárias, às vezes, com bom tempo, os nativos dormem sob esteiras sobre a areia da praia. A comida lhes é trazida da aldeia por jovens solteiras que, frequentemente, nessas ocasiões estabelecem relações amorosas com os visitantes. A comitiva fica alguns dias visitando as outras aldeias da ilha, conversando, inspecionando as plantações e esperando mais presentes *kula*. A comida de Kitava não é proibida para os chefes, pois os habitantes de Kitava se abstêm de abominações mais graves. Na partida, os visitantes recebem seus presentes *talo'i*, que são trazidos a suas canoas.

As visitas são retribuídas pelos habitantes de Kitava de maneira muito semelhante. Eles acampam nas praias arenosas da costa oriental. Quando retidos pelo mau tempo constroem habitações temporárias e eu vi famílias inteiras, homens, mulheres e crianças vivendo dias seguidos em algumas das praias orientais. Pois é o costume dos homens de Kitava levar suas mulheres e crianças apenas em suas viagens. Os habitantes de Kiriwina às vezes levam moças solteiras, mas nunca levariam as esposas e as crianças pequenas, enquanto no sul mulher alguma de Sinaketa jamais participa de uma viagem *kula*, por menor ou menos importante que seja. As mulheres são excluídas das grandes expedições *uvalaku* em todos os distritos.

No último capítulo, foi mencionado que Kitava goza de uma posição privilegiada no circuito, pois todos os objetos valiosos têm de passar por lá. A ilha de Kitava é uma comunidade *kula* por si só. Todos os seus vizinhos do oeste, as comunidades *kula* de Kiriwina, Luba, Wawela e sul de Boyowa (isto é, as aldeias de Okayaulo, Bwaga e Kumilabwaga) não podem omitir Kitava em suas trocas, e o mesmo ocorre com os vizinhos do leste. Em outras palavras, se um homem das ilhas orientais além de Kitava quiser passar um bracelete para oeste, tem de dá-lo a um homem de Kitava e não pode dá-lo diretamente a alguém que está mais adiante. As ilhas a leste de Kitava, Iwa, Gawa e Kwayawata formam uma única comunidade. Isso é mostrado no mapa 5 [**p. 148**], onde cada comunidade *kula* é representada por um círculo. A corrente *kula*, após ter se concentrado em Kitava, espalha-se de novo, mas não de forma tão ampla como quando corre para o oeste, e transborda sobre a grande área das ilhas Trobriand. Outro ponto em que o *Kula* de Kitava difere daquele de Sinaketa ou Kiriwina, ponto no qual já toquei uma vez (capítulo XIII, seção 1), é que a pequena ilha precisa fazer trocas marítimas em ambos os lados. Como vimos, os habitantes de Sinaketa empreendem grandes expedições e fazem *uvalaku* apenas com seus parceiros do sul, de modo que recebem apenas um dos artigos *kula*, os colares, por essa via, enquanto seus braceletes lhes chegam pelo *Kula* terrestre, de seus vizinhos do norte e do leste. O mesmo, *mutatis mutandis*, ocorre com os habitantes de Kiriwina, que recebem todos os colares por via terrestre e fazem *Kula* marítimo apenas para seus braceletes. As duas ilhas de Kitava e Vakuta, bem como as outras ilhas Marshall Bennett, são, por assim dizer, ambidestras no *Kula* e precisam ir além-mar buscar e levar ambos os artigos. Isso naturalmente resulta sobretudo da posição geográfica do distrito e uma olhada no mapa 5 [p. 148] mostra quais comunidades *kula* precisam empreender todas as transações no além-mar e quais têm de fazer metade delas por via terrestre. Essas últimas são apenas os distritos das ilhas Trobriand mencionados no capítulo anterior e os distritos de Dobu.

3

Isso esgota todas as peculiaridades do *Kula* em Kitava, exceto uma muito importante. Já foi mencionado, e de fato pode ser percebido claramente no relato do costume *uvalaku*, que o *Kula* não corre num fluxo uniforme, mas em espasmos violentos. Assim, a expedição *uvalaku* de Dobu, descrita no capítulo XVI, recebeu cerca de oitocentos pares de braceletes de Boyowa. Tais concentrações esporádicas de artigos *kula* estão associadas a uma instituição importante, que não é conhecida entre os trobriandeses ou em Dobu, mas é encontrada em Kitava e mais além, no circuito até Tubetube [mapa 5, p. 148]. Quando um homem morre, o costume impõe um tabu sobre os habitantes de sua aldeia. Isso significa que ninguém é recebido na aldeia em visita e que nenhum artigo *kula* pode sair de lá. A comunidade que está sob o tabu, no entanto, espera receber tantos presentes *kula* quanto possível e se ocupa dessa tarefa. Após certo tempo, realiza-se uma grande cerimônia com distribuição de bens, chamada *so'i*, e são mandados convites a todos os parceiros *kula* e, numa ocasião particularmente importante, até a pessoas de distritos além dos limites da parceria. Tem lugar então uma grande distribuição de alimentos, durante a qual todos os hóspedes recebem sua parte, e objetos de valor do *Kula* são dados em grande quantidade aos parceiros da comunidade.

A associação entre tabu sobre bens econômicos e luto é uma característica bastante difundida nos costumes melanésios da Nova Guiné. Eu a encontrei entre os habitantes de Mailu na costa sul da Nova Guiné, onde um tabu chamado *gora*, sobre os cocos, é uma das características do luto.[4] A mesma instituição, como vimos, ocorre em Dobu. Tabus semelhantes são encontrados entre os Massim do sul.[5]

A importância de tais tabus econômicos por ocasião do luto se deve a outra associação bastante difundida, a saber, aquela que existe entre luto e festa ou, mais corretamente, distribuições de alimento, que são feitas em intervalos durante um período mais ou menos prolongado, após a morte de uma pessoa. Uma festa especialmente grandiosa, ou melhor, uma distribuição, é realizada no fim do período e nessa ocasião são distribuídos os produtos acumulados, sobretudo cocos, nozes de areca e porcos. A morte, entre todos os nativos da costa da Nova Guiné oriental, causa uma grande e permanente perturbação no equilíbrio da vida tribal. Por um lado, há a parada do fluxo normal do consumo econômico. Por outro, uma série inumerável de ritos, cerimônias e distribuições festivas, criando diversos tipos de obrigações recíprocas, toma a melhor parte da energia, da atenção e do tempo dos nativos por um período de meses ou anos, de acordo com a importância do morto. A imensa comoção social e econômica que ocorre após cada morte é uma das características mais salientes da cultura desses nativos e é também algo que nos parece enigmático e que incita a toda espécie de especulações e reflexões. O que torna o problema ainda mais obscuro e complexo é o fato de que todos esses tabus, festas e ritos nada tem a ver, na crença dos nativos, com o espírito do falecido. Ele se foi imediatamente e se instalou de modo definitivo em outro mundo, totalmente esquecido do que acontece nas aldeias e em especial do que é feito em memória de sua existência anterior.

O *so'i* (distribuição de alimento), como ocorre em Kitava, é o ato final numa longa série de distribuições menores. O que o distingue de seu correspondente em Boyowa e das cerimônias semelhantes entre os outros Massim é o acúmulo de produtos *kula*. Nesse caso, como dissemos, o tabu se estende também aos objetos valiosos. Assim que alguém morre numa aldeia, uma grande vara é colocada no escolho em frente à sua praia de desembarque e um búzio é amarrado na vara. Isso é um sinal de que nenhum visitante que vier pedir produtos *kula* será recebido. Além disso, impõe-se um tabu sobre cocos, nozes de areca e porcos.

4 Ver a monografia do autor em "The Natives of Mailu", in *Transactions of the Royal Society of South Australia*, pp. 580–88.

5 C. G. Seligman, op. cit., capítulo XLIV.

Esses detalhes, assim como os seguintes, eu os recebi de um informante de Kitava, inteligente e de confiança, que vivia em Sinaketa. Ele me disse que, de acordo com a importância da morte e a velocidade com que os produtos iam se acumulando durante um ano ou mais, chamavam-se todos os parceiros de *murimuri* (parceiros afastados).

Disse-me meu informante:

> Quando todos estão reunidos, o *sagali* [distribuição] começa. Eles primeiro *sagali kaulo* [comida de inhame], depois *bulukwa* [porcos]. Quando há abundância de porcos, são dados em metades; quando não, são cortados em quartos. Uma grande quantidade de comida feita com inhame, cocos, nozes de areca e bananas é colocada para cada canoa. Lado a lado com essa fileira, colocar-se-á uma fileira de carne de porco. Um homem chama para os montes de inhame, outro para a carne de porco; o nome de cada canoa é gritado em voz alta. Se for um porco inteiro, eles dirão: "*To'uluwa, katn visibala!*" [To'uluwa, seu porco inteiro]! Ou então dirão: "*Mililuta, kami bulukwa!*" [Homens de Liluta, seu porco]. E novamente, "*Mililuta, kami gogula!*" [Homens de Liluta, seu monte]. Eles o pegam, levam seu monte para suas canoas. Lá o *toliwaga* [dono da canoa] faz outro pequeno *sagali*. Os que vivem por perto chamuscam a carne e a levam para casa em suas canoas. Os que moram longe assam o porco e o comem na praia.

Nota-se que o nome do chefe supremo é enunciado quando são distribuídas sua parte e a de seus homens. Com o grupo de homens de menos importância, chama-se o nome da aldeia. Como em todas essas ocasiões, os estrangeiros não comem sua comida em público, e até sua redistribuição é feita na intimidade de seu acampamento, perto da canoa.

Após a distribuição de comida, e antes naturalmente que ela seja levada pelas comitivas, o dono do *so'i* vai para sua casa e traz uma peça valiosa de qualidade realmente superior. Com um toque de búzio, ele a entrega ao parceiro mais distinto presente. Outros seguem seu exemplo e logo a aldeia está cheia de toques de búzio e todos os membros da comunidade estão ocupados presenteando seus parceiros. Primeiro, são dados os presentes iniciais (*vaga*) e só depois de essa distribuição terminar é que devem ser dados, com presentes de encerramento (*yotile*), objetos de valor que pagam as dívidas antigas.

Terminada a distribuição pública, depois de partirem os hóspedes, os membros do subclã que a organizou fazem, ao pôr do sol, uma pequena distribuição interna, chamada *kaymelu*. Com isso, termina o *so'i* e todo o período de luto e de distribuições sucessivas. Afirmei antes que esse relato do *so'i* foi obtido apenas por meio das declarações de diversos informantes, dos quais um especialmente claro e de confiança. Mas não foi verificado por observação pessoal e, como sempre ocorre nesses casos, não há garantia de que seja completo.

Sob o ponto de vista que nos interessa, no entanto, isto é, em reação ao *Kula*, o fato importante está bem estabelecido: um tabu mortuário suspende de modo temporário o fluxo de produtos *kula*, e grande quantidade de objetos valiosos retidos por causa disso é subitamente liberada pelo *so'i* e espalha-se numa grande onda pelo circuito. A grande onda de braceletes, por exemplo, que chegou a Boyowa e foi levada pela expedição *uvalaku* dos homens do Dobu, era o produto de uma festa *so'i* realizada um ou dois meses antes, durante a lua cheia, em Yanabwa, uma aldeia da ilha de Woodlark. Quando eu estava partindo de Boyowa, em setembro de 1918, um tabu mortuário estava em vigor na ilha de Yeguma ou Egum, como é pronunciado no distrito oriental (as ilhas Alcester [**mapa 2, p. 84**]). Kwaywaya, chefe de Kitava que eu encontrara em visita a Sinaketa, disse-me que o povo de Yeguma lhe havia enviado um broto de coqueiro com a mensagem: "Quando suas folhas crescerem, nós faremos *sagali* [distribuição]". Eles haviam ficado com um coqueiro no mesmo estágio de desenvolvimento em sua aldeia e mandaram outros para todas as comunidades vizinhas. Isso daria uma primeira aproximação da fixação da data, que seria marcada mais precisamente quando a festa estivesse mais perto.

O costume de associar o *so'i* com o *Kula* é praticado até Tubetube. Em Dobu, não há distribuição de objetos valiosos na festa mortuária. Lá, no entanto, eles tem outro costume: na última distribuição mortuária, gostam de adornar-se com braceletes e colares do *Kula* – costume totalmente estranho aos trobriandeses. Em Dobu, portanto, uma festa mortuária que se aproxima também tende a represar os objetos de valor que, após sua realização, se espalharão em duas ondas de *mwali* e *soulava* pelos dois ramos do *Kula*. Mas eles não têm o costume de distribuir esses objetos valiosos durante a festa mortuária final, portanto a libertação dos *vaygu'a* não será tão repentina como num *so'i*.

A mesma palavra – *so'i* – é usada para indicar os festejos mortuários numa extensa área no país dos Massim. Assim, os nativos de Bonabona e Su'a'u, na costa sul da Nova Guiné, celebram anualmente, de novembro a janeiro, festividades associadas com danças, distribuição de porcos, construção de novas casas, instalação de plataformas e diversas outras características. Como já disse antes, tive oportunidade de observar, mas não de estudar esses festejos que se realizam numa série inter-relacionada e ocorrem a cada ano em localidades diferentes. Não sei se estão associados a alguma forma de troca de objetos de valor. Festas mortuárias em outros distritos de Massim são também chamadas *so'i*.[6] Não posso dizer qual é a relação entre essas festas e as do Massim do norte.[7]

Essas considerações nos levam cada vez mais ao ponto em que os dois ramos do *Kula*, que estivemos seguindo desde as ilhas Trobriand, para o sul e para o leste, inclinam-se e encontram-se outra vez. Sobre essa parte restante do *Kula* serão ditas algumas palavras no próximo capítulo, embora minhas informações sejam escassas.

6 Id., ibid., p. 584.

7 As pesquisas etnográficas empreendidas atualmente em Su'a'u pelo sr. W. E. Armstrong, de Cambridge, trarão, sem dúvida, luz sobre esse assunto.

CAPÍTULO XXI

As divisões restantes do *Kula* e suas ramificações

1

Neste capítulo, precisamos fechar o anel do *Kula* com uma descrição de suas partes restantes. Também é indispensável falar sobre suas ramificações, isto é, o comércio e as expedições empreendidos regularmente de certos pontos do anel para lugares afastados. Nós já defrontamos com tais ramificações, quando percebemos que nas ilhas Trobriand ocidentais, em especial a aldeia de Kavataria e os povoados da ilha de Kayleula, fazem expedições comerciais, que não são do tipo *kula*, às ilhas Fergusson e Goodenough. Tais expedições naturalmente devem ser incluídas num quadro completo do *Kula* com suas diversas associações. Esse é ainda mais o caso, pois esse comércio lateral está associado com a importação e a exportação de alguns dos objetivos de valor do *Kula* para dentro e fora do anel.

Levamos a descrição de nossa expedição meridional até o estreito de Dawson e, na rota leste, alcançamos a ilha de Woodlark, no capítulo anterior. Temos de unir esses dois pontos. O ditado de que uma corrente não é mais forte do que seu elo mais fraco não se aplica à etnologia, esperamos. Pois na verdade meu conhecimento dos elos restantes da corrente *kula* é muito menos completo do que o contido nos capítulos anteriores. Felizmente, o que foi dito até agora permanece verdadeiro e válido, independentemente do que ocorre na parte sudeste do *Kula*. Entretanto, não há dúvida de que os pontos fundamentais da transação são idênticos em todo o anel, embora provavelmente ocorram algumas variações nos detalhes. Tive oportunidade de interrogar informantes de quase todos os pontos do *Kula* e a semelhança dos traços principais está estabelecida sem dúvida alguma. Além disso, a informação sobre alguns aspectos do comércio no distrito dos Massim meridionais, contida no livro do *Professor* Seligman, corrobora totalmente meus resultados, embora de maneira indireta. É necessário, entretanto, declarar de modo enfático e explícito que os dados apresentados neste capítulo não são da mesma categoria do restante das informações contidas neste livro, que foram obtidas de nativos entre os quais vivi e que, na maior parte, foram controladas e verificadas por observações e experiências pessoais (ver Lista cronológica de acontecimentos referentes ao *Kula*, testemunhados pelo autor, na Introdução). O material referente ao ramo sudeste foi obtido por meio de uma investigação superficial, realizada com nativos daquele distrito que encontrei fora de sua terra natal, já que não estive pessoalmente em nenhum dos lugares entre a ilha de Woodlark e de Dobu.

Começando na ilha de Woodlark e mantendo o mapa 5 [p. 148] diante dos olhos, chegamos de imediato a uma interessante ramificação do *Kula*. A leste de Woodlark está o grupo das ilhas corais de Loughlan, habitado por nativos que falam a mesma língua de Woodlark. Eles fazem parte do circuito, mas parece tratar-se de um *cul-de-sac* do *Kula*, pois, como me contaram, os objetos valiosos que vão para lá voltam a Woodlark. Essa é uma complicação bastante incomum, uma espécie de redemoinho na corrente que progride de forma contrária.

Não pude verificar se a dificuldade é resolvida pela subdivisão dos distritos, formando-se um pequeno anel dentro do outro, com cada tipo de artigo movendo-se em direção contrária, ou se foi adotado algum outro arranjo. Além disso, um de meus informantes contou-me que alguns dos *vaygu'a* iam diretamente de Loughlan para o sul, para Misima, mas não pude verificar essa afirmação, e toda essa parte do *Kula* deve ficar com um esboço incompleto.

Quaisquer sejam as rotas pelas quais os artigos *kula* viajam para o sul a partir da ilha de Woodlark, não há dúvida, no entanto, de que todos ou quase todos convergem, enfim, para o importante centro comercial de Tubetube. Essa pequena ilha, de acordo com Seligman, não é nem mesmo autossuficiente em termos de alimento nem constitui uma comunidade de grande produção artesanal. Sua população está, em grande parte, empenhada no comércio e provavelmente obtém parte de seu sustento com essa atividade. "Tubetube tornou-se uma comunidade comercial, cujos habitantes são reconhecidos como comerciantes e intermediários numa área considerável que se estende para o oeste até Rogea e para leste até Murua."[1] Tubetube é conhecida até nas ilhas Trobriand como um dos pontos cruciais do *Kula* e sabe-se bem que, qualquer coisa que aconteça na pequena ilha – como tabus mortuários e grandes festas – afetará o fluxo de objetos de valor em Boyowa.

Não há nenhuma dúvida de que Tubetube mantinha relações diretas com Murua (para usar a pronúncia de Tubetube do nome nativo para a ilha de Woodlark) a noroeste e com Dobu a nordeste. Eu vi uma canoa da pequena ilha ancorada em Dobu e em Woodlark – contaram-me que homens de Tubetube costumavam ir até lá de vez em quando. Seligman também descreve em detalhes o modo e os estágios de suas viagens para a ilha de Woodlark:

> Sua rota comercial para Murua [...] era, como eles a faziam, de cerca de 200 quilômetros. Geralmente iam durante a menção e voltavam com o alísio, pois esses ventos serviam melhor para seu itinerário. Presumindo-se que o vento e o tempo lhes fossem favoráveis durante todo o percurso, dormiam a primeira noite numa ilha chamada Ore, a mais ou menos três quilômetros da ilha de Dawson. Na noite seguinte paravam em Panamoti, na terceira dormiam em Tokumu [as ilhas Alcester] e, por volta da quarta noite, poderiam alcançar Murua.[2]

Essa descrição nos faz lembrar muito a rota dos habitantes de Sinaketa até Dobu, que acompanhamos antes – os mesmos estágios curtos com acampamento intermediário em bancos de areia ou ilhas, aproveitando-se igualmente os ventos favoráveis.

De Kitava, em direção a leste até Tubetube, usava-se um tipo diferente de canoa, o *nagega*, já mencionado no capítulo V, seção 4. Como vimos, era bastante parecida nos princípios de construção com a canoa das ilhas Trobriand, embora maior, com maior capacidade de carga e mais resistente. Era ao mesmo tempo mais vagarosa, mas tinha uma grande vantagem sobre sua correspondente mais veloz: tendo amurada mais alta, apartava-se menos do rumo ao navegar e também podia velejar contra o vento. Assim, permitia aos nativos atravessar maiores distâncias e enfrentar mudanças no tempo que obrigariam a canoa mais frágil e veloz de Dobu e Kiriwina a voltar.

1 C. G. Seligman, op. cit., p. 524.

2 Op. cit., p. 538.

3 Id., ibid.

Os homens de Tubetube navegavam até as praias do norte da ilha de Normanby (Du'a'u) e até Dobu com o vento alísio sudeste e voltavam com o sopro da monção. De acordo com Seligman, nessa viagem a Dobu eles levavam também cerca de quatro dias, sob as condições mais favoráveis.[3]

Assim, um fato fundamental pode ser encarado como definitivamente estabelecido: o principal centro do *Kula* em seu ramo sudeste era a pequena ilha de Tubetube. E essa ilha estava em comunicação direta com os dois pontos até os quais seguimos o *Kula* em duas direções, partindo das Trobriand, isto é, Dobu e a ilha de Woodlark.

Quanto a detalhes, algumas dúvidas devem ser deixadas sem solução. As visitas eram retribuídas pelos habitantes de Dobu e de Murua? Com toda probabilidade sim, mas não tenho certeza quanto a esse aspecto.

Outra pergunta é se os nativos de Tubetube eram parceiros diretos de Murua ou de Dobu. Vimos que os nativos de Kiriwina às vezes viajam até Iwa, Gawa, Kwayawata e até mesmo Woodlark; no entanto, eles não têm parceiros (*karayta'u*) entre esses nativos, mas apenas parceiros afastados (*murimuri*). Tenho informações precisas de que os nativos da própria ilha de Dobu e de Du'a'u, que, como lembramos, não têm parceiros entre os habitantes de Boyowa meridional, tinham relações diretas de parceria com Tubetube. Acredito também que os nativos de Woodlark faziam o *Kula* diretamente com os de Tubetube.

O fato, no entanto, de que há uma linha de comunicação direta entre Murua-Tubetube-Dobu não exclui a possibilidade de outras rotas e de rotas mais complexas correndo paralelamente à direita. Na verdade, sei que a ilha de Wari (ilha de Teste) que fica quase que diretamente ao sul de Tubetube está também no *Kula*. A grande ilha de Misima (ilha de Santo Aignan) a cerca de 150 quilômetros a leste de Tubetube faz também parte do circuito. Assim, existe um círculo muito mais amplo que passa pela ilha de Woodlark e talvez pelas ilhas Loughlan até Misima e a pequena ilha vizinha de Panayati, chega a Wari e, mais a oeste, alcança um grupo de ilhas bem próximo da extremidade leste da Nova Guiné, isto é, as ilhas de Sariba, Rogea e Basilaki, e depois se encaminha mais uma vez em direção ao norte até a ilha de Normanby. Esse circuito duplicado no sudeste tem sua contraparte noroeste na ramificação dupla que une Kitava a

Dobu. A rota curta vai direto de Kitava a Vakuta e de Vakuta a Dobu. Além desta, no entanto, há muitas outras mais longas. Numa delas os estágios são Kitava, Okayaulo ou Kitava, Wawela, daí Sinaketa depois Dobu direto; ou via ilhas Amphlett. Outra ramificação ainda mais ampla passaria de Kitava a Kiriwina, de Kiriwina a Sinaketa etc.; ou, na mais ampla de todas, de Kiriwina até o oeste de Boyowa, depois Kayleula, daí Amphlett e de lá até Dobu. Essa última rota não era apenas a mais longa em distância, mas levaria muito mais tempo, devido à notória "dureza" dos nativos tanto de Kayleula como das ilhas Amphlett. Um exame do mapa 5 **[p.148]** e também no mapa mais detalhado das ilhas Trobriand mapa 4 **[p.102]** tornará claro tudo isso.

Um conhecimento mais detalhado das rotas de noroeste permitiu-nos ver as complicações e irregularidades que podem ocorrer: que o distrito oeste de Boyowa só empreendia o *Kula* terrestre e isso meramente na pessoa de uns poucos chefes de algumas aldeias; que Kayleula fazia o *Kula* em pequena escala com as comunidades das ilhas Amphlett; e que todas estas, assim como as aldeias na prata oriental do sul de Boyowa, eram o que nós descrevemos como comunidades *kula* semi-independentes. Tais detalhes e peculiaridades existem, sem dúvida, também em relação às ramificações do *Kula* de sudeste, embora não possamos provar sua ocorrência.

Seguindo os diversos fios até mais adiante, não tenho dúvidas de que as ilhas perto da extremidade oriental da Nova Guiné – Rogea, Sariba e Basilaki – estão e estavam antigamente no circuito do *Kula*, comunicando-se a leste com Tubetube e Wari, enquanto ao norte estavam em contato com os nativos da ilha de Normanby. Não posso assegurar se o grande complexo de aldeias no cabo Leste estava também no *Kula*. De qualquer forma, todas as linhas levavam às praias orientais do estreito de Dawson, por meio das praias a noroeste da ilha de Normanby, no distrito de Dobu, de onde traçamos as linhas posteriores com completa exatidão e detalhe.

Não tenho muito material disponível sobre os diversos detalhes das expedições e técnicas do *Kula* que ocorrem nessas outras subdivisões. As regras da troca, a cerimônia de tocar búzio, o código de honra ou moralidade ou talvez de vaidade, que leva as pessoas a dar artigos equivalentes aos que receberam, tudo isso é igual em todo o circuito. Assim o é também a magia *kula*, com variações nos detalhes.

2

Um assunto sobre o qual é preciso dizer mais é o do comércio associado. Um novo e importante artigo de troca acompanha as transações no ramo sudeste do *Kula*: as grandes canoas adequadas para as viagens em alto-mar. Os principais centros de manufatura, que, em grande parte, é uma manufatura para exportação, eram as ilhas Gawa e Anayati. Nesses lugares, construíam-se canoas que eram exportadas para os distritos do sul, onde os nativos não sabiam como as construir (ver capítulo I, seção 3). Nos velhos tempos, antes de seu atual despovoamento, os nativos da ilha de Woodlark provavelmente também faziam algumas canoas para trocar no comércio externo. Vi essas canoas com nativos, desde o distrito dos Massim meridionais até a baía de Orangerie, a mais de 300 quilômetros do lugar onde eram manufaturadas. O comércio desse artigo corria com as linhas de comunicação *kula*, pois não há dúvida de que os nativos de Tubetube e de Wari eram os principais distribuidores e intermediários nesse comércio.

Não posso dizer ao certo até que ponto a troca de canoas estava associada de forma direta às transações *kula*. Julgando com base nos dados de Seligman,[4] os nativos de Tubetube pagavam com braceletes as canoas adquiridas de Panamoti, ao norte. Assim, o *mwali* nessa transação comercial viajava em direção oposta àquela em que se deveria mover no anel *kula*. Isso sugere independência completa entre os dois tipos de transações. Além das canoas, outro artigo importante do comércio na porção sul são os potes de argila manufaturados tanto em Tubetube como em Wari. Além disso, as duas ilhas de "mercadores aventureiros", como são chamadas por Seligman, empreendem expedições *kula* e, talvez independentemente delas, também comerciam com quase todos os diversos artigos manufaturados nos distritos vizinhos, que são distribuídos pelas duas comunidades. Esse assunto foi tratado com tanta minúcia pelo *Professor* Seligman no capítulo XL de seu livro *The Melanesians*, que uma referência será suficiente aqui.[5]

Tendo agora à nossa frente o anel completo do *Kula*, podemos perguntar até que ponto esse anel está comercialmente em contato com outros distritos afastados e, mais especialmente, até que ponto certos artigos de comércio são importados para dentro dele e outros

4 Op. cit., pp. 536–37.

5 Não posso concordar com o professor Seligman em seu uso da palavra "moeda", que ele não define de forma clara. Essa expressão poderá ser aplicada corretamente aos braceletes, aos discos de *Spondylus*, às grandes lâminas polidas de diorito etc. apenas se lhes dermos simplesmente o sentido de objetos ou símbolos de riqueza. "Moeda", em geral, significa um meio de troca e padrão de valor, e nenhum dos objetos valiosos dos Massim preenche essas funções.

6 Um pequeno artigo a esse respeito foi publicado pelo Rev. M. Gilmour, agora chefe da Missão Metodista na Nova Guiné (*Annual Report of Britsh New Guinea*, 1904–05, p. 71). Usei esse artigo no campo verificando-o com

são retirados dele. O que nos interessa sobretudo nesse aspecto é a entrada e a saída, no anel, dos próprios artigos *kula*, os *mwali* (braceletes) e os *soulava* (colares).

3

Encontramos uma dessas ramificações do *Kula* nas ilhas Trobriand, a saber, as expedições da aldeia ocidental de Kavataria, e da ilha de Kayleula, até o Koya de Fergusson e de Goodenough. Começaremos com um breve relato dessas expedições.[6] Os preparativos são muito parecidos com os de Sinaketa. As canoas são construídas com mais ou menos a mesma magia (ver capítulo V), são lançadas cerimonialmente e a viagem inaugural, o *tasasoria*, também é realizada (capítulo VI). A ilha de Kayleula é, sem dúvida, o mais importante centro de construção de canoas. Não sei com certeza se antigamente algumas das canoas de Kavataria eram mesmo feitas em Kayleula e adquiridas pelos habitantes de Kavataria, embora acredite ser esse o caso. Hoje em dia, a comunidade de Kavataria está completamente absorvida pela indústria de pérolas e, tendo abandonado as expedições há uma geração, já nem sequer tem canoas. A coleta de artigos para troca, a magia feita sobre o *lilava, o yawarapu* e o *sulumwoya* são as mesmas já descritas no capítulo VII, exceto que existe um sistema diferente de *mwasila* na ilha de Kayleula – sistema que era usado também pelos habitantes de Kavataria. Deve-se lembrar a esse respeito que os nativos de Kayleula faziam um *Kula* em pequena escala com os habitantes das ilhas Amphlett e que seu *mwasila* estava relacionado ao *Kula*.[7] Mas o principal objeto do *mwasila* de Kavataria e de Kayleula era sua troca não *kula* com os nativos de Fergusson e de Goodenough. Isso fica bem claro no relato de Gilmour e foi também corroborado por meus informantes. Contaram-me que o *mwasila* é feito por causa do *kavaylua* (comida boa), isto é, sagu, noz de areca e porcos, principais objetivos de sua expedição:

> Se eles [os habitantes de Boyowa ocidental] não fizessem *mwasila*, eles [os nativos de d'Entrecasteaux ocidental] lutariam contra eles. São tolos os habitantes de Koya, não são como o povo de Dobu, que são seres humanos.

diversos nativos de Kavataria e achei-o substancialmente correto e, em seu conjunto, formulado com precisão. A necessidade de condensar as declarações levou, no entanto, o autor a uma ou duas ambiguidades. Assim, a menção constante de "festas" poderia dar uma impressão errada, pois trata-se sempre de uma distribuição pública de alimentos que são depois consumidos em separado ou em pequenos grupos, enquanto a palavra "festa" sugere comer em comum. Da mesma forma, os dados sobre o "chefe do mar" – como o sr. Gilmour chama o líder do clã privilegiado de Kavataria (ver capítulo IX, seção 3) – pareceram-me exagerados quando se diz que ele é "supremo", tem "o direito de determinar uma expedição", e, especialmente, quando se diz que ele "tinha o direito de primeira escolha de uma canoa". Essa última frase deve conter um mal-entendido: como vimos, cada subclã (isto é, cada subdivisão da aldeia) constrói sua própria canoa, portanto estão fora de cogitação uma troca ou livre escolha subsequentes. O sr. Gilmour estava totalmente familiarizado com os fatos do *Kula*, como pude apreender numa conversa pessoal. Nesse artigo, ele o menciona apenas numa frase, dizendo que algumas das expedições "estavam principalmente relacionadas com a troca de artigos de riqueza nativa – na qual o comércio era apenas uma consideração secundária".

7 A declaração contrária do sr. Gilmour, isto é, que "as viagens do oeste – Kavataria e Kayleula – eram puras expedições comerciais" (loc. cit.), não é correta. Em primeiro lugar, sou inclinado a pensar que alguns dos homens de Kavataria faziam *Kula* nas ilhas Amphlett, onde

> Os de Koya são selvagens, comedores de homens. Se eles [Kavataria e Kayleula] não fizessem *mwasila*, iriam recusar-lhes noz de areca, iriam recusar-lhes sagu.

A navegação é caracterizada pela prioridade de que goza o subclã Kulutula, que, como vimos num capítulo anterior (ver capítulo IX, seção 3), navega à frente e tem o privilégio de desembarcar primeiro em qualquer praia na qual pararem. Ao chegar, os membros desse clã realizam a magia da beleza e, quando se aproximam da praia, também recitam a magia de "agitar a montanha". Em Koya, as transações parecem-se até certo ponto com as do *Kula*. Como disse meu informante:

> Quando eles ancoram, antes de mais nada, dão os *pari*: dão pentes, potes para cal, travessas de madeira, espátulas para cal, grande quantidade de *gugu'a* [objetos de uso]. Com os *talo'i* [presentes de despedida] eles serão retribuídos.

A transação seguinte, o comércio principal, é feita como *gimwali*. Os nativos de Koya traziam o sagu ou a noz de areca, colocavam-nos na praia perto das canoas e diziam:

> Eu quero um *beku* [lâmina de machado cerimonial].
>
> Todos meus informantes afirmaram taxativamente que ocorria então uma renhida pechincha.
>
> Se eles nos dessem uma quantidade insuficiente, reclamaríamos, eles trariam depois outra porção. Iam até a aldeia buscar mais produtos, voltavam e os davam a nós. Se fosse suficiente, nós lhes damos *beku*.

Assim o escambo seria realizado até que os visitantes esgotassem seu estoque de produtos e recebessem dos nativos locais tanto quanto podiam.

Essas expedições são interessantes, pois vemos nelas o mesmo tipo de magia e uma porção de costumes semelhantes aos do *Kula*, associados às expedições de troca comuns. Não tenho certeza a respeito da natureza da parceria que ocorre nessas relações comerciais, exceto que Kavataria e Kayleula têm seus próprios distritos com os quais comerciam.

Como já foi dito, os principais artigos obtidos nessas viagens distantes são sagu, noz de areca e porcos; também obtêm diversas penas, especialmente as do casuar e do papagaio vermelho; cintos de libra trançada; obsidiana; areia fina para polir lâminas de machado; ocre vermelho; pedra-pomes e outros produtos da floresta e das montanhas vulcânicas. Em contrapartida, mencionando primeiro os mais valiosos, exportavam para Koya braceletes, valiosas lâminas de machado, presas de javalis e imitações; e, de menor valor, travessas de madeira, pentes, potes para cal, braceletes, cestas, cipó *wayugo*, mexilhões e espátulas para cal feitas de ébano. Colares de concha de *Spondylus* não eram exportados para Koya.

sempre paravam em seu caminho para o sul, mas isso poderia ter sido apenas em pequena escala e completamente sobrepujado pelo principal objetivo da expedição, que era o comércio com o Koya meridional. Em segundo lugar, quanto aos nativos de Kayleula, tenho certeza de que faziam *Kula* – com base em dados definitivos conseguidos tanto nas ilhas Trobriand como nas Amphlett.

4

Outra atividade importante dos dois distritos de Kavataria e de Kayleula é sua posição de braceletes. Assim como Sinaketa e Vakuta são os dois únicos lugares nas ilhas Trobriand em que se fazem discos de *Spondylus*, Kavataria e Kayleula são as únicas localidades onde os nativos pescavam a grande concha *Conus milllepunctatus* e faziam com ela os ornamentos tão apreciados mas tão raramente usados. O principal motivo para o monopólio exclusivo, mantido por esses dois lugares na manufatura dos *mwali*, é a inércia do costume que lhes atribui tradicionalmente esse tipo de pesca e de manufatura. As conchas estão espalhadas por toda a laguna e sua pesca não é mais difícil do que qualquer uma das outras atividades praticadas por todas as aldeias da laguna. No entanto, só as comunidades mencionadas o realizam e só elas têm um sistema de magia elaborada, pelo menos tão complexa quanto o do *kaloma*.

A própria manufatura dos braceletes também não apresenta dificuldades. O ornamento é feito com uma seção da concha cortada bem perto da base. Com uma pedra, os nativos retiram a base circular ao longo da borda e cortam um círculo a alguma distância da base e paralelo a ela, retirando uma larga faixa da concha, com a qual é feito o ornamento. Em seguida, a faixa é polida, o que é feito do lado de fora, esfregando-se a superfície calcária macia num arenito plano. O interior é polido com uma pedra longa e cilíndrica.[8]

8 Fiz uma descrição mais detalhada desse processo, que pude observar frequentemente entre os habitantes de Mailu na costa sul. Nunca vi a confecção de um bracelete nas ilhas Trobriand, mas os dois processos são idênticos, de acordo com informações detalhadas que obtive. (Ver a monografia "The Natives of Mailu", in *Transactions of the Royal Society of South Australia*, 1915, pp. 643–44.)

Era costume em Kavataria, quando um homem achava uma boa concha *Conus*, dá-lo como presente *youlo* ao irmão de sua mulher, que lhe daria em troca um presente de alimentos, como inhame da melhor qualidade, bananas, noz de areca e até mesmo um porco se se tratasse de uma concha particularmente valiosa. Quem recebia a concha é que a trabalhava para si. Esse arranjo é correspondente ao que foi descrito em relação a Sinaketa, onde um homem não só pescava a concha, mas também fabricava o colar para um dos parentes de sua mulher.

Em Kayleula, existe um costume ainda mais interessante. Pares de conchas eram pescados e quebrados numa das aldeias daquela ilha ou numa de suas pequenas ilhas irmãs, Kuyawa e Manuwata. Nesse estado inacabado, como uma faixa áspera, chamada *makavayna*, é trazida para as ilhas Amphlett e dada como presente *kula*. O homem de Gumasila, que recebe as conchas, efetuará o polimento e as dará como presente *kula* a Dobu. O habitante de Dobu que as recebe faz os furos laterais, onde uma beirada se sobrepõe à outra e pendura os ornamentos de sementes pretas de banana selvagem e de discos de *Spondylus*. Assim, o *mwali* recebe sua forma própria e seu equipamento final só depois de ter viajado uns 150 quilômetros e passado por dois estágios do *Kula*.

Desse modo, um artigo *kula* recém-nascido entra no circuito, tomando forma à medida que passa por seus primeiros estágios e, ao mesmo tempo, quando se trata de um espécime particularmente bom, recebe um nome de seu criador. Alguns dos nomes expressam simplesmente associações locais. Assim, um par de *mwali* famosos, cuja concha havia sido encontrada pouco tempo antes perto da ilha de Nanoula por um homem de Kavataria, tem o nome desse lugar. Deve ser acrescentado que em cada par há sempre um "direito" e um "esquerdo", sendo o primeiro o maior e o mais importante dos dois, e é a esse que se dá o nome. É claro que nunca são encontrados ao mesmo tempo, mas, quando um homem consegue encontrar um espécime particularmente bom, tentará encontrar um companheiro levemente inferior; às vezes, alguns de seus amigos, parentes ou parentes de sua mulher lhe dão a outra parte do par. "Nanoula" é um dos pares mais famosos; sabia-se, naquela ocasião, em todas as ilhas Trobriand, que deveria chegar logo a Kitava e havia interesse geral em saber quem iria recebê-lo em Boyowa. Um par chamado Sopimanuwata, que significa "água de Manuwata", fora encontrado perto da praia por um homem daquela ilha. Um outro par famoso, feito em Kayleula, era chamado Bulivada, por causa de um peixe com esse nome. Segundo a tradição, a concha maior desse par foi encontrada quebrada, com um buraco perto de seu ápice. Quando a trouxeram para a superfície, encontraram um pequeno peixe *bulivada* que tinha feito sua casa na concha. Outro par foi chamado *omane Ikola*, que significa "emaranhado na rede", pois, de acordo com a história, foi trazido numa rede. Há muitos outros *mwali* apreciados, que são tão familiares que meninos e meninas recebem seus nomes. Mas não se podem traçar as origens da maioria dos nomes.

Outro ponto em que os braceletes entram no circuito é a ilha de Woodlark. Não sei com certeza, mas acredito que a indústria já está quase extinta naquela ilha. No passado, Murua era provavelmente um centro quase tão importante dessa manufatura quanto as ilhas Trobriand e, nessas últimas, embora Kayeula e as ilhas ocidentais pesquem e trabalhem os *mwali* como sempre, os nativos de Kavataria abandonaram quase que inteiramente essa ocupação, empenhados todo o tempo em mergulhar à procura de pérolas. Ambos os principais lugares de origem dos braceletes, portanto, estão no circuito *kula*. Após serem feitos, ou, como vimos em Kayleula, durante o processo de confecção, entram no circuito. Sua entrada não é acompanhada por nenhum rito ou costume especial e, na verdade, não difere de um ato de troca comum. Se o homem que encontrou a concha e fez o *mwali* não estivesse no *Kula*, como podia acontecer em Kavataria ou em Kayleula, teria um parente, um cunhado ou chefe ao qual o daria em forma de um ou outro dos diversos presentes e pagamentos obrigatórios nessa sociedade.

5

Vamos seguir o circuito do *Kula*, observando suas ramificações comerciais das quais até agora só descrevemos as rotas de troca de Kavataria e de Kayleula. Em direção ao leste, a seção de Kitava até a ilha de Woodlark forma uma grande área do *Kula*, na qual não existem ramificações laterais e onde toda a troca segue as mesmas rotas do *Kula*. O outro ramo, sobre o qual tenho um bom conhecimento, das ilhas Trobriand a Dobu, tem as relações comerciais das quais acabei de falar. As ilhas Amphlett, como foi descrito no capítulo XI, comerciam com os nativos da ilha de Fergusson. Os nativos de Tewara, de Sanaroa e dos estreitos de Dawson, que falam a língua de Dobu, fazem intercâmbio com os nativos do interior da ilha Fergusson, embora não em grande escala. As comunidades da ilha de Normanby e os nativos de Du'a'u, na costa setentrional de Normanby, que também falam a língua de Dobu e que estão todas no *Kula*, efetuam trocas com os outros nativos da ilha de Normanby que não estão no circuito e com os nativos do continente da Nova Guiné, do cabo Leste para diante, em direção a oeste. Mas todas essas trocas afetam bem pouco a corrente principal do *Kula*. A partir de seu curso principal, alguns de seus artigos menos valiosos possivelmente se escoam para a floresta, que, por sua vez, dá seus produtos à costa.

O mais importante vazamento para fora e para dentro do curso principal tem lugar na seção meridional, sobretudo em Tubetube e em Wari e em alguns pontos de menor importância em volta desses centros principais. A costa setentrional da Nova Guiné se comunicava com esse distrito por intermédio da comunidade marítima do cabo Leste. Mas essa ramificação lateral é de importância muito pequena no que diz respeito aos artigos principais do *Kula*. As mais importantes são as duas conexões a leste e a oeste, no ponto meridional extremo do circuito *kula*. Um deles liga a costa meridional da Nova Guiné com o circuito *kula*, o outro une o circuito às grandes ilhas de sudeste (Tagula) e de Rossel e com diversas pequenas ilhas adjacentes.

A costa meridional, que vai de leste a oeste, é habitada no começo pelos nativos de origem massim, que falam os dialetos de Su'a'u e de Bonabona. Eles estão em relações constantes com a seção meridional do distrito *kula*, isto é, com os nativos de Rogea, Sariba, Basilaki, Tubetube e Wari. As populações massim da costa meridional também mantêm relações comerciais com os de Mailu e, a partir desse ponto, uma cadeia de relações de troca une os distritos orientais aos centrais, habitados pelos Motu. Por sua vez, os Motu, como sabemos pela contribuição do capitão Barton ao trabalho do *Professor* Seligman, mantêm relações comerciais anuais com o golfo de Papua, de modo que um artigo poderia viajar do delta de qualquer um dos rios de Papua até a ilha de Woodlark e as ilhas Trobriand, e, na realidade, muitas coisas percorriam toda essa distância.

No entanto há um movimento que nos interessa especialmente sob o ponto de vista do *Kula*, isto é, o dos dois tipos de objetos valiosos *kula*. Um desses artigos, os braceletes, viaja ao longo da costa meridional de leste a oeste. Não há dúvida de que esse artigo escoa da corrente *kula* em seu ponto mais ao sul e é levado em direção a Porto Moresby, onde o valor dos braceletes é, e era no passado, muito mais alto do que no distrito oriental. Descobri em Mailu que os comerciantes nativos locais compravam com porcos, braceletes no distrito Su'a'u e os transportavam para oeste em direção a Aroma, Hula e Kerepunu. O professor Seligman, em suas notas tomadas em Porto Moresby, informa-nos que Hula, Aroma e Kerepunu importam braceletes para Porto Moresby. Alguns desses braceletes, de acordo com a mesma autoridade, viajam mais para oeste até o golfo de Papua.[9]

9 Ambas as declarações de Seligman em *The Melanesians* (p. 8) concordam plenamente com a informação que obtive entre os Mailu. Ver *Transactions of the Royal Society of South Australia*, 1915, pp. 620–29.

É muito mais difícil descobrir em que direção se movimentavam os colares de *Spondylus* na costa meridional. Hoje em dia, a confecção desses artigos, que era muito desenvolvida entre os nativos de Porto Moresby, está parcialmente em decadência, embora não de todo. Eu mesmo tive ainda oportunidade de observar os nativos de Bo'era trabalhando o *ageva*, pequenos e finos discos de concha com os quais se fabricavam os melhores *bagi*. Usavam nessa manufatura uma broca nativa com uma ponta de quartzo, num lugar a alguns quilômetros de uma grande colônia de brancos, num distrito onde a influência do homem branco tem sido exercida em grande escala durante os últimos cinquenta anos. No entanto, tratava-se apenas de um vestígio da indústria extremamente desenvolvida de outrora. Minhas indagações sobre esse assunto não foram exaustivas, pois quando trabalhei na costa meridional não conhecia ainda o problema e, na minha segunda e terceira expedições à Nova Guiné, apenas passei por Porto Moresby. Mas penso que pode ser considerado certo que, no passado, os colares de conchas moviam-se de Porto Moresby em direção a leste e eram introduzidos no circuito *kula* na extremidade oriental da Nova Guiné.

Seja como for, fontes inquestionáveis desse artigo *kula* são as ilhas Sudeste, Rossel e as pequenas ilhas à sua volta. A melhor concha de *Spondylus*, a de cor mais vermelha, é pescada nesses mares e os nativos são artesãos hábeis em fabricar os discos e exporiam o artigo acabado para a ilha de Wari e também, penso eu, para as ilhas de Misima e de Panayati. Os artigos mais importantes pelos quais se trocam os colares são as canoas e as grandes lâminas polidas de machado.

Olhando agora o circuito *kula*, vemos que um tipo de artigo *kula*, os *mwali* (braceletes) é produzido dentro do circuito em dois pontos, isto é, na ilha de Woodlark e em Bovowa ocidental. O outro artigo, isto é, os *soulava* ou *bagi* (colares) penetram no circuito em seu extremo meridional. Uma dessas fontes (ilha Rossel) ainda é ativa, a outra (Porto Moresby) muito provavelmente fornecia um bom suprimento no passado, mas está agora desligada do circuito *kula*. Os colares produzidos em Sinaketa não são o verdadeiro artigo *kula* e, embora sejam trocados de vez em quando, mais cedo ou mais tarde desaparecem do anel, de acordo com uma espécie de Lei de Gresham, que opera aqui num artigo que não é dinheiro e age, portanto, no sentido oposto. O terceiro tipo de objeto valioso que entra às vezes no fluxo *kula*, mas não é de fato parte dele, eram as grandes lâminas de machado de diorito delicadamente polidas que, como sabemos, são, ou, mais corretamente, eram, extraídas na ilha de Woodlark e polidas no distrito de Kiriwina nas ilhas Trobriand. Penso que outro centro onde se realizava o polimento é, ou era, a ilha de Misima.

Vemos, portanto, que as duas fontes dos *mwali* e *soulava* estão nas extremidades setentrional e meridional do circuito; os braceletes manufaturados na extremidade norte, os colares penetrando pela extremidade sul. É digno de nota o fato de que na parte oriental do circuito, na seção Woodlark-Boyowa-Dobu-Tubetube, os dois artigos viajam na direção natural, isto é, cada um é exportado de seus distritos de origem em direção a um lugar onde não é fabricado nem conseguido. No outro ramo, Woodlark-Yeguma-Tubetube, a corrente do *Kula* é o inverso de um movimento comercial, pois aqui o povo de Tubetube exporta braceletes para Murua, trazendo assim carvão para Newcastle, enquanto os habitantes de Murua trazem colares para Tubetube e Wari, isto é, para o ponto por onde os colares entram para o circuito, vindos de fora. Essas considerações são importantes para qualquer pessoa que queira refletir sobre as origens ou a história do *Kula*, desde que o movimento natural de objetos de valor era, sem dúvida, o movimento original, e a metade ocidental do *Kula* parece ser a mais velha, sob esse ponto de vista.

Chegamos, assim, ao fim dos dados descritivos referentes ao *Kula*, e algumas observações gerais que ainda preciso fazer serão reservadas para o próximo e último capítulo.

CAPÍTULO XXII

O significado do *Kula*

Acompanhamos de forma minuciosa e meticulosa os vários caminhos e ramificações do *Kula* descrevendo suas regras e costumes, suas crenças e práticas, e a tradição mitológica tecida ao seu redor até que, chegando ao final de nossas informações, fizemos os dois extremos se encontrarem. Devemos agora deixar de lado a lente de aumento do exame detalhado, olhar a distância para o objeto de nossa pesquisa e, apreendendo toda a instituição de um relance, deixá-la assumir uma forma definida diante de nós. Essa forma talvez nos surpreenda como algo incomum, como alguma coisa nunca encontrada antes em estudos etnológicos. Será conveniente fazer uma tentativa para encontrar seu lugar entre os outros assuntos de etnologia sistemática, medir seu significado e avaliar o quanto aprendemos por tê-la conhecido.

Afinal, para a ciência, não há valor em fatos isolados, por mais surpreendentes e novos que possam parecer em si mesmos. A verdadeira pesquisa científica difere da mera procura de aspectos curiosos, exatamente na medida em que esta busca o extraordinário, o singular e o fantástico, tendo como estímulos básicos o desejo de sensacionalismo e a mania de colecionar. A ciência, no entanto, precisa analisar e classificar fatos para colocá-los num todo orgânico, para incorporá-los a um dos sistemas nos quais tenta agrupar os vários aspectos da realidade.

Não pretendo certamente entrar em especulações nem formular suposições hipotéticas sobre os dados empíricos contidos nos capítulos anteriores. Limitar-me-ei a algumas reflexões sobre os aspectos mais gerais da instituição e tentarei exprimir de forma mais clara o que me parece constituir a atitude mental subjacente aos vários costumes do *Kula*. Esses pontos de vista gerais devem, penso eu, ser levados em consideração e testados em outros trabalhos de campo que versem sobre assuntos semelhantes ao *Kula*, bem como em pesquisas teóricas, demonstrando, assim, sua fertilidade para trabalhos científicos futuros. Dessa forma, deve-se admitir que é privilégio do cronista de um fenômeno novo apresentá-lo à consideração de seus colegas – mais do que privilégio, é também um dever. Mesmo deixando de lado o conhecimento direto dos fatos – e, na verdade, se a descrição foi bem-feita, o observador deve ter conseguido transmitir ao leitor a melhor parte de seus conhecimentos –, é necessário reconhecer que, por serem gerais, os aspectos e as características fundamentais de um fenômeno etnográfico não deixam de ser empíricos. É, portanto, tarefa do cronista terminar seu relato com um *coup d'oeil* sobre a instituição que foi descrita.

Como dissemos, o *Kula* parece ser, até certo ponto, um novo tipo de fato etnológico. Sua novidade reside, em parte, na enorme extensão tanto sociológica como geográfica. O *Kula* – essa grande relação intertribal que une, por meio de laços sociais definidos, uma vasta área e um grande número de pessoas, atando-as com obrigações recíprocas específicas e obrigando-as a observar regras e prescrições detalhadas de modo harmonioso – é um mecanismo sociológico de dimensão e complexidade insuperáveis, tomando-se o nível de cultura no qual o encontramos. Essa ampla rede de relações sociais e influências culturais não pode nem por um momento ser considerada um fenômeno efêmero, recente ou precário. Sua mitologia altamente desenvolvida e seu ritual mágico mostram quão profundamente ela se enraizou na tradição desses nativos e como deve ser antiga sua origem.

Outro aspecto incomum é o próprio caráter de transação, que é a substância mesma do *Kula*. Uma troca semicomercial, semicerimonial é executada por si mesma, satisfazendo um profundo desejo de possuir. Mas trata-se aqui não de uma posse comum, e sim de um tipo especial, no qual um homem possui por um breve tempo, e de maneira alternada, espécimes individuais de duas classes de objetos. Apesar de a posse ser incompleta quanto à permanência, é em compensação intensificada quanto ao número de objetos sucessivamente possuídos, e pode ser chamada "posse cumulativa".

Outro aspecto de grande importância e que talvez revele melhor o caráter incomum do *Kula* é a atitude mental dos nativos com relação aos símbolos de riqueza. Esses objetos não são usados nem considerados dinheiro ou moeda e assemelham-se bem pouco com esses instrumentos econômicos – se é que existe qualquer semelhança a não ser no fato de que tanto o dinheiro como o *vaygu'a* representam riqueza condensada. O *vaygu'a* nunca é usado como meio de troca nem medida de valor, que são as duas funções mais importantes do dinheiro ou moeda. Cada peça do *vaygu'a* do tipo *kula* tem um objetivo principal durante toda a sua existência – ser possuída e trocada – e tem uma função principal e serve a um propósito principal – circular ao longo do anel do *Kula*, ser possuída e exibida de certa maneira, da qual falaremos em seguida. E a troca que cada peça de *vaygu'a* constantemente sofre é a de um tipo muito especial; limitada na direção geográfica na qual pode ocorrer, estreitamente circunscrita no círculo social de homens entre os quais deve ser efetuada, está submetida a toda sorte de regulamentos e regras rigorosos; não pode ser descrita como escambo nem como simples doação e recebimento de presentes, e não se trata também de um simples jogo de troca. De fato, é *Kula*, uma troca de um tipo inteiramente novo. E é justamente por meio dessa troca, justamente por estar sempre ao alcance e por ser o objeto de desejo competitivo, por ser a maneira de suscitar inveja e conferir distinção social e renome que esses objetos atingem seu alto valor. Na verdade, eles constituem um dos interesses centrais na vida nativa e são um dos itens principais no inventário de sua cultura. Portanto, um dos aspectos mais importantes e incomuns do *Kula* é a existência do *vaygu'a kula*, os objetos sempre trocáveis e de circulação incessante, que devem seu valor e seu caráter a essa própria circulação.

Os atos da troca dos objetos de valor devem obedecer a um código definido, cujo dogma principal declara que a transação não é uma barganha. A equivalência dos valores trocados é essencial, mas deve ser o resultado do próprio sentimento de quem retribui – a respeito do que é apropriado, de acordo com o costume e com sua própria dignidade. O cerimonial associado ao ato da troca, a maneira de transportar e manipular o *vaygu'a* mostra, de forma clara, que ele é visto como algo mais do que uma simples mercadoria. Na verdade, é para o nativo algo que confere dignidade, que o exalta, e que ele, por conseguinte, trata com veneração e afeto. Seu comportamento na transação evidencia que o *vaygu'a* é encarado não apenas como algo de grande valor, mas que é tratado também de maneira ritual e suscita uma reação emocional. Esse reconhecimento é confirmado e aprofundado pelo exame de alguns outros usos do *vaygu'a*, nos quais são empregados também outros tipos de objetos de valor, como os cintos *kaloma* e as grandes lâminas de pedra.

Assim, quando um espírito maligno, um *tauva'u* (ver capítulo II, seção 7) é visto numa aldeia ou próximo dela sob a forma de uma cobra ou de um caranguejo terrestre, um *vaygu'a* é cerimoniosamente colocado diante dele, e isso não é feito tanto para subornar o espírito com o sacrifício de uma dádiva, mas, antes, para exercer uma ação direta na mente dele e torná-lo benevolente. No período anual de festas e danças, o *milamala*, os espíritos retornam às suas aldeias. Os objetos de valor do *Kula*, que se encontram em mãos da comunidade naquele momento, bem como *vaygu'a* permanentes, como lâminas de pedra, cintos *kaloma* e pingentes *doga*, são exibidos numa plataforma como sacrifício aos espíritos, um costume chamado *yolova* (ver capítulo II, seção 7). O *vaygu'a* constitui, portanto, a oferta mais eficaz a ser dada aos espíritos, aquela por meio da qual eles podem ser induzidos a um estado mental agradável; "para tornar suas mentes boas", como diz a frase estereotipada dos nativos. No *yolova*, oferece-se aos espíritos o que existe de mais valioso para os vivos. Acredita-se que os visitantes invisíveis levam para sua terra a sombra ou o espírito dos *vaygu'a* e fazem um *tanarere* na praia de Tuma, assim como uma expedição realiza um *tanarere* dos objetos de valor adquiridos no *Kula*, ao chegar às praias de sua terra (ver capítulo XV, seção 4). Em tudo isso há uma expressão clara da atitude mental dos nativos, que consideram os *vaygu'a* bens supremos por si mesmos, e não como riqueza conversível, ornamentos potenciais ou mesmo instrumentos de poder. Possuir *vaygu'a* é, por si só, confortador, animador, inspirador. Os nativos admiram e manuseiam os *vaygu'a* horas seguidas; um simples toque, em certas circunstâncias, é suficiente para transmitir suas virtudes.

Tudo isso se expressa muito claramente num costume observado por ocasião de uma morte. Uma pessoa agonizante é rodeada e recoberta com bens preciosos emprestados para essa ocasião por todos os parentes e afins, que os levam de volta quando tudo está acabado. Os *vaygu'a* do próprio morto, entretanto, permanecem sobre o cadáver durante algum tempo depois da morte. Há diversas justificativas e explicações lógicas para esse costume. Diz-se, por exemplo, que se trata de um presente para Topileta, guardião do mundo do além; ou que devem ser levados para Tuma, em sua forma espiritual, a fim de garantir uma posição social elevada para o morto; ou ainda, simplesmente, que são colocados para adornar e tornar mais felizes os últimos momentos do moribundo. Todas essas crenças, sem dúvida, coexistem lado a lado e são todas compatíveis com a atitude emocional básica que na verdade exprimem: a ação confortadora dos bens preciosos. São aplicados ao moribundo como algo repleto de virtude, que exerce uma ação agradável, simultaneamente suavizante e fortificante. São colocados na fronte, no peito, esfregados na barriga e nas costelas, balançados em frente ao nariz. Eu próprio muitas vezes vi os nativos fazendo isso, observei-os assim ocupados durante horas e acredito que existe, no fundo de tudo isso, uma complexa atitude emocional e intelectual: o desejo de inspirar para a vida e, ao mesmo tempo, de preparar para a morte; de prendê-lo firmemente a esse mundo e equipá-lo para o outro; mas, acima de tudo, o sentimento profundo de que o *vaygu'a* é o supremo conforto e de que cercar um homem com eles em seu momento mais terrível torna-o menos aterrador. A mesma atitude mental provavelmente está incorporada ao costume que prescreve que os irmãos da viúva devem dar um *vaygu'a* aos irmãos do morto – *vaygu'a* esse que é devolvido no mesmo dia. Entretanto, é guardado tempo suficiente para confortar aqueles que, de acordo com as concepções nativas relativas ao parentesco, são os mais diretamente afetados pela morte **[64, p. 650]**.

Em tudo isso encontramos a expressão da mesma atitude mental, o valor extremo ligado à riqueza condensada, a maneira séria e respeitosa de tratá-lo, a ideia e o sentimento de que é o reservatório da suprema virtude. Os *vaygua* são valorizados de modo bem diferente daquele pelo qual valorizamos nossa riqueza. O símbolo bíblico do bezerro de ouro talvez se aplique melhor à atitude deles do que à nossa, embora não seja correto dizer que eles "adoram" o *vaygu'a*, pois não veneram nada. O *vaygu'a* talvez possa ser chamado de "objetos de culto", no sentido expresso pelos fatos do *Kula* e pelos dados que reunimos, ou seja, na medida em que são manejados ritualmente em alguns dos atos mais importantes da vida nativa.

Assim, em vários aspectos, o *Kula* apresenta-nos um novo tipo de fenômeno que se situa na fronteira entre o comercial e o cerimonial e que expressa uma complexa e interessante atitude mental. Mas,

[64] Cadáver coberto com objetos valiosos. Aqui já haviam sido retirados muitos objetos valiosos com os quais esse homem fora recoberto ao morrer, incluindo grandes lâminas de machado. Apenas os objetos pessoais foram deixados no corpo e seriam removidos logo antes do enterro.

embora isso seja novo, dificilmente será único. Pois não podemos imaginar que um fenômeno social em tal escala, e evidentemente ligado de forma tão profunda com camadas fundamentais da natureza humana, seja apenas um esporte e um capricho, encontrado em um único lugar da Terra. Uma vez descoberto esse novo tipo de fato etnográfico, devemos esperar que fatos semelhantes ou afins sejam encontrados em outros lugares. Pois a história de nossa ciência mostra muitos casos em que um novo tipo de fenômeno descoberto, teorizado, discutido e analisado foi depois encontrado em outras partes do mundo. O *tabu*, termo e costume da Polinésia, serviu como protótipo e epônimo para regras semelhantes encontradas entre raças selvagens e bárbaras, assim como entre civilizadas. O totemismo, descoberto pela primeira vez numa tribo de indígenas norte-americanos e revelado pela obra de Frazer, foi depois documentado tão ampla e completamente com dados de toda parte que, ao reescrever seu pequeno livro original, seu historiador pôde encher mais quatro volumes. O conceito de *mana*, descoberto numa pequena comunidade da Melanésia, mostrou-se, na obra de Hubert e Mauss, Marret e outros, de fundamental importância, e não há dúvida de que o *mana*, designado ou não, figura – e figura amplamente – nas crenças e práticas mágicas de todos os nativos. Esses são os exemplos mais clássicos e conhecidos e poderiam ser multiplicados por outros, fosse isso necessário. Os fenômenos do "tipo totêmico" ou do "tipo *mana*" ou do "tipo tabu" são encontrados em todas as províncias etnográficas, já que cada um desses conceitos significa uma atitude fundamental do selvagem com relação à realidade.

Assim também ocorre com o *Kula*. Se representa um fato novo, porém não anômalo, se representa verdadeiramente um tipo fundamental de atividade humana e de atitude mental do homem, podemos esperar encontrar fenômenos associados e afins em várias outras províncias etnográficas. E podemos estar à espreita de transações econômicas que exprimem uma atitude reverente, quase de veneração, com relação aos bens valiosos trocados ou manipulados, implicando um novo tipo de propriedade, temporária, intermitente e cumulativa; envolvendo um vasto e complexo mecanismo social e sistemas de empreendimentos econômicos por meio dos quais é realizado. Esse é o tipo *kula* de atividades semieconômicas, semicerimoniais. Seria inútil, sem dúvida, esperar que réplicas exatas dessa instituição fossem encontradas em qualquer outro lugar com os mesmos detalhes, como a rota circular na qual se movem os bens, a direção fixa que cada classe de objeto tem de seguir e a existência de presentes de solicitação e intermediários. Todas essas particularidades são importantes e interessantes, mas é provável que estejam ligadas de um modo ou de outro com as condições locais especiais do *Kula*. O que podemos esperar encontrar em outras partes do mundo são as

10
Também no já citado artigo do The *Economic Journal*, mar. 1921.

ideias fundamentais do *Kula*, seus arranjos sociais em sua linha geral, e o pesquisador de campo deve procurar encontrá-los.

Para o teórico, interessado sobretudo em problemas de evolução, o *Kula* pode inspirar algumas reflexões sobre as origens da riqueza e do valor, do comércio e das relações econômicas em geral. Pode também lançar alguma luz sobre o desenvolvimento da vida cerimonial e sobre a influência de objetivos e ambições econômicas na evolução das relações intertribais e do direito internacional primitivo. Para o estudioso que vê os problemas de etnologia principalmente do ponto de vista do contato de culturas, e que está interessado na difusão de instituições, crenças e objetos pela transmissão, o *Kula* não é menos importante. Mostra um novo tipo de contato intertribal, de relações entre várias comunidades ligeira mas claramente diversas em cultura e de relações que não são esporádicas e acidentais, mas regulamentadas e permanentes. Mesmo deixando de lado a tentativa de explicar como se originou a relação *kula* entre as várias tribos, ainda deparamos com um problema definido de contato cultural.

Essas poucas observações devem bastar, já que não posso entrar em especulações teóricas. Entretanto, há um aspecto do *Kula* para o qual devo chamar a atenção, tendo-se em vista sua importância teórica. Vimos que essa instituição apresenta vários aspectos intimamente ligados e que se influenciam de forma mútua. Para tomar apenas dois: a iniciativa econômica e o ritual mágico formam um todo inseparável, no qual as forças da crença mágica e os esforços do homem moldam-se e influenciam-se mutuamente. O modo como isso acontece foi descrito em detalhes nos capítulos anteriores.[10]

Uma análise e comparação mais profunda da maneira pela qual dois aspectos da cultura dependem funcionalmente um do outro deve fornecer algum material interessante para a reflexão teórica. De fato, parece-me que há lugar para um novo tipo de teoria. A sucessão no tempo e a influência do estágio anterior sobre o subsequente são o principal objetivo dos estudos evolutivos, como os realizados pela escola clássica da antropologia britânica (Tylor, Frazer, Westermarck, Sydney Hartland e Crawley). A escola etnológica (Ratzel, Foy, Gräbner, W. Schmidt, Rivers e Elliot-Smith) estuda a influência sobre as culturas de contato, de infiltração e de transmissão. A influência do ambiente sobre as raças e as instituições culturais é estudada pela antropogeografia (Ratzel e outros). A influência recíproca de vários aspectos de uma instituição, o estudo do mecanismo social e psicológico sobre os quais se baseia a instituição, constituem um tipo de estudo teórico que tem sido praticado até agora apenas como simples tentativa, mas aventuro-me a predizer que se tornará um objeto independente de estudos, mais cedo ou mais tarde. Esse tipo de pesquisa preparará o caminho e fornecerá material para outras.

Em uma ou duas passagens dos capítulos precedentes, fiz uma digressão um pouco detalhada para criticar as concepções sobre a natureza econômica do homem primitivo como sobrevivem em nossos hábitos mentais e em alguns livros – o conceito de um ser racional que não quer senão satisfazer suas necessidades mais simples e o faz segundo o princípio econômico do menor esforço. Esse homem econômico sempre sabe exatamente onde residem seus interesses materiais e volta-se para eles numa linha direta. No fundo da chamada concepção materialista da história jaz uma ideia mais ou menos análoga a essa, a de que o ser humano, em tudo o que imagina e procura, tem sempre em mente uma vantagem material de um tipo puramente utilitário. Espero que agora, seja qual for o significado que o *Kula* possa ter para a etnologia, para a ciência geral da cultura, sirva como instrumento para banir concepções tão cruas e racionalistas do homem primitivo e para induzir tanto o teórico como o observador a aprofundar a análise dos fatos econômicos. Na verdade, o *Kula* nos mostra toda a concepção do valor primitivo e deve ser revisto, à luz de nossa instituição, o hábito muito errado de chamar de "dinheiro" ou "moeda" todos os objetos de valor e as ideias correntes de comércio primitivo e de propriedade primitiva.

Na Introdução, prometi ao leitor, de certo modo, que ele receberia uma impressão vívida dos fatos que o habilitaria a vê-los em sua perspectiva nativa e sem perder de vista, por um só momento, os métodos pelos quais obtive os dados. Tentei, na medida do possível, apresentar tudo em termos de fatos concretos, deixando os nativos falarem por si mesmos, realizarem suas transações e executarem suas atividades diante da visão mental do leitor. Tentei fundamentar meu relato com fatos e detalhes e equipá-lo com documentos, números e exemplos de ocorrências reais. Mas, ao mesmo tempo, minha convicção, expressa repetidas vezes, é de que o que importa não é o detalhe, não é o fato, mas o uso científico que fazemos dele. Assim, os detalhes e pormenores técnicos do *Kula* adquirem seu significado apenas na medida em que expressam alguma atitude mental fundamental e assim ampliam nosso conhecimento, alargam nossa visão e aprofundam nossa compreensão da natureza humana.

O que me interessa mesmo no estudo do nativo é sua visão das coisas, sua *Weltanschauung*, o sopro de vida e realidade que ele respira e pelo qual vive. Cada cultura humana dá a seus portadores uma visão do mundo definida, um certo gosto pela vida. Nas viagens pela história humana e pela superfície terrestre, é a possibilidade de ver a vida e o mundo de vários ângulos, peculiar a cada cultura, que sempre me encantou mais que tudo e que me despertou o desejo sincero de penetrar em outras culturas, compreender outros tipos de vida.

Deter-se por um momento diante de um fato singular e estranho; deleitar-se com ele e ver sua singularidade aparente; olhá-lo com curiosidade e colecioná-lo no museu da própria memória ou num anedotário – essa atitude sempre me foi estranha e repugnante. Algumas pessoas são incapazes de captar o significado íntimo e a realidade psicológica de tudo o que, numa cultura diferente, é superficialmente estranho e incompreensível à primeira vista. Essas pessoas não nasceram para ser etnólogos. É no amor pela síntese final, adquirida pela assimilação e compreensão de todos os itens de uma cultura e, ainda mais, no amor pela variedade e independência de várias culturas que está o teste do verdadeiro profissional da autêntica Ciência do Homem.

Há, porém, um ponto de vista mais profundo ainda e mais importante do que o desejo de experimentar uma variedade de modos humanos de vida e que é o desejo de transformar tal conhecimento em sabedoria. Embora possamos, por um momento, entrar na alma de um selvagem e ver por meio de seus olhos o mundo exterior e sentir como ele deve sentir-se ao sentir-se ele mesmo, nosso objetivo final ainda é enriquecer e aprofundar nossa própria visão do mundo, compreender nossa própria natureza e refiná-la intelectual e artisticamente. Ao captar a visão essencial dos outros, com a reverência e verdadeira compreensão que se deve mesmo aos selvagens, estamos contribuindo para alargar nossa própria visão. Não podemos chegar à sabedoria final socrática de conhecer-nos a nós mesmos se nunca deixarmos os estreitos limites dos costumes, das crenças e dos preconceitos em que todo homem nasceu. Nada nos pode ensinar melhor lição nesse assunto de máxima importância do que o hábito mental que nos permite tratar as crenças e os valores de outro homem de seu próprio ponto de vista. E mais: nunca a humanidade civilizada precisou dessa tolerância mais do que agora, quando o preconceito, a má vontade e o desejo de vingança dividem as nações europeias, quando são lançados ao vento todos os ideais estimados e reconhecidos como as mais altas conquistas da civilização, da ciência e da religião. A Ciência do Homem, em sua versão mais refinada e profunda, deve levar-nos a um conhecimento assim, à tolerância e à generosidade, baseados na compreensão dos pontos de vista de outros homens.

O estudo da etnologia – com tanta frequência encarado por seus próprios discípulos como uma ociosa procura de curiosidades, como um passeio entre as formas selvagens e fantásticas de "costumes bárbaros e superstições cruéis" – pode tornar-se uma das disciplinas mais profundamente filosóficas, esclarecedoras e significantes da pesquisa científica. Infelizmente, o tempo é curto para a etnologia, e talvez essa verdade de seu real significado e importância não seja reconhecida antes que seja tarde demais.

Lista de imagens e mapas

Índice de matérias

[p. 109] Capítulo II

Os nativos das ilhas Trobriand

1 Chegada às ilhas de coral. Primeiras impressões sobre o nativo Alguns fatos significativos e seu significado profundo
2 A posição da mulher, sua vida e conduta antes e depois do casamento
3 Novas pesquisas nas aldeias. Um passeio pela região. Os terrenos de cultivo e a lavoura
4 A capacidade de trabalho dos nativos, seus motivos e incentivos de trabalho. A magia e o trabalho. Uma digressão sobre economia primitiva
5 A chefia: poder através da riqueza. Lista das diversas províncias e divisões políticas das ilhas Trobriand
6 Totemismo, solidariedade clânica e laços de parentesco
7 Os espíritos dos mortos. A enorme importância da magia e a magia negra. Os feiticeiros em suas rondas e as bruxas voadoras. Os malévolos visitantes do sul e as epidemias
8 Os vizinhos orientais dos trobriandeses. Os demais distritos do *Kula*

[p. 149] Capítulo III

Características essenciais do *Kula*

1 Uma definição concisa do *Kula*
2 Seu caráter econômico
3 Os artigos trocados, a concepção de *vaygu'a*
4 As regras e os aspectos principais do *Kula*: o aspecto sociológico (parceria). Direção do movimento: natureza da posse dos objetos *kula*. O efeito diferencial e integral dessas regras
5 O ato da troca: seus regulamentos e o que isso revela sobre as tendências aquisitivas e "comunistas" dos nativos. Seus princípios gerais concretos e os presentes de solicitação
6 Atividades associadas e aspectos secundários do *Kula*: construção de canoas; comércio subsidiário e sua verdadeira relação com o *Kula*; o cerimonial, a mitologia e a magia associados ao *Kula*; os tabus e as distribuições mortuárias e sua relação com o *Kula*

[p. 177] Capítulo IV

As canoas e a navegação

1 O valor e a importância da canoa para o nativo. Sua aparência, impressões e emoções que causa naqueles que a usam ou possuem. A atmosfera de romance que a cerca para o nativo

4 A concepção nativa da magia: a fórmula mágica, o rito e a relação entre esses dois fatores; encantamentos pronunciados diretamente, sem um rito correspondente; encantamentos acompanhados por rito simples de impregnação; encantamentos acompanhados por um rito de transferência; encantamentos acompanhados por oferendas e invocações; resumo do levantamento
5 A concepção nativa da magia: lugar onde a magia é armazenada na anatomia humana
6 Condição do executante. Tabus e prescrições. Porção sociológica. Origem verdadeira e filiação mágica
7 Definição de magia sistemática. Os "sistemas" da magia da canoa e da magia do *Kula*
8 O caráter supranormal ou sobrenatural da magia; a reação emocional dos nativos a certas formas de magia; o *kariyala* (sinal ou presságio mágico); o papel dos espíritos dos antepassados; a terminologia nativa
9 O aspecto cerimonial da magia
10 A instituição do tabu, apoiada pela magia. Kaytubutabu e *kaytapaku*
11 A compra de certos tipos de magia. Pagamentos por serviços mágicos
12 Breve resumo do capítulo

[p. 559] Capítulo XVIII

O poder das palavras na magia — Alguns dados linguísticos

1 Estudo de dados linguísticos da magia para tornar claras as ideias nativas acerca do poder das palavras
2 O texto da fórmula mágica *wayugo* com tradução literal
3 Análise linguística de seu *u'ula* (preâmbulo)
4 Técnica vocal de pronunciar um encantamento. Análise do *tapwana* (parte principal) e do *dogina* (parte final)
5 O texto da fórmula mágica *sulumwoya* e sua análise
6 Dados linguísticos: o encantamento *tokway* e as frases iniciais dos encantamentos da canoa
7 Dados linguísticos: o *tapwana* (parte principal) dos encantamentos da canoa
8 Dados linguísticos: a parte final (*dogina*) dos encantamentos da canoa
9 Dados linguísticos: o *u'ula* dos encantamentos *mwasila*
10 Dados linguísticos: o *tapwana* e o *dogina* dos encantamentos *mwasila*
11 Dados linguísticos: os encantamentos *kayga'u*

4 Produção dos *mwali* (braceletes). Algumas outras ramificações e extravasamentos do circuito do *Kula*. A entrada do *vaygu'a* do *Kula* no circuito

[p. 645] Capítulo XXII
O significado do *Kula*

Título original: *Argonauts of the Western Pacific*, 1922

Coordenação editorial FLORENCIA FERRARI
Assistentes editoriais ISABELA SANCHES E JÚLIA KNAIPP
Preparação CRISTINA YAMAZAKI
Revisão RITA SAM, ORLINDA TERUYA e GUSTAVO DE GODOY
Design ELAINE RAMOS
Assistente de design LIVIA TAKEMURA
Pesquisa de imagem ODETE PEREIRA
Tratamento de imagem CARLOS MESQUITA
Produção gráfica MARINA AMBRASAS

Todas as fotografias foram cedidas pelo Malinowski Archive, sob a guarda da London School of Economics.

Nesta edição, respeitou-se o novo Acordo Ortográfico da Língua Portuguesa.

4ª reimpressão, 2024.

Dados Internacionais de Catalogação na Publicação (CIP)
Bibliotecária Bruna Heller – CRB 10/2348

Malinowski, Bronislaw [1884–1942]
Argonautas do Pacífico Ocidental: um relato do empreendimento e da aventura dos nativos nos arquipélagos da Nova Guiné melanésia / Bronislaw Malinowski / Título original: *Argonauts of the Western Pacific* / Prefácio Mariza Peirano / prefácio à 1ª ed. *Sir* James G. Frazer / tradução Anton P. Carr e Ligia Cardieri / coordenação da tradução e apresentação Eunice R. Durham.
São Paulo: Ubu Editora, 2018. / 672 pp.
ISBN 978 85 92886 85 1

1. Antropologia. 2. Etnografia – Nova Guiné. 3. Trocas comerciais. 4. Viagens e expedições – Nova Guiné.
I. Malinowski, Bronislaw Kasper. II. Frazer, *Sir* James George. III. Carr, Anton. P. IV. Mendonça, Ligia Cardieri.
V. Durham, Eunice Ribeiro. VI. Peirano, Mariza VII. Título.

CDU 39(1-929.5/.6)

Índice para catálogo sistemático: 1. Etnografia 39 2. Melanésia / Nova Guiné (1-929.5/.6)

UBU EDITORA
Largo do Arouche 161 sobreloja 2
01219 011 São Paulo SP
(11) 3331 2275
ubueditora.com.br

FONTES Tiempos e Akkurat
PAPEL Pólen bold 70 g/m²
IMPRESSÃO Margraf